프로젝트학습

설레는 수업, 프로젝트 학습

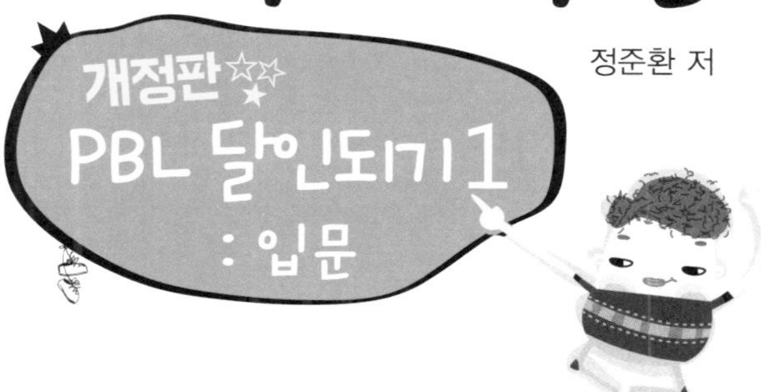

정준환 저

설레는 수업, 프로젝트 학습

PBL 달인되기 1 : 입문_개정판

1판 1쇄 발행 2016년 8월 20일
1판 3쇄 발행 2017년 7월 20일
개정1판 발행 2019년 6월 10일

지은이 | 정준환
펴낸이 | 모흥숙
펴낸곳 | 상상채널

_이 책을 만든 사람들
편집 | 박은성, 이지수
기획 | 박윤희, 이경혜
그림 | 김병용
표지 | doodle

종이 | 제이피시
제작 | 현문인쇄

주소 | 서울시 용산구 한강대로 104 라길 3
전화 | 02-775-3241~4
팩스 | 02-775-3246
이메일 | naeha@naeha.co.kr
홈페이지 | http://www.naeha.co.kr

값 22,000원

ISBN 979-11-87510-09-3
ISBN 978-89-965861-8-8(세트)

_〈상상채널〉은 "내하출판사"의 교육서 및 실용서 출판 브랜드입니다.

이 도서의 국립중앙도서관 출판예정도서목록(CIP)은 서지정보유통지원시스템 홈페이지(http://seoji.nl.go.kr)와 국가자료공동목록시스템(http://www.nl.go.kr/kolisnet)에서 이용하실 수 있습니다.(CIP제어번호 : CIP2018029896)

설레는 수업, 프로젝트학습

정준환 저

개정판 PBL 달인되기 1 : 입문

실전에 바로 적용하는 **PBL 워크북**
Teacher Tips의 실전지침 수록!

호기심의 출발_INTRO ▶ 가상의 상황 시작 _**문제의 출발점** ▶ 학습의 흐름을 한눈에 파악 _PBL MAP
▶ 활동지를 통한 과제 진행 _**퀘스트** ▶ 보충설명 _Fun Tips ▶ 나만의 기록 남기기 _**나만의 교과서**
평가와 자기점검 _**스스로 평가** ▶▶ 적용대상, 연계 가능한 교과 및 단원 정보, 학습예상소요시간, 수업목표에 이르는
자세한 내용 _Teacher Tips까지 프로젝트학습 과정을 직접 진행!

상상채널

낯선 풍경, 낯선 사람, 새로움이 가득한 곳으로 갈 때, 우리는 두려움보다 설렘을 느낀다. '설렘'은 일상의 모습마저 특별한 것으로 만들곤 하죠. 그것이 사람에게 향할 때면 어김없이 마음을 움직입니다. 이성에게 갖는 '사랑'이란 감정도 '설렘'을 지나 깊어지는 것처럼, 두근거리는 가슴은 무언가 의미있는 시작을 알리는 종소리와 같습니다. 누구에게나 삶에서 설렘을 주었던 모든 것들, 순간마저도 소중한 추억으로 남아있기 마련이죠. '설렘', 참으로 언제 들어도 사랑스럽고 예쁜 표현입니다. 세월이 쌓여갈수록 오히려 더욱 느껴보고 싶은 감정이기도 합니다.

그래서 '설렌다'라는 표현이 과연 수업의 수식어로 사용하기에 적합한지 생각해 보게 됩니다. 학창시절의 경험을 떠올리면, '설렘'과 '수업'이 왠지 어색한 조합처럼 느껴지기도 합니다. 교과서 중심의 정형화된 수업을 설레는 마음으로 기다리는 교사와 학생이 있을까요. 좋아하는 이성친구와 같이 수업을 듣거나 예쁘고 멋진 선생님을 만났을 때라면 모를까, 수업 그 자체에서 설렘을 경험하긴 여러모로 힘듭니다. 물론 교생실습 첫 수업을 앞두고 몹시도 두근거렸던 마음, 임용고사 합격 직후 교육에 대한 남다른(?) 열정과 포부를 실천할 수 있게 되었다는 생각에 밤새 뜬눈으로 지새웠던 하루, 첫 제자를 만나기 위해 발령학교로 향하던 풋내기 선생님의 발걸음 등등 분명 교사라면 누구나 교직에 들어서며 겪었을 법한 설레던 경험을 가지고 있습니다. 교육에 대한 순수한 열정과 노력으로 준비한 특별한 수업 역시 기대와 설렘으로 빚어지곤 합니다. 그렇다하더라도 여전히 '설렘'과 '수업'의 조합이 낯설게만 느껴집니다.

솔직히 적지 않은 세월동안 프로젝트학습(Project or Problem Based Learning: PBL)을 현장에 준비하고 실천할 수 있었던 것은 '설렘'을 느껴서만은 아니었습니다. '교과서'에 국한된 학습자원, '학교', '교실'이라는 장소, 교육의 주체로서의 '교사'라는 절대적 위치를 스스로 내려놓고 완전히 뒤집어 접근하는 것이 프로젝트학습의 본질이라지만, 그것을 준비하고 실천할 수 있었던 것은 배움과 성찰이 있었기에 가능했습니다. '학습자 중심의 학습환경'으로의 이해와 실천이었고, 그것 자체가 진지한 배움의 과정이었습니다. 모든 학교수업이 그렇듯 교사로서 마땅히 해야 할 일이기도 했습니다. 그 자리에 '설렘'이 비집고 들어가기엔 녹록지 않았습니다. 시대가 바뀌고 교육에 대한 생각, 패러다임의 변화, 기술의 혁신이 이뤄지면서 자의든 타의든 학교현장에 도입해야만 하는 수업으로 프로젝트학습이 소개되고 있지만, 그것이 교사에게 설렘으로 다가갈지는 미지수입니다. 그럼에도 불구하고 개인적으로 많은 선생님들에게 프로젝트학습이 설레는, 설레였던, 설레고 싶은 수업으로 다가가 기억되었으면 좋겠습니다. 어느 누군가에게 교실 속 즐거운 변화를 꿈꾸는 프로젝트학습이 되고, 재미와 게임으로 빚어낸 프로젝트학습이 될 수만 있다면 그것 자체만으로도 설레는 수업이 될 수 있지 않을까요.

☆ 심장Olg
○''PBL만상1각㉻면터질것만같Ol·요 〃
심장이aPBL만 생각하면
고통스러 하나봐 b-b;;a

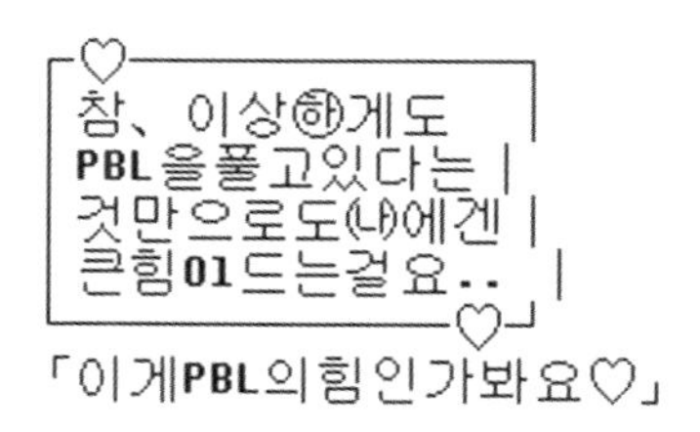

사실, '설렌다'라는 표현이 교사의 시각에서 어떻게 느껴지든 중요치 않습니다, 프로젝트학습에 담긴 본질적인 관점이 그렇듯, 배움의 주인공인 학습자의 시각이 중요합니다. 그들의 시선으로 남긴 흔적을 보면 설렘이 이곳저곳에서 묻어납니다. 특히 배움의 주체로서 학습의 주도권을 온전히 갖게 되고, 다양한 상황 속에 개성 넘치는 창의적인 아이디어들을 맘껏 발휘할 수 있게 되면, 프로젝트학습은 이내 설렘의 대상이 됩니다. 매번 새로운 주제, 낯선 상황과 역할이 부여되지만, 설렘은 학습자로 하여금 프로젝트학습의 세계에 푹 빠져들게 만듭니다.

"(다음)PBL 문제는 무엇일까 진짜진짜 궁금하고 빨랑 하고 싶다. 좀 PBL을 하지 않으니까 뭔지 모르게 기분이 찝찝하다. 이게 바로 PBL의 중독성인가?" _2011. 6. 5. 수빈 성찰저널

'설레는 수업, 프로젝트학습'을 책의 제목으로 정한 이유가 바로 여기에 있습니다. 우여곡절 끝에 어렵사리 완성한 프로젝트학습에 대해 학생들은 재미로 화답해 주었고, 다음 수업을 설렘으로 기다려주었습니다. 재미로 귀결되는 학생들의 다채로운 반응과 설렘이 가득한 표정들은 그간의 노고에 대한 꿀맛같은 보상으로 다가왔습니다. 수업 후 남긴 헤아릴 수 없을 정도로 많은 성찰저널의 마지막 문장들에는 어김없이 다음에 이어질 프로젝트학습에 대한 기대감으로 채워져 있었습니다.

이제 이런 경험들, 희열들, 프로젝트학습을 통해 얻은 소중한 선물들을 교육현장의 선생님들과 공유하고자 「설레는 수업, 프로젝트학습 PBL 달인되기 1: 입문(2016)」편을 출판하였고, 교육현장의 긍정적인 호응 덕분에 「설레는 수업, 프로젝트학습 PBL 달인되기 2: 진수(2018)」까지 출판하기에 이르렀습니다. 그동안 프로젝트학습 실용서로서 학교현장에 실질적인 활용이 이루어지고 있다는 소식을 직·간접적으로 들을 때마다 집필의 보람을 느끼게 됩니다. 이런 독자들의 호응에 힘입어 개정판을 준비하게 됐습니다. 개정판은 학생용 워크북으로 만들어진 「셀프프로젝트학습(2018)」과의 연계성을 고려한 것이 특징인데요. 셀프프로젝트학습에 수록된 '나만의 공부레시피'가 이 책의 11장에서 'Teacher Tips'와 함께 제공됩니다. 더불어 '실전가이드❺ Visual Thinking! 고릴라공책 프로젝트학습에 도전하기'를 통해 교과수업과 연계한 프로젝트학습 아이디어를 공유하고자 했습니다. 무엇보다 최근에 개정된 교육과정에 따라 각 프로젝트학습과 연계된 교과별 내용요소를 분석하였으며, 'Teacher Tips'에 해당 정보를 추가 반영하였습니다. '1장. 꿈과 끼로

똘똘 뭉친, 나는야 웹툰 작가'의 워크북을 내용에 맞게 만화형식으로 각색한 것도 주목해볼만 합니다.

이 책에 수록된 프로젝트학습은 재미에 최적화된 환경을 갖추는 것에 관한 진지한 고민과 방법적 모색 속에서 탄생했습니다. 프로젝트학습의 재미를 해부하고, 게임을 더하여 완성한 프로그램인 만큼, 관련 개념에 대한 이해를 바탕으로 실천하면 훨씬 더 좋은 결과를 얻을 수 있습니다. 사전학습이 필요하다면, 「재미와 게임으로 빚어낸 신나는 프로젝트학습(2015)」편을 읽어보길 추천합니다. 이 책을 기반으로 부모 Tips가 촘촘히 제공되는 「부모, 프로젝트학습에서 답을 찾다(2018)」도 수업을 이해하는 데 도움이 될 것입니다. 허나 그냥 마음가는대로 하나 골라서 무작정 시작해 보는 것도 나쁘지 않습니다. 어떠한 선입견 없이 프로젝트학습을 진행하다보면 예기치 못한 상황을 통해 소중한 배움을 얻을 수 있으니까요. 그 속에는 오로지 학생들로부터만 보고 듣고 느낄 수 있는 살아있는 이야기가 담겨 있습니다. 어쩌면 그 이야기의 힘이 우리들을 감동과 설렘으로 이끌지도 모를 일입니다. 개정판 역시 집필 의도대로 프로젝트학습에 목마른 독자들에게 실질적인 가이드북이 되면 좋겠습니다. 프로젝트학습, 그 설레는 여정의 첫 막을 함께 열어보도록 합시다. Serious Fun! Serious Play! 프로젝트학습을 통해 진지한 재미환경을 만들어보는 것은 어떨까요?

2019. 06.

저자 정 준 환

이 책의 활용방법

'설레는 수업, 프로젝트학습'은 학교교육현장에서 실제 수업운영이 가능하도록 구성된 실전가이드북입니다. 이 책은 각 장마다 크게 프로젝트학습 프로그램과 'Teacher Tips'로 나뉩니다. 프로그램은 수업에 곧바로 활용 가능한 활동지 형태로 제공되며, 해당 주제와 활동에 적합하도록 구성되어 있습니다. 'Teacher Tips'는 수업을 진행하는 교사를 위해 제공됩니다. 각 프로젝트학습마다 어떻게 적용하면 좋을지 세부적인 실천방법을 제시해 줍니다. 이 책의 활용방법을 자세히 살펴보면 다음과 같습니다.

❶ INTRO, 프로젝트학습의 세계로 들어서는 관문으로 활용하자.

INTRO.

알고 가는 웹툰

웹툰은 온라인 구독을 목적으로 만든 만화를 뜻합니다. 나이, 학력, 직업과 상관없이 도전 가능한 웹툰작가, 이제부터 여러분은 웹툰작가의 역할을 수행해야 합니다. 주어진 임무(Quest)들을 하나씩 해결하다보면 정성이 듬뿍 담긴 나만의 웹툰을 완성할 수 있을 것입니다. 유명 웹툰작가의 여러 작품을 탐색하고 직접 웹툰의 제목에서부터 주요 캐릭터, 이야기 등의 창작활동에 적극적으로 참여해 주세요. 이런 과정을 통해 자신의 작품을 온라인에 출판하여 웹툰작가로 공식 데뷔하는 기쁨도 만끽해 봅시다.

'나는야 웹툰작가'는 프로젝트학습이 익숙하지 않은 참여자들이 용기내서 실천하기에 수월한 활동들로 짜여 있습니다. 대부분 누구에게나 익숙한 만화그리기 활동인데다가 중심 내용을 교과서에 두고 있어서 더욱 그렇습니다. 특정 교과지식을 자율적으로 정해서 재미있는 이야기로 엮어 보는 활동 자체가 색다른 경험이 될 겁니다. 생동감 넘치는 만화 캐릭터와 사람들의 시선을 끌 제목을 정하는 것부터 시작해서 퀘스트 하나하나를 수행하다보면 점점 웹툰의 세계로 빠져들게 될 겁니다. 문제 속 주인공, 바로 웹툰작가의 세계에 여러분들을 초대합니다.

* 문제시나리오에 사용된 어휘빈도(횟수)를 시각적으로 나타낸 워드클라우드(word cloud)입니다. 워드클라우드를 통해 어떤 주제와 활동이 핵심인지 예상해 보세요.

학습의 출발점이 호기심임을 상기한다면 프로젝트학습에서 시작은 중요합니다. 각 장의 첫페이지에 등장하는 'INTRO'는 학생들의 경험세계 또는 삶에서 주제와 관련된 이야기를 최대한 끄집어내는 데 목적을 두고 있습니다. 이런 목적이 잘 달성되면 제시될 '문제'에 대한 관심으로 자연스레 옮겨지게 됩니다. 'INTRO'의 내용을 학습자에게 직접 배부하여 공유하는 방법도 있지만 구두로 직접 설명하는 것이 오히려 나을 수도 있습니다. 주제와 관련된 흥미로운 멀티미디어 자료를 활용하는 건 탁월한 선택입니다.

❷ 특별한 상황과 가상의 역할이 문제의 출발점에 담겼다.

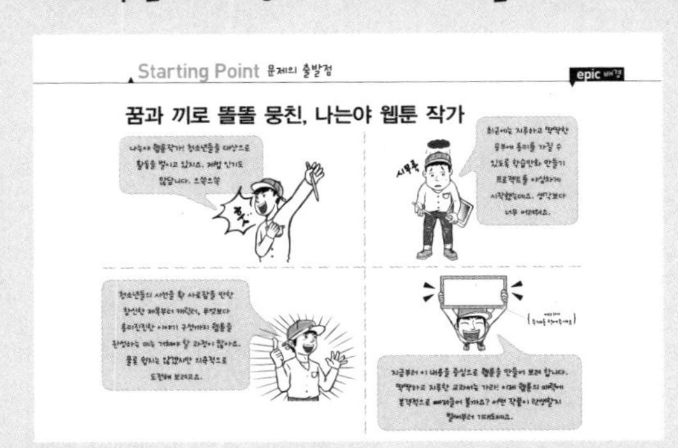

문제의 출발점에는 주제를 담고 있는 특별한 상황과 학습자가 맡아야 할 가상의 역할 등이 담겨 있습니다. 여기선 학습자가 주어진 상황과 역할을 정확히 파악하도록 하는 것이 중요합니다. 이 과정에서 과제를 수행해야 하는 이유에 대한 일종의 '공감'이 형성되도록 하는 것도 필요합니다. 문제의 출발점에 수록된 내용을 단순히 읽어보는 차원에 그치지 말고, 이야기의 주인공이 돼서 서로 설명할 수 있는 기회를 제공하는 것도 고려해볼 만합니다. 마치 유대인의 교육방법인 하브루타처럼 말이죠.

❸ PBL MAP을 활용하여 자발적인 관심을 유도해 보자.

'PBL MAP'은 앞으로 진행될 학습의 흐름을 한눈에 확인할 수 있도록 해 줍니다. 문제의 출발점을 학생들과 충분히 공유한 이후에 제시하도록 설계되어 있지만, 굳이 따라하지 않아도 됩니다. 거꾸로 'PBL MAP'을 먼저 제시하고 경험하게 될 특별한 상황, 과제, 중심활동 등을 예상해 보는 시간을 갖는 것도 효과적인 방법일 수 있습니다. 자발적인 관심이 높아졌을 때, 문제상황을 제시하는 것이 훨씬 의미 있는 출발점을 만들 수도 있기 때문입니다.

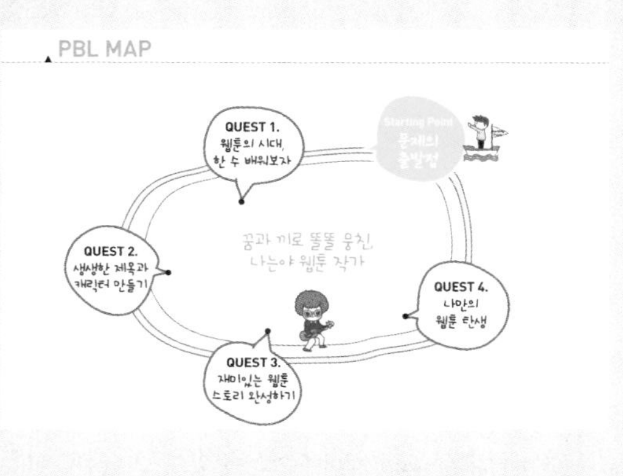

❹ 퀘스트 활동지는 융통성있게 활용하는 것이 좋다.

문제마다 제시되는 퀘스트는 보통 4-5개 정도입니다. 각 퀘스트는 과제의 성격에 맞게 구성된 활동양식이 제공됩니다. 대부분의 활동지는 최소한의 개별활동과 과제에 대한 이해를 돕기 위한 목적으로 설계됐습니다. 그러므로 활동지에 기록하는 것을 지나치게 강조할 필요는 없습니다. 학습자의 흥미가 반감되거나 학습의 흐름을 놓치는 경우가 발생하지 않도록 융통성있게 적용해야 합니다. 더불어 수업시수 확보가 필요하다면 퀘스트마다 제공되는 교과정보를 참고하여 교육과정과의 연계가능 여부를 살피도록 합니다.

Quest 퀘스트 01

웹툰의 시대, 한 수 배워보자 ★★★★

❶ 내가 배우고 싶은 웹툰작가와 대표작품을 찾아서 쓰시오. ★

작가

대표작품

❷ 인상 깊은 이야기 내용과 표현기법(그림, 내용구성 등)을 간단히 정리해 보세요. ★★★

작품명

이야기

표현기법

관련교과	국어	사회	도덕	수학	과학	실과			체육	예술		영어	창의적 체험활동	자유학기활동		
						기술	가정	정보		음악	미술			진로탐색	주제선택	예술체육
											●		●	●		●

웹툰의 시대, 한 수 배워보자 ★★★★

더불어 각 퀘스트 활동지에는 ★그림으로 난이도를 표시하고 있습니다. 수행결과를 점수화하는 근거로 활용하거나 게임 상황에서 부여되는 경험치처럼 다양한 방식의 피드백 환경과 연계해 볼 수 있습니다.

❺ Fun Tips를 학습의 방향타로 활용하라!

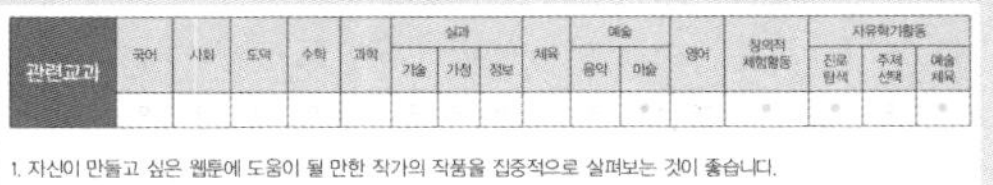

관련교과	국어	사회	도덕	수학	과학	실과			체육	예술		영어	창의적 체험활동	자유학기활동		
						기술	가정	정보		음악	미술			진로탐색	주제선택	예술체육
											●		●	●		●

Fun Tips

1. 자신이 만들고 싶은 웹툰에 도움이 될 만한 작가의 작품을 집중적으로 살펴보는 것이 좋습니다.
2. 이야기의 구성과 주요 등장인물의 캐릭터 표현방법을 유심히 살펴보고 그 중 배우고 싶은 내용을 정리하도록 합니다.

'Fun Tips'는 과제에 대한 이해를 돕기 위한 보충설명과 학습의 방향을 잃지 않도록 안내하는 내용이 담겨 있습니다. 참여하는 학생들이 'Fun Tips'의 내용을 놓치지 않고 제대로 짚어가며 살펴볼 수 있도록 하는 것이 중요합니다. 수업을 진행하는 교사 역시 'Fun Tips'의 내용을 사전에 숙지하고 추가해야 할 내용이 있다면 기록하여 알리도록 합니다.

❻ 나만의 교과서에 프로젝트학습의 기록을 남겨야 한다.

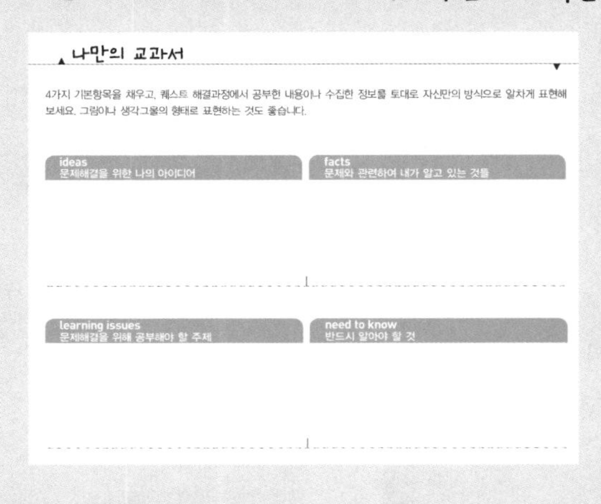

나만의 교과서

4가지 기본항목을 채우고, 퀘스트 해결과정에서 공부한 내용이나 수집한 정보를 토대로 자신만의 방식으로 알차게 표현해 보세요. 그림이나 생각그물의 형태로 표현하는 것도 좋습니다.

ideas
문제해결을 위한 나의 아이디어

facts
문제와 관련하여 내가 알고 있는 것들

learning issues
문제해결을 위해 공부해야 할 주제

need to know
반드시 알아야 할 것

나만의 교과서는 퀘스트를 수행하며 학습자 본인의 방식대로 기록하는 공간입니다. 다만 이 공간은 4가지 기본항목인 'ideas: 문제해결을 위한 나의 아이디어', 'facts: 문제와 관련하여 내가 알고 있는 것들', 'learning issues: 문제해결을 위해 공부해야 할 주제', 'need to know: 반드시 알아야 할 것'으로 구분되어 있습니다. 각 항목을 자세히 설명한다면 다음과 같습니다.

'ideas'는 가설세우기 혹은 글쓰기의 경우 큰 틀 잡기에 해당합니다. 팀 단위로 과제를 해결하기 위한 방안을 자유롭게 토론하고, 해당 내용을 중심으로 기술하는 것이 바람직합니다.

'facts'는 제시된 문제상황과 활동과 관련하여 기존에 알고 있는 개념, 지식, 기술 등을 정리하는 공간입니다. 주어진 과제로부터 알 수 있는 사실 외에 관련하여 알고 있는 내용을 소상히 기록할수록 좋습니다.

'learning issues'는 과제를 해결하는데 있어서 더 배워야 할 학습내용(학습주제)을 기록하는 공간입니다. 여기엔 문제를 해결하는 데 필요한 세상에 모든 지식과 정보가 망라

됩니다. 학습의 효율성을 위해 팀별 논의를 거쳐, 개인과제 혹은 팀 공동과제로 구분하여 진행하는 것이 효과적인 전략일 수 있습니다.

'need to know'는 공부해야 할 주제 가운데 반드시 알아야 할 내용을 정리하는 공간입니다. 특정 교과지식의 습득이 필요할 경우, 교사가 학생들에게 공통과제로 제시할 수도 있습니다. 물론 학습의 흐름에 방해가 되지 않는다는 전제 하에서 말이죠.

❼ 스스로 평가문항을 자기점검 기준으로 삼자!

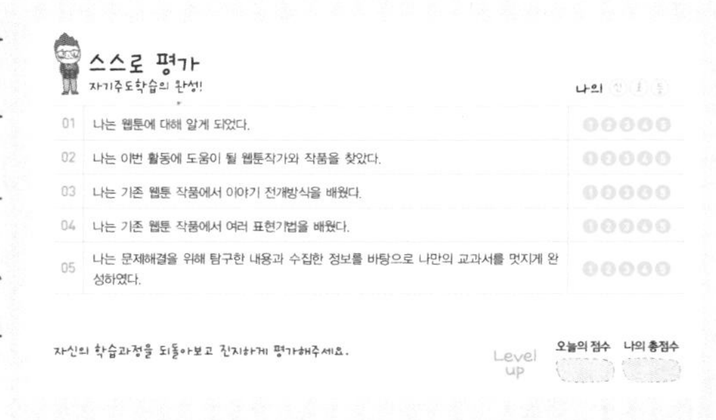

스스로 평가
자기주도학습의 완성!

		나의
01	나는 웹툰에 대해 알게 되었다.	①②③④⑤
02	나는 이번 활동에 도움이 될 웹툰작가와 작품을 찾았다.	①②③④⑤
03	나는 기존 웹툰 작품에서 이야기 전개방식을 배웠다.	①②③④⑤
04	나는 기존 웹툰 작품에서 여러 표현기법을 배웠다.	①②③④⑤
05	나는 문제해결을 위해 탐구한 내용과 수집한 정보를 바탕으로 나만의 교과서를 멋지게 완성하였다.	①②③④⑤

자신의 학습과정을 되돌아보고 진지하게 평가해주세요.

Level up 오늘의 점수 나의 총점수

나만의 교과서 하단에 위치한 스스로 평가는 총 5개의 평가문항으로 구성됩니다. 각 문항별로, 자신의 학습과정을 되돌아볼 수 있으며, 이를 점수로 나타낼 수 있습니다. 내실있는 학습활동이 가능하도록 자기점검 기준을 제공하는 데 목적을 둡니다.

최하단 부분에 위치한 퀘스트별 자기평가 점수를 기록할 '오늘의 점수'와 수행한 퀘스트의 누계 점수를 기록하도록 고안된 '나의 총점수'도 여러 목적으로 활용할 수 있습니다.

❽ 관련 정보가 한눈에…, Teacher Tips의 개요만 보아도 알 수 있다.

'Teacher Tips'의 개요부분은 해당 프로젝트학습을 현장에 적용하는 데 있어서 반드시 참고해야 할 정보를 제공해 줍니다. 적용대상에서부터 연계 가능한 교과 및 단원 정보, 학습예상 소요시간, 수업목표에 이르기까지 자세한 내용을 담고 있습니다. 프로젝트학습을 현장에 성공적으로 적용하기 위한 노하우들이 담겨있는 만큼, 수업 전에 필독하는 건 기본 중에 기본입니다.

더불어 이 책에 수록된 모든 프로젝트학습은 초등학교뿐만 아니라 중학교 수업에서도 적용 가능합니다. 특히 자유학기활동에서 활

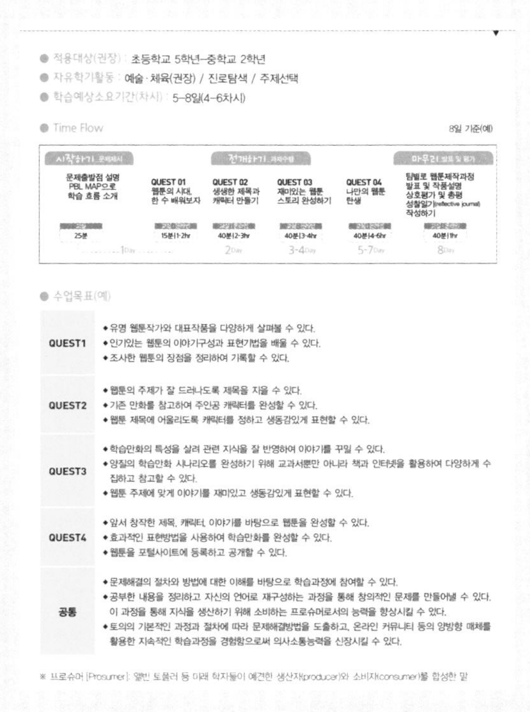

● 적용대상(권장) : 초등학교 5학년~중학교 2학년
● 자유학기활동 : 예술·체육(권장) / 진로탐색 / 주제선택
● 학습예상소요기간(차시) : 5~8일(4~6차시)

● Time Flow

8일 기준(예)

시작하기_문제제시	전개하기_과제수행				마무리_발표 및 평가
문제출발점 설명 PBL MAP으로 학습 흐름 소개	QUEST 01 웹툰의 시대, 한 수 배워보자	QUEST 02 생생한 제목과 캐릭터 만들기	QUEST 03 재미있는 웹툰 스토리 완성하기	QUEST 04 나만의 웹툰 탄생	팀별로 웹툰제작과정 발표 및 작품설명 상호평가 및 총평 성찰일기(reflective journal) 작성하기
25분	15분 | 1-2hr	40분 | 2-3hr	40분 | 3-4hr	40분 | 4-6hr	40분 | 1hr
1Day	1Day	2Day	3-4Day	5-7Day	8Day

● 수업목표(예)

QUEST1	◆유명 웹툰작가와 대표작품을 다양하게 살펴볼 수 있다. ◆인기있는 웹툰의 이야기구성과 표현기법을 배울 수 있다. ◆조사한 웹툰의 장점을 정리하여 기록할 수 있다.
QUEST2	◆웹툰의 주제가 잘 드러나도록 제목을 지을 수 있다. ◆기존 만화를 참고하여 주인공 캐릭터를 완성할 수 있다. ◆웹툰 제목에 어울리도록 캐릭터를 정하고 생동감있게 표현할 수 있다.
QUEST3	◆학습만화의 특성을 살려 관련 지식을 잘 반영하여 이야기를 꾸밀 수 있다. ◆양질의 학습만화 시나리오를 완성하기 위해 교과서뿐만 아니라 책과 인터넷을 활용하여 다양하게 수집하고 참고할 수 있다. ◆웹툰 주제에 맞게 이야기를 재미있고 생동감있게 표현할 수 있다.
QUEST4	◆앞서 창작한 제목, 캐릭터, 이야기를 바탕으로 웹툰을 완성할 수 있다. ◆효과적인 표현방법을 사용하여 학습만화를 완성할 수 있다. ◆웹툰을 포털사이트에 등록하고 공개할 수 있다.
공통	◆문제해결의 절차와 방법에 대한 이해를 바탕으로 학습과정에 참여할 수 있다. ◆공부한 내용을 정리하고 자신의 언어로 재구성하는 과정을 통해 창의적인 문제를 만들어낼 수 있다. 이 과정을 통해 지식을 생산하기 위해 소비하는 프로슈머로서의 능력을 향상시킬 수 있다. ◆토의의 기본적인 과정과 절차에 따라 문제해결방법을 도출하고, 온라인 커뮤니티 등의 양방향 매체를 활용한 지속적인 학습과정을 경험함으로써 의사소통능력을 신장시킬 수 있다.

※ 프로슈머[Prosumer]: 앨빈 토플러 등 미래 학자들이 예견한 생산자(producer)와 소비자(consumer)를 합성한 말

용하기 좋은 프로그램도 여럿 찾을 수 있을 겁니다. 예술체육, 진로탐색, 주제선택 중에 어떤 카테고리를 선택할지는 전적으로 실천할 교사의 몫입니다.

더불어 'Teacher Tips'에는 퀘스트별로 과제와 활동의 성격을 분명하게 보여주는 수업목표가 제공됩니다. 프로젝트학습을 교과수업과 연계하여 적용하고자 한다면 예로 제시된 수업목표를 충분히 살펴볼 필요가 있습니다.

⑨ Teacher Tips의 실전 지침으로 성공적인 프로젝트학습을 이끌어라!

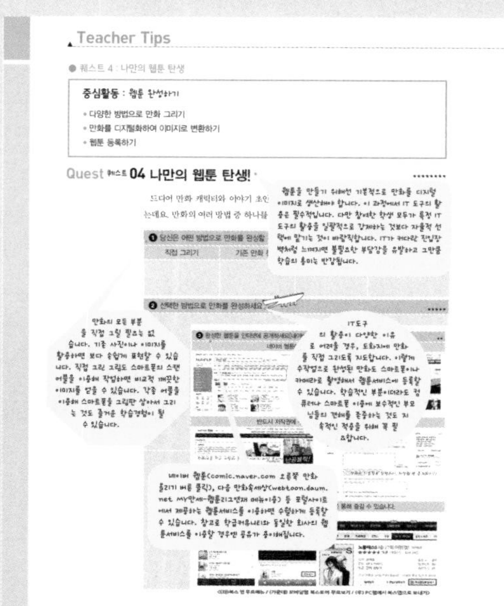
Teacher Tips

● 퀘스트 4 : 나만의 웹툰 탄생

중심활동 : 웹툰 완성하기

- 다양한 방법으로 만화 그리기
- 만화를 디지털화하여 이미지로 변환하기
- 웹툰 등록하기

Quest 퀘스트 04 나만의 웹툰 탄생!

웹툰을 만들기 위해선 기본적으로 만화를 디지털 이미지로 생산해야 합니다. 이 과정에서 IT 도구의 활용은 필수적입니다. 다만 참여한 학생 모두가 특정 IT 도구의 활용을 일괄적으로 강제하는 것보다 자율적 선택에 맡기는 것이 바람직합니다. IT가 커다란 진입장벽처럼 느껴지면 불필요한 부담감을 유발하고 그만큼 학습의 흥미는 반감됩니다.

만화의 모든 부분을 직접 그릴 필요는 없습니다. 기존 사진이나 이미지를 활용하면 보다 손쉽게 표현할 수 있습니다. 직접 그린 그림도 스마트폰의 스캔 어플을 이용해 작업하면 비교적 깨끗한 이미지를 얻을 수 있습니다. 각종 어플을 이용해 스마트폰을 그림판 삼아서 그리는 것도 즐거운 학습경험이 될 수 있습니다.

IT도구의 활용이 다양한 이유로 어려울 경우, 도화지에 만화를 직접 그리도록 지도합니다. 이렇게 수작업으로 완성된 만화도 스마트폰이나 카메라로 촬영해서 웹툰서비스에 등록할 수 있습니다. 학습적인 부분이더라도 컴퓨터나 스마트폰 이용에 보수적인 부모님들의 견해를 존중하는 것도 지속적인 적용을 위해 꼭 필요합니다.

네이버 웹툰(comic.naver.com 오른쪽 만화 올리기 버튼 클릭), 다음 만화속세상(webtoon.daum.net MY만세-웹툰리그연재 메뉴이용) 등 포털사이트에서 제공하는 웹툰서비스를 이용하면 수월하게 등록할 수 있습니다. 참고로 학급커뮤니티와 동일한 회사의 웹툰서비스를 이용할 경우엔 공유가 용이해집니다.

'Teacher Tips'의 본론으로 들어서면 '시작하기', '전개하기', '마무리' 순으로 프로젝트학습을 현장에 적용하는 데 필요한 것이 무엇인지 활동지의 각 항목마다 구체적인 설명이 말주머니로 덧붙여 있습니다.

여기에는 프로젝트학습의 실천을 용이하게 해 줄 세부적인 지침도 포함됩니다. 수업 전, 수업이 진행되는 과정 중에도 수시로 확인해 가며 불필요한 시행착오를 줄여나가는 것이 중요합니다.

⑩ 실전가이드로 셀프연수를 시작하자.

실전가이드 ❶

PBL은 문제로 통한다

'문제(Problem)'란 무엇일까요? '문제'라고 하면 우리의 삶에서 좋지 않은 사건과 사고의 의미로 여겨지거나, 공부한 내용을 평가하기 위해 치러지는 시험문제 정도로 흔히 떠올리게 됩니다. 이런 '문제'에 대한 우리들의 인식 속에는 알게 모르게 쌓여 온 부정적인 생각이 자리하고 있기도 합니다. 어찌됐든 한 치 앞을 내다보기도 힘든 불확실한 삶을 살아가는 우리들의 인생은 온통 해결해 나가야 할 문제들 투성입니다. 그 문제들은 과거의 기억을 묻는 정답이 있는 질문들보다는 저마다 다른 상황을 배경으로 다양한 해법이 도출되는 과제를 담고 있습니다.

"혼란스럽거나 애매하거나 또는 모순을 포함하고 있는 불명확한 상황에 대처하지 않으면 안 될 경우에 우리는 문제에 직면하게 되는데, 그러나 단지 막연하고 의심스러운 단계에서는 문제는 성립되지 않는다. 이보다도 상황을 구성하는 요소들을 비교하여 이 상황들이 부분적으로 명확하게 되고 그 상황에 처해 있는 사람이 이것을 잠정적으로 해결하게 될 때 상황은 문제로서 파악된다. 문제는 근원적으로는 실천적인 것이지만, 이론적인 문제도 역시, 이미 알고 있는 것과 아직 모르고 있는 것, 또는 해결된 것과 해결되지 않은 것 사이에서 성립한다는 점에 있어서는 동일한 구조를 갖는다." _철학사전편찬위원회, 2009

'설레는 수업, 프로젝트학습'에는 특별한 의도로 집필한 실전가이드 섹션이 있습니다. 'PBL은 문제로 통한다'로 시작해서 '게임화 전략으로 문제에 매력을 더하라'까지 총 4편으로 구성되어 있는데, 프로젝트학습의 핵심인 '문제'와 '학습과정'을 체험적으로 이해시키는 데 초점을 두고 있습니다.

일종의 셀프연수자료로 활용하거나 학교, 학년 단위의 전문적 학습공동체의 연수자료로 활용하는 것도 충분히 가능합니다. 개별이든 팀이든 프로젝트학습에 대한 실질적인 이해를 높이는 데 도움이 될 것이라 여겨집니다.

★배지스티커로 즐거움과 만족감을 주는 피드백을 구현하자!

프로젝트학습에 적극적으로 참여한 학습자들에게 특별한 의미와 상징성을 지닌 인증배지 스티커를 부여할 수 있습니다. 동료평가, 자기평가, 수행평가 등과 연계하거나 경험치, 능력치 등 특별한 포인트시스템을 적용하여 활용해 보도록 하세요. 어떤 방식이든 결과가 미흡하더라도 과정이 충실히 이루어지면 받을 수 있는 보상이어야 합니다.

배지스티커는 크게 두 가지로 제공됩니다. 프로젝트학습 전체 과정에 적극적으로 참여한 학습자에게 수여되는 '올클리어(All-Clear)' 배지스티커와 퀘스트 단위의 작은과제수행에 대한 '칭찬' 배지스티커입니다. '칭찬' 배지스티커는 프로젝트학습이 진행되는 과정에서 피드백 용도로 자유롭게 활용하면 됩니다.

* 프로젝트학습 스티커는 상상채널 홈페이지(www.naeha.co.kr)에서 별도 구매 가능합니다.

이 책은 실천의 무대를 만나야 제 빛깔을 뽐낼 수 있습니다. 한번 읽고 그냥 책장에 묻어 둔다면, 어떤 의미도 없습니다. 책 속에 담긴 프로젝트학습을 나의 수업으로 구현해야 비로소 진정한 의미로 다가갈 수 있다고 봅니다. 프로젝트학습에 대한 경험이 없고, 이해가 깊지 않더라도 제공되는 프로그램만으로 어렵지 않게 수업을 채울 수 있습니다. 가능하다면, 책에서 제공한 10개의 프로젝트학습을 한 해 동안 모두 실천해 보는 것을 권장합니다. 프로젝트학습이 거듭될수록 학생들의 긍정적인 반응과 변화를 확실히 느낄 수 있을 테니까요. 물론 이 책의 활용은 전적으로 독자의 몫입니다. 자신만의 강점과 창의적인 사고를 더해 매력적인 프로젝트학습으로 완성시킨다면, 더할 나위 없이 좋겠죠. 자, 이제 마음만 있다면 프로젝트학습에 도전할 수 있습니다. 망설일 필요가 있을까요. 그냥 시작해 봅시다.

CONTENTS

03
오즈토이와 함께 차원이 다른 보드게임을 만들어라!

04
교통사고 원인을 과학적으로 밝혀라!

05
나무에게 새 생명을, 나무를 치료하는 나무의사

06

인종차별! 코이코이족 사끼 바트만의 슬픔

07

내 집은 내가 디자인한다!

08

꿀벌이 사라졌다

09

석유 없는 세상, 혼란 속에 빠지다

10

고릴라에게 배우는 고릴라퀴즈

11

나만의 공부레시피

CHAPTER 01

꿈과 끼로 똘똘 뭉친, 나는야 웹툰 작가

Quest 01 _웹툰의 시대, 한 수 배워보자

Quest 02 _생생한 제목과 캐릭터 만들기

Quest 03 _재미있는 웹툰 스토리 완성하기

Quest 04 _나만의 웹툰 탄생!

★Teacher Tips

알고 가는 웹툰

웹툰은 온라인 구독을 목적으로 만든 만화를 뜻합니다. 나이, 학력, 직업과 상관없이 도전 가능한 웹툰작가, 이제부터 여러분은 웹툰작가의 역할을 수행해야 합니다. 주어진 임무(Quest)들을 하나씩 해결하다보면 정성이 듬뿍 담긴 나만의 웹툰을 완성할 수 있을 것입니다. 유명 웹툰작가의 여러 작품을 탐색하고 직접 웹툰의 제목에서부터 주요 캐릭터, 이야기 등의 창작활동에 적극적으로 참여해 주세요. 이런 과정을 통해 자신의 작품을 온라인에 출판하여 웹툰작가로 공식 데뷔하는 기쁨도 만끽해 봅시다.

'나는야 웹툰작가'는 프로젝트학습이 익숙하지 않은 참여자들이 용기내서 실천하기에 수월한 활동들로 짜여 있습니다. 대부분 누구에게나 익숙한 만화그리기 활동인데다가 중심 내용을 교과서에 두고 있어서 더욱 그렇습니다. 특정 교과지식을 자율적으로 정해서 재미있는 이야기로 엮어 보는 활동 자체가 색다른 경험이 될 겁니다. 생동감 넘치는 만화 캐릭터와 사람들의 시선을 끌 제목을 정하는 것부터 시작해서 퀘스트 하나하나를 수행하다보면 점점 웹툰의 세계로 빠져들게 될 겁니다. 문제 속 주인공, 바로 웹툰작가의 세계에 여러분들을 초대합니다.

* 문제시나리오에 사용된 어휘빈도(횟수)를 시각적으로 나타낸 워드클라우드(word cloud)입니다. 워드클라우드를 통해 어떤 주제와 활동이 핵심인지 예상해 보세요.

꿈과 끼로 똘똘 뭉친, 나는야 웹툰 작가

최근에는 지루하고 딱딱한 공부에 흥미를 가질 수 있도록 학습만화 만들기 프로젝트를 야심차게 시작했는데요. 생각보다 너무 어려워요.

청소년들의 시선을 확 사로잡을 만한 참신한 제목부터 캐릭터, 무엇보다 흥미진진한 이야기 구성까지 웹툰을 완성하는 데는 거쳐야 할 과정이 많아요. 물론 쉽지는 않겠지만 의욕적으로 도전해 보려고요.

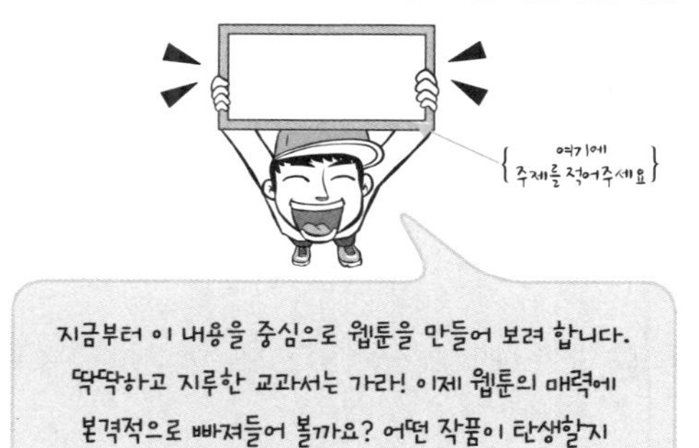

지금부터 이 내용을 중심으로 웹툰을 만들어 보려 합니다. 딱딱하고 지루한 교과서는 가라! 이제 웹툰의 매력에 본격적으로 빠져들어 볼까요? 어떤 작품이 탄생할지 벌써부터 기대되네요.

* 웹툰[web toon] : 영어 표현의 'web(웹)'과 'cartoon(만화)'을 합성한 말로, 인터넷(온라인)을 통해 배포하는 만화를 의미합니다.

웹툰을 통한 재미있는 공부가 시작됩니다.
Let`s Go!

PBL MAP

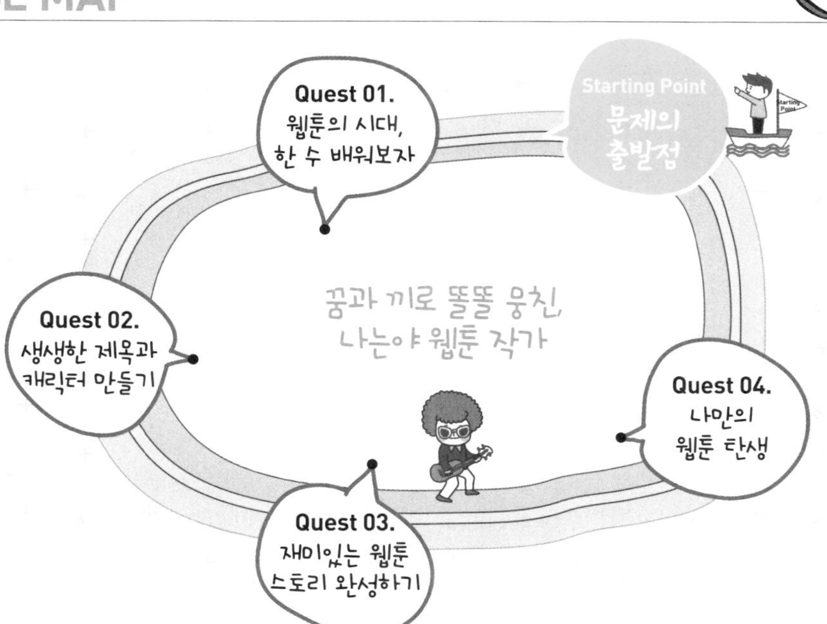

Quest 퀘스트 01

웹툰의 시대, 한 수 배워보자 ★★★★

웹툰의 신화를 쓴 작가에는 누가 있는지, 그들의 작품은 어떤지 궁금하지 않나요? 유명 웹툰작가들의 작품에서 한 수 배우고 싶어요. 그들이 풀어나가는 이야기와 참신한 표현방법을 접하다 보면 뭔가 특별한 영감을 얻을 수 있을 것 같아요.

신선한 소재와 탄탄한 구성을 지닌 웹툰 작품이 상당히 많아요. 이들 작품 중에는 영화와 드라마로 제작되기도 했죠. 웹툰원작 만큼이나 상당한 인기를 끌었던 작품이 많았어요.

❶ 내가 배우고 싶은 웹툰작가와 대표작품을 찾아서 쓰시오. ★

작가			
대표작품			

❷ 인상 깊은 이야기 내용과 표현기법(그림, 내용구성 등)을 간단히 정리해 보세요. ★★★

작품명	
이야기	
표현기법	

관련교과	국어	사회	도덕	수학	과학	실과			체육	예술		영어	창의적 체험활동	자유학기활동		
						기술	가정	정보		음악	미술			진로 탐색	주제 선택	예술 체육
	○	○	○	○	○	○	○	○	○	○	●	○	●	●	○	●

1. 자신의 시각에서 흥미를 끄는 작품을 탐색해보고, 유명작가들이 즐겨 쓰는 표현방법이나 이야기 구성전략 등에서 필요한 아이디어를 얻도록 합시다. 좀 더 많은 웹툰작품들을 살펴보고 싶다면, 국내 양대 포털사이트인 네이버(comic.naver.com)와 다음(webtoon.daum.net)을 통해 쉽게 만날 수 있습니다.

나만의 교과서

4가지 기본항목을 채우고, 퀘스트 해결과정에서 공부한 내용이나 수집한 정보를 토대로 자신만의 방식으로 알차게 표현해 보세요. 그림이나 생각그물의 형태로 표현하는 것도 좋습니다.

ideas
문제해결을 위한 나의 아이디어

facts
문제와 관련하여 내가 알고 있는 것들

learning issues
문제해결을 위해 공부해야 할 주제

need to know
반드시 알아야 할 것

스스로 평가
자기주도학습의 완성!

		나의 신호등
01	나는 웹툰에 대해 알게 되었다.	1 2 3 4 5
02	나는 이번 활동에 도움이 될 웹툰작가와 작품을 찾았다.	1 2 3 4 5
03	나는 기존 웹툰 작품에서 이야기 전개방식을 배웠다.	1 2 3 4 5
04	나는 기존 웹툰 작품에서 여러 표현기법을 배웠다.	1 2 3 4 5
05	나는 문제해결을 위해 탐구한 내용과 수집한 정보를 바탕으로 나만의 교과서를 멋지게 완성하였다.	1 2 3 4 5

자신의 학습과정을 되돌아보고 진지하게 평가해주세요.

Level up

오늘의 점수	나의 총점수

생생한 제목과 캐릭터 만들기

★★★★★★

웹툰 제목을 무엇으로 하면 좋을까요? 청소년들의 관심을 확 끌 수 있는 제목이어야 할 텐데요. 벌써부터 머리가 아파오지만 톡톡 튀는 제목을 꼭 생각해 내고야 말거예요.

더불어 웹툰의 생명력을 불어넣을 수 있는 대표 캐릭터를 만들어야 하는데요. 그 특성이 잘 드러나도록 그림을 생생하게 표현할 필요가 있겠죠? 지금부터 이야기와 어울리는 제목과 캐릭터를 만들어보겠습니다.

❶ 웹툰 제목을 정해 주세요. ★★

❷ 이야기에 등장할 주요 캐릭터를 완성해 주세요. ★★★★

그림		
이름		
성격		
특징		

관련교과	국어	사회	도덕	수학	과학	실과			체육	예술		영어	창의적 체험활동	자유학기활동		
						기술	가정	정보		음악	미술			진로 탐색	주제 선택	예술 체육
								○			●		●			●

1. 웹툰의 제목과 캐릭터는 내용과의 관련성이 매우 중요합니다. 이야기의 특성이 잘 드러날 수 있는 제목과 캐릭터를 완성해 주세요.
2. 각각의 캐릭터를 그림으로 어떻게 표현하느냐에 따라 만화의 완성도가 달라집니다. 자신이 좋아하는 만화 캐릭터를 참고하여 표현하는 것도 좋은 방법입니다.

나만의 교과서

4가지 기본항목을 채우고, 퀘스트 해결과정에서 공부한 내용이나 수집한 정보를 토대로 자신만의 방식으로 알차게 표현해 보세요. 그림이나 생각그물의 형태로 표현하는 것도 좋습니다.

ideas
문제해결을 위한 나의 아이디어

facts
문제와 관련하여 내가 알고 있는 것들

learning issues
문제해결을 위해 공부해야 할 주제

need to know
반드시 알아야 할 것

스스로 평가

자기주도학습의 완성!

나의 신 호 등

01	나는 학생들의 관심과 흥미를 끌 수 있는 참신한 제목을 지었다.	1 2 3 4 5
02	나는 학습만화에 담을 내용을 감안하여 제목을 지었다.	1 2 3 4 5
03	나는 웹툰에 등장할 캐릭터의 특성을 반영하여 그림을 통해 생동감있게 표현하였다.	1 2 3 4 5
04	나는 웹툰 캐릭터를 완성하기 위해 책과 인터넷을 통해 기존 웹툰 캐릭터를 수집하고 참고하였다.	1 2 3 4 5
05	나는 문제해결을 위해 탐구한 내용과 수집한 정보를 바탕으로 나만의 교과서를 완성하였다.	1 2 3 4 5

자신의 학습과정을 되돌아보고 진지하게 평가해주세요.

Level up

오늘의 점수 나의 총점수

재미있는 웹툰 스토리 완성하기

★★★★★★★★★

❶ 대사가 있는 이야기의 등장인물을 적어주세요. ★★★

등장인물				
소개				
등장인물				
소개				

❷ 웹툰 시나리오를 만화의 한 칸[씬(#)] 단위로 정리하여 봅시다. ★★★★★

#	인물	내 용
1		
2		

3	
4	
5	
6	
7	
8	
9	
10	

관련교과	국어	사회	도덕	수학	과학	실과			체육	예술		영어	창의적 체험활동	자유학기활동		
						기술	가정	정보		음악	미술			진로 탐색	주제 선택	예술 체육
	●	○	○	○	○	○	○	○	○	○	○	○	●	●	○	●

1. 웹툰의 등장인물은 이야기 전개와 밀접한 관련이 있습니다. 소개란에 등장인물의 성격을 중심으로 기술하고, 독자의 기억에 오래 남을 만한 쉽고 재미있는 이름을 지어보세요.
2. 웹툰 시나리오는 하나의 칸에 어떤 이야기를 담을지 고민하고 구분해서 정리하는 것이 좋습니다. 이왕이면 말주머니에 들어갈 내용과 그림의 느낌을 살릴 수 있는 상황묘사 등을 구분하여 나타내는 것이 좋습니다.

나만의 교과서

4가지 기본항목을 채우고, 퀘스트 해결과정에서 공부한 내용이나 수집한 정보를 토대로 자신만의 방식으로 알차게 표현해 보세요. 그림이나 생각그물의 형태로 표현하는 것도 좋습니다.

ideas 문제해결을 위한 나의 아이디어	facts 문제와 관련하여 내가 알고 있는 것들

learning issues 문제해결을 위해 공부해야 할 주제	need to know 반드시 알아야 할 것

스스로 평가
자기주도학습의 완성!

나의 신호등

01	나는 웹툰의 제목과 캐릭터를 고려하여 이야기를 완성하였다.	① ② ③ ④ ⑤
02	나는 학습만화라는 기본적인 전제를 충족하기 위해 관련된 지식을 반영하여 이야기를 꾸몄다.	① ② ③ ④ ⑤
03	나는 이야기를 관련된 특별한 주제에 맞게 재미있고 생동감있게 표현하였다.	① ② ③ ④ ⑤
04	나는 학습만화 시나리오를 완성하기 위해서 교과서뿐만 아니라 책과 인터넷을 활용하여 다양한 정보를 수집하고 참고하였다.	① ② ③ ④ ⑤
05	나는 문제해결을 위해 탐구한 내용과 수집한 정보를 바탕으로 나만의 교과서를 멋지게 완성하였다.	① ② ③ ④ ⑤

자신의 학습과정을 되돌아보고 진지하게 평가해주세요.

Level up

오늘의 점수 나의 총점수

나만의 웹툰 탄생

★★★★★★★★

짜잔, 드디어 만화 캐릭터와 이야기 초안이 완성됐습니다. 이제 만화로 완성하는 일만 남았는데요. 만화의 여러 방법 중 하나를 선택하여 표현하고, 완성된 작품은 인터넷을 통해 공개할 계획이에요. 나만의 웹툰이 탄생합니다. 기대 많이 해 주세요. 개봉박두!

❶ 당신은 어떤 방법으로 만화를 완성할 것입니까? ★

직접 그리기	기존 만화 활용	사진 효과 이용	모든 방법 사용

❷ 효과적인 표현 도구를 활용하여 만화 그리기에 도전해 주세요. ★★★★★

❖소프트웨어 활용이 어려운 경우, 도화지에 직접 만화를 그려서 표현해도 됩니다.

◆ 만화표현이 수월한 별도의 용지(도화지 등)를 이용하세요.

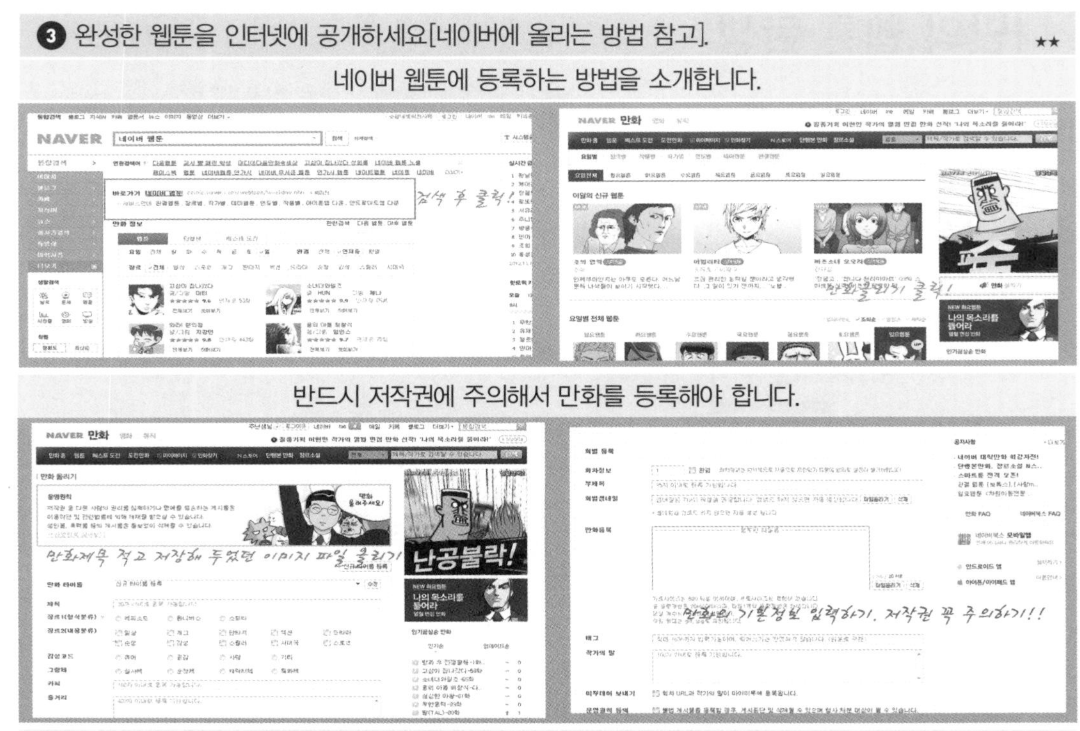

❸ 완성한 웹툰을 인터넷에 공개하세요[네이버에 올리는 방법 참고]. ★★

네이버 웹툰에 등록하는 방법을 소개합니다.

반드시 저작권에 주의해서 만화를 등록해야 합니다.

등록한 만화는 네이버북스 앱(스마트폰)을 통해 즐길 수 있습니다.

<(좌)북스 앱 무료메뉴 / (가운데) 모바일웹 북스토어 무료보기 / (우) PC웹에서 북스앱으로 보내기>

관련교과	국어	사회	도덕	수학	과학	실과			체육	예술		영어	창의적 체험활동	자유학기활동		
						기술	가정	정보		음악	미술			진로 탐색	주제 선택	예술 체육
								●			●		●	●	○	●

1. 당신은 웹툰 작가이기 때문에 만화를 그리는 것으로 끝내면 안됩니다. 인터넷을 통해 공개된다는 사실을 감안해서 만화를 완성해 주세요.
2. 가능하다면 각종 이미지제작 소프트웨어나 어플 등을 활용하여 채색 및 색보정을 진행하는 것이 좋습니다.
3. 인터넷에 공개되는 만큼 저작권에 유의해야 합니다. 질을 높인다는 이유로 기존 캐릭터를 그대로 복사해서 사용하는 일은 없도록 해야 합니다.

나만의 교과서

4가지 기본항목을 채우고, 퀘스트 해결과정에서 공부한 내용이나 수집한 정보를 토대로 자신만의 방식으로 알차게 표현해 보세요. 그림이나 생각그물의 형태로 표현하는 것도 좋습니다.

ideas 문제해결을 위한 나의 아이디어	facts 문제와 관련하여 내가 알고 있는 것들

learning issues 문제해결을 위해 공부해야 할 주제	need to know 반드시 알아야 할 것

스스로 평가

자기주도학습의 완성!

		나의 신호등
01	나는 앞서 수행한 퀘스트(제목과 캐릭터, 이야기) 결과를 바탕으로 만화를 완성하였다.	1 2 3 4 5
02	나는 효과적인 표현방법을 사용하여 학습만화를 완성하였다.	1 2 3 4 5
03	나는 처음에 계획한 대로 교과서와 관련된 주제로 한 유익하고 재미있는 학습만화를 만들었다.	1 2 3 4 5
04	나는 제작한 학습만화를 성공적으로 인터넷에 공개하였다.	1 2 3 4 5
05	나는 문제해결을 위해 탐구한 내용과 수집한 정보를 바탕으로 나만의 교과서를 멋지게 완성하였다.	1 2 3 4 5

자신의 학습과정을 되돌아보고 진지하게 평가해주세요.

Level up

오늘의 점수 나의 총점수

All-Clear
sticker

01 CHAPTER

꿈과 끼로 똘똘 뭉친, 나는야 웹툰작가

★Teacher Tips

Teacher Tips

'꿈과 끼로 똘똘 뭉친, 나는야 웹툰 작가'는 문제의 특성상 모든 교과서와 연계할 수 있으며, 다양한 주제를 담아낼 수 있습니다. 수업의 목적에 따라서 임의로 특정 교과와 단원을 제한하여 제시할 수 있고, 범위를 넓혀 내용선택권을 전적으로 학습자에게 맡길 수도 있습니다. 학습자에게 어느 정도의 범위 안에서 내용선택권을 줄지는 이 프로그램을 운영할 선생님의 몫입니다. 특정 교과나 단원으로 웹툰의 범위를 제한하고자 한다면 첫 문제제시 단계부터 빈 칸으로 둔 ㅁ를 채우며 진행하는 것이 바람직합니다. 자유학년제에 맞춰 운영하고자 한다면 교과보다는 개인의 진로나 관심분야에 맞춰 활동을 전개하는 것이 적합할 수 있습니다.

만화그리기는 학생들에게 일상적으로 이루어지는 활동 중 하나입니다. 수업의 지루함을 달래기 위해 긁적이는 공책의 낙서에도 허접하지만 오만가지 이야기가 담긴 만화가 그려집니다. 공부에 방해가 된다는 이유로 금지당하기 일쑤인 웹툰(만화)이지만 젊은 세대의 전폭적인 지지와 공감대를 형성하며 열렬한 사랑을 받는 데는 그만한 이유가 있습니다. 학생들에게 친숙한 문화 코드인 웹툰을 통해 즐거운 수업을 만들어 봅시다. 단순한 독자의 입장이 아닌 창작의 주체인 웹툰작가가 되는 즐거움을 만끽하는 것만으로 유의미한 학습을 경험할 수 있습니다. 실제로 현장에 적용했을 때, 웹툰을 직접 생산하고 관련 사이트에 등록하는 활동 자체만으로도 학생들은 높은 기대감과 만족감을 나타냈습니다.

이 수업은 특별한 학년 경계가 없습니다. 다만 웹툰을 제작하는 과정에서 몇 가지 소프트웨어의 활용이 필요하고 웹툰서비스 홈페이지에 직접 등록하고 공유하는 과정도 요구되기 때문에 이런 과정을 원활히 수행할 수 있는지 여부가 중요합니다. 웹툰활동과 직접적인 관련이 있는 교과별 교육과정 내용요소는 다음과 같습니다.

교과	영역	내용요소		
		초등학교 [3-4학년]	초등학교 [5-6학년]	중학교 [1-3학년]
국어	문학	◆동화, 동극 ◆작품에 대한 생각과 느낌 표현 ◆작품을 즐겨 감상하기	◆이야기, 소설 ◆극 ◆작품의 이해와 소통	◆이야기, 소설 ◆극 ◆작품 해석의 다양성 ◆재구성된 작품의 변화 양상 ◆개성적 발상과 표현
	쓰기	◆마음을 표현하는 글 ◆쓰기에 대한 자신감	◆목적·주제를 고려한 내용과 매체 선정 ◆독자의 존중과 배려	◆감동이나 즐거움을 주는 글 ◆표현의 다양성
실과 정보	자료와 정보		◆소프트웨어의 이해	◆자료의 유형과 디지털 표현
	기술 활용		◆일과 직업의 세계 ◆자기 이해와 직업 탐색	
미술	표현	◆상상과 관찰 ◆다양한 주제	◆표현 방법(제작) ◆소제와 주제(발상)	◆표현 매체(제작) ◆주제와 의도(발상)
	체험	◆미술과 생활	◆이미지와 의미 ◆미술과 타 교과	◆이미지와 시각문화 ◆미술관련직업(미술과 다양한 분야)

필자의 경험상 대략 초등학교 5학년 이상이면 웹툰 제작에 도전할 수 있습니다. 물론 웹툰이 아닌 만화그리기 활동으로만 진행하고자 한다면 저학년까지 폭넓은 적용이 가능합니다. 기본적으로 적용할 대상과 학습기간 모두 선생님의 전문적인 판단 아래 교육 현장 상황에 맞춰 탄력적으로 운영하면 됩니다.

- 적용대상(권장) : 초등학교 5학년–중학교 2학년
- 자유학년활동 : 예술·체육(권장) / 진로탐색 / 주제선택
- 학습예상소요기간(차시) : 5–8일(4–6차시)
- Time Flow

8일 기준(예)

시작하기_문제제시		전개하기_과제수행			마무리_발표 및 평가
문제출발점 설명 PBL MAP으로 학습 흐름 소개	QUEST 01 웹툰의 시대, 한 수 배워보자	QUEST 02 생생한 제목과 캐릭터 만들기	QUEST 03 재미있는 웹툰 스토리 완성하기	QUEST 04 나만의 웹툰 탄생	팀별로 웹툰제작과정 발표 및 작품설명 상호평가 및 총평 성찰일기(reflective journal) 작성하기
교실 25분	교실 I 온라인 15분 I 1-2hr	교실 I 온라인 40분 I 2-3hr	교실 I 온라인 40분 I 3-4hr	교실 I 온라인 40분 I 4-6hr	교실 I 온라인 40분 I 1hr
1Day		2Day	3-4Day	5-7Day	8Day

- 수업목표(예)

QUEST 01	◆유명 웹툰작가와 대표작품을 다양하게 살펴볼 수 있다. ◆인기있는 웹툰의 이야기구성과 표현기법을 배울 수 있다. ◆조사한 웹툰의 장점을 정리하여 기록할 수 있다.
QUEST 02	◆웹툰의 주제가 잘 드러나도록 제목을 지을 수 있다. ◆기존 만화를 참고하여 주인공 캐릭터를 완성할 수 있다. ◆웹툰 제목에 어울리도록 캐릭터를 정하고 생동감있게 표현할 수 있다.
QUEST 03	◆학습만화의 특성을 살려 관련 지식을 잘 반영하여 이야기를 꾸밀 수 있다. ◆양질의 학습만화 시나리오를 완성하기 위해 교과서뿐만 아니라 책과 인터넷을 활용하여 다양하게 수집하고 참고할 수 있다. ◆웹툰 주제에 맞게 이야기를 재미있고 생동감있게 표현할 수 있다.
QUEST 04	◆앞서 창작한 제목, 캐릭터, 이야기를 바탕으로 웹툰을 완성할 수 있다. ◆효과적인 표현방법을 사용하여 학습만화를 완성할 수 있다. ◆웹툰을 포털사이트에 등록하고 공개할 수 있다.
공통	◆문제해결의 절차와 방법에 대한 이해를 바탕으로 학습과정에 참여할 수 있다. ◆공부한 내용을 정리하고 자신의 언어로 재구성하는 과정을 통해 창의적인 문제를 만들어낼 수 있다. 이 과정을 통해 지식을 생산하기 위해 소비하는 프로슈머로서의 능력을 향상시킬 수 있다. ◆토의의 기본적인 과정과 절차에 따라 문제해결 방법을 도출하고, 온라인 커뮤니티 등의 양방향 매체를 활용한 지속적인 학습과정을 경험함으로써 의사소통 능력을 신장시킬 수 있다.

※ 프로슈머 [Prosumer]: 앨빈 토플러 등 미래 학자들이 예견한 생산자(producer)와 소비자(consumer)를 합성한 말

Teacher Tips

참고로 '꿈과 끼로 똘똘 뭉친, 나는야 웹툰작가'는 교과와 주제와 상관없이 다양한 내용을 담아 낼 수 있습니다. 이를테면 다음 예처럼 초등학교 5-6학년 사회와 연계하여 역사웹툰 만들기로 재구성할 수 있고, 중학교 자유학기 진로탐색활동 프로그램으로 활용할 수 있습니다. 여러 수업목적에 맞게 문제의 출발점을 재구성하거나 변형하여 적용해 보도록 하세요.

Starting Point 문제의 출발점

epic 배경

꿈과 끼로 똘똘 뭉친, 나는야 웹툰 작가

당신은 웹툰작가로서 청소년들을 대상으로 활동을 하고 있습니다. 최근에는 어린이들이 지루하고 딱딱한 공부에 흥미를 가질 수 있도록 학습만화를 만들어 인터넷을 통해 배포하고 있는데요. 예상외로 청소년들의 반응이 상당히 좋습니다. 이제 이러한 좋은 반응에 힘을 받아 두 번째 작품을 준비하려고 합니다. 청소년들의 시선을 고정시킬만한 참신한 웹툰 제목과 감성적인 캐릭터를 내세워 내용을 재미있는 이야기 속에 담아내려고 하는데요. 언제나 그렇듯 웹툰을 완성해 가는 과정이 쉽지만은 않겠지만 의욕적으로 도전하려고 합니다.

'딱딱하고 지루한 교과서는 가라!' 유능한 웹툰작가인 당신의 손에서 과연 어떤 웹툰이 탄생할지 벌써부터 기대되는군요. 지금부터 웹툰의 매력에 빠져들어 봅시다!

* |웹툰[web toon] : 영어 표현의 'web(웹)' 과 'cartoon(만화)' 을 합성한 말로, 인터넷(온라인)을 통해 배포하는 만화를 의미합니다.

나는야 웹툰작가: 꿈과 끼를 찾아라!

Stating Point 문제의 출발점

epic 배경

당신은 청소년들로부터 공감대와 사랑을 듬뿍 받고 있는 웹툰작가입니다. 최근에는 지루하고 딱딱한 공부에서 벗어나 자신이 진정으로 원하는 꿈과 잠재된 끼를 살려주기 위한 만화를 연재하고 있는데요. 기대 이상으로 청소년들의 반응이 폭발적입니다. 이제 이러한 반응에 힘입어 두 번째 작품을 준비하려고 하는데요. 청소년들의 진로탐색에 실질적인 도움이 될 수 있도록 분야별 직업의 세계를 엿볼 수 있는 웹툰을 만들고자 합니다. 청소년들이 충분히 공감할 수 있는 이야기보따리 속에 진로와 관련한 유익한 정보를 두루 담은 참신한 웹툰이 어떻게 만들어질지 기대됩니다. 물론 웹툰작가로서 쉽지 않은 도전이겠지만 의욕적으로 준비하고자 합니다.

'꿈과 끼를 찾는 진로탐색!' 유능한 웹툰작가인 당신의 손에서 과연 어떤 웹툰이 탄생할지 벌써부터 기대되는군요. 지금부터 웹툰의 매력에 빠져들어 봅시다!

*웹툰[web toon] : 영어 표현의 'web(웹)'과 'cartoon(만화)'을 합성한 말로, 인터넷(온라인)을 통해 배포하는 만화를 의미합니다.

중심활동 : 문제출발점 파악하기, 학습흐름 이해하기

- 청소년들에게 인기있는 웹툰을 포함하여 최신 이야기를 가볍게 나누며 중심활동 소개하기
- 웹툰에 담을 주제나 내용의 범위 제시하기
- (선택) 게임화 전략에 따른 피드백 방법에 맞게 게임규칙(과제수행규칙) 안내하기
- (선택) 자기평가방법 공유, 온라인 학습커뮤니티 활용 기준 제시하기
- 활동내용 예상해 보기, PBL MAP을 활용하여 전체적인 학습흐름과 각 퀘스트의 활동 내용 일부 소개하기

학생들에게 인기있는 웹툰작가나 작품에 대한 이야기를 꺼내고, 직업으로서 웹툰작가에 대한 정보를 공유하는 시간을 갖도록 합니다. 만화와 웹툰의 작은 차이를 설명하고, 웹툰과 관련된 최신 이야기를 가볍게 던지며 중심활동을 소개합니다. 만화그리기와 크게 다르지 않음을 안내해 활동에 대한 막연한 부담감을 덜어주는 것도 필요합니다. 학생들에게 익숙한 문화라서 관련 경험을 끄집어내며 이야기하는 건 어렵지 않을 것입니다. 웹툰에 대한 충분한 관심이 모아졌다면, 바로 이어서 문제의 출발점을 제시하도록 합니다. 첫 단추를 잘 꿰어야 하는 만큼 문제에 대한 충분한 설명이 이루어져야 합니다. 무엇보다 웹툰작가가 되어 활동을 진행해야 하는 만큼 가상의 경험에 흥미를 가질 수 있도록 긍정적인 분위기를 조성하는 것이 중요합니다. 한편, 웹툰에 담아야 할 내용을 특정 교과나 주제로 한정지을 것인지 자율주제로 할 것인지 그 선택은 문제출발점에 담겨 있어야 합니다. 만약 교과와 단원, 주제 등의 제한을 두고자 한다면 선생님이 구두로 알려주고 학생들이 직접 빈칸을 채우도록 하는 것도 수월한 방법이 될 수 있습니다.

문제의 출발점에 대한 충분한 설명이 이루어졌다면, 'PBL MAP'을 활용해 과제수행과정을 간략하게 소개하고 퀘스트별 활동이 어떤 학습흐름에 따라 진행되는지 설명합니다. 이때 각 퀘스트별 내용이 지나치게 많이 공개되지 않도록 주의해 주세요. 모든 퀘스트를 세부내용까지 전부 공개한 상태에서 진행되면 학생들의 호기심이나 흥미에 부정적인 영향을 미칠 수 있기 때문입니다. 그리고 가급적 웹툰제작에 도움이 될 소프트웨어, 특히 스마트폰을 통해 쉽게 이용할 수 있는 어플을 소개하고, 활용방법을 공유합니다. 굳이 선생님이 가르쳐주지 않더라도 학생들 간에 활용방법을 충분히 공유할 수 있습니다.

Teacher Tips

◀스캐너블(Scannable) 앱은 종이 스캔을 간편하게 지원해 줍니다. 스캔한 파일은 JPG/PDF 형식으로 저장할 수 있습니다. 에버노트(Evernote)와 환상의 궁합을 자랑하는만큼 연계해서 활용하는 것도 좋은 방법입니다.

◀스케치북(Sketchbook) 앱은 다양한 브러시도구들과 색상 조합, 레이어 기능 등 폭넓게 지원됩니다. 스마트폰이나 테블릿PC를 이용해 직접 그림을 그려 이미지 파일로 저장할 수 있으며, 반대로 이미지 파일을 불러와서 수정할 수 있습니다. 스캐너블로 스캔한 이미지를 스케치북으로 불러와 채색하고 저장하는 것이 얼마든 가능합니다.

전개하기

학생들이 평소 즐겨보는 웹툰에서 본격적인 활동이 시작됩니다. 학생들은 다양한 표현 방법을 배우기 위해 웹툰을 살펴보고, 자신이 창작할 웹툰의 제목과 캐릭터, 이야기 만드는 작업을 퀘스트에 따라 차례로 수행하게 됩니다. 팀 구성은 2~4명 정도가 적합하며, 주제나 활동량에 따라 학습자의 개별적인 활동으로도 진행이 가능합니다.

● 퀘스트 1 : 웹툰의 시대, 한 수 배워보자

중심활동 : 기존 웹툰 작품으로부터 배우기

- 배우고 싶은 웹툰작가와 대표작품 찾기
- 인상깊은 이야기 내용과 표현기법(그림, 내용구성 등) 정리하기
- (온라인) 모둠원들이 정리한 내용을 서로 공유하고 다양한 웹툰작품의 특징 파악하기

Quest 퀘스트 01

웹툰의 시대, 한 수 배워보자

웹툰의 신화를 쓴
어떤지 궁금하기
한 수 배우고 싶
표현방법을 접하

퀘스트 1은 활동의 성격을 고려할 때 개별로 수행하는 것이 적합합니다. 활동시간은 1차시로도 충분합니다. 활동의 성격상 컴퓨터실에서 진행하거나 선생님의 책임관리 하에 개별 스마트폰을 활용하는 방법이 있습니다. 가급적 틈새 시간(휴식, 점심시간)을 이용하거나 방과 후 과제로 제시하세요. 난이도가 낮아서 무난하게 수행할 수 있습니다. 방과후 과제수행의 경우 1시간을 넘지 않도록 사전에 지도합니다. ★★

신선한 소재와 탄탄한 구성을 지닌 웹툰 작품이 상당히 많아요. 이들 작품 중에는 영화와 드라마로 제작되기도 했죠. 웹툰원작 만큼이나 상당한 인기를 끌었던 작품이 많았어요.

❶ 내가 배우고 싶은 웹툰작가와 대표작품을 찾아서 쓰시오. ★

이 활동이 이야기 구성과 표현기법을 배우는 데 목적을 두고 있기 때문에 가급적 주제와 관련성이 있는 웹툰으로 선정하는 것이 바람직합니다. 다만 이야기가 아닌 표현기법에 중점을 두는 경우, 주제나 내용에 얽매일 필요는 없겠죠. 기본적으로 자신이 만들고자 하는 웹툰에 도움이 될 만한 작품을 찾는 것이 중요합니다.

작가	
대표작품	

❷ 인상 깊은 이야기 내용과 표현기법(그림, 내용구성 등)을 ★★★

작품명	
이야기	
표현기법	

많은 사람들에게 사랑받는 웹툰은 그만한 이유가 있습니다. 그 중심에는 이야기가 있고, 딱 들어맞는 매력적인 캐릭터, 생동감을 불어넣는 작가만의 개성 넘치는 표현방식이 있습니다. 해당 웹툰의 매력이 무엇인지 하나하나 꼽다보면 그 속에 어우러진 이야기와 표현방식을 이해하게 됩니다. 물론 학생들마다 이해의 폭이나 깊이가 다를 수밖에 없고, 허접한 수준의 분석이 이루어질 수 있습니다. 학생들에게 절대 감정을 앞세우지 말고 그냥 그대로 존중해 주세요. 잘 되고 있는 동료의 사례를 소개해주고 서로 간에 자연스럽게 교류하고 배울 수 있는 기회를 마련해 주는 것이 중요합니다.

관련교과	국어	창의적 체험활동	자유학기활동		
			진로 탐색	주제 선택	예술 체육
	○	●	●	○	●

1. 자신의 시각에서 흥미를 끄는 작품을 탐색해보고, 유명작가들이 즐겨 쓰는 표현방법이나 이야기 구성전략 등에서 필요한 아이디어를 얻도록 합시다. 좀 더 많은 웹툰작품들을 살펴보고 싶다면, 국내 양대 포털사이트인 네이버(comic.naver.com)와 다음(webtoon.daum.net)을 통해 쉽게 만날 수 있습니다.

Teacher Tips

● 퀘스트 2 : 생생한 제목과 캐릭터 만들기 ● 퀘스트 3 : 재미있는 웹툰 스토리 완성하기

중심활동 : 웹툰 구성하기

- (퀘스트2) 제한된 시간 안에 웹툰 제목 짓기(또는 사전과제로 제목 짓기를 수행하고 간단히 발표)
- 기존 만화 캐릭터를 참고하여 이야기에 어울리는 주요 캐릭터 만들기
- (퀘스트3) 웹툰의 분량을 감안하여 등장인물을 정하고 특징 소개하기
- 장면별로 시나리오 작성하기

Quest 퀘스트 02 생생한 제목과 캐릭터 만들기

★★★★★★

더불어 웹툰의 생명력을 불어넣을 수 있는 대표 캐릭터를 만들어야 하는데요. 그 특성이 잘 드러나도록 그림을 생생하게 표현할 필요가 있겠죠? 지금부터 이야기와 어울리는 제목과 캐릭터를 만들어보겠습니다.

웹툰 제목을 무엇으로 하면 좋을까요? 청소년들의 관심을 확 끌 수 있는 제목이어야 할 텐데요. 벌써부터 머리가 아파오지만 톡톡 튀는 제목을 꼭 생각해 내고야 말거예요.

❶ 웹툰 제목을 정해 주세요.

학생들이 탐색했던 유명 웹툰의 제목들을 언급하며, 제목의 중요성을 강조합니다. 팀별로 시간제한(10분 정도)을 두고 제목을 짓도록 하는 것이 효율적입니다. 웹툰 제목 짓기를 사전과제로 수행하고 수업 시간엔 간단히 발표하는 활동으로 채우는 것도 좋은 방법이 될 수 있습니다.

❷ 이야기에 등장할 주요 캐릭터를 완성해 주

그림	
이름	
성격	
특징	

웹툰의 완성도는 이야기와 더불어 그 맛을 살릴 수 있는 캐릭터의 유무에 따라 결정됩니다. 이야기에 맞게 전혀 새로운 캐릭터를 만들어내면 좋겠지만, 수월한 진행을 위해 기존의 만화 캐릭터를 주제에 맞게 재구성할 수 있도록 안내해 주세요. 수업 시간 내에 주요 캐릭터를 완성하는 건 아무래도 어려우니 자투리 시간을 이용해서 할 수 있도록 배려해 주는 것이 좋습니다.

관련교과	국어	사[illegible]	[illegible]	영어	창의적 체험활동	자유학기활동		
						진로 탐색	주제 선택	예술 체육
			●		●			●

1. 웹툰의 제목과 캐릭터는 내용과의 [illegible]의 특성이 잘 드러날 수 있는 제목과 캐릭터를 완성해 주세요.
2. 각각의 캐릭터를 그림으로 어떻게 표현하느냐에 따라 만화의 완성도가 달라집니다. 자신이 좋아하는 만화 캐릭터를 참고하여 표현하는 것도 좋은 방법입니다.

Quest 퀘스트 03

재미있는 웹툰 스토리 완성하기

★★★★★★★★

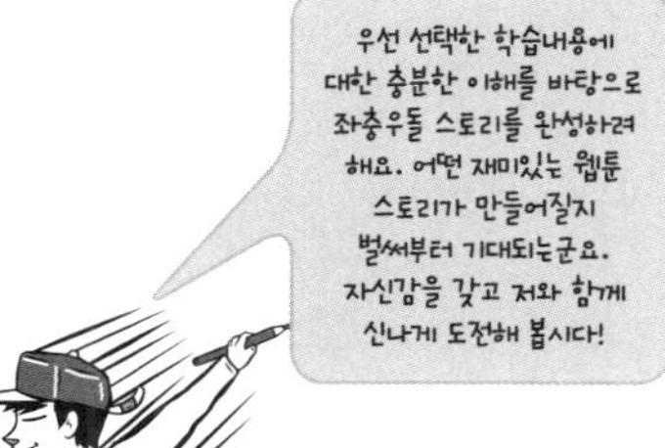

❶ 대사가 있는 이야기의 등장인물을 적어주세요. ★★★

등장인물	
소개	
등장인물	
소개	

등장인물이 지나치게 많으면 이야기가 산만해질 수 있습니다. 웹툰 분량을 감안하여 등장인물의 수를 결정하도록 안내해 주세요.

만화는 기본적으로 구어체(대화문) 중심으로 이야기가 전개될 수밖에 없습니다. 이야기에 생동감을 불어넣는 데 효과적인 방식이지만, 내용의 전달력은 일반적인 문장보다 상대적으로 떨어질 수밖에 없습니다. 구어체를 보완할 수 있는 방법을 유명 학습만화에서 찾아 볼 수 있도록 하면 도움이 될 수 있습니다.

❷ 웹툰 시나리오를 만화의 한 칸[씬(#)] 단위로 정리하여 봅시다. ★★★★★

#	인물	내 용
1		
2		

장면을 머릿속에 그려보며 만화의 한 컷 단위로 시나리오를 작성하도록 안내합니다. 학생들이 지나치게 시나리오 분량을 늘리지 않도록 주의를 기울일 필요가 있습니다. 시나리오 분량이 많을수록 학생들이 작업해야 할 만화 분량도 늘어나게 됩니다. 적정 수준의 활동량을 위해 사전에 만화 컷을 제한하는 것도 좋은 방법일 수 있습니다.

관련교과	국어	사회	도덕	수학	과학				체육			영어	창의적 체험활동	자유학기활동		
						기술	가정	정보		음악	미술			진로 탐색	주제 선택	예술 체육
	●	○	○	○	○	○	○	○	○	○	○	○	●	●	○	●

1. 웹툰의 등장인물은 이야기 전개와 밀접한 관련이 있습니다. 소개란에 등장인물의 성격을 중심으로 기술하고, 독자의 기억에 오래 남을만한 쉽고 재미있는 이름을 지어보세요.
2. 웹툰 시나리오는 하나의 칸에 어떤 이야기를 담을지 고민하고 구분해서 정리하는 것이 좋습니다. 이왕이면 말주머니에 들어갈 내용과 그림의 느낌을 살릴 수 있는 상황묘사 등을 구분하여 나타내는 것이 좋습니다.

● 퀘스트 4 : 나만의 웹툰 탄생

중심활동 : 웹툰 완성하기

- 다양한 방법으로 만화 그리기
- 만화를 디지털화하여 이미지로 변환하기
- 웹툰 등록하기

Quest 퀘스트 04 나만의 웹툰 탄생.

웹툰을 만들기 위해선 기본적으로 만화를 디지털 이미지로 생산해야 합니다. 이 과정에서 IT 도구의 활용은 필수적입니다. 다만 참여한 학생 모두가 특정 IT 도구의 활용을 일괄적으로 강제하는 것보다 자율적 선택에 맡기는 것이 바람직합니다. IT가 커다란 진입장벽처럼 느껴지면 불필요한 부담감을 유발하고 그만큼 학습의 흥미는 반감됩니다.

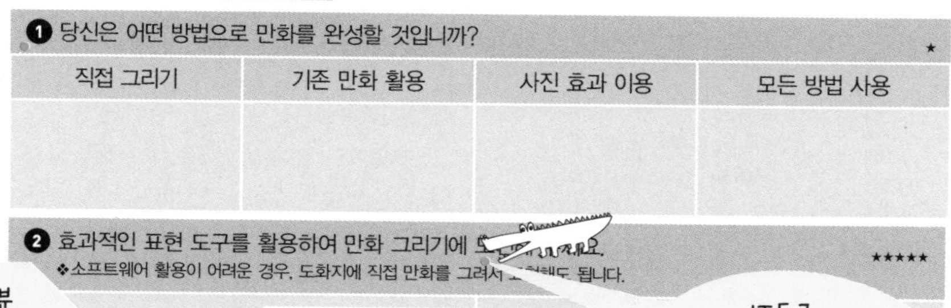

❶ 당신은 어떤 방법으로 만화를 완성할 것입니까?

직접 그리기	기존 만화 활용	사진 효과 이용	모든 방법 사용

❷ 효과적인 표현 도구를 활용하여 만화 그리기에 도전하세요.
❖소프트웨어 활용이 어려운 경우, 도화지에 직접 만화를 그려서 ... 됩니다.

❸ 완성한 웹툰을 인터넷에 공개하세요[네이버에 ...

만화의 모든 부분을 직접 그릴 필요는 없습니다. 기존 사진이나 이미지를 활용하면 보다 손쉽게 표현할 수 있습니다. 직접 그린 그림도 스마트폰의 스캔 어플을 이용해 작업하면 비교적 깨끗한 이미지를 얻을 수 있습니다. 각종 어플을 이용해 스마트폰을 그림판 삼아서 그리는 것도 즐거운 학습경험이 될 수 있습니다.

IT도구의 활용이 다양한 이유로 어려울 경우, 도화지에 만화를 직접 그리도록 지도합니다. 이렇게 수작업으로 완성된 만화도 스마트폰이나 카메라로 촬영해서 웹툰서비스에 등록할 수 있습니다. 학습적인 부분이더라도 컴퓨터나 스마트폰 이용에 보수적인 부모님들의 견해를 존중하는 것도 지속적인 적용을 위해 꼭 필요합니다.

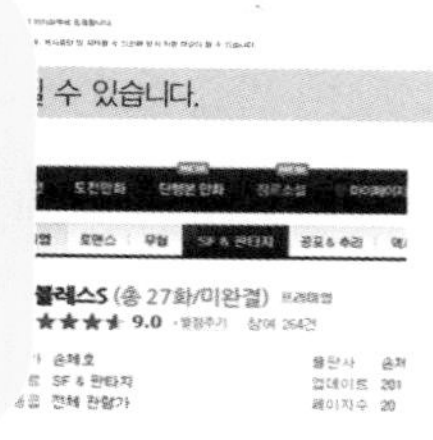

네이버 웹툰(comic.naver.com 오른쪽 만화 올리기 버튼 클릭), 다음 만화속세상(webtoon.daum.net MY만세-웹툰리그연재 메뉴이용) 등 포털사이트에서 제공하는 웹툰서비스를 이용하면 수월하게 등록할 수 있습니다. 참고로 학급커뮤니티와 동일한 회사의 웹툰서비스를 이용할 경우엔 공유가 용이해집니다.

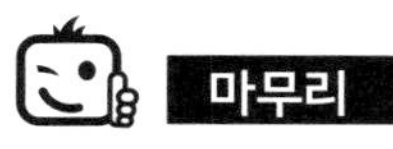

중심활동 : 발표 및 평가하기

- [웹툰작가와의 만남 시간] 독자들 앞에서 새로운 웹툰 공개하고 관련 질의응답 받기
- 각 퀘스트별 수행점수(경험치)를 각자 집계하고 누계점수 기록하기
- 학생들은 성찰저널(reflective journal)을 작성해서 온라인 학습커뮤니티에 올리고 선생님은 덧글로 피드백 해주기
- [선택] 누적해 온 수행점수를 토대로 레벨 부여하기(Level Up) / PBL 스스로 점검(자기평가 & 상호평가) 내용을 토대로 능력점수(능력치) 집계하기 / Level Up 피드백 프로그램에 따른 개인별 레벨 선정과 프로그래스바 혹은 리더보드 공개하기, 결과에 따른 배지 수여

프로젝트학습의 마무리 과정에는 발표와 평가가 이루어집니다. 발표는 팀별 경쟁의 자리가 아니라 서로 나누고 공유하는 시간입니다. 무엇보다 팀 구성원 모두가 참여하는 방식으로 발표를 진행하는 것이 바람직합니다. 평가 역시 우열을 가리거나 엄격한 잣대로 성패를 가르는 방식은 지양해야 합니다. 여기서 각 개인의 출발점과 개성을 존중하고 상호 긍정적인 피드백을 주고받는 민주적 분위기 형성은 필수 조건입니다. 교수자 스스로 자신의 기대를 앞세워 평가의 중심이 되지 않도록 주의하고, 관찰자, 진행자, 때론 동료 학습자로서 자신의 역할에 맞게 참여하는 것이 중요합니다.

Teacher Tips

'꿈과 끼로 똘똘 뭉친, 나는야 웹툰작가'를 가장 수월하게 마무리 짓는 방법은 일반적인 발표방식을 그대로 따르는 것입니다. 대형 TV 화면에 웹툰을 띄워놓고 발표자가 내용을 소개하며 직접 읽어주는 방식이 되겠습니다. 이런 방식은 학생들이나 선생님 모두에게 익숙한 발표방법이라 큰 어려움 없이 진행할 수 있습니다. 다만 웹툰의 특성을 제대로 반영한 마무리라고 볼 수는 없겠죠.

웹툰의 특성을 잘 살리는 발표방법은 일단 학생들을 웹툰작가이며 동시에 구독자로 역할을 부여하고 시작하는 것입니다. 이때 학생들이 가지고 있는 스마트폰이 요긴하게 활용될 수 있습니다. 혹여 스마트폰 사용이 불가능하다면 컴퓨터실에서 진행하도록 합니다. 학생들은 동료들이 만든 웹툰 작품을 자유롭게 읽고 해당 페이지에 구독평을 올리는 순서로 참여합니다. 좀 더 나아가 QR 코드로 만들어 온라인 웹툰 갤러리를 열거나 웹툰작가와의 만남 코너를 만들어 질의응답 순서를 갖는 것도 참여한 학생들의 좋은 호응을 이끌어낼 수 있는 방법입니다.

평가는 '웹툰'이라는 최종 결과물에 대한 우열을 가리는 데 초점을 맞추지 않도록 주의합니다. 기본적으로 결과보다는 과정에 중심을 두고, 선생님보다는 학생 스스로에 의한 평가에 중점을 두는 것이 바람직합니다. 퀘스트별로 제공하고 있는 '나만의 교과서'와 '스스로 평가', 최종적으로 작성하는 성찰저널, 각 퀘스트별 수행점수(경험치) 등을 평가 목적에 맞게 활용해 주세요. 참고로 평가와 관련된 공통된 부분은 '이 책의 활용법'에서 자세히 소개하고 있습니다. 실천현장의 각기 다른 상황에 맞게 적용하세요.

※ 자유학기 진로탐색활동 프로그램에 활용가능하도록 수정한 문제출발점의 예를 함께 수록합니다. 필요하다면, 앞서 수록된 퀘스트 문제들과 함께 활용하세요.

나는야 웹툰작가: 꿈과 끼를 찾아라!

Stating Point 문제의 출발점

epic 배경

당신은 청소년들로부터 공감대와 사랑을 듬뿍 받고 있는 웹툰작가입니다. 최근에는 지루하고 딱딱한 공부에서 벗어나 자신이 진정으로 원하는 꿈과 잠재된 끼를 살려주기 위한 만화를 연재하고 있는데요. 기대 이상으로 청소년들의 반응이 폭발적입니다. 이제 이러한 반응에 힘입어 두 번째 작품을 준비하려고 하는데요. 청소년들의 진로탐색에 실질적인 도움이 될 수 있도록 분야별 직업의 세계를 엿볼 수 있는 웹툰을 만들고자 합니다. 청소년들이 충분히 공감할 수 있는 이야기보따리 속에 진로와 관련한 유익한 정보를 두루 담은 참신한 웹툰이 어떻게 만들어질지 기대됩니다. 물론 웹툰작가로서 쉽지 않은 도전이겠지만 의욕적으로 준비하고자 합니다.

'꿈과 끼를 찾는 진로탐색!' 유능한 웹툰작가인 당신의 손에서 과연 어떤 웹툰이 탄생할지 벌써부터 기대되는군요. 지금부터 웹툰의 매력에 빠져들어 봅시다!

*웹툰[web toon] : 영어 표현의 'web(웹)'과 'cartoon(만화)'을 합성한 말로, 인터넷(온라인)을 통해 배포하는 만화를 의미합니다.

PBL MAP

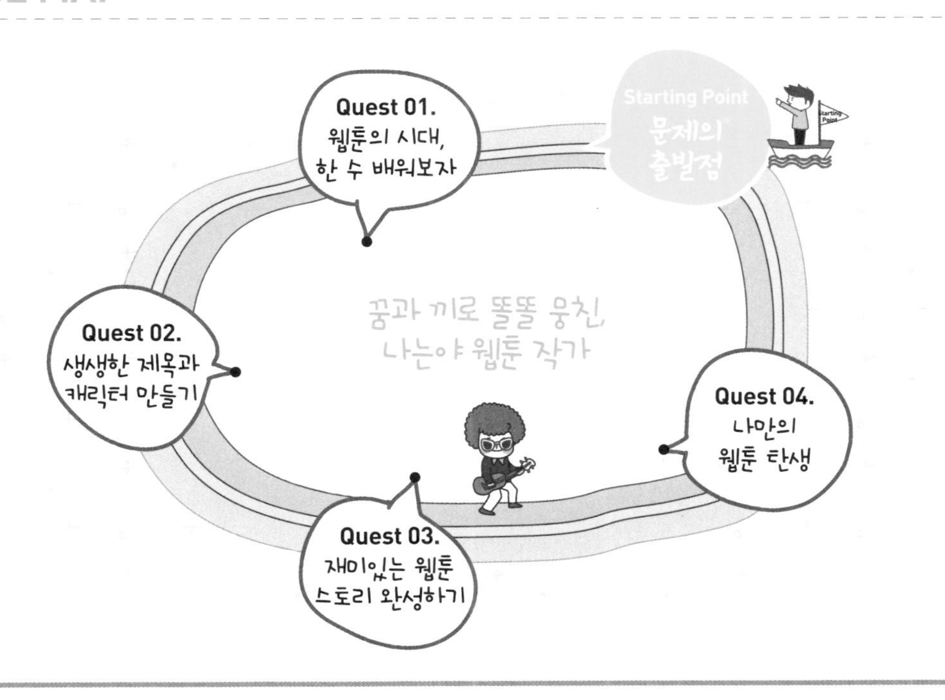

CHAPTER 02

우리 고장을 알려라! 전국홍보대회

Quest 01. _하나의 후보지역 선정하기

Quest 02. _전국홍보대회 최종 지역을 선택하라

Quest 03. _우리 고장의 자랑거리와 해결할 문젯거리

Quest 04. _매력적인 보도자료.홍보물 제작하기

Quest 05. _드디어 전국시도홍보대회가 열린다

★Teacher Tips

INTRO.

홍보와 광고의 차이는 무엇일까요?

광고는 신문, 잡지, 방송의 지면이나 시간을 돈을 주고 사는 데 반해, 홍보는 기자에게 자료를 보내 보도를 의뢰하지만 그 결과에 대해 돈을 지불하지 않습니다. 광고는 최상, 세계적인, 혁명적인 등의 과장되거나 왜곡된 표현들을 과감하게 쓸 수 있고, 유명인이나 멋진 이미지로 소비자의 눈길을 끌 수도 있습니다. 그러나 홍보는 과장된 표현들이 많을수록 신뢰성을 잃게 됩니다.

신뢰성 높은 지식이 입소문 효과도 큰 법입니다. 그래서 홍보 내용은 사람들의 기존 생각을 바꾸고 이해를 높일 수 있는 정확한 지식과 사실을 근거로 한 정보를 담고 있어야 합니다. 다만 이들 지식정보를 일방적으로 전달하는 데 그치는 것이 아니라 상호 소통을 통한 '관계(relation)' 형성에 방점을 찍어야 합니다. 흔히 홍보가 PR(Public Relations)과 같은 의미로 사용되는 것도 이 때문입니다.

'전국홍보대회'에 도전하는 학생들은 이러한 홍보와 광고의 차이를 이해하고 참여하는 것이 필요합니다. 홍보전문가로 해당 지역의 장점과 단점을 정확히 파악하고 그 지역의 진면목을 보여줄 매력적인 상품을 발굴해 내는 일이 여러분에게 부여된 핵심 임무입니다. 아무쪼록 지역의 홍보일꾼으로 전국홍보대회를 멋지게 치러주길 바랍니다.

* 문제시나리오에 사용된 어휘빈도(횟수)를 시각적으로 나타낸 워드클라우드(word cloud)입니다.
워드클라우드를 통해 어떤 주제와 활동이 핵심인지 예상해 보세요.

우리 고장을 알려라! 전국홍보대회

우리나라는 올해를 지방 자치의 원년으로 삼아 여러 가지 행사를 계획하고 있습니다. 각 지역의 자율 경쟁을 통한 특색있는 발전을 유도하고 더 나아가 국민의 삶을 좀 더 풍요롭게 가꾸기 위한 목적으로 사업을 진행하고 있습니다. 특히 다음 주에는 '전국홍보대회'가 열릴 예정입니다. 이 행사는 전국 각지에서 자신의 고장을 적극적으로 홍보할 수 있는 기회가 부여됩니다. 홍보성과가 우수한 지역은 특별 지원금도 지급된다고 하니 놓칠 수 없겠죠?

전국홍보대회는 보다 많은 사람들에게 우리 지역의 매력을 알리고, 직접 찾아오도록 하여 침체된 지역경제를 활성화시키는 데 목적을 둡니다. 지금부터 지역의 발전을 위해 성공적인 홍보대회를 준비해 주세요!

PBL MAP

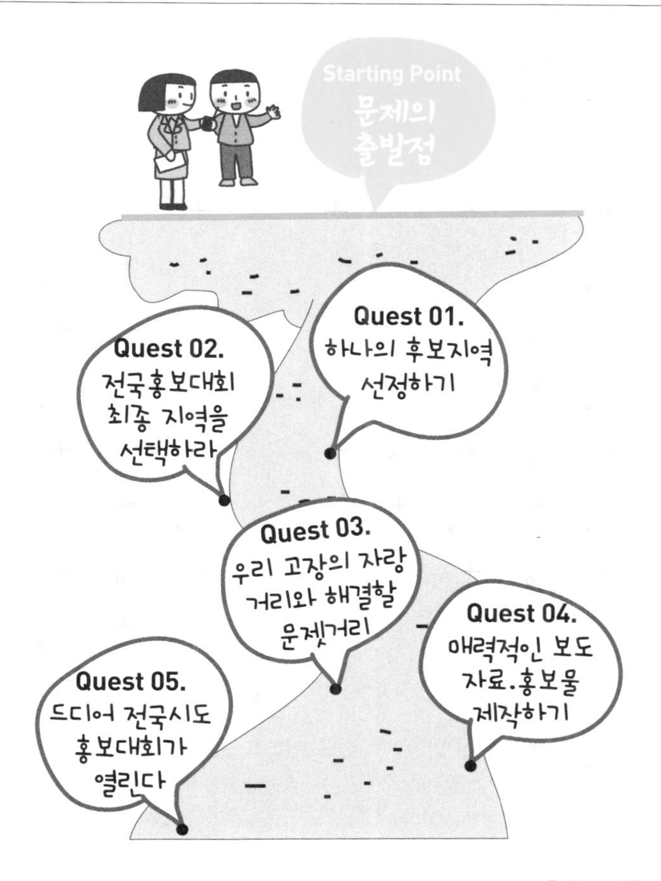

하나의 후보지역 선정하기

★★★

우리나라의 행정구역은 1특별시(서울), 6광역시(부산, 대구, 광주, 인천, 대전, 울산), 1특별자치시(세종), 8도(경기, 강원, 충남, 충북, 전남, 전북, 경북, 경남), 1특별자치도(제주)로 크게 구분합니다. 당신은 이들 중 하나의 지역을 선정하여 홍보대회에 참가할 계획입니다. 이를 위해 먼저, 사전조사를 실시하여 행사에 참여시킬 후보 지역을 선정해야 합니다. 특별시, 광역시, 자치시에서 2곳, 특별자치도를 포함한 9개도에서 2곳, 총 4지역을 후보로 선택하고 선정한 이유를 밝히세요.

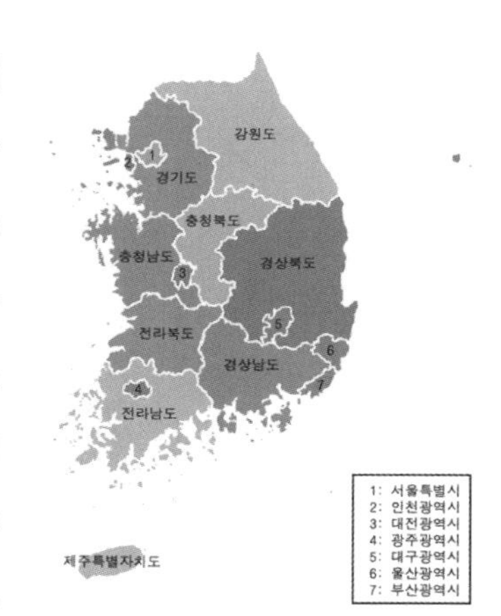

후보지역		지역특징			선정 이유
		지형	기후	인구	
시					
도					

관련교과	국어	사회	도덕	수학	과학	실과			체육	예술		영어	창의적 체험활동	자유학기활동		
						기술	가정	정보		음악	미술			진로 탐색	주제 선택	예술 체육
		●											●		●	

1. 후보 지역은 기본적으로 모둠원들과의 협의를 통해 진행해 주세요. 교과서나 인터넷을 통해 해당 지역의 특징을 먼저 파악하고 선정해 주세요.
2. 홍보대회의 특성상 다양한 자료들을 비교적 쉽게 구할 수 있어야 합니다. 이를 감안하여 지역을 선택해 주세요. 이왕이면 오랜 전통을 간직하고 있으면서 풍부한 특상물을 보유한 지역이 홍보대회 준비를 훨씬 쉽게 해줍니다.
3. 퀘스트에서 제시한 조건을 모두 수행해야만 ★ 전체를 획득할 수 있습니다. 조건에 미달하면 감점 요인이 발생합니다.

나만의 교과서

4가지 기본항목을 채우고, 퀘스트 해결과정에서 공부한 내용이나 수집한 정보를 토대로 자신만의 방식으로 알차게 표현해 보세요. 그림이나 생각그물의 형태로 표현하는 것도 좋습니다.

ideas
문제해결을 위한 나의 아이디어

facts
문제와 관련하여 내가 알고 있는 것들

learning issues
문제해결을 위해 공부해야 할 주제

need to know
반드시 알아야 할 것

스스로 평가

자기주도학습의 완성!

		나의 신호등
01	나는 후보지역을 선정하기 위해 모둠원들과 민주적인 토의과정을 진행하였다.	1 2 3 4 5
02	나는 제시된 조건에 맞춰 후보지역을 선정하였다.	1 2 3 4 5
03	나는 각 후보지역의 특징(지형, 기후, 인구 등)을 충분히 살펴보았다.	1 2 3 4 5
04	나는 후보지역으로 선정한 이유를 명확하게 밝혔다.	1 2 3 4 5
05	나는 문제해결을 위해 탐구한 내용과 수집한 정보를 바탕으로 나만의 교과서를 멋지게 완성하였다.	1 2 3 4 5

자신의 학습과정을 되돌아보고 진지하게 평가해주세요.

Level up

오늘의 점수 나의 총점수

Quest 퀘스트 02

전국홍보대회 최종 지역을 선택하라

★★★★

당신은 후보지역 중에서 전국홍보대회에 참가할 최종 지역을 선정해야 합니다. 운영주최 측에서는 여러분들이 선정한 후보지역 중에서 인기가 높은 지역을 선정하여 제시하고 있습니다. 여러분들은 '국토마블' 보드게임을 통해 원하는 지역을 고를 수 있습니다.

★ 최종 선정 지역 { }

관련교과	국어	사회	도덕	수학	과학	실과			체육	예술		영어	창의적 체험활동	자유학기활동		
						기술	가정	정보		음악	미술			진로 탐색	주제 선택	예술 체육
		●											●		●	

1. 후보지역에 관한 기초적인 지식을 미리 공부해 오면 원하는 지역의 우선권을 확보하는데 유리합니다.
2. '국토마블' 게임은 한 개의 주사위를 사용해 팀별 말을 옮기며 진행됩니다. 퀘스트1에서 우선권을 확보한 지역 칸에 말이 올라가면 해당 지역을 선택할 수 있는 권리를 받게 됩니다.
3. 운영권 확보는 지역별 퀴즈에 대한 타당한 답변을 제시하고 정해진 금액을 지불했을 때 이루어집니다. 정해진 시간 동안 게임을 진행하면서 최대한 많은 자금을 확보한 팀이 승리합니다.
4. 게임이 끝난 후 모둠별로 확보한 자금 총액에 순위를 매깁니다. 1~3등까지 차등으로 보너스 점수(경험치)를 제공하고(1등 5점, 2등 3점, 3등 1점), 나머지 모둠은 기본점수만 획득하게 됩니다.

나만의 교과서

4가지 기본항목을 채우고, 퀘스트 해결과정에서 공부한 내용이나 수집한 정보를 토대로 자신만의 방식으로 알차게 표현해 보세요. 그림이나 생각그물의 형태로 표현하는 것도 좋습니다.

ideas 문제해결을 위한 나의 아이디어	facts 문제와 관련하여 내가 알고 있는 것들

learning issues 문제해결을 위해 공부해야 할 주제	need to know 반드시 알아야 할 것

스스로 평가

자기주도학습의 완성!

		나의 신호등
01	나는 후보지역에 관한 지식을 사전에 충분히 공부하였다.	1 2 3 4 5
02	나는 후보지역의 운영권 확보를 위해 상대방이 낸 지역퀴즈에 적극적인 답변을 내놓았다.	1 2 3 4 5
03	나는 '국토마블' 게임의 규칙을 지키며, 적극적으로 참여하였다.	1 2 3 4 5
04	나는 원하던 후보지역의 운영권을 확보하는 데 성공하였다.	1 2 3 4 5
05	나는 문제해결을 위해 탐구한 내용과 수집한 정보를 바탕으로 나만의 교과서를 멋지게 완성하였다.	1 2 3 4 5

자신의 학습과정을 되돌아보고 진지하게 평가해주세요.

Level up

오늘의 점수 나의 총점수

Quest 퀘스트 03

우리 고장의 자랑거리와 해결할 문젯거리

★★★★★★★★★

많은 사람들이 우리 지역을 찾아오도록 하려면 홍보대회를 성공적으로 개최해야 합니다. 기꺼이 자신의 돈을 지불하더라도 우리 고장을 직접 찾아오도록 만들려면 어떻게 해야 할까요? 우리 지역만의 아름다운 자연환경, 특색 있는 음식과 문화, 역사와 전통 등 홍보할 자랑거리를 찾아봅시다. 아울러 저출산, 노령화, 인구감소, 환경파괴 등 지역이 안고 있는 문제들을 조사해 이들 문제를 해소시키는데, 홍보대회가 어떤 역할을 해야 할지 제안해 봅시다.

	지역 내 문제	홍보대회를 통한 해결방안
1		
2		
3		

분류	자연환경	음식과 문화	역사와 전통
자랑거리			
대표사례			

관련교과	국어	사회	도덕	수학	과학	실과			체육	예술		영어	창의적 체험활동	자유학기활동		
						기술	가정	정보		음악	미술			진로탐색	주제선택	예술체육
		●											●		●	

1. 해당 지역의 자랑거리를 찾아보고 당면한 문제를 정확히 진단하고, 실질적인 해결방법을 제안하는 것이 중요합니다.
2. 홍보대회는 지역 주민의 공감대를 바탕으로 진행되어야 합니다. 지역발전에 어떤 도움이 될지 고려해 주세요.
3. 분류한 부분을 임의로 변경 가능합니다. 자유롭게 지역홍보에 활용할 자료를 수집하세요.

나만의 교과서

4가지 기본항목을 채우고, 퀘스트 해결과정에서 공부한 내용이나 수집한 정보를 토대로 자신만의 방식으로 알차게 표현해 보세요. 그림이나 생각그물의 형태로 표현하는 것도 좋습니다.

ideas 문제해결을 위한 나의 아이디어	facts 문제와 관련하여 내가 알고 있는 것들

learning issues 문제해결을 위해 공부해야 할 주제	need to know 반드시 알아야 할 것

스스로 평가

자기주도학습의 완성!

나의 신호등

01	나는 해당 지역이 안고 있는 문제들을 조사하여 알게 되었다.	1 2 3 4 5
02	나는 지역 내 문제해결을 위한 홍보대회의 역할을 다양하게 모색하였다.	1 2 3 4 5
03	나는 지역의 매력을 알릴 수 있는 자연환경, 음식과 문화, 역사와 전통 등을 찾아냈다.	1 2 3 4 5
04	나는 홍보대회에 활용할 지역 자료를 많이 확보하였다.	1 2 3 4 5
05	나는 문제해결을 위해 탐구한 내용과 수집한 정보를 바탕으로 나만의 교과서를 멋지게 완성하였다.	1 2 3 4 5

자신의 학습과정을 되돌아보고 진지하게 평가해주세요.

Level up

매력적인 보도자료·홍보물 제작하기

★★★★★★★★★

당신은 홍보책임자로 우리 지역의 자랑거리를 전 국민에게 알리기 위한 보도자료를 작성해야 합니다. 기자들이 신뢰할 수 있도록 홍보할 내용에 과장되거나 왜곡된 표현이 들어가지 않도록 해야겠죠? 또한 많은 사람들이 우리 지역 홍보에 시선을 고정하도록 홍보카피를 비롯한 매력적인 홍보물 제작에도 돌입해야 할 겁니다. 홍보물을 통해 지역의 특성과 자랑거리를 알리고 사람들이 그 매력에 빠져들 수 있도록 구성하는 것이 중요합니다.

보도자료	[제목]	[담당자]

희망의 새시대

보건복지부	보 도 자 료 10월 13일(월) (10.13.월.14:00 이후 보도)		
배 포 일	10월 13일 / (총 4 매)	담당부서	건강증진과 금연종합정책TF
과 장	이 경 은	전 화	044-202-2820
담당자	신 태 환		044-202-2836

담배규제 위해 179개국이 머리를 맞댄다.

- WHO 담배규제기본협약 제6차 당사국 총회, 러시아 모스크바에서 13일 개막 -

□ 담배규제에 있어 국제 헌법적 성격을 갖는 **세계보건기구(WHO) 담배규제기본협약(FCTC) 제6차 당사국 총회**가 **10월 13일(월)~18일(토)간 러시아 모스크바 월드트레이드센터**에서 진행된다.

- FCTC(Framework Convention on Tobacco Control) 담배가 인류에 미치는 해악에 국제사회가 공동으로 대처하기 위하여 **2003년 세계보건총회(WHA)에서 채택된 보건분야 최초의 국제협약** (우리나라는 2005년에 비준)

○ **본 총회**는 협약 당사국의 담배규제 정책의 이행 수준을 점검하고 국제적 공조방안을 논의하는 자리로, **179개 협약 당사국의 정부대표단**을 비롯하여, 담배 규제 전문 국제기구 및 시민단체 대표 등 약 **1,000여명이 참석**할 예정이다.

- 최근 러시아와 분쟁중인 우크라이나 및 북한도 대표단 파견

○ 특히 **이번 총회**는 **차의과대학교 문창진 교수**가 **의장**으로 **회의를 주재**함으로써, **우리나라가 의장국 역할을 수행**할 예정이다.

□ 이번 총회에서는 ▶ **담배가격의 지속적 인상 필요성** ▶ **신종담배에 대한 규제 강화** ▶ **담배회사에 대한 규제방안** 등 담배**규제**와 관련된 여러 가지 **공통 관심사**가 논의될 예정이다.

○ 우선 **가장 중요한 의제**로 흡연율 감소를 위한 **담배 가격 및 조세**

OPEN 3.0 - 1 - 희망발령119, 밀거울로129

[보건복지부 보도자료 예]

홍보물 기획 및 제작	[홍보카피]

관련교과	국어	사회	도덕	수학	과학	실과			체육	예술		영어	창의적 체험활동	자유학기활동		
						기술	가정	정보		음악	미술			진로 탐색	주제 선택	예술 체육
	●										●		●		●	●

1. 보도자료에는 해당 지역의 정확한 정보와 관련 지식을 근거로 작성되어야 합니다. 지역의 매력을 알릴 수 있는 내용으로 구성하는 것도 잊지 마세요.
2. 홍보의 목적을 잘 살리려면 '홍보카피'가 중요합니다. 신선한 홍보카피가 사람들의 시선을 확 사로잡을 수 있으니까요. 멋진 홍보 카피 만들기에 도전해 보세요. 더 나아가 참신한 아이디어의 홍보물 제작에도 정성을 쏟아보세요.

나만의 교과서

4가지 기본항목을 채우고, 퀘스트 해결과정에서 공부한 내용이나 수집한 정보를 토대로 자신만의 방식으로 알차게 표현해 보세요. 그림이나 생각그물의 형태로 표현하는 것도 좋습니다.

ideas
문제해결을 위한 나의 아이디어

facts
문제와 관련하여 내가 알고 있는 것들

learning issues
문제해결을 위해 공부해야 할 주제

need to know
반드시 알아야 할 것

스스로 평가

자기주도학습의 완성!

		나의 신호등
01	나는 해당지역의 정확한 정보와 관련 지식을 토대로 보도자료를 작성하였다.	1 2 3 4 5
02	나는 지역 내 문제해결을 위한 홍보대회의 역할을 다양하게 모색하였다.	1 2 3 4 5
03	나는 지역의 특성과 자랑거리를 알릴 홍보자료를 효과적으로 제작하였다.	1 2 3 4 5
04	나는 참신한 홍보물을 제작하기 위해 최선의 노력을 기울였다.	1 2 3 4 5
05	나는 문제해결을 위해 탐구한 내용과 수집한 정보를 바탕으로 나만의 교과서를 멋지게 완성하였다.	1 2 3 4 5

자신의 학습과정을 되돌아보고 진지하게 평가해주세요.

Level up

오늘의 점수　나의 총점수

Quest 퀘스트 05

드디어 전국시도홍보대회가 열린다

★★★★★

드디어 전국시도홍보대회가 열립니다. 지금부터 사람들의 눈과 귀를 확 사로잡으면서 오감을 자극할 수 있는 알찬 프로그램을 준비해야 합니다. 우리 지역에 대한 호기심과 직접 찾아오고 싶은 욕구를 충분히 자극할 수 있도록 갖가지 참신한 방법을 총동원하도록 합시다. 또한 해당 지역의 방언을 사용해서 실감나는 홍보가 이루어질 수 있도록 해주세요. 어떤 홍보대회가 될지 벌써부터 궁금해지네요. 멋진 피날레를 기대하겠습니다.

※피날레[이탈리아어] finale : 연극의 마지막 막. '마무리', '마지막'으로 순화. 〈음악〉 한 악곡의 마지막에 붙는 악장.

역할분담	내 용	담당자

홍보대사 시나리오

관련교과	국어	사회	도덕	수학	과학	실과			체육	예술		영어	창의적 체험활동	자유학기활동		
						기술	가정	정보		음악	미술			진로 탐색	주제 선택	예술 체육
	●	●									●		●		●	●

1. 성공적인 홍보대회를 위해서는 역할분담을 통한 효과적인 준비과정이 필요합니다. 예를 들어, 지역을 잘 알릴 수 있는 홍보행사, 체험활동 준비, 홍보자료나 소품 만들기, 홍보대사 시나리오 작성 등으로 각각 역할을 나누면 좋겠죠.
2. 퀘스트4를 수행하면서 만든 홍보물을 적극 활용하도록 합니다.

나만의 교과서

4가지 기본항목을 채우고, 퀘스트 해결과정에서 공부한 내용이나 수집한 정보를 토대로 자신만의 방식으로 알차게 표현해 보세요. 그림이나 생각그물의 형태로 표현하는 것도 좋습니다.

ideas 문제해결을 위한 나의 아이디어	facts 문제와 관련하여 내가 알고 있는 것들

learning issues 문제해결을 위해 공부해야 할 주제	need to know 반드시 알아야 할 것

스스로 평가

자기주도학습의 완성!

		나의 신호등
01	나는 홍보대회에서 맡은 역할을 정확히 이해하였다.	1 2 3 4 5
02	나는 참신한 아이디어와 방법을 총동원하여 개성있는 홍보대회를 만들었다.	1 2 3 4 5
03	나는 해당 지역의 방언을 사용하며 홍보대회에 참여하였다.	1 2 3 4 5
04	나는 홍보대사 시나리오를 숙지하고 발표하였다.	1 2 3 4 5
05	나는 문제해결을 위해 탐구한 내용과 수집한 정보를 바탕으로 나만의 교과서를 멋지게 완성하였다.	1 2 3 4 5

자신의 학습과정을 되돌아보고 진지하게 평가해주세요.

오늘의 점수	나의 총점수

All-Clear
sticker

02 CHAPTER

우리 고장을 알려라! 전국홍보대회

★Teacher Tips

Teacher Tips

'우리 고장을 알려라! 전국홍보대회'는 문제의 특성상 기본적으로 관련 지식을 다루고 있는 사회교과 내용과 연계하여 적용하는 것이 수월합니다. 국어(보도문, 홍보카피, 홍보대사 시나리오 작성)와 미술(홍보물 제작, 홍보부스 디자인) 등의 교과영역과 통합하여 학습활동이 이루어지므로 이를 감안하여 수업차시를 편성하면 됩니다. 수업의 목적에 따라서는 문제의 범위를 특정 지역으로 제한해 볼 수 있습니다. 이를테면 서울홍보대회, 대구홍보대회, 부산홍보대회 등 시·도 단위의 홍보행사로 상황을 제시하고 각 지역의 고유권역에 맞춰 진행하면 됩니다. 아니면 학생들이 거주하는 마을 단위로 범위를 더 좁혀서 접근하는 방법도 있습니다. 지역의 범위제한을 어떻게 할지는 전적으로 이 프로그램을 운영할 선생님의 몫입니다.

일반적으로 광고와 홍보의 차이를 알고 사용하는 것보다 그렇지 않은 경우가 훨씬 많을 것입니다. 교육현장에서도 '광고=홍보'로 인식하며 관련 활동에서 같은 의미로 혼용하여 사용되는 예가 많이 있습니다. 이 수업에선 홍보와 광고의 차이를 이해하지 못하여 동일시하게 되면 타당한 문제해결안을 도출하기가 어려워집니다. 수업참여자는 홍보가 광고가 되지 않도록 주의하며 주어진 과제를 수행해야 합니다. 홍보는 특정 기관뿐만 아니라 개개인에게도 직무와 상관없이 필수적으로 요구되는 능력입니다. 짧은 시간 동안 자신이 지니고 있는 능력을 매력적으로 어필하려면 효과적인 홍보 전략도 있어야 합니다. 정부기관이든, 지역사회단체든, 어느 개인이든 간에 홍보의 대상은 달라도 기법이나 전략에는 공통분모가 있기 마련입니다. 수업 과정에서 개개인의 창의적인 아이디어가 충분히 반영된 홍보대회가 될 수 있도록 운영하는 것이 중요합니다.

교과	영역	내용요소		
		초등학교 [3~4학년]	초등학교 [5~6학년]	중학교 [1~3학년]
사회	환경과 인간 생활	◆고장의 위치와 범위 인식 ◆고장별 자연환경과 의식주 생활 모습 간의 관계 ◆고장의 지리적 특성과 생활 모습 간 관계, 고장의 생산 활동 ◆촌락과 도시의 문제점 및 해결 방안	◆국토의 위치와 영역, 국토애 ◆국토의 지형 환경 ◆국토의 인구 특징 및 변화 모습 ◆국토의 도시 분포 특징 및 변화 모습	◆위치와 인간 생활 ◆해안지형, 산지지형 ◆우리나라 지형 경관 ◆인구 이동 ◆인구 문제
	사회 문화	자료 수집, 자료 분석, 자료 활용		
국어	쓰기	◆마음을 표현하는 글 ◆쓰기에 대한 자신감	◆목적·주제를 고려한 내용과 매체 선정 ◆독자의 존중과 배려	◆감동이나 즐거움을 주는 글 ◆표현의 다양성
	말하기 듣기	◆표정, 몸짓, 말투	◆발표[매체활용] ◆체계적 내용 구성	◆발표[내용 구성] ◆매체 자료의 효과
미술	표현	◆상상과 관찰 ◆다양한 주제	◆표현 방법(제작) ◆소재와 주제(발상)	◆표현 매체(제작) ◆주제와 의도(발상)
	체험	◆미술과 생활	◆이미지와 의미 ◆미술과 타 교과	◆이미지와 시각문화

'전국홍보대회' 수업은 대략 지역교과서를 활용하는 초등학교 3학년 이상이면 적용해 볼 수 있습니다. 하루에도 수많은 홍보나 광고에 노출되어 살아가는 학생들에게 문제 상황을 이해시키기는 것은 그리 어렵지 않을 겁니다. 교과별 내용요소를 참고하여 현장 상황에 맞춰 탄력적으로 적용해 보세요.

- 적용대상(권장): 초등학교 3학년–중학교 1학년
- 자유학년활동: 주제선택(권장) / 예술·체육
- 학습예상소요기간(차시): 5–8일(4–6차시)
- Time Flow

8일 기준(예)

시작하기_문제제시		전개하기_과제수행			마무리_발표 및 평가
문제출발점 설명 PBL MAP으로 학습 흐름 소개	QUEST 01 하나의 후보지역 선정하기	QUEST 02 전국홍보대회 최종 지역을 선택하라	QUEST 03 우리 고장의 자랑거리와 해결할 문젯거리	QUEST 04 매력적인 보도자료·홍보물 제작하기	QUEST 05 드디어 전국시도 홍보대회가 열린다
교실 25분	교실 | 온라인 15분|1-2hr	교실 40분	교실 | 온라인 40분|1-2hr	교실 | 온라인 40분|3-4hr	교실 | 온라인 40분|1hr
1Day		2Day	3-4Day	5-6Day	7-8Day

- 수업목표(예)

QUEST 01	◆민주적인 토의과정을 통해 후보지역을 선정할 수 있다. ◆문제에서 제시한 조건에 맞게 후보지역을 선정할 수 있다. ◆후보지역의 기후, 지형, 인구, 자연환경 등의 특징을 조사할 수 있다.
QUEST 02	◆국토마블의 게임방법을 이해하고 적극적으로 참여할 수 있다. ◆최종지역의 운영권 확보를 위해 상대방이 낸 지역문제에 대해 답할 수 있다. ◆보드게임에 즐겁게 참여할 수 있다.
QUEST 03	◆지역의 매력을 알릴 수 있는 자연환경, 음식과 문화, 역사와 전통을 찾을 수 있다. ◆지역이 안고 있는 여러 문제들을 파악할 수 있다.
QUEST 04	◆앞서 조사한 내용을 바탕으로 보도문의 일반적인 형식에 맞게 작성할 수 있다. ◆해당지역의 매력을 듬뿍 느낄 수 있는 홍보카피를 고안할 수 있다. ◆지역의 특징을 잘 반영한 홍보물을 제작할 수 있다.
QUEST 05	◆홍보대회에서 맡은 역할에 맞게 적극적으로 참여할 수 있다. ◆참신한 아이디어와 방법을 동원하여 개성있는 홍보대회를 열 수 있다. ◆홍보대사 시나리오를 숙지하고 발표할 수 있다.
공통	◆문제해결의 절차와 방법에 대한 이해를 바탕으로 학습과정에 참여할 수 있다. ◆공부한 내용을 정리하고 자신의 언어로 재구성하는 과정을 통해 창의적인 문제를 만들어낼 수 있다. 이 과정을 통해 지식을 생산하기 위해 소비하는 프로슈머로서의 능력을 향상시킬 수 있다. ◆토의의 기본적인 과정과 절차에 따라 문제해결 방법을 도출하고, 온라인 커뮤니티 등의 양방향 매체를 활용한 지속적인 학습과정을 경험함으로써 의사소통 능력을 신장시킬 수 있다.

Teacher Tips

◀포스터(PHOSTER) 앱은 사진을 이용해 멋스런 포스터를 간편하게 만들 수 있도록 해 줍니다. 기본적으로 제공하는 다양한 탬플릿을 이용하면 상업적으로 만든 포스터 못지않은 결과물이 나옵니다. 홍보와 관련된 학습활동에서 손쉽게 활용할 수 있는 앱입니다.

시작하기

중심활동 : 문제출발점 파악하기, 학습흐름 이해하기

- 광고와 홍보의 차이를 설명하며 중심활동 소개하기
- 문제의 출발점에 담긴 내용에 대해 충분히 설명하기
- (선택) 게임화 전략에 따른 피드백 방법에 맞게 게임규칙(과제수행규칙) 안내하기
- (선택) 자기평가방법 공유, 온라인 학습커뮤니티 활용 기준 제시하기
- 활동내용 예상해 보기, PBL MAP을 활용하여 전체적인 학습흐름과 각 퀘스트의 활동 내용 일부 소개하기

광고와 홍보의 차이를 설명하며 중심활동을 소개합니다. 이때, 주제와 관련하여 다양한 지역축제에 참여했던 경험을 참여자 간에 자유롭게 이야기하는 시간을 갖는 것도 좋습니다. 문제 상황에 학생들이 푹 빠지도록 하기 위해서는 출발점에 대한 정확한 이해가

이루어지는 것이 중요합니다.

한편, 홍보할 내용이 시도단위 지역 중심으로 한다면 앞서 제시된 문제 그대로 사용하면 되지만, 아래 문제처럼 마을 단위로 좁히거나 홍보 대상을 달리 적용할 때는 대상학년과 연계 교과내용을 고려하여 재구성하면 됩니다. 이 문제 역시 수업의 목적에 따라 얼마든지 변형하여 활용할 수 있습니다.

문제의 출발점에 대한 충분한 설명이 이루어진 뒤에는 'PBL MAP'을 활용해 학습과정을 간략하게 소개하도록 합니다. 이때 갖가지 관련 홍보 사례를 제시하여 과정에 대한 흥미와 이해를 높이는 것이 효과적입니다.

Starting Point 문제의 출발점   epic 배경

우리 고장을 알려라! 전국홍보대회

우리나라는 올해를 지방 자치의 원년으로 삼아 여러 가지 행사를 계획하고 있습니다. 각 지역의 자율 경쟁을 통한 특색 있는 발전을 유도하고 더 나아가 국민의 삶을 좀 더 풍요롭게 가꾸기 위한 목적으로 사업을 진행하고 있습니다. 특히 다음 주에는 '전국홍보대회'가 열릴 예정입니다. 이 행사는 전국 각지에서 자신의 고장을 적극적으로 홍보할 수 있는 기회가 부여됩니다. 홍보성과가 우수한 지역은 특별 지원금도 지급된다고 하니 놓칠 수 없겠죠?

전국홍보대회는 보다 많은 사람들에게 우리 지역의 매력을 알리고, 직접 찾아오도록 하여 침체된 지역경제를 활성화시키는데 목적을 둡니다. 지금부터 지역의 발전을 위해 성공적인 홍보대회를 준비해 주세요!

전개하기

'전국홍보대회'는 개별, 팀별로 후보지역을 선정하는 활동부터 시작됩니다. 학생들은 여러 지역 중에 자신들이 홍보하고자 하는 곳을 두루 살펴보고, 상대적으로 매력적인 지역을 후보로 선정하게 됩니다. 팀 구성은 4~6명 정도가 적합하며, 주제나 활동량에 따라 학습자의 개별적인 활동으로도 진행이 가능합니다.

● 퀘스트1 : 하나의 후보지역 선정하기   ● 퀘스트2 : 전국홍보대회 최종 지역을 선정하라

중심활동 : 후보지역 선정하고 조사하기, 국토마블을 통해 최종지역 선정하기

- (퀘스트1) 홍보하고 싶은 후보지역을 제시된 조건에 맞게 선정하기
- 후보지역의 지형, 기후, 자연환경, 문화 등 관련 특징을 자세히 조사하기
- (퀘스트2) 국토마블 게임규칙을 숙지하고 참여하기
- 국토마블 게임을 통해 후보지역 중 최종지역을 선정하기

Teacher Tips

Quest 퀘스트 01

하나의 후보지역 선정하기

★★★

우리ㄴ … 1특별시(서울), 6광역시(부산, 대구 … 별자치시(세종), 8도(경기, 강 … 경남), 1특별자치도(제주) … 중 하나의 지역을 선정하 … 이를 위해 먼저, 사전조 … 후보 지역을 선정해야 합니다. … 서 2곳, 특별자치도를 포함한 9개도에서 2곳, 총 4지역을 후보로 선택하고 선정한 이유를 밝히세요.

후보지역은 팀별로 4곳을 선정해야 합니다. 해당 지역의 특징(지형, 기후, 인구 등)을 자세히 살펴보고, 홍보하고 싶은 지역으로 선정한 이유도 함께 밝히도록 합니다. 후보지역은 팀 구성원 모두의 의견이 모아지는 곳이어야 하며, 의견이 모아지지 않을 때는 각자 원하는 지역이 골고루 선정되도록 안내하는 것이 좋습니다.

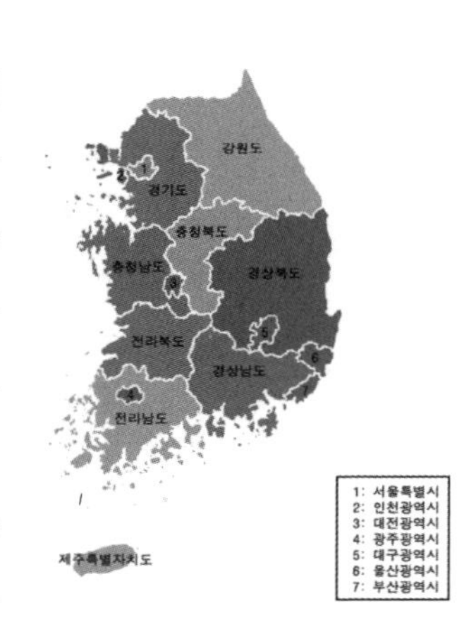

후보지역		지역특징			선정이유
		지형	기후	인구	
시					
도					

사전조사도 없이 즉흥적으로 지역을 선정하지 않도록 안내하는 것도 중요합니다. 학생들이 각 지역의 정보를 상호 비교하고 검증한 이후에 결정할 수 있도록 해 주어야 합니다. 아울러 각 지역에 대한 조사활동은 개별로 역할을 나누어 진행하고, 관련 교과 내용이나 정보를 제공하여 지역선정에 도움이 될 수 있도록 합니다.

관련교과	국어	사회	도덕	수학	과학	실과			체육	예술		영어	창의적 체험활동	자유학기활동		
						기술	가정	정보		음악	미술			진로 탐색	주제 선택	예술 체육
		●											●		●	

1. 후보 지역은 기본적으로 모둠원들과의 협의를 통해 진행해 주세요. 교과서나 인터넷을 통해 해당 지역의 특징을 먼저 파악하고 선정해 주세요.
2. 홍보대회의 특성상 다양한 자료들을 비교적 쉽게 구할 수 있어야 합니다. 이를 감안하여 지역을 선택해 주세요. 이왕이면 오랜 전통을 간직하고 있으면서 풍부한 특산물을 보유한 지역이 홍보대회 준비를 훨씬 쉽게 해줍니다.
3. 퀘스트에서 제시한 조건을 모두 수행해야만 ★ 전체를 획득할 수 있습니다. 조건에 미달하면 감점 요인이 발생합니다.

Quest 퀘스트 02

전국홍보대회 최종 지역을 선택하라

★★★★

당신은 후보지역 중에서 전국홍보 ... 최 측에서는 여러분들이 선정한 후 ... 있습니다. 여러분들은 '국토마블' 보 ...

'국토마블' 게임을 진행하기 위해서는 각 지역 관련 지식을 묻는 퀴즈문제가 있어야 합니다. 퀴즈문제는 선생님이 모두 출제해도 좋지만, 각 팀별로 지역별 1-2문제를 출제하게 하여, 이를 모아서 사용하도록 하는 것도 좋은 방법이 될 수 있습니다.

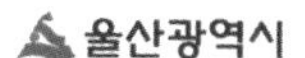

게임방법

...스트1에서 선정한 후보지역에 대해 우선권을 갖는다.
선정하지 않은 후보지역에 머물 시에는 정해진 통행세금을 지불한다.
...권을 확보한 지역은 통행세금을 지불하지 않아도 된다.
있는 지역에 먼저 도착한 모둠은 해당 지역에 관한 질문을 받게 된다.
...대한 타당성있는 답변을 했을 경우, 책정된 금액을 지불하고 운영권을 확보
...지역에 다른 모둠이 왔을 경우, 통행세금을 해당 모둠에 지불한다.
... 주사위를 사용하여 이루어지며, 정해진 시간 동안 이루어진다.
...씨드 / 통행세금 : 20씨드 / 운영권 확보자금 : 100씨드

국토마블의 게임규칙과 방법을 숙지하여 운영하고, 게임을 통해 운영권을 확보한 지역 중에서 한 곳을 최종 선정하도록 합니다. 이때 최종적으로 선정한 지역은 팀별로 중복될 수 없습니다.
보드게임을 통해 팀별 홍보지역을 선정하는 것이 어려운 여건이라면 이 퀘스트 활동을 생략하는 것도 가능합니다. 팀별 퀴즈대결이나 사다리 게임, 가위바위보로 대체하여 홍보할 지역을 최종 선정할 수 있도록 합니다.

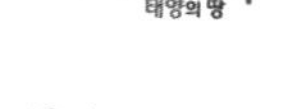

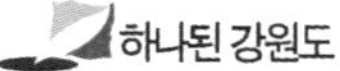

...역시

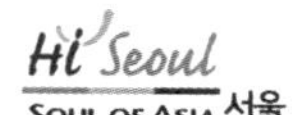

관련교과	국어	사회	도덕	수학	과학	실과			체육	예술		영어	창의적 체험활동	자유학기활동		
						기술	가정	정보		음악	미술			진로 탐색	주제 선택	예술 체육
		●											●		●	

1. 후보지역에 관한 기초적인 지식을 미리 공부해 오면 원하는 지역의 우선권을 확보하는데 유리합니다.
2. '국토마블' 게임은 한 개의 주사위를 사용해 팀별 말을 옮기며 진행됩니다. 퀘스트1에서 우선권을 확보한 지역 칸에 말이 올라가면 해당 지역을 선택할 수 있는 권리를 받게 됩니다.
3. 운영권 확보는 지역별 퀴즈에 대한 타당한 답변을 제시하고 정해진 금액을 지불했을 때 이루어집니다. 정해진 시간 동안 게임을 진행하면서 최대한 많은 자금을 확보한 팀이 승리합니다.
4. 게임이 끝난 후 모둠별로 확보한 자금 총액에 순위를 매깁니다. 1~3등까지 차등으로 보너스 점수(경험치)를 제공하고(1등 5점, 2등 3점, 3등 1점), 나머지 모둠은 기본점수만 획득하게 됩니다.

Dynamic 부산 BUSAN
울산광역시
Colorful 대구 DAEGU
경상북도 GYEONGSANGBUK-DO
경상남도 GYEONGNAM

천·년·의·비·상 전라북도 JEONBUK

Your Partner Gwangju 광주광역시

녹색의 땅 전남 Green Jeonnam 전라남도

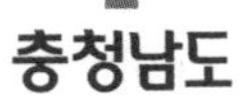

Jeju 제주
충청남도
생명과 태양의 땅 충북
하나된 강원도

게임방법

- 각 모둠은 퀘스트 1에서 선정한 후보지역에 대해 우선권을 갖는다.
- 자신이 선정하지 않은 후보지역에 머물 시에는 정해진 통행세금을 지불한다.
- 모둠별 우선권을 확보한 지역은 통행세금을 지불하지 않아도 된다.
- 우선권을 갖고 있는 지역에 먼저 도착한 모둠은 해당 지역에 관한 질문을 받게 된다. 그리고 질문에 대한 타당성있는 답변을 했을 경우, 책정된 금액을 지불하고 운영권을 확보하게 된다.
- 운영권을 확보한 지역에 다른 모둠이 왔을 경우, 통행세금을 해당 모둠에 지불한다.
- 게임은 기본적으로 주사위를 사용하여 이루어지며, 정해진 시간 동안 이루어진다.

기본지급금액 : 300씨드 / 통행세금 : 20씨드 / 운영권 확보자금 : 100씨드

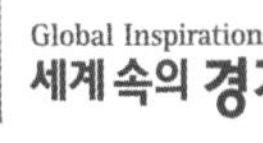

인천광역시 Incheon Metropolitan City
Global Inspiration 세계 속의 경기도
Hi Seoul SOUL OF ASIA 서울
대전광역시 DAEJEON METROPOLITAN CITY
세종특별자치시

중심활동 : 지역의 장·단점 분석하기, 보도문 작성과 홍보물 제작하기

- (퀘스트3) 지역의 자랑거리를 찾고, 홍보에 활용할 다양한 정보 찾기
- 후보지역의 지형, 기후, 자연환경, 문화 등 관련 특징을 자세히 조사하기
- (퀘스트4) 보도자료의 일반적인 형식과 사례를 참조하여 보도문 작성하기
- 홍보카피를 비롯해 홍보물 제작하기

Quest 퀘스트 03 우리 고장의 자랑거리와 해결할 문젯거리

★★★★★★★★★

많은 사람들이 우리 지역을 찾아오도록 하 ... 니다. 자신의 돈을 기꺼이 지불하더라도 우리 ... 야 할까요? 우리 지역만의 아름다운 자연환경 ... 려할 자랑거리를 찾아봅시다. 아울러 저출 ... 고 있는 문제들을 조사함으로써 이들 문제 ... 야 할지 제안해 봅시다.

> 효과적인 홍보를 위해서는 해당 지역의 정확한 정보가 필요합니다. 대외적인 상품으로 개발 가능한 지역의 자랑거리를 분류 기준에 맞게 조사하는 것은 기본입니다. 자연환경, 음식과 문화, 역사와 전통 외에도 홍보해 활용할 만한 다양한 정보를 찾아볼 수 있도록 안내합니다.

	지역 내 문제	홍보대회를 통한 해결방안
1		
2		
3		

분류	자연환경	...통
자랑거리		
대표사례		

> 지역마다 안고 있는 문제가 있기 마련입니다. 지역 내 문제를 진단해 보고, 홍보대회를 계기로 어떻게 해결해 나가면 좋을지 정리하도록 합니다. 중요한 것은 지역의 현주소를 정확히 진단하고 이를 바탕으로 지역주민의 삶의 질을 끌어올릴 방안을 도출하는 겁니다. 지역에 관한 단순한 정보검색에 머물지 않도록 주의를 기울여야 합니다.

관련교과	국어	사회	도덕	수학	과학	실과			체육	예술		영어	창의적 체험활동	자유학기활동		
						기술	가정	정보		음악	미술			진로 탐색	주제 선택	예술 체육
		●											●		●	

1. 해당 지역의 자랑거리를 찾아보고 당면한 문제를 정확히 진단하고, 실질적인 해결방법을 제안하는 것이 중요합니다.
2. 홍보대회는 지역 주민의 공감대를 바탕으로 진행되어야 합니다. 지역발전에 어떤 도움이 될지 고려해 주세요.
3. 분류한 부분을 임의로 변경 가능합니다. 자유롭게 지역홍보에 활용할 자료를 수집하세요.

Quest 퀘스트 04

매력적인 보도자료·홍보물 제작하기

★★★★★★★★★

당신은 홍보책임자로서 우리 지역의 … 에게 알리기 위한 보도자료를 작성해야 합니다. 기자들이 신뢰할 … 과장되거나 왜곡된 표현이 들어가지 않도록 해야겠죠? 또… 보에 시선을 고정하도록 홍보카피를 비롯한 매력적인 홍… 다. 홍보물을 통해 지역의 특성과 자랑거리를 알리고 시… 도록 구성하는 것이 중요합니다.

'보도자료' 작성은 효과적인 홍보를 위한 첫 번째 과정에 해당합니다. 보도자료의 일반적인 형식과 사례를 제시하여 학생들로 하여금 질 좋은 보도자료를 작성할 수 있도록 안내합니다. 아울러 광고처럼 과장되거나 왜곡된 표현이 사용되면 홍보의 신뢰도가 떨어진다는 점을 강조할 필요가 있습니다.

보도자료	[제목]	[담당자]

보건복지부

보 도 자 료

10월 13일(월) (10.13.월.14:00 이후 보도)

배포일	10월 13일 / (총 4 매)	담당부서	건강증진과 금연종합대책TF
과장	이 정 은	전화	044-202-2820
담당자	신 대 환		044-202-2836

담배규제 위해 179개국이 머리를 맞댄다.

- WHO 담배규제기본협약 제6차 당사국 총회, 러시아 모스크바에서 13일 개막 -

□ 담배규제에 있어 국제 헌법적 성격을 갖는 **세계보건기구(WHO) 담배규제기본협약(FCTC) 제6차 당사국 총회가 10월 13일(월)~18일(토)간 러시아 모스크바 월드트레이드센터**에서 진행된다.

- FCTC(Framework Convention on Tobacco Control) 담배가 인류에 미치는 해악에 국제사회가 공동으로 대처하기 위하여 **2003년 세계보건총회(WHA)에서 채택된 보건분야 최초의 국제협약** (우리나라는 2005년에 비준)

○ **본 총회**는 협약 당사국의 담배규제 정책의 이행 수준을 점검하고 국제적 공조방안을 논의하는 자리로, **179개 협약 당사국의 정부 대표단**을 비롯하여, 담배 규제 전문 국제기구 및 시민단체 대표 등 **약 1,000여명이 참석**할 예정이다.

- 최근 러시아와 분쟁중인 우크라이나 및 북한도 대표단 파견

○ 특히 **이번 총회는 차의과대학교 문창진 교수가 의장으로 회의를 주재**함으로써, **우리나라가 의장국 역할을 수행**할 예정이다.

□ 이번 총회에서는 ▶ **담배가격의 지속적 인상 필요성** ▶ **신종 담배에 대한 규제 강화** ▶ **담배회사에 대한 규제방안** 등 **담배 규제**와 관련된 여러 가지 **공동 관심사**가 논의될 예정이다.

○ 우선 **가장 중요한 의제**로 흡연율 감소를 위한 **담배 가격 및 조세**

OPEN - 1 -

[보건복지부 보도자료 예]

홍보카피는 해당 지역을 알리는 슬로건이 된다는 점을 상기시켜 주고, 다양한 매체의 특성을 이용해 효과적인 홍보물이 만들어질 수 있도록 안내합니다. 홍보물 제작과정에 특별한 형식을 요구하기 보다는 학생들 스스로 자율적으로 선택하고 만들 수 있도록 하는 것이 바람직합니다. 최종발표형식이나 방법을 미리 알려 학생들이 주어진 환경에 적합하게 준비할 수 있도록 합니다.

홍보물 기획 및 제작	[홍보카피]

관련교과	국어	사회	도덕	수학	과학	실과			체육	예술		영어	창의적 체험활동	자유학기활동		
						기술	가정	정보		음악	미술			진로 탐색	주제 선택	예술 체육
	●										●		●		●	●

1. 보도자료에는 해당 지역의 정확한 정보와 관련 지식을 근거로 작성되어야 합니다. 지역의 매력을 알릴 수 있는 내용으로 구성하는 것도 잊지 마세요.
2. 홍보의 목적을 잘 살리려면 '홍보카피'가 중요합니다. 신선한 홍보카피가 사람들의 시선을 확 사로잡을 수 있으니까요. 멋진 홍보 카피 만들기에 도전해 보세요. 더 나아가 참신한 아이디어의 홍보물 제작에도 정성을 쏟아보자고요.

'전국홍보대회'의 종착점은 학생들이 지금껏 수행한 내용을 토대로 실제 홍보마당을 펼치는 데 있습니다. 실감나는 발표 환경을 만들어주기 위해 지역축제처럼 각기 부스별로 운영하는 것도 좋은 방법이 될 수 있습니다.

● 퀘스트5 : 드디어 전국시도홍보대회가 열린다

중심활동 : 발표 및 평가하기

- 역할분담 내용에 따라 전국시도홍보대회 준비하기
- 효과적인 홍보를 위해 시나리오 작성하고 다채로운 체험프로그램 준비하기
- 부스별 운영에 용이한 교실환경을 꾸미고, 전국시도홍보대회 열기
- 학생들은 성찰저널(reflective journal)을 작성해서 온라인 학습커뮤니티에 올리고 선생님은 덧글로 피드백 해주기
- [선택] 누적해 온 수행점수를 토대로 레벨 부여하기(Level Up) / PBL 스스로 점검(자기평가 & 상호평가) 내용을 토대로 능력점수(능력치) 집계하기 / Level Up 피드백 프로그램에 따른 개인별 레벨 선정과 프로그래스바 혹은 리더보드 공개하기, 결과에 따른 배지 수여

프로젝트학습

Quest 퀘스트 05

드디어 전국시도홍보대회가 열린다

★★★★★

전국 ... 터 사람들의 눈과 귀를 확 사로잡으면서 오감을 ... 비해야 합니다. 우리 지역에 대한 호기심과 직접 찾아 ... 있도록 갖가지 참신한 방법을 총동원하도록 합니 ... 서 실감나는 홍보가 ... 수 있도록 해 주세요. 어떤 홍보대회가 될지 벌써부터 궁금해지네요. 멋지 ...

앞서 수행한 활동결과들이 충분히 반영될 수 있도록 홍보대회를 준비해야 합니다. 이 과정에서는 소외되는 학생이 발생하지 않도록 세심하게 살펴 볼 필요가 있습니다. 특히 역할분담 내용을 사전에 잘 살펴보고, 구성원 모두의 참여를 강조하도록 합니다.

학생들이 완성하는 홍보자료의 질에 지나치게 집중하지 않도록 주의합니다. 결과물의 완성도를 포기하더라도 학습의 흥미를 유지하는 것이 더 중요합니다. 마지막 과정에서 선생님의 불필요한 간섭이 이루어지지 않도록 주의해 주세요. 어느 한 사람에게 쏠림현상이 발생하지 않도록 개별적으로 역할분담 내용이 과중하지 않는지 점검하는 것도 필요합니다.

※피날레[이탈리아어] finale : 연극의 마지막 막. '마무리', '마지막' 으로 순 ...

역할분담	내 용

홍보대회가 일방적으로 전달하는 방식이 아닌 관람객의 오감을 만족시킬 만한 다채로운 체험프로그램과 함께 진행되는 것이 좋습니다. 학생들이 준비과정에서부터 이런 점을 충분히 고려할 수 있도록 안내해 주세요.

홍보대사 시나리오

부스별 운영을 위해선 교실 책상을 이용해 팀별 지역홍보공간을 만들고, 참여 학생들을 홍보대사와 관람객으로 나누어 진행하는 것이 좋습니다. 참여 학생들은 1부에서 홍보대사였다면 2부에서는 관람객의 역할을 맡게 됩니다. 만일, 부스운영 방식이 부담스럽다면 일반적인 발표형식으로 마무리짓는 것도 괜찮습니다.

관련교과	국어	사회	도덕	수학	과학	실과			체육	예술		영어	창의적 체험활동	자유학기활동		
						기술	가정	정보		음악	미술			진로 탐색	주제 선택	예술 체육
	●	●									●		●		●	●

1. 성공적인 홍보대회를 위해서는 역할분담을 통한 효과적인 준비과정이 필요합니다. 예를 들어, 지역을 잘 알릴 수 있는 홍보행사, 체험활동 준비, 홍보자료나 소품 만들기, 홍보대사 시나리오 작성 등으로 각각 역할을 나누면 좋겠죠.
2. 퀘스트4를 수행하면서 만든 홍보물을 적극 활용하도록 합니다.

PBL은 문제로 통한다

'문제(Problem)'란 무엇일까요? '문제'라고 하면 우리의 삶에서 좋지 않은 사건과 사고의 의미로 여겨지거나, 공부한 내용을 평가하기 위해 치러지는 시험문제 정도로 흔히 떠올리게 됩니다. 이런 '문제'에 대한 우리들의 인식 속에는 알게 모르게 쌓여 온 부정적인 생각이 자리하고 있기도 합니다. 어찌됐든 한치 앞을 내다보기도 힘든 불확실한 삶을 살아가는 우리들의 인생은 온통 해결해 나가야 할 문제들 투성입니다. 그 문제들은 과거의 기억을 묻는 정답이 있는 질문들보다는 저마다 다른 상황을 배경으로 다양한 해법이 도출되는 과제를 담고 있습니다.

"혼란스럽거나 애매하거나 또는 모순을 포함하고 있는 불명확한 상황에 대처하지 않으면 안 될 경우에 우리는 문제에 직면하게 되는데, 그러나 단지 막연하고 의심스러운 단계에서는 문제는 성립되지 않는다. 이보다도 상황을 구성하는 요소들을 비교하여 이 상황들이 부분적으로 명확하게 되고 그 상황에 처해 있는 사람이 이것을 잠정적으로 해결하게 될 때 상황은 문제로서 파악된다. 문제는 근원적으로는 실천적인 것이지만, 이론적인 문제도 역시, 이미 알고 있는 것과 아직 모르고 있는 것, 또는 해결된 것과 해결되지 않은 것 사이에서 성립한다는 점에 있어서는 동일한 구조를 갖는다."
_철학사전편찬위원회, 2009.

'문제'가 본래적으로 갖고 있는 철학적, 일상적 의미들을 살펴보면, 문제의 성립조건이 혼란스럽거나 애매하고 모순된 불확실한 상황을 전제로 하고 있음을 알 수 있습니다. 학교교육과정에서 수없이 제시되고 있는 구조화된, 정답이 있는 문제들은 이런 기본적인 성립조건을 충족하기 어렵습니다. 학생들이 시험을 통해 접해왔던 전형적인 유형의 문제들은 실은 문제가 가져야 할 근본적인 성격과는 거리가 멀다고도 볼 수 있습니다. 특정 지식이나 정보를 정답으로 삼아 기억유무를 확인하기 위한 닫힌 질문들 중에는 학생들이 해결해야만 할 문제가 존재할 수 없습니다. 문제라고 불려졌던 수없이 많은 질문들 중에는 실제 삶에서 만나는 문제 유형은 없었던 셈입니다. 듀이(1938)는 불명확한 상황을 일정한 방향으로 명확화시키려할 때 문제가 발생하고 이를 해결하는 과정에서 '탐구의 논리(logic of inquiry)'가 성립된다고 하였습니다. 문제가 본래의 성립조건을 충족하기만 한다면, 그 자체만으로도 배움의 과정은 절로 발생할 수 있다는 의미입니다.

"5명의 학생에게 15권의 책을 나눠 주려고 합니다. 어떻게 하면 좋을까요?"
"3권씩 나눠주면 돼요. '15÷5=3'이니까요."
"정답입니다."

나눗셈을 이용한 계산방법을 조금이라도 알고 있는 학생이라면 별 고민 없이 문제의 정답을 맞췄을 것입니다. 책이 과자로 바뀌고, 학생이 아닌 어린 아이가 되더라도 고민할 필요가 전혀 없습니다. '15 ÷5'는 언제나 '3'이니까요. 하지만 우리가 실제로 만나는 문제는 아래와 비슷합니다. 아니 더 복잡하고 어려운 특수한 상황을 배경으로 나오는 경우가 대부분입니다.

"가정형편이 각기 다른 5명의 학생이 있습니다. 이들이 선호하는 책의 종류도 제각각입니다. 15권의 책을 나눠주려 하는데 어떻게 하면 좋을까요?"

단순히 책을 골고루 나눠주는 것만으로 해법이 제한된다면 나눗셈의 계산원리를 적용해 문제를 쉽게 해결할 수 있을 겁니다. 그러나 실제 만족할 만한 해법이 될지는 미지수입니다. 실제로 만족할 만한 해결안을 도출하기 위해선 그들의 가정형편에서부터 선호하는 책의 종류까지 파악하고 고려하는 것이 최우선일 수 있습니다. 누구에겐 한 권의 책을 받는 것이 나머지 책을 얻는 것보다 더 기분 좋은 일일 수도 있기 때문입니다.

이처럼 PBL의 핵심인 '문제'는 실제 삶 속에서 직면하는 문제유형과 맥을 같이 합니다. '비구조성', '실제성', '통합교과' 등으로 요약되는 PBL 문제는 우리 생애, 일상에서 직면하거나 만나게 될 문제들과 다르지 않습니다. 하지만 안타깝게도 PBL 대표사례로 소개되는 수업들 중 상당수는 이러한 '문제'의 조건을 제대로 충족하지 못하는 경우가 많습니다.

QUEST 1-1

다음 두 문제의 차이는 무엇일까요? 두 문제를 서로 비교해보며 차이점을 아래 칸을 적어보세요. '문제'의 성격을 분명히 아는 것이 PBL 수업을 이해하는 첫걸음입니다.

여러 가지 새의 부리모양과 먹이의 관계를 조사하고 발표합시다.

무엇이 다를까요?

발병가 K는 먹이에 따라 다양한 모양으로 빈화해 온 새부리를 연구해서 유용한 채집도구를 개발하려고 합니다. 새부리의 특징을 잘 반영해서 채집대상에 따른 시제품을 만들어 보세요.

※자세한 설명은 '「재미와 게임으로 빚어낸 신나는 프로젝트학습」 pp.333-334'에서 찾아볼 수 있습니다.

결국 어떤 '문제'로 시작하는지가 PBL 수업의 성패를 결정짓는다고 해도 과언이 아닙니다. 아무리 활발한 토론활동과 협동학습, 발표 등이 이루어진다고 해도 그 모든 것이 하나의 정답을 도출하는 과정으로 귀결된다면, 그저 겉모양만 흉내 낸 PBL 수업에 그치게 됩니다. 아무래도 교과서라는 잘 짜여진 각본에 익숙한 교사에게 PBL은 그야말로 '답'이 안 나오는 수업일 수밖에 없습니다. 하지만 얼마든지 작은 용기만으로도 교과서가 제시한 길을 벗어나 주제 중심의 탈교과서를 실천하고 학습자 개개인의 출발점에서 창의적인 해법을 모색하도록 만들 수 있습니다. 우리가 오랜 세월동안 접해왔던 전통적인 수업방식과 달라서 익숙하지 않을 뿐, 실천하는 건 그다지 어렵지 않습니다. PBL에서 다루는 문제가 우리의 실제 삶에서 만나왔던 문제와 본질적으로 다르지 않기 때문에 더욱 그렇습니다. PBL 문제라는 비구조적인 성격의 과제를 만들고 실천하는 것은 이를 경험할 학생 뿐만 아니라 교사에게도 충분히 의미있는 시도가 될 수 있습니다.

QUEST 1-2

'구조화된 문제'와 '비구조화된 문제'의 특징은 무엇일까요? 각 문제의 성격을 떠올려보며 정리해 봅시다.

구조화된 문제	비구조화된 문제
· 주어진 상황과 상관없이 일반적인 규칙, 개념을 적용해 서 풀 수 있다. · 해결하는 사람마다 정답이 일치한다.	· 매우 구체적이고 복잡하고 불확실한 특정한 상황을 기반으로 한다. · 학습자마다 해결안(정답)이 다르다.

※관련 내용은 '「교실 속 즐거운 변화를 꿈꾸는 프로젝트학습」 pp.174-175'에서 찾아볼 수 있습니다.

꿀맛 같은 휴일, 이른 아침부터 꽃단장을 하고 약속 장소에 도착했다.
모처럼의 데이트, 설레는 마음으로 그를 만났다.
그는 반가운 표정을 지으며 내게 물었다.

"오늘 뭐 할까?"
"글쎄, 뭐하면 좋지?"
"하고 싶은 거 있으면 말해봐. 오늘 뭐하고 지낼까?"
순간 짜증이 밀려들었다.
"에휴, 그냥 아무거나 해! 날 사랑하긴 하니?"

여자들의 설레는 데이트 기분을 망치는 표현 중에 하나가 '오늘은 뭐 할까?'라는 말이라고 합니다. 남자의 입장에선 상대방이 원하는 걸 들어주겠다는 배려의 표현이라 여길지 모르지만 궁색한 변명으로 여겨지기 십상입니다. 어떤 상황과 조건 없이 제시되는 비구조적인 문제에서 해법을 찾기란 정말 어렵습니다. 인지적 부담감만 가중시킨 채, 끝내 제멋대로 결론을 낼 가능성이 높습니다. 아마도 다음과 같이 말했어도 데이트 기분을 망치진 않았겠죠.

"여기가 ○○으로 유명한 곳이라고 들었어. 아마도 사람들이 자주 찾는 명소도 있을 거야. 오늘 이곳에서 뭐하며 지낼까?"

비구조적인 성격을 지닌 문제라할지라도 모두 PBL 수업에 적합한 건 아닙니다. 실은 우리 삶 속에서 만나는 대다수의 문제들은 구체적인 상황과 반드시 따져보아야 할 조건들이 있기 마련입니다. 당연히 PBL에서 전혀 구조화되지 않은 문제보다는 구조화가 어느 정도 진행된 '덜 구조화된(ill-structured)' 문제가 중심이 될 수밖에 없습니다.

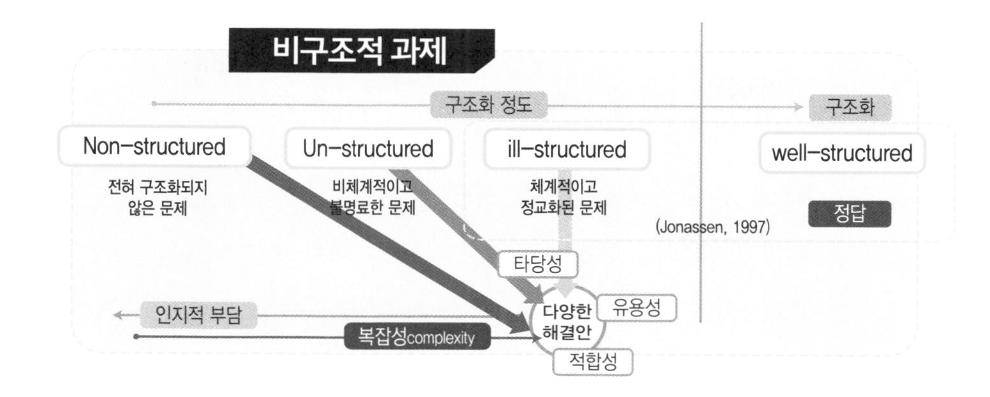

예를 들어, '국내여행상품 만들기' 프로젝트를 학교수업에서 벌인다고 한다면, 문제의 구조화 정도에 따라 학생들은 전혀 다른 학습과정과 결과를 경험하게 됩니다.

Non-structured 국내 여행상품을 만들어 보자!

학습자가 고려해야 할 상황이나 조건을 찾을 수 없는 구조화가 전혀 안된 문제의 경우, 해결안의 타당성과 적합성 등을 따져보는 것이 어렵습니다. 교사의 주관적인 판단하에 여행상품의 완성도를 따져볼 수는 있겠지만, 딱 거기까지입니다. 게다가 인지적 부담을 회피하거나 불순한 의도(?)로 기존의 국내여행상품을 살짝 바꿔 제출한다고 하더라도 알 길이 없습니다. 모로 가든 국내여행상품을 만들어냈다면 일단 문제를 해결한 것이 돼버리기 때문에 내실 있는 수업은 기대하기 힘듭니다.

Un-structured 다도해 해상국립공원 2박 3일 여행상품 개발하기

반면, 여기에 약간의 조건만 더해도 수업의 양상은 달라집니다. '다도해 해상국립공원'과 '2박 3일'이라는 조건을 더했을 뿐이지만, 학습과정은 이전(전혀 구조화되지 않은 문제)과는 사뭇 다르게 진행됩니다. 여행상품의 타당성을 확보하기 위해 자연스레 '다도해 해상국립공원'과 관련된 학습이 이루어지듯, 문제 속 조건들은 과제해결을 위해 배워야 할 내용과 범위를 결정짓게 됩니다. 이들 조건은 학습자의 인지적 부담감을 감소시켜

주는 대신, 고려해야 할 조건만큼이나 복잡성을 증가시켜 줍니다. 기존 여행상품을 살짝 바꾸는 등의 편법을 써서 과제를 해결할 수 없기에 학습의 질도 어느 정도 확보될 수 있습니다. 이런 문제들은 주제 중심으로 진행되는 PBL 수업에서 흔히 만날 수 있는 유형이기도 합니다. 다만 문제 자체가 여행상품을 개발해야 하는 이유와 목적 등을 설명해 주기엔 여러모로 한계가 있습니다. 상황이 배제된 문제는 맥락적 지식구성을 어렵게 합니다. 더욱이 위의 문제는 따져야 할 조건이 많지 않기 때문에 관련 정보를 베끼거나 요약하는 정도에 머물 수도 있습니다. 적극적인 참여로 여행상품을 만들었더라도 그것이 어느 상황에 적합하고 유용한지 학습자로선 알 길이 없습니다.

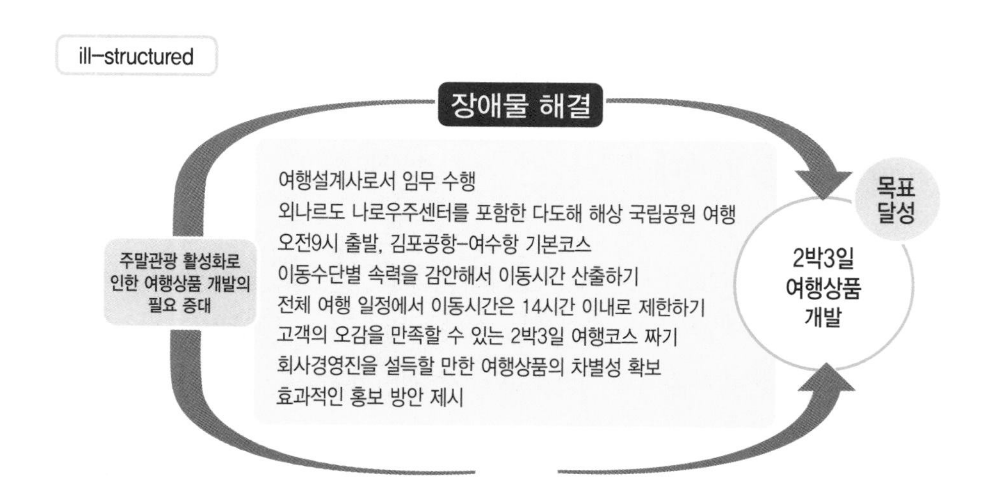

그래서 좋은 PBL 문제는 제시된 상황 속에 깊이 있는 학습과정을 요구하는 다양한 조건들로 채워집니다. 여기서 학습자는 '여행상품 만들기'라는 목표 달성을 위해 따져봐야 할 조건만큼이나 호락호락하지 않는 난관에 봉착하게 됩니다. 구체적인 상황과 다양한 조건들은 문제해결을 위해 배워야 할 내용과 활동의 목적과 이유를 명확히 합니다. 더불어 풍부한 상황(이야기)을 반영하여 문제를 정교화하면, PBL 수업의 완성도는 더욱 높아집니다.

● 문제의 정교화

PBL 문제 : 당신은 여행 설계사! '다도해 해상국립공원 여행 상품 만들기 프로젝트'

아름다운 비경을 품고 있는 크고 작은 섬들과 쪽빛 바다로 장관을 이루는 다도해 해상국립공원은 우리나라의 자랑스러운 관광 자원입니다. 2009년 다도해 해상국립공원 내에 위치한 외나로도에 나로우주센터가 건설되면서 전국적인 관심이 집중되고 있는 곳이기도 합니다. 최근 이런 관심을 배경으로 다도해 해상국립공원은 꼭 가 보고 싶은 주말 여행 지역 1위로 선정된 바 있습니다.

당신은 국내 여행 전문 회사인 와부 투어의 여행 설계사로서 선호도가 높은 다도해 해상국립공원을 장소로 한 여행 상품을 만들어야 합니다. 회사에서는 가족과 학생을 대상으로 한 가족 여행이나 수학 여행 상품 개발을 요청하고 있는 상태입니다.

지금까지 결정된 사항은 '여행 기간 : 2박 3일', '출발 시간 : 오전 9시', '출발지 및 기본 이동 코스 : 김포 공항－여수 공항－여수항' 까지입니다. 이제, 당신은 다도해 해상국립공원의 399개 섬 중에서 이동 거리와 여행 대상자의 특성을 고려하여 나머지 여행 코스를 결정해야 합니다. 여행 코스와 이동 거리를 산출하는 데는 다도해 해상국립공원(http://dadohae.knps.or.kr) 공식 홈페이지와 포털 사이트(네이버, 다음)의 지도 서비스를 이용할 예정입니다.

회사 방침상 2박 3일 여행 상품의 경우, 여행자의 피로를 감안하여 전체 이동 시간을 14시간 미만으로 제한하고 있습니다. 각 여행 코스 간 이동 시간은 일반적으로 이동 거리와 각 코스별 이동 수단의 속력을 알면 쉽게 계산할 수 있습니다. 다음은 여행에서 이용될 이동 수단의 속력입니다. 반드시 각 여행지 간의 이동 거리와 이동 수단의 속력을 고려하여 최소 이동 시간을 충족하는 여행 상품을 만들어야 합니다.

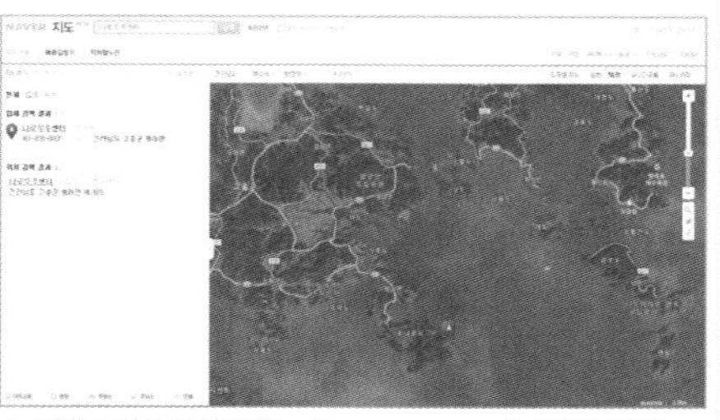

△ 포털 사이트의 지도(http://map.naver.com) 서비스 화면

● 여행에 이용할 이동 수단

교통 수단	비행기	버스	배	말	자전거
이동 거리/시간	500km/h	60km/h	40km/h	30km/h	12km/h

다도해 해상국립공원 내 소규모 섬은 여행에 이용할 이동 수단 중 도보나 말, 자전거를 통한 이동만 가능하므로 이를 감안하여 여행 시간을 계산하고, 여행 일정을 짜야 합니다. 다양한 체험과 볼거리가 가득한 여행 상품이 될 수 있도록 당신의 실력을 보여 주세요.

여행 상품 개발이 완료되면, 회사 경영진의 마지막 결정을 이끌어 내기 위한 발표가 기다리고 있습니다. 가족과 학생들의 마음을 사로잡을 2박 3일 다도해 해상국립공원 여행 상품을 기대하겠습니다. 와부 투어의 미래는 바로 여행 설계사인 당신의 손에 달려 있습니다.

① 여러분들이 개발하는 여행 상품에는 제시된 이동 수단이 모두 동원되어야 하며, 여행지 간 총 이동 시간은 14시간 미만이어야 합니다.
② 지도 서비스를 이용하여 여행 코스를 결정하고, 이동 거리를 정확하게 파악해야 합니다.
③ 당신은 와부 투어의 여행 설계사로서 회사 경영진 앞에서 여행 상품을 설득력 있게 발표해야 합니다. 이때, 파워포인트, 홍보 동영상 등을 활용하여 준비한 여행 상품의 매력을 뽐내보세요.
④ 과학 '4단원 물체의 속력' 과 관련이 있습니다. 관련 지식을 문제 해결에 꼭 활용하세요.

이 책에서 제공하는 PBL 프로그램처럼, '게임화(Gamfication)' 등 다양한 전략을 활용해 학습자에게 매력적으로 다가갈 만한 문제로 재구성할 수도 있습니다.

QUEST 1-3

연습 삼아서 '여행상품 만들기' 활동이 중심이 되는 PBL 문제초안을 작성해 봅시다. 앞선 사례를 참조하여 '덜 구조화된(ill-structured)' 문제 만들기에 도전하도록 합니다. '모방은 창조의 어머니'라고 했습니다. 기존 문제를 재구성해 보는 것도 좋은 방법이 될 수 있습니다.

문제 제목 :

PBL에 담지 못할 내용은 없습니다. 특정 교과나 연령에만 어울리는 수업도 아닙니다. 유아에서부터 성인에 이르기까지 다양한 모습의 PBL이 지금 현재도 각기 다른 현장에 적용되고 있습니다. PBL은 실제적인 세계를 배경으로 하고 있는 만큼 학생들의 직·간접적인 경험적 세계와 맞닿아 있는 다양한 주제를 다루게 됩니다. 특히 문제 속 비구조화된 복잡한 상황은 학습자 자신의 실제 삶과 유사한 실감나는 학습환경을 만들어냅니다.

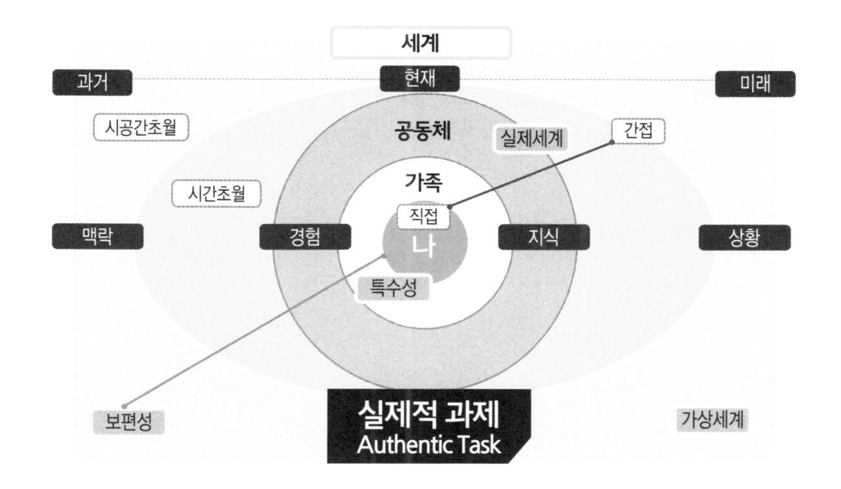

과연, '실제적 과제' 성격에 부합하는 문제의 범주는 어디까지 일까요? 실제성을 좁은 의미로 해석하느냐, 넓은 의미로 해석하느냐에 따라 문제에 담을 수 있는 주제와 내용의 범위가 달라집니다. 만일 어린 학생들이 실질적으로 경험하고 있는 세계로 문제상황을 국한시킨다면 담을 수 있는 주제와 이야기는 한정될 수밖에 없을 겁니다. 이런 기준으로 아래의 문제를 판단한다면 PBL에 어울리는 과제라 할 수 없겠죠.

"한 달 후에 바디선장과 그 선원들은 인체탐험을 시작합니다. 우리 몸의 구석구석을 살펴보고 질병이 걸리는 원인을 찾기 위해서 입니다. 그런데 바디선장에게는 우리 몸 지도가 없습니다. 한 달 후에 탐험을 시작해야 하는데, 무척 난처한 입장입니다. 우리 나리반 친구들이 우리 몸 지도를 그려서 바디선장이 무사히 인체탐험을 할 수 있게 도와주도록 합시다."

*관련 수업사례는 '「재미와 게임으로 빛어낸 신나는 프로젝트학습」 pp.37-46'에서 찾아볼 수 있습니다

대학이나 기업 등 전공과 업무가 분명한 학습자를 대상으로 할 경우(일반적으로 성인교육)에는 주어진 상황이 자신들이 당면하거나 직면할 실제문제와 유사해야 효과적일 수 있습니다. PBL과 유사한 모형인 액션러닝(action learning)이나 캡스톤 디자인(capstone design) 등 실제 현업을 중심으로 프로그램이 짜여지는 것을 보아도 알 수 있습니다. 하지만 초·중등학교는 다릅니다. 교실 속에서 만나는 교과지식들은 학생들이 실제 생활에서 접하고 경험하는 것과는 상당부분 동떨어져 있습니다. 어찌 보면, 교과서는 학생들의

삶에서 직접적으로 경험하지 못할 가상세계를 담고 있다고도 볼 수 있습니다. 이는 학생들을 진짜 세상에 꼭 필요한 구성원으로 성장시키는 것이 학교의 중요한 역할 중에 하나이기 때문에 당연합니다. 그렇기에 PBL 문제의 '실제적(authentic)' 성격은 학생들이 직접적으로 겪는 세계와 비교할 수 없을 정도의 광범위한 세계를 포용할 수 있습니다.

다음달, 드디어 우리학교 재능발표회가 열립니다. 우리 반은 이 행사에 모두 참여하기로 결정하고, 댄스공연, 역할극, 패션쇼 등을 준비하기로 했습니다. 소외되는 친구 없이 모두가 즐겁게 참여하는 뜻 깊은 행사가 되길 바랍니다. 소중한 추억으로 기억될 재능발표회의 주인공은 바로 당신입니다.

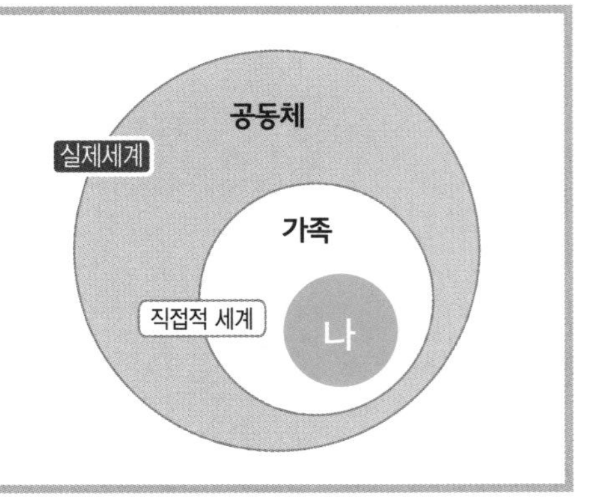

위의 '재능발표회' 문제는 '나'와 직접적으로 연관된 학교행사라는 실제상황을 배경으로 합니다. 굳이 문제로 만들어 제시하지 않더라도 재능발표회라는 주어진 상황 자체가 학생들이 해결해야 될 과제가 됩니다. 특별한 이야기나 장황한 설명을 덧붙이지 않더라도 주어진 상황을 정확하게 이해할 수 있습니다. 그러나 학생들의 삶의 테두리를 벗어난 간접적인 경험세계를 문제에 담으려면 특별한 이야기가 필요합니다. 다음 '사건번호 601: 진실이 다가가다'라는 문제처럼 과학수사대가 되어 의문의 변사체 사건을 밝혀내는 활동처럼 말이죠.

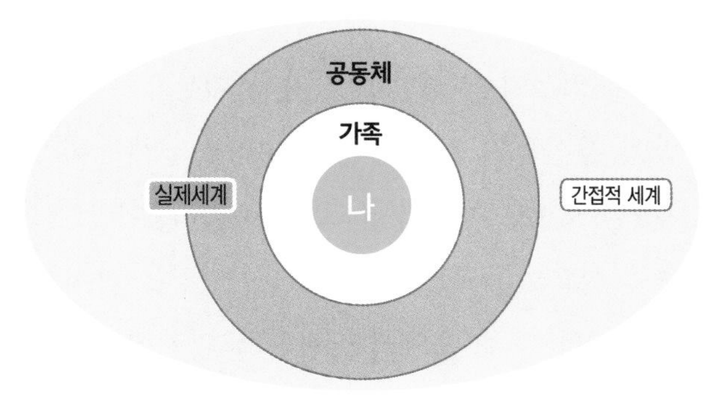

퀘스트Quest 3 사건은 다시 미궁 속으로

퀘스트Quest 2 3주 만에 백골이 된 변사체, 그 이유가 궁금하다

퀘스트Quest 1 사망 시기는 언제?

MADANG 사건번호 601 : 진실에 다가가다.

문제의 출발점 Starting Point

배경epic

한 달 전, 근처 야산에서 시원미상의 백골의 변사체가 발견됐습니다. 뜻밖에 변사체는 사람들이 자주 오가던 산책로에서 불과 10m 정도 밖에 떨어져 있지 않았습니다. 이상한 것은 많은 사람들의 왕래가 있었음에도 불구하고 시체의 부패 냄새를 느끼지도 못했고, 수상하게 여겨지는 사람도 목격하지 못했다는 점입니다. 변사체가 백골이 진행되는 동안 근처에 지나던 어느 누구도 인지하지 못했다는 건, 상당히 이례적인 일입니다.

사건이 자칫 미궁 속으로 빠져들고 있던 찰나에 다행히 결정적인 단서가 포착됐다고 합니다. 인근 치과병원의 치아기록을 살피던 중 변사체와 일치하는 기록을 찾았다는 소식입니다. 사람마다 치열이나 치아의 모양, 보존상태가 다르기 때문에 백골로 진행된 변사체의 신원을 확인하는 것은 시간문제라고 할 수 있습니다. 이제 과학수사대의 핵심요원인 당신에겐 사건이 발생한 여러 정황을 꼼꼼히 살펴보고, 변사체의 사망시기와 원인을 과학적으로 규명해야 하는 임무가 부여됩니다.

사건번호 601, 백골로 발견된 변사체, 그가 말하는 사건의 실체는 과연 무엇일까요? 진실에 다가갈 수 있는 열쇠는 바로 당신이 쥐고 있습니다.

※ 변사체(變死體) : ① 뜻밖의 사고로 죽은 사람의 시체.
② 범죄에 의하여 죽었을 것으로 의심이 가는 시체.

ⓒ 정준환

* 관련 수업사례는 '「재미와 게임으로 빚어낸 신나는 프로젝트학습」 pp.289-313'에서 만날 수 있습니다.

더 나아가 시간과 공간, 시대를 초월한 가상의 세계도 실제적 성격의 문제에 얼마든지 담을 수 있습니다. 실제적 과제의 성립은 맥락적 지식구성을 가능하게 해줄 문제 상황의 제공 여부에 따라 결정됩니다. 많은 사람들이 소설, 영화, 드라마, 게임 속 이야기에 빠져들고, 가상의 세계에 열광하게 되는 건 작품이 주는 진짜보다 더 진짜 같은 현실감이 한몫을 합니다. 분명한 건 시공간을 초월하고 간접적 경험세계, 가상세계로 확장할수록 이야기의 힘은 더욱 중요해진다는 것입니다. 다음 '인터스텔라' PBL 문제는 영화도입부 상황을 그대로 제시하고 있습니다. 교사의 개인적인 창작능력만으로는 이야기의 힘을 불어넣는데 아무래도 한계가 있기 때문에 기존의 매력적인 작품에서 이야기의 모티브를 얻어 PBL 문제로 구성하는 것도 탁월한 방법입니다.

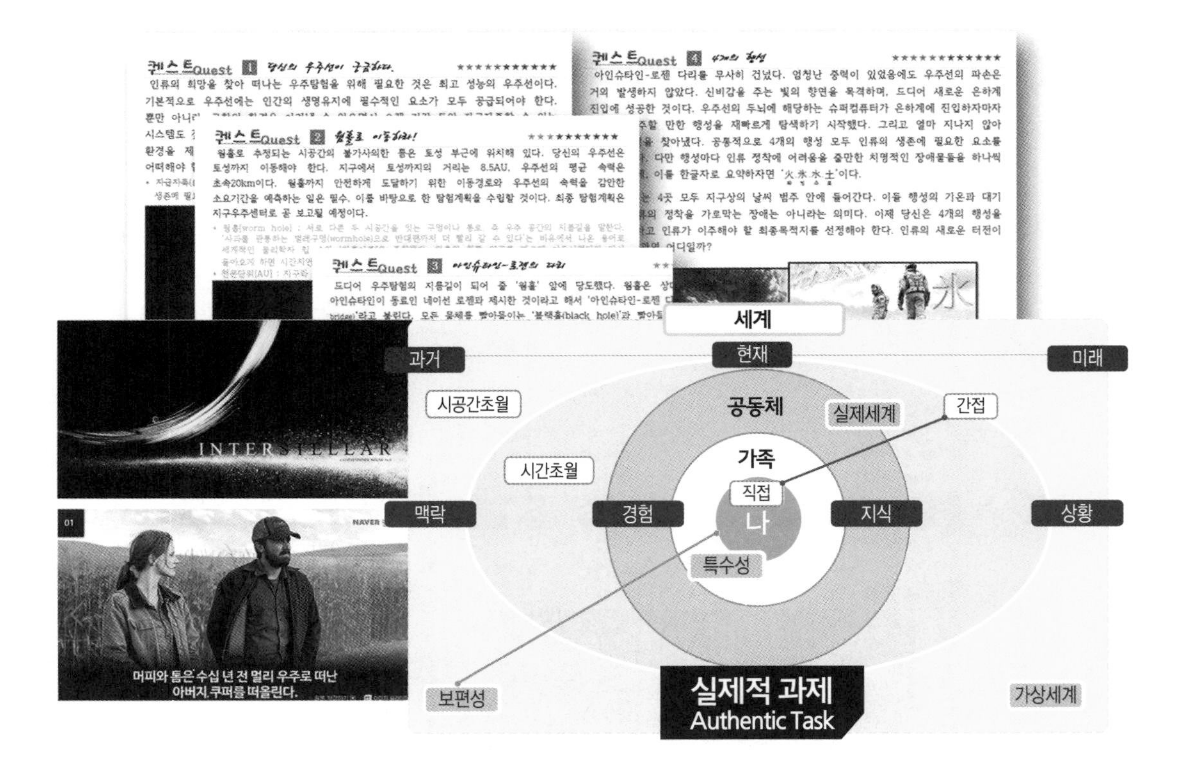

QUEST 1-4

다양한 장르의 작품들 중 매력적인 이야기, TOP3를 선정해 보세요. 이들 이야기를 PBL 문제로 만든다면 어떤 과제(활동)들이 가능할까요?

작품명	1	2	3
이야기 줄거리			

과제(활동) 아이디어			

자, 어떤 PBL 수업을 실천하고 싶은가요? 혹여 소개된 문제 사례처럼 만들 자신이 없어 시도하는 것조차 엄두가 나지 않습니까? 만약 그렇다면 고민할 필요는 없습니다. 지금 살펴본 '문제'의 성격을 충족하기만 한다면 그 어떤 것도 괜찮습니다. 좀 허접하게 만들면 어떻습니까? 짧고 거친 문장, 사진 몇 컷으로도 얼마든지 매력적인 문제가 될 수 있습니다. 이야기의 힘을 빌리고 싶다면 주제와 관련된 매력적인 작품들을 문제 상황으로 활용하는 것도 좋은 전략이 될 수 있습니다. 머릿속에 도달점에 이를 때까지 막연하게 기다리지 말고 그냥 시작해 봅시다. 불필요한 기대감은 내려놓고 두려움 따위는 던져버리고 손수 만든 문제로 PBL 수업에 도전해 보는 것은 어떨까요.

CHAPTER 03

오즈토이와 함께 차원이 다른 보드게임을 만들어라!

Quest 01 _블록&보드게임을 적극적으로 벤치마킹하라

Quest 02 _보드게임의 중심 테마 결정하기

Quest 03 _오즈토이만의 차별화된 보드게임 만들기

Quest 04 _새로운 보드게임 출시! 게임체험부스가 열리다

★Teacher Tips

사랑받는 게임, 보드게임

1982년 출시한 이후 오랫동안 사랑받고 있는 블루마블을 기억할 것입니다. 미국의 모노폴리(Monopoly)(1934년 발매)라는 보드게임과 비슷한 형태를 취하고 있는데요. 이와 같이 일정한 게임판(보드)을 두고 주사위 및 병마를 활용해 정해진 규칙에 따라 진행하는 형태가 전형적인 보드게임의 모습이라 할 수 있습니다. 최근 들어 포커나 화투 등의 카드로 하는 게임까지 포괄하여 보드게임이라 칭하고 있으며, 그 종류도 매우 다양해졌습니다.

여러분들이 도전하게 될 이번 프로젝트학습의 핵심 키워드는 아래 워드클라우드에도 잘 드러나있듯 '보드게임'입니다. 기존의 보드게임을 분석하고 장점을 반영한 차원이 다른 나만의 보드게임을 만드는 것이 참여하는 여러분들에게 부여될 핵심임무입니다. 거기다 전세계 사람들의 사랑을 듬뿍 받고 있는 블록을 보드게임에 접목하는 시도도 해야 하니 특별해질 수밖에 없겠죠. 보드게임개발자가 되어 차원이 다른 작품을 만들어 봅시다.

* 문제시나리오에 사용된 어휘빈도(횟수)를 시각적으로 나타낸 워드클라우드(word cloud)입니다.
워드클라우드를 통해 어떤 주제와 활동이 핵심인지 예상해 보세요.

오즈토이와 함께 차원이 다른 보드게임을 만들어라!

오즈토이는 어린이와 청소년들의 창의력과 사고력을 키워줄 수 있는 교육용 학습교구를 전문적으로 생산하는 회사입니다. '놀이를 통해 공부하자!'라는 슬로건을 내세우며, 오즈토이는 지금껏 많은 사람들의 사랑을 받아 왔습니다. 올해부터 오즈토이는 새로운 사업을 준비하고 있습니다. 교육용 보드게임과 블록이 그 대상입니다. 기존의 유명 블록과 보드게임들의 시장 점유율을 뚫고 안착하기 위해서는 오즈토이만의 차별화된 전략이 꼭 필요한 상황입니다. 이들 업체의 아성에 정면으로 도전하는 것이 무모한 일일 수 있지만, 매력적인 주제로 기존의 시장에 없는 제품을 만들고자 합니다. 교육적이면서 재미있는 교육용 보드게임과 블록에 역량을 집중하다보면 분명 새로운 길을 개척할 수 있을 것입니다. 팀 회의에서도 이러한 취지를 충분히 살린 교육용 보드게임과 블록을 만들자는데 합의한 상태이고요. 한걸음 더 나아가 강 팀장이 제안한 아이디어도 고려 대상입니다.

'보드게임과 블록을 결합해 보면 어떨까?' 회의 중에 문뜩 떠올린 아이디어지만 무언가 색다른 작품이 만들어질 것 같은 예감입니다. 당신은 어떻게 생각하십니까? 가능할까요? 가능하다고 믿으면 가능해집니다. 당신의 능력을 믿고 오즈토이와 함께 보드게임 만들기에 도전해 보세요!

PBL MAP

Let's Challenge Without Fear!

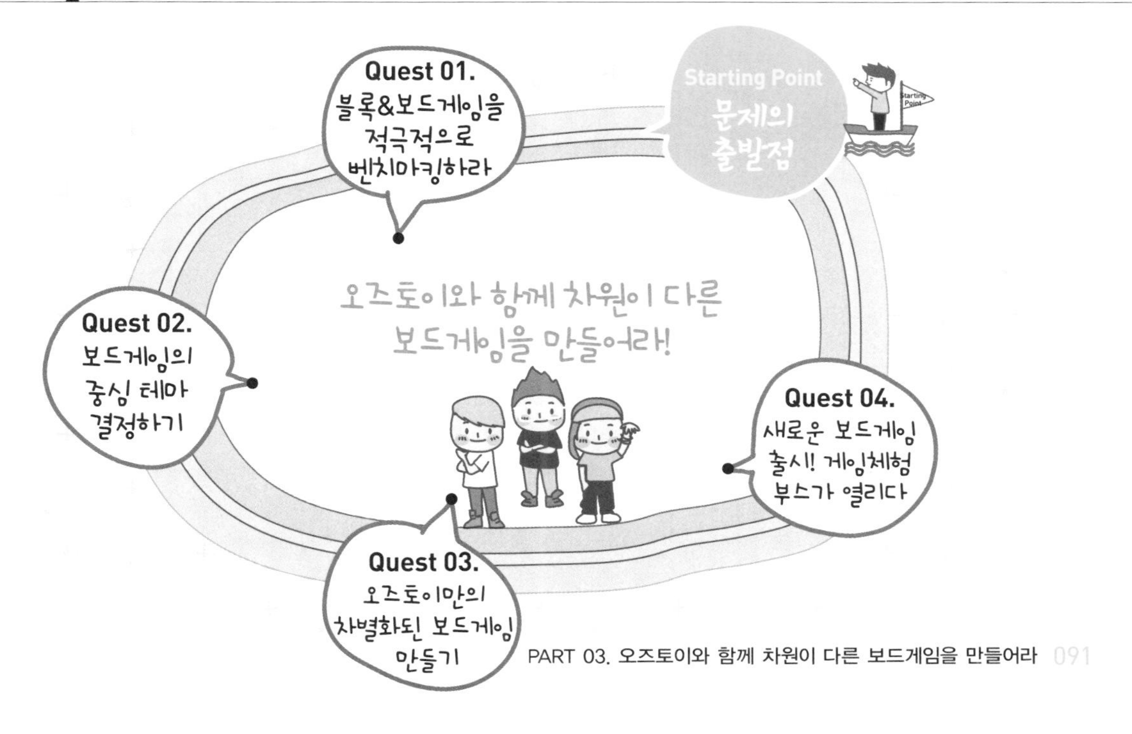

블록&보드게임을 적극적으로 벤치마킹하라 ★★★★

당신은 보드게임개발자로서 어떤 스타일의 '보드게임+블록'을 만들고자 하나요? 고민만 해서는 절대 해결할 수 없습니다. 기존의 보드게임과 블록을 체험하고 분석해서 이들과 차별화시킬 수 있는 방안을 찾아야 합니다. 한마디로 '벤치마킹'이 필요하다는 의미! 블록은 학교에서 쉽게 활용 가능한 쌓기나무에서부터 유명 회사의 제품을 참고하는 것도 좋은 방법입니다. 보드게임과 잘 접목만 된다면 아주 재미있는 활동이 될 수 있을 테니까요. 자, 그럼 기존 보드게임에 대한 벤치마킹을 시작해 봅시다. 벤치마킹한 내용은 오즈토이만의 차별화된 보드게임을 완성하는 데 소중한 참고자료로 사용될 것입니다.

* 벤치마킹[benchmarking] : 경영기법에 하나로 뛰어난 상대(회사나 제품)에게서 배울 것을 찾아 경쟁력을 높일 방안을 모색하는 행위다. 벤치마킹은 '적을 알고 나를 알면 백전백승'이라는 손자병법의 말에 비유되기도 한다.

❶ 벤치마킹할 보드게임과 블록선정하기 ★★

보드게임		
블록		

❷ 개별, 팀별로 보드게임(블록) 체험을 토대로 벤치마킹할 내용을 정리해 보세요. ★★

보드게임(블록) 이름	보드게임+블록 개발을 위해 벤치마킹할 내용	체험자

관련교과	국어	사회	도덕	수학	과학	실과			체육	예술		영어	창의적 체험활동	자유학기활동		
						기술	가정	정보		음악	미술			진로 탐색	주제 선택	예술 체육
		●							●				●	○	●	●

1. 벤치마킹할 보드게임 및 블록 선정은 모둠별로 만들 보드게임의 유형과 관련 있는 것으로 결정하는 것이 바람직합니다.
2. 보드게임과 블록의 결합을 고민하는 것이 필요합니다. 보드게임 자체를 블록과 하나로 만들거나 최소한 주제를 중심으로 통합할 수 있도록 아이디어를 모아주세요.
3. 게임을 즐겁게 즐기면서 동시에 어떤 것을 벤치마킹해야 할지 생각해야 합니다. 게임 체험 이후에는 관련 내용을 정리해 주세요.

나만의 교과서

4가지 기본항목을 채우고, 퀘스트 해결과정에서 공부한 내용이나 수집한 정보를 토대로 자신만의 방식으로 알차게 표현해 보세요. 그림이나 생각그물의 형태로 표현하는 것도 좋습니다.

ideas
문제해결을 위한 나의 아이디어

facts
문제와 관련하여 내가 알고 있는 것들

learning issues
문제해결을 위해 공부해야 할 주제

need to know
반드시 알아야 할 것

스스로 평가

자기주도학습의 완성!

		나의 신호등
01	나는 모둠원들과의 민주적인 토의과정을 거쳐 벤치마킹할 보드게임과 블록을 선정하였다.	1 2 3 4 5
02	나는 보드게임과 블록을 체험하고 벤치마킹할 내용을 정리하였다.	1 2 3 4 5
03	나는 만들고 싶은 보드게임 아이디어를 얻기 위해 적극적으로 체험활동에 참여하였다.	1 2 3 4 5
04	나는 보드게임과 블록을 결합시킬 방안을 적극적으로 제시하였다.	1 2 3 4 5
05	나는 문제해결을 위해 탐구한 내용과 수집한 정보를 바탕으로 나만의 교과서를 멋지게 완성하였다.	1 2 3 4 5

자신의 학습과정을 되돌아보고 진지하게 평가해주세요.

Level up

오늘의 점수 나의 총점수

Quest 퀘스트 02

보드게임의 중심 테마 결정하기

★★★★★★

당신은 어떤 주제의 보드게임을 만들고 싶은가요? 어떤 보드게임이든 중심 테마는 있기 마련입니다. 주어진 상황과 조건을 고려하여 보드게임의 테마를 결정해 주세요. 더불어 게임 속에 담아내야 할 주제와 내용을 감안하여 관련 자료를 수집하고 정리하도록 합니다. 이들 자료를 게임환경에 어울리도록 어떻게 각색하고 활용하면 좋을지도 반드시 생각해야 합니다.

❶ 보드게임의 테마 정하기

★★★

주제		
제목		[보드게임 제목 설명]

❷ 보드게임에 담고자 하는 주제와 내용 관련 자료 수집하기

★★★

자료내용(요약)	활용방안

관련교과	국어	사회	도덕	수학	과학	실과			체육	예술		영어	창의적 체험활동	자유학기활동		
						기술	가정	정보		음악	미술			진로 탐색	주제 선택	예술 체육
	○	○	○	○	○	○	○	○	●	○	○	○	●	○	●	●

1. 보드게임의 주제가 반영된 제목을 지어주세요. 유명 보드게임의 제목을 참고하여 패러디하는 것도 즐거운 시도가 될 것입니다. 제목을 정했다면 품고 있는 의미를 풀어서 설명하도록 합니다.
2. 보드게임에 담아야 할 내용이 무엇일지 팀원과 논의하고 검증된 양질의 자료를 수집하도록 합니다. 인터넷 자료에만 의존하지 말고 관련 주제 책과 교과서 등을 참고하도록 하세요.
3. 수집한 자료들이 개발하려는 게임환경에 맞게 재구성될 수 있도록 활용방안을 어느 정도 세워 놓는 것이 좋습니다.

나만의 교과서

4가지 기본항목을 채우고, 퀘스트 해결과정에서 공부한 내용이나 수집한 정보를 토대로 자신만의 방식으로 알차게 표현해 보세요. 그림이나 생각그물의 형태로 표현하는 것도 좋습니다.

ideas
문제해결을 위한 나의 아이디어

facts
문제와 관련하여 내가 알고 있는 것들

learning issues
문제해결을 위해 공부해야 할 주제

need to know
반드시 알아야 할 것

스스로 평가
자기주도학습의 완성!

		나의 신호등
01	나는 모둠원들과의 민주적인 토의과정을 거쳐 주제를 선정하였다.	1 2 3 4 5
02	나는 개발할 보드게임에 어울리는 제목을 지었고, 그 과정에 적극적으로 참여하였다.	1 2 3 4 5
03	나는 보드게임에 담을 주제와 내용을 감안하여 자료를 수집하였다.	1 2 3 4 5
04	나는 수집한 자료의 효과적인 재구성을 위해 게임환경에서의 활용방안을 제시하였다.	1 2 3 4 5
05	나는 문제해결을 위해 탐구한 내용과 수집한 정보를 바탕으로 나만의 교과서를 멋지게 완성하였다.	1 2 3 4 5

자신의 학습과정을 되돌아보고 진지하게 평가해주세요.

Level up 오늘의 점수 나의 총점수

오즈토이만의 차별화된 보드게임 만들기 ★★★★★★★★

당신은 보드게임디자이너로 벤치마킹한 내용을 반영하여 오즈토이만의 차별화된 게임을 만들어야 합니다. 게임을 하면서 자연스럽게 공부까지 되는 일석이조의 '보드게임+블록'을 만드는 것이 당신에게 주어진 임무입니다. 보드게임에도 스토리는 필요합니다. 게임을 쉽게 이해하고 그 속에 빠져드는 데는 재미있는 스토리가 한몫 합니다. 스토리 자체의 차별성도 고민할 필요가 있습니다. 앞서 선정한 테마를 감안하여 만들어 봅시다. 어떤 보드게임이 탄생할지 벌써부터 궁금해지네요. 도전하는 즐거움을 만끽하길 바랍니다.

❶ 보드게임 스토리 완성하기 ★★

❷ 개발할 '보드게임+블록'의 규칙과 방법 정하기 ★★

❸ 형태 제한 없이 오즈토이만의 개성 넘치는 '보드게임+블록' 만들기 ★★★★

* 모둠별로 다양한 재료를 활용하여 재미있고 유익한 교육용 보드게임을 직접 만들면 됩니다.

관련교과	국어	사회	도덕	수학	과학	실과			체육	예술		영어	창의적 체험활동	자유학기활동		
						기술	가정	정보		음악	미술			진로 탐색	주제 선택	예술 체육
	●								●		●		●	○	●	●

1. 스토리는 게임을 구성하는 핵심요소입니다. 단순한 게임이라도 대부분 스토리가 있습니다. 스토리가 게임의 흥미를 자극하고 집중할 수 있게 만들죠. 기존의 이야기들을 각색해서 게임 스토리로 만들어 보세요.
2. 게임은 철저히 동일한 규칙에 의해 진행됩니다. 규칙을 잘 지키면서 게임에 참여하기 위해서는 여러 방법이 필요하죠. 주요 참여자의 연령을 감안하여 게임의 규칙과 방법이 너무 어렵지 않도록 신경써 주세요.
3. 교육용 보드게임+블록임을 잊지 마세요. 재미 위주가 아니라 교육적인 측면도 함께 고려되어야 한다는 의미입니다. 자유롭게 형태를 결정하고 역할분담을 잘 나눠서 완성도 높은 보드게임을 만들어 주세요.

나만의 교과서

4가지 기본항목을 채우고, 퀘스트 해결과정에서 공부한 내용이나 수집한 정보를 토대로 자신만의 방식으로 알차게 표현해 보세요. 그림이나 생각그물의 형태로 표현하는 것도 좋습니다.

ideas 문제해결을 위한 나의 아이디어	facts 문제와 관련하여 내가 알고 있는 것들

learning issues 문제해결을 위해 공부해야 할 주제	need to know 반드시 알아야 할 것

스스로 평가
자기주도학습의 완성!

		나의 신호등
01	나는 주제와 내용에 어울리는 이야기를 창작하였다.	1 2 3 4 5
02	나는 보드게임의 재미를 더할 수 있는 방향으로 규칙을 정하였다.	1 2 3 4 5
03	나는 주요 참여자의 연령을 감안하여 어렵지 않도록 게임 방법을 세웠다.	1 2 3 4 5
04	나는 블록을 더한 매력적인 교육용 보드게임을 직접 완성하였다.	1 2 3 4 5
05	나는 문제해결을 위해 탐구한 내용과 수집한 정보를 바탕으로 나만의 교과서를 멋지게 완성하였다.	1 2 3 4 5

자신의 학습과정을 되돌아보고 진지하게 평가해주세요.

Level up

오늘의 점수	나의 총점수

새로운 보드게임 출시! 게임체험부스가 열리다 ★★★★★★★

야심차게 준비한 오즈의 보드게임이 드디어 출시됐습니다. 보드게임과 블록의 이상적인 만남이 인상적인데요. 드디어 이번 행사를 통해 공개된다고 합니다. 오즈의 게임체험부스에서 새로운 보드게임을 직접 체험해 보세요.

당신이 열정을 다해 만든 보드게임을 공개하는 날이 다가왔습니다. 오즈의 게임체험부스에서는 보드게임에 대한 소개(스토리, 규칙과 방법)에서부터 체험까지 소비자의 관심을 모으기 위한 다양한 행사가 열립니다. 성공적인 출시를 위해 철저한 준비가 필요하겠죠? 방문객에게 나눠 줄 게임설명서도 함께 준비해야 한다는 점 잊지 마세요.

❶ 게임설명서 만들기 ★★★

*간편하게 소지할 수 있도록 A4 4분의 1크기 정도로 작게 제작해 주세요.

❷ 게임체험부스 배치 및 역할분담 ★★

❸ 게임소개 시나리오 작성하기 ★★

관련교과	국어	사회	도덕	수학	과학	실과			체육	예술		영어	창의적 체험활동	자유학기활동		
						기술	가정	정보		음악	미술			진로 탐색	주제 선택	예술 체육
	●								●		●		●	○	●	●

1. 오즈의 게임체험부스는 1부와 2부로 나누어 운영됩니다. 전체 6모둠으로 나누어 수행했다면, 1부는 1~3모둠, 2부는 4~6모둠으로 나뉘어 진행하게 됩니다. 이렇게 되면 각 모둠별 3회 정도의 발표가 이루어집니다.
2. 발표는 게임소개(3분) 체험(10분), 전체 15분이 넘지 않도록 구성합니다. 모둠별 순서에 맞게 체험행사를 진행하는 것이 중요합니다.
3. [선택] 각 모둠별로 나눠 준 코인은 구매 욕구를 자극할 정도로 매력적인 게임인지 여부를 따져서 지불하도록 합니다.

나만의 교과서

4가지 기본항목을 채우고, 퀘스트 해결과정에서 공부한 내용이나 수집한 정보를 토대로 자신만의 방식으로 알차게 표현해 보세요. 그림이나 생각그물의 형태로 표현하는 것도 좋습니다.

ideas
문제해결을 위한 나의 아이디어

facts
문제와 관련하여 내가 알고 있는 것들

learning issues
문제해결을 위해 공부해야 할 주제

need to know
반드시 알아야 할 것

스스로 평가

자기주도학습의 완성!

		나의 신호등
01	나는 스토리, 규칙과 방법을 알기 쉽게 정리한 게임설명서를 만들었다.	1 2 3 4 5
02	나는 개발한 게임의 특성을 반영하여 체험부스를 꾸몄다.	1 2 3 4 5
03	나는 게임체험부스 운영을 위한 역할분담을 하였고, 맡겨진 역할에 책임감을 갖고 수행하였다.	1 2 3 4 5
04	나는 게임소개를 위한 시나리오를 준비했고, 실감나게 발표하였다.	1 2 3 4 5
05	나는 문제해결을 위해 탐구한 내용과 수집한 정보를 바탕으로 나만의 교과서를 멋지게 완성하였다.	1 2 3 4 5

자신의 학습과정을 되돌아보고 진지하게 평가해주세요.

Level up

오늘의 점수 나의 총점수

All-Clear
sticker

03 CHAPTER

오즈토이와 함께 차원이 다른 보드게임을 만들어라!

★Teacher Tips

Teacher Tips

'오즈토이와 함께 차원이 다른 보드게임을 만들어라!'는 문제의 특성상 다양한 주제를 담아낼 수 있으며, 모든 교과 내용과 연계하여 진행할 수 있습니다. 보드게임에 담고자 하는 내용을 전적으로 학습자에게 맡기는 것도 좋지만, 특정 교과와 단원에서 다루는 내용으로 범위를 제한하는 것도 얼마든지 가능합니다. 한마디로 학습자에게 어느 정도의 범위 안에서 내용선택권을 줄지는 이 프로그램을 운영할 교수자의 몫입니다. 특정 범위로 다룰 내용을 제한코자 한다면 문제의 도입단계부터 분명히 밝혀야 함을 잊지 마세요.

보드게임과 블록은 학생들의 성장과정에서 일상적으로 접하게 되는 놀이 활동 중에 하나입니다. 친숙한 놀이문화였던 만큼, 보드게임 개발 과정 자체는 학생들에게 특별한 의미로 다가갈 가능성이 높습니다. 실제 이 수업에 참여한 학생들은 보드게임의 질을 떠나 직접 만들고 상호 체험활동을 경험하는 것만으로도 높은 만족감을 나타냈습니다.

대부분의 PBL 수업이 그렇듯 이 수업 또한 특별한 학년경계가 없습니다. 어떤 내용을 담아내는냐에 따라 게임의 카테고리가 결정된다고 볼 수 있습니다. 이를테면 '역사'를 중심으로 다루면 역사게임이 되고, '경제'를 중심으로 두면 경제게임이 만들어지듯 어떤 주제를 선정하고 어떻게 내용을 구성하느냐가 교육과정 연계의 열쇠가 되는 것입니다. 같은 맥락에서 중학교 자유학년제 수업과 연계하여 진행한다면 각 주제별로 다루는 내용을 중심으로 보드게임을 만들도록 하면 됩니다. '직업세계'를 담은 보드게임을 학생들이 손수 개발하는 과정에서 자연스레 직업에 대한 관심과 진로탐색으로 이어질 수 있을 것입니다.

교과	영역	내용요소		
		초등학교[3-4학년]	초등학교 [5-6학년]	중학교 [1-3학년]
국어	쓰기	◆독자 고려	◆목적·주제를 고려한 내용과 매체 선정	◆표현의 다양성
	말하기 듣기	◆표정, 몸짓, 말투	◆발표[매체활용] ◆체계적 내용 구성	◆발표[내용 구성] ◆매체 자료의 효과
미술	표현	◆상상과 관찰 ◆다양한 주제	◆표현 방법(제작) ◆소재와 주제(발상)	◆표현 매체(제작) ◆주제와 의도(발상)
	체험	◆미술과 생활	◆이미지와 의미 ◆미술과 타 교과	◆이미지와 시각문화 ◆미술관련직업(미술과 다양한 분야)

학생들이 다룰 주제와 내용에 따라 보드게임의 성격이 결정되는 만큼, 대상연령에 상관없이 적용이 가능합니다. 대략 초등학교 4학년 이상이면 보드게임 제작에 무난하게 도전할 수 있습니다. 제시된 퀘스트를 통합하고 단순화시키면 더 어린 학생까지 폭넓게 적용해 볼 수 있습니다. 다른 PBL처럼, 교수자의 전문적인 판단 아래, 주어진 상황에 맞춰 탄력적으로 적용해 봅시다.

- 적용대상(권장): 초등학교 5학년–중학교 2학년
- 자유학년활동: 예술·체육(권장) / 진로탐색 / 주제선택
- 학습예상소요기간(차시): 8–10일(8–10차시)
- Time Flow

8일 기준(예)

단계	내용	장소	시간	일차
시작하기_문제제시	문제출발점 설명 PBL MAP으로 학습 흐름 소개	교실	40분	1Day
전개하기_과제수행	QUEST 01 블록&보드게임을 적극적으로 벤치마킹하라	교실 I 온라인	40분 I 1hr	2Day
	QUEST 02 보드게임의 중심 테마 결정하기	교실 I 온라인	40분 I 2-3hr	3-4Day
	QUEST 03 오즈토이만의 차별화된 보드게임 만들기	교실 I 온라인	80분 I 1-2hr	5-6Day
마무리_발표 및 평가	QUEST 04 새로운 보드게임 출시! 게임체험 부스가 열리다	교실 I 온라인	40분 I 1-2hr	7-8Day
	게임체험부스운영 성찰일기(reflective journal) 작성하기	교실 I 온라인	80분 I 1hr	7-8Day

- 수업목표(예)

QUEST 01	◆민주적인 토의과정을 통해 벤치마킹할 보드게임과 블록을 선정할 수 있다. ◆보드게임과 블록을 체험을 통해 분석하고, 벤치마킹할 요소를 찾을 수 있다. ◆보드게임과 블록을 결합시키기 위한 방안을 탐색할 수 있다.
QUEST 02	◆보드게임에 담고자하는 주제와 내용에 어울리는 제목을 지을 수 있다. ◆보드게임을 만들기 위해 필요한 자료를 수집할 수 있다. ◆수집한 자료를 게임환경에 적합한 형태로 재구성할 수 있다.
QUEST 03	◆보드게임의 주제와 내용에 어울리는 이야기를 창작할 수 있다. ◆보드게임의 규칙과 게임방법을 정할 수 있다. ◆블록을 더한 매력적인 교육용 보드게임을 만들 수 있다.
QUEST 04	◆보드게임 스토리, 규칙과 방법을 알기 쉽게 정리한 게임설명서를 만들 수 있다. ◆개발한 보드게임의 특성을 살려 체험부스를 꾸밀 수 있다. ◆게임소개를 위한 시나리오를 작성하고 이를 활용하여 자신있게 발표할 수 있다.
공통	◆문제해결의 절차와 방법에 대한 이해를 바탕으로 학습과정에 참여할 수 있다. ◆공부한 내용을 정리하고 자신의 언어로 재구성하는 과정을 통해 창의적인 문제를 만들어낼 수 있다. 이 과정을 통해 지식을 생산하기 위해 소비하는 프로슈머로서의 능력을 향상시킬 수 있다. ◆토의의 기본적인 과정과 절차에 따라 문제해결 방법을 도출하고, 온라인 커뮤니티 등의 양방향 매체를 활용한 지속적인 학습과정을 경험함으로써 의사소통 능력을 신장시킬 수 있다.

Teacher Tips

앞서 소개했던 '꿈과 끼로 똘똘 뭉친, 나는야 웹툰작가'처럼, 이 수업 역시 주제와 내용 상관없이 수업의 목적에 따라 얼마든지 폭넓게 활용할 수 있습니다. 111쪽의 예시 자료처럼 중학교 자유학기 진로탐색활동 프로그램으로 활용하기 위해 문제를 각색하는 것도 얼마든지 가능합니다.

 **시작하기**

중심활동 : 문제출발점 파악하기, 학습흐름 이해하기

- 학생들이 실제 경험한 보드게임과 관련된 이야기를 나누며 문제출발점 제시하기
- 문제상황과 조건, 범위(주제, 내용, 교과, 단원 등) 등을 자세히 설명해 주기
- (선택) 게임화 전략에 따른 피드백 방법에 맞게 게임규칙(과제수행규칙) 안내하기
- (선택) 자기평가방법 공유, 온라인 학습커뮤니티 활용 기준 제시하기
- 활동내용 예상해 보기, PBL MAP을 활용하여 전체적인 학습흐름과 각 퀘스트의 활동 내용 일부 소개하기

학생들이 경험했던 재미있는 보드게임에 대해 이런저런 이야기를 나누며 수업을 시작합니다. 오랫 동안 사랑받아온 보드게임을 소재로 실제로 경험한 작은 에피소드를 중심으로 이야기하다보면, 학생들이 해결해야 할 문제에 대한 관심으로 자연스레 옮겨가게 될 것입니다. 언제나 그렇듯 문제의 출발점을 학생들이 정확하게 이해하도록 만드는 과정은 매우 중요합니다. 이를 소홀히 하게 되면, 단순히 보드게임 만들기에만 치중한 나머지 주어진 상황과 조건에 부합하는 결과물을 완성하지 못하게 됩니다. 학생들이 제시된 문제 상황에 부합하는 타당한 해결안을 도출할 수 있도록 수업 시작부터 선생님의 적극적인 안내가 이루어져야 하는 이유입니다.

아울러 보드게임에 담아야 할 내용을 특정 교과나 주제로 한정지을 것인지 자율주제로 할 것인지 문제출발점을 제시하는 단계부터 분명히 해야 합니다. 교과와 단원, 주제 등의 제한을 두고자 한다면 문제시나리오에 반영하지 않았더라도 교수자가 간단히 구두로 알려주어 진행할 수 있습니다.

제시된 문제상황과 조건, 범위 등을 학생들에게 자세히 알려주었다면, 학습의 흐름을 예측하고 과제수행과정을 이해시키기 위한 순서로 넘어갑니다. 'PBL MAP'을 활용해 단

계적으로 수행해야 할 과제 및 활동을 간략하게 소개하고, 관련해서 간단한 질의응답을 받는 정도로 진행하는 것이 적당합니다. 다만 학습절차에 대한 상세한 설명은 해주더라도 수행해야 할 퀘스트 내용을 자세히 공개하지 않도록 주의할 필요가 있습니다. 어느 정도의 불예측한 상황이 흥미와 기대감을 높일 수 있습니다.

전개하기

'오즈토이, 차원이 다른 보드게임을 만들다'는 4개의 기본 퀘스트를 수행해야 하며, 보드게임 및 블록을 벤치마킹하는 활동부터 시작합니다. 주로 학생들이 소장하고 있는 보드게임을 활용하여 체험활동을 벌이도록 유도하는 것이 좋습니다. 가급적 다양한 보드게임을 체험하도록 하는 것이 중요합니다.

● 퀘스트1 : 블록&보드게임을 벤치마킹하라

중심활동 : 보드게임(블록) 체험하기, 벤치마킹하기

- 제품개발의 앞서 벤치마킹의 중요성을 여러 사례를 통해 강조하기
- 모둠별로 논의 과정을 거쳐 벤치마킹할 보드게임 결정하기(문제출발점이 제시된 직후 진행할 것)
- 합의된 체험방식에 따라 체험활동에 사용할 보드게임 준비해 오기
- 체험활동을 토대로 보드게임의 장단점을 분석하고 벤치마킹할 요소 찾기

Teacher Tips

Quest 퀘스트 01

블록&보드게임을 적극적으로 벤치마킹하라 ★★★★

벤치마킹의 중요성을 여러 사례를 통해 강조하며 제시하는 것이 좋습니다. 모둠별 논의 과정을 거쳐서 벤치마킹하고 싶은 보드게임을 결정합니다. 다만 실제 체험이 이루어질 수 있도록 준비가 가능한 보드게임인지를 반드시 따져보아야 합니다. 또한 상호비교가 가능하도록 2가지 이상의 보드게임을 선정하도록 안내합니다. 참고로 이 활동은 보드게임을 준비해야 하는 까닭으로 문제출발점이 제시된 직후 바로 이어서 진행해야 합니다.

자로서 어떤 스타일의 '보드게임+블록'을 만들고자 하나요. 고민 … 없습니다. 기존의 보드게임과 블록을 체험하고 분석해서 이들 … 안을 찾아야 합니다. 한마디로 '벤치마킹'이 필요하다는 의미! … 가 … 참고하는 것 … 게 … 될 수 있을 … 드게 … 킹한 내용은 … 드게 … 편입니다.

…기법에 하나 … 일 방안을 모색 … 적을 알고 나를 …

보드게임(블록) 체험활동은 선정한 보드게임을 모둠별로 체험하는 방식과 모둠의 구분 없이 희망하는 게임 단위로 모여서 체험하는 방식이 있을 수 있습니다. 모둠별 체험은 동일한 보드게임을 심도있게 분석하는데 장점을 가진 반면, 모둠 구분없는 개별 체험은 좀 더 다양한 보드게임을 폭넓게 경험할 수 있다는 장점이 있습니다. 어떤 방식으로 체험활동을 운영할지 학생들의 다수의견을 묻거나 교수자가 임의로 선택하면 됩니다.

❶ 벤치마킹할 보드게임과 블록선정하기 ★★

보드게임		
블록		

❷ 개별, 팀별로 보드게임(블록) 체험을 토대로 벤치마킹할 내용을 정리해 보세요. ★★

보드게임(블록) 이름	보드게임+블록 개발을 위해 벤치마킹할 내용	체험자

단순한 보드게임 체험활동으로 그치지 않으려면 벤치마킹할 항목을 모둠별로 사전에 정하도록 하는 것이 좋습니다. 게임판, 게임도구, 게임규칙과 방법. 게임내용 및 디자인 등으로 영역을 구분하여 해당 보드게임의 장점을 분석하도록 안내해 주세요. 보드게임 체험활동 시간이 부족하다면 정규수업시간보다는 자유 시간을 이용하도록 하는 것이 좋으며, 활동의 특성상 학생들의 거부반응도 없습니다.

관련교과	국어	사회	도덕	수학	과학				체육	예술		영어	창의적 체험활동	자유학기활동		
						기술	가정	정보		음악	미술			진로 탐색	주제 선택	예술 체육
		●							●				●	○	●	●

1. 벤치마킹할 보드게임 및 블록 선정은 모둠별로 만들 보드게임의 유형과 관련 있는 것으로 결정하는 것이 바람직합니다.
2. 보드게임과 블록의 결합을 고민하는 것이 필요합니다. 보드게임 자체를 블록과 하나로 만들거나 최소한 주제를 중심으로 통합할 수 있도록 아이디어를 모아주세요.
3. 게임을 즐겁게 즐기면서 동시에 어떤 것을 벤치마킹해야 할지 생각해야 합니다. 게임 체험 이후에는 관련 내용을 정리해 주세요.

● 퀘스트2 : 보드게임의 중심 테마 결정하기

중심활동 : 보드게임의 테마 정하고 관련 자료수집하기

- 보드게임에 담으려는 주제와 내용에 부합하도록 테마 정하기
- 문제상황과 조건, 범위 등을 상기시켜 시행착오를 겪지 않도록 도와주기
- 선정된 보드게임의 주제에 어울리는 제목 짓고 의미부여하기
- 보드게임의 내용적인 부분을 채울 자료수집하기
- 수집한 자료를 보드게임환경에 적합한 형태로 재구성하기 위해 각각의 활용방안 정리하기

Quest 퀘스트 02 보드게임의 중심 테마 결정하기 ★★★★★★

당신은 어떤 주제의 보 … 있기 마련입니다. 주어진 상황 … 어 게임 속에 남아내야 할 … 니다. 이들 자료를 게임환 … 생각해야 합니다.

보드게임은 특정 주제와 내용을 담아내는 그릇이 될 수 있습니다. 문제의 출발점에서 제시된 상황과 조건에 부합하도록 주제를 선정하고 이와 어울리는 제목을 지을 수 있도록 안내합니다. 만일 보드게임의 테마가 문제상황과 조건에 맞지 않게 선정하게 되면 이후 활동에서 바람직한 결과를 도출할 수 없게 됩니다. 불필요한 시행착오를 겪지 않도록 문제의 상황과 조건이 무엇인지 다시금 강조하여 주세요 팀별로 정한 주제와 보드게임의 제목을 간단히 발표하는 시간을 갖는 것이 좋습니다. 불필요한 간섭으로 비춰지지 않도록 주의하면서 주제의 타당성을 확보했는지 여부를 확인하고 피드백해 주는 것이 중요합니다.

❶ 보드게임의 테마 정하기

주제	
제목	

주제선정이 이루어지면, 보드게임의 성격과 특성이 잘 드러나도록 제목을 짓고, 의미를 부여하는 과정으로 이어갑니다. 많은 사람들에게 사랑받고 있는 보드게임의 제목을 공유하면서, 이 과정의 중요성을 부각한다면 학생들이 좀 더 의욕적으로 참여하게 될 것입니다.

보드게임에 담고자 하는 주제와 내용 관련 자료 수집하기 ★★★

자료내용(요약)	활용방안

개발할 보드게임의 내용적인 부분을 채울 자료수집은 매우 중요한 과정입니다. 이 과정에서 학생들이 검증되지 않은 인터넷 자료를 무분별하게 활용하지 않도록 안내하는 것이 필요합니다. 학교도서관의 책을 이용하거나 주제와 관련된 교과서 내용, 검증된 인터넷자료 등을 활용할 수 있도록 구체적으로 안내해 주세요.

관련교과	국어						가정	정보	체육	예술		영어	창의적 체험활동	자유학기활동		
										음악	미술			진로 탐색	주제 선택	예술 체육
	○	○	○		○	○	○	○	●	○	○	○	●	○	●	●

1. 보드게임의 주제가 반영된 제목을 지어주세요. 유명 보드게임의 제목을 참고하여 패러디하는 것도 즐거운 시도가 될 것입니다. 제목을 정했다면 품고 있는 의미를 풀어서 설명하도록 합니다.
2. 보드게임에 담아야 할 내용이 무엇일지 팀원과 논의하고 검증된 양질의 자료를 수집하도록 합니다. 인터넷 자료에만 의존하지 말고 관련 주제 책과 교과서 등을 참고하도록 하세요.
3. 수집한 자료들이 개발하려는 게임환경에 맞게 재구성될 수 있도록 활용방안을 어느 정도 세워 놓는 것이 좋습니다.

Teacher Tips

● 퀘스트3 : 오즈토이만의 차별화된 보드게임 만들기

중심활동 : 보드게임 만들기

- 보드게임의 차별성을 더할 수 있는 스토리 창작하기
- 보드게임의 테마와 담아내고자 하는 내용이 잘 녹아든 이야기를 만들기
- 기존의 보드게임에서 벤치마킹한 내용을 토대로 게임규칙과 방법, 도구 등을 도입하기
- 보드게임 제작에 필요한 역할을 나누고, 그에 따라 활동을 진행하기

오즈토이만의 차별화된 보드게임 만들기 ★★★★★★★★★

당신은 보드게임디자이너로서 벤치마킹 ... 의 차별화된 게임을 만들어야 합니다. 게임을 하면서 ... 보드게임+블록'을 만드는 것이 당신에게 주... 합니다. 게임을 쉽게 이해하고 그 속에 빠... 리 자체의 차별성도 고민할 필요가 있... 다. 어떤 보드게임이 탄생할지 벌써부터 ... 니다.

개발한 보드게임의 차별성을 더하는 방법 중에 하나는 다른 게임과 구별되는 특별한 이야기를 배경에 두는 것입니다. 이야기 자체가 특별한 게임세계를 만들어낼 수 있으므로 이 과정을 학생들이 가볍게 보지 않도록 안내할 필요가 있습니다. 보드게임의 테마와 담아내고자 하는 내용이 이야기 속에 맛깔스럽게 어우러지도록 학생들의 창작과정을 관심있게 바라보는 것이 중요합니다. 단 제한된 시간 안에 게임스토리를 만들어야 하므로 필요 이상으로 장황해지지 않도록 피드백해 주어야 합니다.

❶ 보드게임 스토리 완성하기 ★★

❷ 개발할 '보드게임+블록'의 규칙과 방법을 정하기 ★★

기존 보드게임에서 벤치마킹한 내용을 토대로 게임의 규칙과 방법, 도구 등을 적극 도입하도록 안내합니다. 보드게임마다 공통적으로 적용되고 있는 게임 요소들이 있는 만큼, 이들 요소를 개발할 보드게임에 적극 반영토록 하는 것이 완성도뿐만 아니라 활동의 수월성을 높이는 데 도움이 됩니다.

❸ 형태 제한 없이 오즈토이만의 개성 넘치는 '보드게임+블록' 만들기 ★★★★

* 모둠별로 다양한 재료를 활...

보드게임 제작은 모둠원 간의 역할분담이 제대로 이루어져야 수월하게 진행될 수 있습니다. 특정 학생에게 편중되지 않도록 안내하고, 구성원 간 갈등을 해소하는데 신경써야 합니다. 다만 역할분담이 일률적인 활동의 양을 기준으로 하는 건 학생들의 자발적인 참여와 흥미를 떨어트리는 결과로 이어질 수 있습니다. 역할의 크고 작음을 판단하지 않고 학생들 각자가 원하는 역할을 책임감 있게 맡아 수행할 수 있도록 이끄는 것이 중요합니다. 그러기 위해선 비중이 덜한 역할에 대해 교수자가 인정하고 가치를 부여해줌으로써 소외되는 경우가 발생하지 않도록 해야 합니다.

관련교과	국어	사회	도덕	수학
	●			

1. 스토리는 게임을 구성하는 핵심요소입니다... 하고 집중할 수 있게 만들죠. 기존의 이야...
2. 게임은 철저히 동일한 규칙에 의해 진행... 요. 참여자의 연령을 감안하여 게임의 규칙...
3. 교육용 보드게임+블록임을 잊지 마세요. ... 롭게 형태를 결정하고 역할분담을 잘 나누...

마무리

마지막 순서는 모둠별로 완성한 보드게임을 서로 공유하는 시간으로 채워집니다. 보드게임의 테마와 특색이 잘 드러나도록 체험부스를 꾸미고, 효과적으로 알리기 위한 게임소개 시나리오도 작성하면서 행사를 준비합니다. 교실 단위뿐만 아니라, 학년 전체가 참여해서 넓은 공간에 부스를 마련하여 규모있게 진행할 수도 있습니다. 체험부스운영이 종료된 이후에도 짜투리 시간을 이용해 개발한 보드게임을 즐길 수 있도록 안내해 주세요.

● 퀘스트4 : 새로운 보드레임 출시! 게임체험부스가 열리다

중심활동 : 게임체험부스 열기

- (준비) 스토리, 규칙과 방법이 보기좋게 담긴 게임설명서 제작하기, 게임체험부스 배치 및 역할분담하기
- (준비) 게임체험부스 운영 시 사용할 게임소개 시나리오(발표문) 작성하기
- (실행) 정해진 규칙에 따라 부스 중심으로 보드게임 체험행사 열기
- (실행) 각 모둠에서 제작한 보드게임을 체험하고 평가하기, 이후에도 놀이도구로 활용하기
- 학생들은 성찰저널(reflective journal)을 작성해서 온라인 학습커뮤니티에 올리고 선생님은 덧글로 피드백 해주기

Teacher Tips

Quest 퀘스트 04

새로운 보드게임 출시! 게임체험부스가 열리다 ★★★★★★★

보드게임을 처음 접하는 사람들을 위한 설명서를 제작하도록 합니다. 대부분의 보드게임에는 게임설명서가 제공됩니다. 어떤 방식으로 구성할지 기존 게임설명서를 참고하도록 안내해 주세요. 게임설명서에는 앞서 창작한 게임스토리와 게임규칙 및 방법이 기본적으로 포함되어야 합니다.

…준비한 오즈의 보드게임이 드디어 출시됐습니다. 보드게임과 블록의 이상적인 만남이 …드디어 이번 행사를 통해 공개된다고 합니다. 오즈의 게임체험부스에서 새로운 보…험해 보세요.

…해 만든 보드게임을 공개하는 날이 다가왔습니다. 오즈의 게임체험부…에 대한 소개(스토리, 규칙과 방법)에서부터 체험까지 소비자의 관심을 …한 행사가 열립니다. 성공적인 출시를 위해 철저한 준비가 필요하겠죠? …에 나눠 줄 게임설명서도 함께 준비해야 한다는 점 잊지 마세요.

❶ 게임설명서 만들기 ★★★

…도로 작게 제작해 주세요.

게임체험부스를 어떻게 꾸밀지 논의하는 과정이 필요합니다. 구체적인 계획수립을 위해 체험부스 위치와 기본적으로 제공되는 물품을 알려주어야 합니다. 이를테면 책상과 의자수량, 테블릿 PC, 노트북 등의 배치여부, 지원되는 꾸미기 재료 등을 미리 밝혀주어야 합니다.

❷ 게임체험부스 배치 및 역할분담 ★★

❸ 게임소개 시나리오 작성하기

게임소개 시나리오는 게임체험부스 운영 시 활용할 일종의 발표문입니다. 체험부스에서 진행을 어떻게 할지 흐름을 정해 놓아야 제한된 시간 안에 효과적인 발표가 이루어질 수 있습니다. 즉흥적인 발표가 되지 않도록 시나리오를 꼼꼼하게 작성하도록 안내해 주세요. 이때 제한시간을 정확히 제시해 주어야 적정한 분량으로 발표시나리오를 작성하게 됩니다.

게임체험행사는 차시를 기준으로 1부와 2부로 나눠 진행하는 것이 수월합니다. 만약 6개 모둠이 보드게임개발에 참여했다면 1부엔 1~3모둠이 행사를 진행하고, 2부엔 4~6모둠이 운영하는 방식을 택할 수 있을 것입니다. 이럴 경우 모둠별로 3회에 걸쳐 발표하게 됩니다. 예를 들어 1모둠이 체험부스를 운영한다고 할 때, 4모둠이 첫 번째 방문객이 되고, 이어서 5모둠과 6모둠이 순차적으로 방문하는 형태가 되는 겁니다. 1회 발표시간은 전체 수업시간을 감안하여 결정하는 것이 좋습니다. 1부에 3개 모둠이 행사를 진행한다면 정규 차시를 기준으로 13~15분 정도의 시간제한이 이뤄져야 합니다. 부스운영방식, 참여규모에 따라 발표 제한시간을 꼭 정하고, 엄격하게 적용해야 수업 시간 안에 차질 없이 진행할 수 있음을 꼭 명심해 주세요.

영어	창의적 체험활동	자유학기활동		
		진로 탐색	주제 선택	예술 체육
	●	○	●	●

…행했다면, 1부는 1–3모둠, 2부는 4–6 …집니다.
…서에 맞게 체험행사를 진행하는 것이 …
… 여부를 따져서 지불하도록 합니다.

※ 자유학기 진로탐색활동 프로그램에 활용가능하도록 수정한 문제출발점의 예를 함께 수록합니다.

오즈토이와 함께 차원이 다른 보드게임을 만들어라!

Stating Point 문제의 출발점

epic 배경

오즈토이는 청소년들의 창의력과 사고력을 키워줄 수 있는 교육용 보드게임을 전문적으로 개발하는 회사입니다. '놀이를 통해 공부하자!'라는 슬로건을 내세우며, 오즈토이는 그동안 많은 청소년들의 사랑을 받아왔습니다.

올해부터 오즈토이는 새로운 보드게임을 기획하고 있습니다. 청소년들의 진로탐색에 도움을 줄 수 있는 교육용 보드게임과 블록이 그 대상입니다. 특정 블록과 보드게임들의 시장 점유율을 뚫고 안착하기 위해서 오즈토이만의 차별화된 전략을 고민하고 있습니다. 이들 업체의 아성에 정면으로 도전하는 것이 무모한 일일 수 있기 때문에 기존의 시장에는 없는 제품을 만들고자 합니다. 그래서 오즈토이는 교육적이면서 재미있는 직업세계를 담은 보드게임과 블록에 역량을 집중하는 것이 필요하다고 판단했습니다. 팀 회의에서도 이러한 취지를 충분히 살린 교육용 보드게임과 블록을 만들자는데 합의한 상태입니다. 한걸음 더 나아가 강 팀장이 제안한 아이디어도 고려 대상입니다.

'보드게임과 블록을 결합해 보면 어떨까?' 회의 중에 문뜩 떠올린 아이디어지만 무언가 색다른 작품이 만들어질 것 같은 예감입니다. 당신은 어떻게 생각하십니까? 가능할까요? 가능하다고 믿으면 가능해집니다. 당신의 능력을 믿고 오즈토이와 함께 도전해 보세요! **Let's Challenge Without Fear!**

PBL MAP

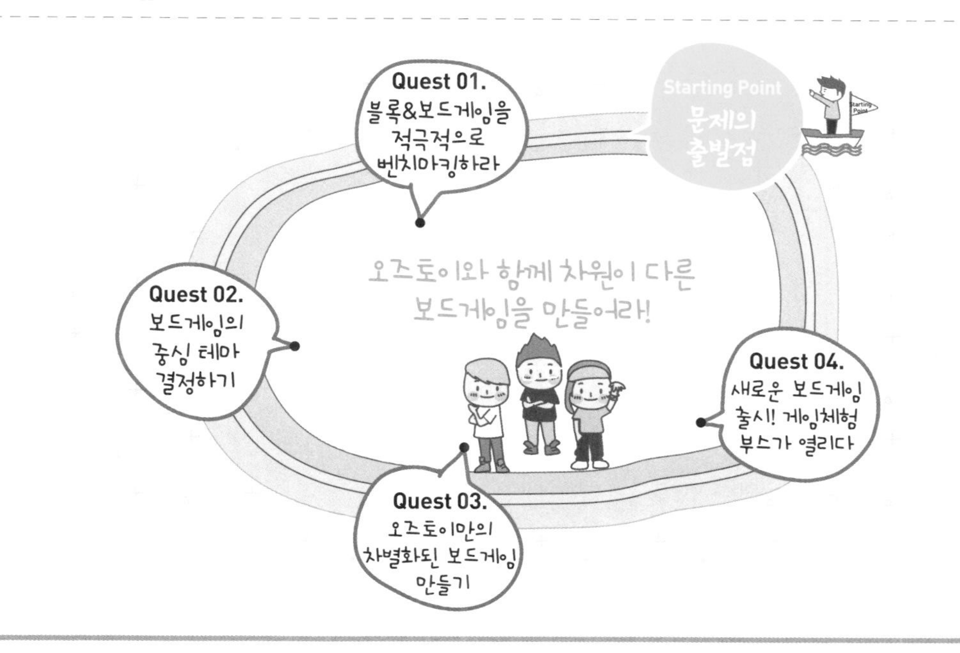

CHAPTER

04

교통사고 원인을 과학적으로 밝혀라!

우리나라의 교통사고

우리나라 교통사고는 2000년 이후부터 감소추세지만 매년 30만 명 이상의 부상자와 6천 명 이상의 사망자가 발생할 정도로 심각한 수준입니다. 특히 노인교통사고는 OECD 국가 중에 최고로 높으며, 소아 교통사고 사망률도 매우 높은 편입니다.

주로 교통사고는 사람(운전자와 보행자)이나 환경, 차량 자체 등의 원인에 의해 발생하게 됩니다. 그리고 상당수 교통사고들이 한 가지가 아닌 복합적인 원인에 의해 발생합니다. 그렇기 때문에 교통사고의 원인을 정확히 규명하는 일은 매우 중요합니다.

이제 여러분들은 교통사고를 전문적으로 다루는 경찰관으로서 교통사고의 원인을 밝혀야 하는 일이 주어집니다. 제시된 단서를 쫓아 교통사고의 발생 원인을 과학적으로 규명하는 일이 주요임무입니다. 더불어 각종 교통사고 사례와 처리과정, 예방 등을 강조한 시민강의도 예정되어 있습니다. 워드클라우드에 드러난 '교통사고의 원인을 밝혀라!' 문제의 핵심은 무엇일까요? 주어진 문제 상황에 따라 멋지게 해결해 봅시다.

* 문제시나리오에 사용된 어휘빈도(횟수)를 시각적으로 나타낸 워드클라우드(word cloud)입니다.
워드클라우드를 통해 어떤 주제와 활동이 핵심인지 예상해 보세요.

교통사고 원인을 과학적으로 밝혀라!

어제 새벽 1시에 우리 마을 인근 도로에서 승용차 추돌사고가 발생했습니다. 인근 지역 경찰서에서는 사고 원인을 밝히기 위해 교통사고 전문조사관을 급파했습니다. 그가 사고현장에 도착했을 땐 이미 심하게 훼손된 차량에 탑승한 운전자가 인근 한국병원으로 급하게 후송된 뒤였습니다. 비교적 부상이 덜한 운전자는 자신의 차 옆에서 충격을 받은 듯 주저앉아 있는 상태였습니다. 우선 사고현장이 정리되기 전에 사진 촬영부터 시작하였습니다. 사고경위 파악을 위한 운전자 진술 확보도 빼먹지 않았습니다. 이어서 병원에 후송된 환자 상태도 확인하고, 주변 CCTV 영상 분석과 목격자 진술도 확인할 계획입니다.

이제 여러분들에게는 교통사고전문조사관으로서 교통사고의 원인을 밝히는 임무가 부여됩니다. 다양한 경우의 수를 따져서 교통사고 상황과 원인을 과학적인 방법으로 명백하게 밝혀 봅시다. 자, 이제 시작해 볼까요?

Game START!

PBL MAP

사고 상황을 다양하게 유추하라

★★★★★★★★★

한국병원으로 후송된 운전자는 극심한 두통과 복통, 하반신 마비 증세를 호소하며 응급 치료를 받고 있는 상태입니다. 게다가 워낙 갑작스레 일어난 사고라서 그 당시를 제대로 기억하지 못하고 있습니다.

현재 단서는 그의 신체증상(상처, 통증, 마비 등)과 운전한 차량의 파손된 부분을 통해 사고 상황을 유추해 보는 방법밖에 없습니다.

※ 유추(類推) : 같은 종류의 것 또는 비슷한 것에 기초하여 다른 사물을 미루어 추측하는 일

구분	가설수립(예상하기) 운전자가 호소하는 신체적 증상을 바탕으로 사고 상황 유추하기	과학적 근거
신체 증상		
파손 차량	뒤에서 부딪힌 차량의 파손된 부분을 확인하고 사고 상황 유추하기	

관련교과	국어	사회	도덕	수학	과학	실과			체육	예술		영어	창의적 체험활동	자유학기활동		
						기술	가정	정보		음악	미술			진로 탐색	주제 선택	예술 체육
					●								●		●	

1. 운전자의 신체 증상은 당시 사고의 크기와 상황을 이해하는 데 중요한 단서가 될 수 있습니다. 사고로 인한 두통, 복통, 마비증세, 단기기억상실 등의 원인을 규명하고 사고 상황을 가상으로 재연해 보는 것도 좋은 방법이 될 수 있습니다.
2. 사고차량은 그 자체만으로 핵심 단서입니다. 파손 부위를 통해 충돌이 일어난 지점과 충격의 정도를 파악할 수 있습니다. 더불어 운전자의 과실 여부도 확인할 수 있는 단서가 됩니다.
3. 단순한 추측만 가지고는 이번 퀘스트를 완수할 수 없습니다. 가설에 대한 분명한 과학적 근거를 제시하도록 노력하세요.

나만의 교과서

4가지 기본항목을 채우고, 퀘스트 해결과정에서 공부한 내용이나 수집한 정보를 토대로 자신만의 방식으로 알차게 표현해 보세요. 그림이나 생각그물의 형태로 표현하는 것도 좋습니다.

ideas 문제해결을 위한 나의 아이디어	facts 문제와 관련하여 내가 알고 있는 것들

learning issues 문제해결을 위해 공부해야 할 주제	need to know 반드시 알아야 할 것

스스로 평가

자기주도학습의 완성!

		나의 신호등
01	나는 사고 후 운전자가 나타내고 있는 신체증상을 토대로 가설을 수립하였다.	① ② ③ ④ ⑤
02	나는 사고로 인한 두통, 복통, 마비증세, 단기기억상실 등의 원인을 규명하고 사고 상황을 가상으로 재연해 보았다.	① ② ③ ④ ⑤
03	나는 뒤에서 부딪힌 차량의 파손상태를 사진을 통해 확인하고 충돌이 일어난 지점과 충격의 정도를 따져보면서 사고 상황을 유추하였다.	① ② ③ ④ ⑤
04	나는 운전자의 신체증상과 차량의 파손상태를 고려하여 가설을 수립하고, 이에 대한 과학적 근거를 제시하였다.	① ② ③ ④ ⑤
05	나는 문제해결을 위해 탐구한 내용과 수집한 정보를 바탕으로 나만의 교과서를 멋지게 완성하였다.	① ② ③ ④ ⑤

자신의 학습과정을 되돌아보고 진지하게 평가해주세요.

Level up

오늘의 점수 나의 총점수

Quest 퀘스트 02

사고 원인 정확하게 규명하기

★★★★★★★★★

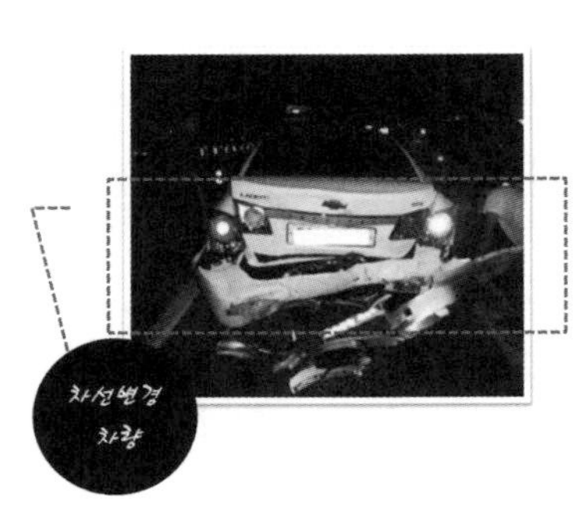

당신은 운전자의 진술을 아래와 같이 확인했습니다. 운전자의 진술을 통해 이번 추돌사고가 차선변경으로 인해 발생했다는 사실을 알 수 있습니다. 하지만 미심쩍은 부분은 차선변경 차량의 파손 부분입니다. 사고의 원인을 정확하게 규명하기 위해서라도 얽혀있는 실타래를 과학적인 추론으로 하나하나 풀어야 하는 상황입니다.

※ 추론(推論) : 어떠한 판단을 근거로 삼아 다른 판단을 이끌어냄

"저도 순간에 일어난 일이라 뭐가 뭔지 솔직히 잘 모르겠습니다."
"상대 사고차량은 분명히 백미러로 확인했을 때 바로 뒤에 따라오던 자동차였습니다."
"제가 차선변경을 위해 사이드미러로 확인했을 때는 분명히 뒤 따라오는 자동차는 없었고요. 사이드미러를 통해 옆 차선에 자동차가 없는 것을 확인하고 차선변경을 했죠. 그런데 이런 사고가 발생한 겁니다."
"저는 분명히 백미러하고 사이드미러를 확인하고 차선변경을 한 겁니다. 어떻게 이런 사고가 발생할 수 있는지 이해가 안갑니다."

※ 백미러(back+mirror)[명사] 자동차 등에서 운전자가 뒤쪽을 볼 수 있게 달아 놓은 거울 – 올바른 영어 표현 : rear view mirror 사이드미러 : 뒤쪽 양 측면을 볼 수 있게 자동차 양쪽에 달아 놓은 거울

가설 수정하기	과학적 근거
교통사고원인(종합)	

관련교과	국어	사회	도덕	수학	과학	실과			체육	예술		영어	창의적 체험활동	자유학기활동		
						기술	가정	정보		음악	미술			진로 탐색	주제 선택	예술 체육
					●								●		●	

1. 기본적으로 빛(거울)과 속력 등에서 배운 과학적 개념을 활용하여 사고의 원인을 규명하도록 합니다.
2. 졸음운전, 음주, 핸드폰사용, DMB 시청으로 인한 전방주시태만 등 교통사고의 주요원인과 관련성을 확인해 봅니다.
3. 퀘스트1 수행결과와 제시된 문제를 바탕으로 종합적으로 판단하고 여러 가지 가설이 맞는지 과학적 근거를 바탕으로 검증합니다.

나만의 교과서

4가지 기본항목을 채우고, 퀘스트 해결과정에서 공부한 내용이나 수집한 정보를 토대로 자신만의 방식으로 알차게 표현해 보세요. 그림이나 생각그물의 형태로 표현하는 것도 좋습니다.

ideas
문제해결을 위한 나의 아이디어

facts
문제와 관련하여 내가 알고 있는 것들

learning issues
문제해결을 위해 공부해야 할 주제

need to know
반드시 알아야 할 것

스스로 평가

자기주도학습의 완성!

		나의 신호등
01	나는 차선변경 차량의 파손부분을 확인하고 가설을 수정하였다.	1 2 3 4 5
02	나는 운전자 진술을 토대로 가설을 수정하고, 과학적인 방법으로 원인을 규명하였다.	1 2 3 4 5
03	나는 빛(거울)과 속력과 관련된 이론을 살펴보고, 이를 활용해 사고의 원인을 규명하고자 하였다.	1 2 3 4 5
04	나는 교통사고의 주요원인들과의 관련성을 살펴보고, 이를 감안하여 교통사고의 원인을 종합적으로 판단하였다.	1 2 3 4 5
05	나는 문제해결을 위해 탐구한 내용과 수집한 정보를 바탕으로 나만의 교과서를 멋지게 완성하였다.	1 2 3 4 5

자신의 학습과정을 되돌아보고 진지하게 평가해주세요.

Level up

오늘의 점수 나의 총점수

Quest 퀘스트 03

앞뒤 차량 운전자, 누가 더 잘못했을까? ★★★★★★

당신은 과학적인 방법으로 교통사고의 원인을 규명하였습니다. 여러 가설을 세우고 검증하면서 사고 상황을 유추하였고, 차량의 파손상태와 운전자의 신체증상, 진술을 확보하여 교통사고의 원인을 논리적으로 밝혀냈습니다. 이제 이를 토대로 앞뒤 차량 중 어떤 운전자에게 과실이 더 있는지 판단해야 합니다. 과실비율을 따지는데 있어서 조사관의 의견이 중요하게 반영되므로 신중하게 결정해야 합니다. 누가 더 잘못했을까요? 교통사고 경위서를 통해 밝혀 봅시다.

	교통사고 경위서
사고 경위	
운전자 과실에 대한 의견	
판단 근거	

관련교과	국어	사회	도덕	수학	과학	실과			체육	예술		영어	창의적 체험활동	자유학기활동		
						기술	가정	정보		음악	미술			진로 탐색	주제 선택	예술 체육
	●		●		●								●		●	

1. 퀘스트1과 2의 수행내용을 토대로 교통사고 경위(사고가 일어난 상황과 원인)를 간략하게 정리합니다.
2. 앞뒤 차량의 운전자 과실 정도를 종합적으로 판단하여 의견을 제시하도록 합니다. 실제 적용되고 있는 자동차 사고 과실인정비율을 판단근거로 삼는 것도 좋은 방법입니다.
3. 교통사고 경위서를 모둠별로 발표하고, 서로 의견을 달리하는 개인별 모둠 간에 토론시간을 가져보도록 하세요.

나만의 교과서

4가지 기본항목을 채우고, 퀘스트 해결과정에서 공부한 내용이나 수집한 정보를 토대로 자신만의 방식으로 알차게 표현해 보세요. 그림이나 생각그물의 형태로 표현하는 것도 좋습니다.

ideas 문제해결을 위한 나의 아이디어	facts 문제와 관련하여 내가 알고 있는 것들

learning issues 문제해결을 위해 공부해야 할 주제	need to know 반드시 알아야 할 것

스스로 평가

자기주도학습의 완성!

		나의 신호등
01	나는 교통사고의 상황과 원인을 반영하여 경위를 작성하였다.	1 2 3 4 5
02	나는 운전자의 과실정도를 종합적으로 판단하여 합리적인 의견을 제시하였다.	1 2 3 4 5
03	나는 실제 자동차사고 과실비율 기준을 따져보며 운전자의 과실정도를 판단하였다.	1 2 3 4 5
04	나는 교통사고 경위서를 발표하고, 관련 토론 활동에도 적극적으로 참여하였다.	1 2 3 4 5
05	나는 문제해결을 위해 탐구한 내용과 수집한 정보를 바탕으로 나만의 교과서를 멋지게 완성하였다.	1 2 3 4 5

자신의 학습과정을 되돌아보고 진지하게 평가해주세요.

Level up

오늘의 점수	나의 총점수

교통사고사례를 시민들에게 알려라

★★★★★★

당신은 교통사고 전문조사관으로 활약하고 있는 유능한 경찰관으로서 사고의 원인을 규명하는 데 최선을 다하고 있습니다. 특별히 오늘은 교통사고에 대한 경각심을 불러일으키기 위해 이번 사고사례와 처리과정, 이를 예방하기 위한 방법 등을 시민들에게 짧지만 강렬한 5분 특별 미니강의로 구성하여 알릴 예정입니다. 설득력 있는 미니강의가 될 수 있도록 동원할 수 있는 모든 방법을 강구해 볼 생각입니다.

	특별강의 시나리오
교통 사고 사례	안녕하세요. 저는 교통사고 전문조사관 경찰 OOO입니다. 먼저 며칠 전 있었던 교통사고사례를 소개해드리면서 강의를 시작하도록 하겠습니다.
교통 사고 예방법	교통사고는 본인뿐만 아니라 가족 전체를 불행으로 빠트릴 수 있는 심각한 위협입니다. 이런 교통사고가 발생하지 않도록 하기 위해서는 예방적인 조치가 필수입니다.

관련교과	국어	사회	도덕	수학	과학	실과			체육	예술		영어	창의적 체험활동	자유학기활동		
						기술	가정	정보		음악	미술			진로 탐색	주제 선택	예술 체육
	●		●		●								●		●	

1. 특별강의는 5분이라는 짧은 시간동안 이루어져야 합니다. 사전 리허설을 통해 강의 시간을 꼭 체크해 보는 것이 필요합니다.
2. 강의는 청중을 설득하고, 중요한 지식을 전달하는 데 목적이 있습니다. 동영상 등의 멀티미디어 자료를 제작하여 활용하는 것도 적극적으로 고려해 보도록 합시다.
3. 시민들을 대상으로 하는 만큼 내용이 쉽게 구성되어야 합니다. 단순히 정보를 조사해서 나열하지 말고, 목적에 맞게 재구성하여 사용하기 바랍니다.

나만의 교과서

4가지 기본항목을 채우고, 퀘스트 해결과정에서 공부한 내용이나 수집한 정보를 토대로 자신만의 방식으로 알차게 표현해 보세요. 그림이나 생각그물의 형태로 표현하는 것도 좋습니다.

ideas 문제해결을 위한 나의 아이디어	facts 문제와 관련하여 내가 알고 있는 것들

learning issues 문제해결을 위해 공부해야 할 주제	need to know 반드시 알아야 할 것

스스로 평가

자기주도학습의 완성!

		나의 신호등
01	나는 시민들을 대상으로 한 5분 특별 미니강의 시나리오를 작성하였다.	1 2 3 4 5
02	나는 강의의 설득력을 높이기 위해 멀티미디어 자료를 제작하였다.	1 2 3 4 5
03	나는 모둠원들과 함께 미니강의를 제한된 시간 안에 성공적으로 수행하였다.	1 2 3 4 5
04	나는 청중의 반응을 살펴가며 자신감있게 특별강의를 진행하였다.	1 2 3 4 5
05	나는 문제해결을 위해 탐구한 내용과 수집한 정보를 바탕으로 나만의 교과서를 멋지게 완성하였다.	1 2 3 4 5

자신의 학습과정을 되돌아보고 진지하게 평가해주세요.

Level up

오늘의 점수  나의 총점수 

All-Clear
sticker

04 CHAPTER

교통사고 원인을 과학적으로 밝혀라!

★Teacher Tips

Teacher Tips

'교통사고 원인을 과학적으로 밝혀라!'는 과학교과를 중심으로 두고 구성한 수업입니다. 빛과 관련한 단원을 배우는 초등학교 6학년이나 중학교 2학년 학생을 대상으로 적용할 수 있으며, 교통안전교육과 연계하여 진행하는 것도 가능합니다. 문제의 내용이 과학을 중심으로 두고 있긴 하지만, 통합교과적으로 구성되어 있으므로, 이를 충분히 감안하여 창체활동 시간을 활용하는 것도 수업시수 확보를 위한 하나의 방법이 될 수 있습니다. 특히 STEAM 교육과 연계하여 진행한다면 현장적용의 수월함을 좀 더 확보할 수 있을 겁니다.

어린 학생일수록 경찰이라는 직업에 대한 관심이 높습니다. 경찰놀이를 하며 성장한 학생들에게 교통사고의 원인을 밝혀야 하는 임무 자체가 매력적으로 다가갈 수 있습니다. 학생들 삶의 테두리 안에 가까이 위치해 있는 만큼 주어진 역할에 대한 이해도 수월하게 이루어지는 편입니다. 게다가 직간접적으로 목격하거나 경험했을 가능성이 높은 교통사고를 해결 대상으로 놓다보니 학습자가 지닌 능력과 상관없이 도전 가능한 과제로 낙관하는 경향을 보이기도 합니다. 다만 교수자는 관련 교과 지식의 습득을 목적으로 수업을 운영하지 않도록 주의해야 합니다. 단순히 교과지식을 기억시키는 데 목적을 두는 순간부터 주객이 전도되어 교통사고의 원인을 밝혀야 할 이유를 상실해 버리기 때문입니다.

이 수업의 내용과 관련된 교과별 내용요소를 굳이 따져본다면 다음과 같습니다. 필요하다면 관련 과학교과지식들을 가설을 검증하거나 원인을 규명하는데 근거로 활용될 수 있도록 지도해주길 바랍니다. 교육과정과 학생들의 수준을 감안하여 과학적 근거로 활용할 이론이나 지식의 범위를 일부라도 정하는 것이 수업 운영에 있어 도움이 될 수 있습니다.

교과	영 역	내용요소	
		초등학교 [5–6학년]	중학교 [1–3학년]
국어	듣기말하기	◆토의[의견조정] ◆발표[매체활용] ◆체계적 내용 구성	◆토의[문제 해결] ◆발표[내용 구성] ◆매체 자료의 효과
실과 정보	자료와 정보	◆소프트웨어의 이해	◆자료의 유형과 디지털 표현
	기술활용	◆일과 직업의 세계 ◆자기 이해와 직업 탐색	
과학 [물리]	힘과 운동	◆속력과 안전	◆등속 운동 ◆자유 낙하 운동 ◆중력
	파동	◆프리즘 ◆빛의 굴절 ◆볼록 렌즈	◆빛의 합성 ◆빛의 삼원색 ◆평면거울의 상

관점을 달리하면, 진로교육과의 연계도 고려해볼 수 있습니다. 문제 속 교통사고 전문 조사관의 역할을 수행하다보면 자연스레 경찰관이 하는 일에 대한 이해를 넓히고 심화시키게 됩니다. 경찰이라는 직업에 관심이 있는 학생들에겐 이 수업이 진로탐색의 계기가 될 수 있습니다. 문제해결과정에서 요구하는 지식의 수준을 고려할 때, 이 수업은 대략 초등학교 6학년 이상이 되어야 무난하게 도전할 수 있습니다. 가설수립과 과학적 검증 과정이 학생들에게 낯선 활동일 수밖에 없다는 점을 감안하길 바랍니다. 결과에 대한 교수자의 기대 수준을 지나치게 높이지 않도록 주의할 필요가 있습니다. 만일 학습과정에서 특정 교과지식에 대한 이해를 높이고자 한다면, 필요한 단계(퀘스트)에 미니강의를 제공하는 것이 효과적일 수 있습니다. 수업의 목적에 맞게 학습자원으로서 적절한 교과강의를 제공해주는 것은 학습의 효과성과 효율성을 증진시키는 데 좋은 전략일 수 있습니다. 아무쪼록 현장상황에 맞게 적용하길 바랍니다.

- 적용대상(권장): 초등학교 6학년–중학교 2학년
- 자유학년활동: 주제선택(권장)
- 학습예상소요기간(차시): 6–8일(5–8차시)
- Time Flow

8일 기준(예)

시작하기_문제제시	전개하기_과제수행			마무리_발표 및 평가	
문제출발점 설명 PBL MAP으로 학습 흐름 소개	QUEST 01 사고 상황을 다양하게 유추하라!	QUEST 02 사고 원인 정확하게 규명하기	QUEST 03 앞뒤 차량 운전자, 누가 더 잘못했을까?	QUEST 04 교통사고사례를 시민들에게 알려라	모둠별 특별 미니강의 성찰일기(reflective journal) 작성하기
교실 40분	교실 | 온라인 40분 | 2-3hr	교실 | 온라인 40분 | 2-3hr	교실 | 온라인 40분 | 1-2hr	교실 | 온라인 40분 | 1-2hr	교실 | 온라인 40분 | 1hr
1Day	2-3Day	4-5Day	6Day	7-8Day	

Teacher Tips

● 수업목표(예)

QUEST 01	◆운전자의 신체증상을 토대로 사고 상황을 유추하고 가설을 수립할 수 있다. ◆뒷차량의 파손된 부분을 통해 사고 상황을 유추하고 가설을 수립할 수 있다. ◆파손차량과 신체증상으로부터 유추해낸 가설의 과학적 근거(논리적 근거)를 제시할 수 있다.
QUEST 02	◆운전자의 진술을 토대로 사고 상황을 추론하고 이전 가설을 수정·보완할 수 있다. ◆앞차량의 파손된 부분을 통해 사고 상황을 추론하고 이전 가설을 수정·보완할 수 있다. ◆사고 상황을 구체적으로 정리하고, 과학적 근거(논리적 근거)를 통해 사고 원인을 규명할 수 있다.
QUEST 03	◆운전자의 과실여부를 종합적으로 판단하여 합리적인 의견을 제시할 수 있다. ◆자동차사고 과실비율 기준을 따져보며, 이번 사건의 운전자의 과실정도를 판단할 수 있다. ◆누가 더 잘못했는지, 운전자의 과실비율을 놓고 자유롭게 토론할 수 있다. ◆교통사고의 상황과 발생원인을 반영하여 경위서를 작성할 수 있다.
QUEST 04	◆사고사례와 예방방법을 기본적으로 포함한 강의시나리오를 작성할 수 있다. ◆강의의 설득력을 높이기 위해 멀티미디어 자료를 제작할 수 있다. ◆제한된 시간 안에 청중의 반응을 살피며 자신감있게 특별강의를 펼칠 수 있다. ◆(선택) 설득력을 갖춘 UCC 영상을 만들어 온라인 통해 배포하고 공유할 수 있다.
공통	◆문제해결의 주인공으로서 절차와 방법을 이해하고 적극적으로 학습과정에 참여할 수 있다. ◆학습한 내용을 정리하고 자신의 언어로 재구성하는 과정을 통해 창의적인 문제를 만들어낼 수 있다. 이 과정을 통해 지식을 생산하기 위해 소비하는 프로슈머로서의 능력을 향상시킬 수 있다. ◆토의의 기본적인 과정과 절차에 따라 문제해결 방법을 도출하고, 온라인 커뮤니티 등의 양방향 매체를 활용한 지속적인 학습과정을 경험함으로써 의사소통 능력을 신장시킬 수 있다.

시작하기

중심활동 : 문제출발점 파악하기, 학습흐름 이해하기

- 교통사고 문제의 심각성을 다양한 자료와 사례를 통해 공유하기
- 경찰의 직무 중에 교통사고를 전문적으로 처리하는 조사관이 있음을 소개하기
- 서로가르치기 활동을 통해 문제의 중심내용 파악하기
- (선택) 자기평가방법 공유, 온라인 학습커뮤니티 활용 기준 제시하기
- PBL MAP을 활용하여 전체적인 학습흐름과 각 퀘스트의 활동 내용 일부 살펴보기

교통사고 문제의 심각성을 공유할 수 있는 최근 사례나 관련 통계자료 제시를 통해 수업을 시작합니다. 덧붙여 교통사고 건수만큼이나 크고 작은 분쟁도 끊임없이 발생하고 있으며, 이를 공정하게 해결하는데 있어서 경찰의 역할이 중요하다는 점을 강조하도록 합니다. 특히 경찰 중에는 교통사고에 전문적으로 대응하는 조사관이 있으며 이들의 활약으로 사고의 원인규명이 이루어지고 있음을 알립니다. 이어서 실제 경험하거나 목격한

교통사고 경험을 서로 이야기하며 학생들이 해결해야 할 '교통사고 원인을 밝혀라!' 문제에 관심이 모아지도록 유도합니다.

문제의 상황을 학생들이 정확하게 파악할 수 있도록 교수자의 자세한 설명이 필요합니다. 교통사고처럼 학생들의 경험세계에 익숙한 주제의 경우, '서로가르치기(하브루타)' 활동을 통해 주어진 문제를 이해하는 것도 효과적입니다. 짝 단위(2인 1개조)로 서로 마주보며 설명하다보면 문제의 상황을 정확하게 파악할 수 있을 뿐만 아니라, 자신의 문제처럼 인식하여 보다 적극적인 참여로 이어질 수 있습니다.

문제의 출발점에 그려진 상황을 다양한 방법으로 재연해 보고 이를 충분히 공유했다면, 학생들이 전체적인 학습흐름을 예상하고 이해시키기 위한 과정으로 넘어갑니다. 'PBL MAP'을 활용해 단계적으로 수행해야 할 과제 및 활동을 간략하게 소개해 주며, 각 퀘스트에 대한 흥미와 기대감을 높이는 방향으로 이끄는 것이 중요합니다.

전개하기

'교통사고 원인을 밝혀라!'는 총 4개의 퀘스트가 제시됩니다. 기본적으로 제시되는 이들 퀘스트 외에 교수자는 수업의 목적에 따라 얼마든지 다양한 유형의 퀘스트를 제시할 수 있습니다. 특정 교과지식이나 개념을 이해시키기 위한 목적의 퀘스트에서부터 활동의 즐거움을 더하기 위한 가벼운 행동미션 등 퀘스트에 담지 못할 내용은 없습니다. 돌발퀘스트, 개별퀘스트, 비밀퀘스트 등 퀘스트의 성격에 따라 명명된 미션을 제공하다보면, PBL의 맛을 더 살릴 수 있습니다.

● 퀘스트1 : 사고 상황을 다양하게 유추하라

중심활동 : 사고 상황 유추하기(예상하기)

- 후송된 운전자의 신체증상을 토대로 사고 상황 유추하기
- 신체증상에 따라 사고 상황을 예상하고, 이에 대한 과학적(논리적) 근거 제시하기
- 파손된 뒷차량의 사진 자료를 통해 사고 상황 유추하기
- 파손된 부분을 통해 사고 상황을 예상하고, 이에 대한 과학적(논리적) 근거 제시하기

Teacher Tips

Quest 퀘스트 01

사고 상황을 다양하게 유추하라!

★★★★★★★★★

> 뒤에서 부딪힌 차량의 파손 부분과 운전자가 사고로 인해 나타내는 신체증상을 통해 사고 상황을 유추하는 퀘스트입니다. 워크시트에 실린 사진으로 차량의 파손 부분을 확인하고, 추돌 방향과 충격의 크기 등을 예상하도록 안내해 주세요. 차량의 파손 위치가 동일하다면, 해상도가 높은 다른 사진을 활용하는 것이 좋습니다.

… 극심한 두통과 복통, …급 치료를 받고 있는 상… 일어난 사고라서 그 당시 …니다. …상처, 통증, 마비 등)과 운전한 차량의 파손된 부분을 통해 사고 상황을 유추해 보는 방법밖에 없습니다.

※ 유추(類推) : 같은 종류의 것 또는 비슷한 것에 기초하여 다른 사물을 미루어 추측하는 일

구분	가설수립(예상하기) 운전자가 호소하는 신체적 증상을 바탕으로 사고 상황 유추하기	과학적 근거
신체 증상		
	뒤에서 부딪힌 차량의 파손된 …	
파손 차량		

> 운전자가 나타내는 신체증상(두통, 복통, 마비증세, 단기기억상실 등)은 다양한 원인이 있을 수 있습니다. 차량의 충격이 운전자에게 어떤 상해를 입혔을지 신체증상을 통해 유추하도록 안내해 주세요. 더불어 이들 신체증상과 관련된 인체기관과 특징을 제대로 이해한 상태에서 가설을 세우도록 하는 것이 중요합니다.
> 분명한 과학적인(논리적인) 근거를 바탕으로 가설이 세워지도록 해 주세요.

> 가설을 세우는 과정은 활발한 토의, 토론 활동 속에 이루어지는 것입니다. 개별적으로 가설을 세워보는 시간 이후에 반드시 모둠별로 가설검증 및 보완의 과정을 거치도록 해 주세요. 열띤 토론이 일어날수록 학생들은 문제 상황 속에 더 깊숙이 빠져들게 됩니다.

관련교과			…과		체육	예술		영어	창의적 체험활동	자유학기활동		
			가정	정보		음악	미술			진로 탐색	주제 선택	예술 체육
									●		●	

1. 운전자의 신체 증상은 당시 사고의 크기와 상황을 이해하는데 중요한 단서가 될 수 있습니다. 사고로 인한 두통, 복통, 마비증세, 단기기억상실 등의 원인을 규명하고 사고 상황을 가상으로 재연해보는 것도 좋은 방법이 될 수 있습니다.
2. 사고차량은 그 자체만으로 핵심 단서입니다. 파손 부위를 통해 충돌이 일어난 지점과 충격의 정도를 파악할 수 있습니다. 더불어 운전자의 과실 여부도 확인할 수 있는 단서가 됩니다.
3. 단순한 추측만 가지고는 이번 퀘스트를 완수할 수 없습니다. 가설에 대한 분명한 과학적 근거를 제시하도록 노력하세요.

● 퀘스트2 : 사고 원인 정확하게 규명하기

중심활동 : 가설 수정·보완하기, 과학적 근거를 토대로 사고 원인 규명하기

- 운전자의 진술을 토대로 사고 상황 추론하기
- 퀘스트1에서 예상한 상황과 비교하며 수정하거나 보완하기
- 파손된 앞차량의 사진 자료를 통해 사고 상황 추론하기
- 앞서 수행한 모든 내용을 종합하고 이를 바탕으로 종합적으로 가설을 수립하기
- 과학적 근거를 토대로 사고 원인을 규명하기
- 모둠별로 교차 검증하고 피드백을 받아 논리적 타당성 높이기

Quest 퀘스트 02 사고 원인 정확하게 규명하기

★★★★★★★★

앞에 위치한 차량의 파손 부분과 운전자 진술을 통해 사고 상황을 추론하는 퀘스트입니다. 워크시트에 실린 사진으로 차량의 뒤쪽 파손 부분을 확인하고, 추돌 방향을 예상하면서 사고 당시 앞뒤 차량의 추돌 위치를 종합적으로 판단하도록 안내해 주세요. 두 대의 모형 차로 사고 당시 앞뒤 차량의 위치를 이리저리 재연해 보는 것도 좋은 방법입니다. 동일한 파손 부분이라면 해상도가 높은 다른 사진을 활용해도 무방합니다.

...와 같이 확인했습니다. 운 ...돌사고가 차선변경으로 인해 ...습니다. 하지만 미심쩍은 부 ... 부분입니다. 사고의 원인을 ...도 얽혀있는 실타래를 과학 ...어야 하는 상황입니다.

...남아 다른 판단을 이끌어 냄

차선변경 차량

...가 뭔지 솔직히 잘 모르겠습니다. "

" 상대 사고차량은 분명히 백미러로 확인했을 때 바로 뒤에 따라오던 자동차였습니다. "

" 제가 차선변경을 위해 사이드미러로 확인했을 때는 분명히 뒤 따라오는 자동차는 없었고요. 사이드미러를 통해 옆 차선에 자동차가 없는 것을 확인하고 차선변경을 했죠. 그런데 이런 사고가 발생한 겁니다."

" 저는 분명히 백미러하고 사이드미러를 확인하고 차선변경을 한 겁니다. 어떻게 이런 사고가 발생할 수 있는지 이해가 안갑니다. "

...백미러 (back+mirror)[명사] 자동차 등에서 운전자가 뒤쪽을 볼 수 있게 달아 놓은 거울 – 올바른 영어 표현 : rear ...v mirror사이드미러 : 뒤쪽 양 측면을 볼 수 있게 자동차 양쪽에 달아 놓은 거울

퀘스트1과 2의 활동내용을 종합하여 교통사고의 원인을 정리하도록 안내합니다. 각각의 가설을 과학적 혹은 논리적 근거로 검증했는지 상호 확인하는 시간을 갖도록 합니다. 수업시수가 확보된다면 모둠별로 발표하고 상호 교차 검증하여 원인규명의 타당성을 높이는 것이 좋습니다.

가설 수정하기	과학적 근거

교통...

운전자의 진술만을 놓고 보았을 때, 차선변경과 사각지대와 관련된 사고임을 알 수 있으므로 이를 단서로 사고경위를 파악할 수 있도록 합니다. 또한 최초 확인했던 뒤차량의 위치 변화 역시 사고의 원인을 정확히 밝히는데 중요합니다. 그밖에도 뒤따라오던 차량이 운전자 시야에서 사라진 이유를 사각지대 외에도 도로의 모양(커브길, 언덕 등)에서 찾는 경우도 있습니다.

과학적이고 논리적인 원인 규명이 이루어지고 있다면 근거로 내세우는 근거를 떠나 그 자체만으로 충분합니다.

관련교과	국어	사...	...	자유학기활동 진로탐색	주제선택	예술체육
					●	

1. 기본적으로 빛(거울)과 속도... ...니다.
2. 졸음운전, 음주, 핸드폰사용, L... ...관련성을 확인해 봅니다.
3. 퀘스트1 수행결과와 제시된 문제... ...는지 과학적 근거를 바탕으로 검증합니다.

Teacher Tips

● 퀘스트3 : 앞뒤 차량 운전자, 누가 더 잘못했을까?

중심활동 : 교통사고 경위서 작성하기

- 사건이 일어난 순서대로 사고경위 작성하기
- 사고가 발생하게 된 상황과 원인이 포함되도록 하기
- 운전자 과실 가능성을 점검해보기, 특히 중대과실에 해당되는지 여부를 따져보기
- 통상적으로 인정되는 자동차사고 인정비율 조사하기
- (선택) 문제 속 운전자 과실비율을 놓고 소그룹 토론하기
- 활동내용을 종합하고 제시된 항목에 맞게 교통사고경위서 완성하기

Quest 퀘스트 03 앞뒤 차량 운전자, 누가 더 잘못했을까?

******

당신은 과학적 ... 사고의 원인을 규명하였습니다. 여러 가설을 세우고 검증하면서 사 ... 의 파손상태와 운전자의 신체증상, 진술을 확보하여 교 ... 습니다. 이제 이를 토대로 앞뒤 차량 중 어떤 운전자 ... 니다. 과실비율을 따지는데 있어서 조사관의 의견이 ... 필요합니다. 누가 더 잘못했을까요? 교통사고 경우 ...

사고경위는 사건이 일어난 순서(시간 순)로 작성할 수 있도록 안내해 주세요. 핵심적인 내용이 잘 드러나도록 개조식으로 작성하는 것이 좋습니다. 사고가 발생하게 된 상황과 원인이 누락되지 않도록 해 주세요.

수업 시간 확보가 가능하다면, 운전자 과실비율을 놓고 토론활동을 벌이는 것도 좋습니다. 앞뒤 운전자 과실에 대한 의견이 갈리는 진영 간에 토론활동이 이루어질 수 있도록 하면 됩니다. 단, 서로의 판단 근거를 확인하는 데 목적을 두는 것이므로 지나치게 긴 시간을 할애할 필요는 없습니다. 20분 미만으로 소그룹 단위의 자유토론형식으로 진행하는 것이 적당합니다.

교통사고 경위서	
사고 경위	
운전자 과실에 대한 의견	
판단 근거	

운전자 과실에 대한 의견은 학생들의 주관적 판단이 작용할 수밖에 없습니다. 음주나 중앙차선 위반 등 중대과실이 아니면 앞뒤 차량 모두에게 과실이 있음을 알려주세요. 과실 정도를 따져서 책임비율을 정하도록 안내합니다. 조사관으로서 신중한 판단이 이루어질 수 있도록 하는 것이 중요합니다.

통상적으로 적용되는 자동차사고인정비율이 있습니다. 보험회사에서 책정하고 있는 인정비율을 참고하는 것도 도움이 됩니다. 유사 사례별로 적용된 과실비율을 따져보면 판단에 도움이 될 것입니다.

관련교과	국(어)	...	예술		영어	창의적 체험활동	자유학기활동		
			음악	미술			진로 탐색	주제 선택	예술 체육
	●					●		●	

1. 퀘스트1과 2의 수 ... 황과 원인)를 간략하게 정리합니다.
2. 앞뒤 차량의 운전자 ... 시하도록 합니다. 실제 적용되고 있는 자동차사고 과실 인정비율을 판단근거로 ...
3. 교통사고 경위서를 모둠별로 ... 하는 개인별 모둠 간에 토론시간을 가져보도록 하세요.

마무리

마지막 단계는 지금까지 수행한 퀘스트 활동을 기반으로 특별강의를 준비하고 실행하는 활동으로 채워집니다. 시민들(동료학습자)을 대상으로 한 5분 내외의 미니강의를 준비하고 실천하는 것이 중심활동입니다. 짧은 시간 안에 시민들을 설득해야 하는 만큼, 참신한 아이디어를 바탕으로 모둠마다 특별하고 개성 넘치는 강의가 이루어질 수 있도록 합니다.

● 퀘스트4 : 교통사고사례를 시민들에게 알려라

중심활동 : 특별 미니강의 준비하고 실행하기

- 앞서 수행한 퀘스트 내용이 포함되도록 강의 시나리오 작성하기
- 문제에서 제시한 기본조건(사례와 예방법)이 포함되도록 특별강의 시나리오를 준비하기
- 특별 미니강의(5분)를 하거나 UCC 영상을 만들어 온라인 커뮤니티를 통해 공유하기
- 각 퀘스트별 수행점수(경험치)를 각자 집계하고 누계점수 기록하기
- 학생들은 성찰저널(reflective journal)을 작성해서 온라인 학습커뮤니티에 올리고 선생님은 덧글로 피드백 해주기
- [선택] 누적해 온 수행점수를 토대로 레벨 부여하기(Level Up) / PBL 스스로 점검(자기평가 & 상호평가) 내용을 토대로 능력점수(능력치) 집계하기 / Level Up 피드백 프로그램에 따른 개인별 레벨 선정과 프로그래스바 혹은 리더보드 공개하기, 결과에 따른 배지 수여

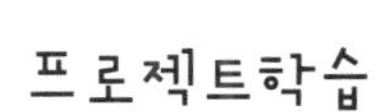

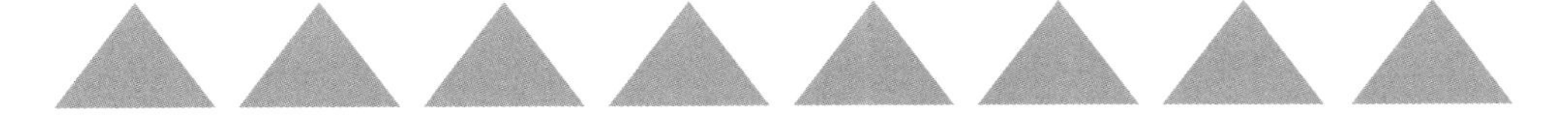

Teacher Tips

Quest 퀘스트 04

교통사고사례를 시민들에게 알려라

★★★★★★

당신은 교통사고 전문조사관으로 활약 [illegible] 경찰관으로서 사고의 원인을 규명하는데 최선을 다하고 있습니다 [illegible] 고에 대한 경각심을 불러일으키기 위해 이번 사고사례와 처리과 [illegible] 방법 등을 시민들에게 짧지만 강렬한 5분 특별 미니강의로 구성 [illegible] 설득력 있는 미니강의가 될 수 있도록 동원할 수 있는 모든 방법을 강구 [illegible] 니다.

워크시트에 제시된 형식이 있지만 이를 그대로 따를 필요는 없습니다. 각자의 방식에 따라 특별강의 시나리오가 작성될 수 있도록 안내해 주세요.

특별강의 시나리오	
교통사고사례	안녕하세요. 저는 교통사고 전문조사관 경찰 OOO입니다. 먼저 며칠 전 있었던 교통사고사례를 소개해드 [illegible]
교통사고예방법	교통사고는 본인뿐만 아니라 가족 전체를 불행으로 빠트릴 수 있는 심각한 위협입니다. 이런 교통사고가 발생하지 않도록 하기 위해서는 예방적인 조치가 필수입니다.

교통사고사례에는 반드시 앞서 수행했던 퀘스트 내용이 포함되어야 합니다. 더불어 교통사고 중대과실로 인한 사고사례를 간단히 제시하는 것도 이후 예방방법을 설명하는 데 도움이 될 수 있습니다. 이를 모둠이 준비하는 내용을 살펴보며 필요시 피드백해 주도록 합니다.

퀘스트에서 제시된 것처럼 특별미니강의로 준비해서 발표를 진행하는 것도 좋지만, 수업시수의 확보가 어렵다면 UCC 동영상을 제작하여 온라인 상에서 공유하고 평가하는 것으로 마무리 할 수 있습니다. 이마저도 진행이 어렵다면 퀘스트3을 마지막 단계로 하여 수업을 마무리짓는 것도 가능합니다. 교육과정을 고려하여 수업을 탄력적으로 적용하세요.

교통사고 예방법에는 운전자뿐만 아니라 비운전자의 시각 모두가 담겨야 함을 알립니다. 더불어 사고발생 시 어떻게 대처해야 할지도 담길 수 있도록 안내해 주세요.

관련교과	[illegible]	[illegible]	[illegible]	[illegible]	[illegible]학	실과			체육	[illegible]		영어	창의적 체험활동	[illegible]		
						기술	가정	정보		음악	미술			진로탐색	주제선택	예술체육
	●				●								●		●	

1. 특별강의는 5분이라는 짧은 시간동안 이루어져야 합니다. 사전 리허설을 통해 강의 시간을 꼭 체크해 보는 것이 필요합니다.
2. 강의는 청중을 설득하고, 중요한 지식을 전달하는데 목적이 있습니다. 동영상 등의 멀티미디어 자료를 제작하여 활용하는 것도 적극적으로 고려해 보도록 합시다.
3. 시민들을 대상으로 하는 만큼 내용이 쉽게 구성되어야 합니다. 단순히 정보를 조사해서 나열하지 말고, 목적에 맞게 재구성하여 사용하기 바랍니다.

체험을 통해 PBL 과정 이해하기

학습자에게 학습의 권한을 이양한다고 해서 PBL에서 교사의 역할이 작아지는 것은 아닙니다. 혼신의 노력으로 꾸며진 무대가 있어야 주·조연 배우들이 신명나게 연기할 수 있는 것처럼 학생들이 맘껏 뛰어놀 수 있는 PBL 환경을 만들어 주어야 합니다. 그러기 위해선 어느 누구보다 교사의 역할이 중요합니다. 사실 PBL의 성공 열쇠는 교사가 쥐고 있습니다. 아무리 좋은 문제와 좋은 환경이 있더라도 교사의 역할을 게을리 하면 절대로 수업의 효과를 제대로 거둘 수 없습니다. 실천이 중요합니다. 자기조절에 실패하고 시행착오를 겪더라도 교사의 역할을 포기해서는 안 됩니다. PBL에서 요구하는 교사의 역할을 충실히 하는 것 자체가 학생들에겐 무엇과도 바꿀 수 없는 최고의 피드백입니다.

실전가이드 두 번째는 'PBL 체험하기' 과정으로 채워집니다. PBL 체험은 '[문제제시](문제의 핵심 이해하기, 과제수행계획세우기)-[과제수행](문제해결모색하기, 결과정리하기)-[발표 및 평가]' 순으로 진행됩니다. 학습자 입장에서 PBL 수업을 체험해 봄으로써 학습자의 역할을 이해하고, 궁극적으로 단계별 교사의 역할이 무엇인지 파악하는 것이 목적입니다. 아무쪼록 학습자로서 제시된 문제의 해결을 위한 적극적인 참여와 더불어 학습과정에서의 교사역할을 탐색해 보는 시간이 되도록 합시다. 체험할 문제는 PBL에서 흔히 활용되고 있는 가장 기본적인 형태입니다.

*실전가이드2에서 체험할 PBL은 오랫 동안 현장에 적용되어 온 전형적인 모형에 근거합니다. 관련 내용은 「교실 속 즐거운 변화를 꿈꾸는 프로젝트학습」에서 자세히 설명하고 있습니다.

'선택 ❶ 다도해해상국립공원 여행상품 만들기'와 '선택 ❷ 도전! 유라시아대륙횡단' 중 하나를 선택하여 PBL 체험을 시작해 주세요. 각 과정별 제한시간이 있는 만큼, 가능한 범위 안에서 부분적으로 수행하도록 합니다.

선택 ❶ "다도해해상국립공원 여행상품 만들기"

'다도해해상국립공원 여행상품 만들기'는 「Microsoft Partners in Learning」의 PBL 연수 부분에서 활용된 문제이기도 합니다. 행복투어의 여행설계사로서 문제를 해결해 봅시다.

아름다운 비경을 품고 있는 크고 작은 섬들과 쪽빛 바다로 장관을 이루는 다도해해상국립공원은 우리나라의 자랑스러운 관광자원입니다. 최근 다도해해상국립공원 내에 위치한 외나로도 우주센터에서 나로호 발사가 성공하자 전국적인 관심이 집중되고 있기도 합니다. 최근 이런 관심을 배경으로 다도해해상국립공원은 꼭 가보고 싶은 주말 여행지역 1위로 선정된 바 있습니다.

당신은 국내여행 전문 회사인 행복투어의 여행설계자로서 선호도가 높은 다도해해상국립공원을 장소로 한 여행상품을 만들어야 합니다. 회사에서는 가족이나 대학생을 대상으로 한 가족여행이나 졸업여행 상품개발을 요청하고 있는 상태입니다.

지금까지 결정된 사항은 '여행기간: 2박 3일', '출발시간: 오전 9시', '출발지 및 기본이동코스: 김포공항 - 여수공항 - 여수항'까지입니다. 이제, 당신은 다도해해상국립공원의 399개 섬 중에서 이동거리와 여행 대상자의 특성을 고려해서 나머지 여행코스를 결정해야 합니다. 다도해 해상국립공원(http://dadohae.knps.or.kr) 공식홈페이지와 포털사이트의 지도서비스를 이용해서 여행코스와 이동거리를 산출할 계획입니다.

회사 방침 상, 2박 3일 여행상품의 경우, 여행자의 피로를 감안해서 전체 이동시간을 12시간 미만으로 제한하고 있습니다. 각 여행코스 간 이동시간은 일반적으로 이동거리와 각 코스별 이동수단의 속력을 알면 쉽게

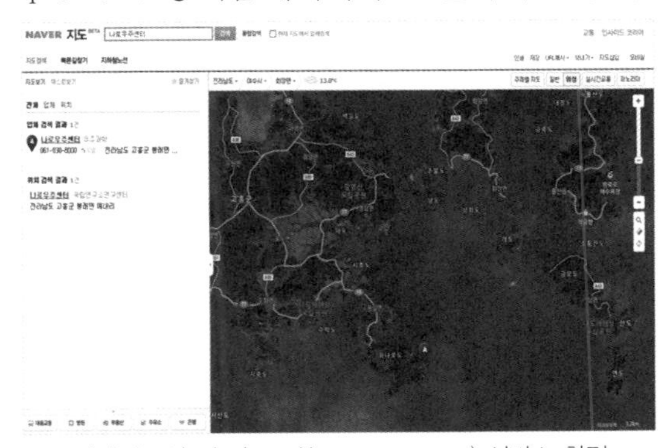

△ 포털사이트의 지도(http://map.naver.com) 서비스 화면

계산할 수 있습니다. 다음은 여행에서 이용될 이동수단의 속력입니다. 반드시, 각 여행지 간의 이동거리와 이동수단의 속력을 고려해서 최소 이동시간을 충족한 여행상품을 만들어야 합니다.

▷ 여행에서 이용될 이동수단

교통수단	비행기	버스	배	말	자전거	도보
이동거리/시간	500km/h	60km/h	40km/h	30km/h	12km/h	3km/h

다도해해상국립공원 내 소규모 섬은 여행에서 이용될 이동수단 중 도보나 말, 자전거를 통한 이동만 가능하므로 이를 감안해서 여행시간을 계산하고, 여행일정을 짜야 합니다. 다양한 체험과 볼거리가 가득한 여행상품이 될 수 있도록 당신의 실력을 보여주세요.

여행상품 개발이 완료되면, 회사 경영진의 마지막 결정을 이끌어내기 위한 발표가 기다리고 있습니다. 가족과 학생들의 마음을 사로잡을 2박 3일 다도해 해상국립공원 여행 상품을 기대하겠습니다. 행복투어의 미래는 바로 여행상품 설계자인 당신의 손에 달려 있습니다.

1. 여러분들이 개발하는 여행 상품에는 제시된 이동수단이 모두 동원되어야 하며, 여행지 간 총 이동시간은 12시간 미만이어야 합니다.
2. 지도서비스를 이용해서 여행코스를 결정하고 이동거리를 정확하게 파악합니다.
3. 당신은 행복투어의 여행설계자로서 회사경영진 앞에서 완성한 여행상품을 설득력 있도록 발표해야 합니다. 이때, 파워포인트, 홍보동영상 등을 활용해서 준비한 여행상품의 매력을 뽐내세요.
4. 과학 '물체의 속력'과 관련이 있습니다. 관련 지식을 문제해결에 꼭 활용하세요.

선택 ❷ "도전! 유라시아대륙횡단"

'도전! 유라시아대륙횡단'은 「PBL의 실천적 이해(문음사)」 9장에 사례로 소개되고 있습니다. 아울러 서울시교육연수원 PBL 연수과정에 활용된 문제이기도 합니다. 유라시아대륙횡단 탐험대가 되어 주어진 문제를 멋지게 해결해 봅시다.

최근들어 시베리아 횡단철도(TSR)와 한반도 종단철도(TKR)와의 연결이 활발하게 논의되고 있습니다. 대한민국을 시작으로 한 유라시아 철도횡단의 꿈이 현실로 다가오고 있는 것입니다. 철도를 통한 유라시아 대륙으로의 진출은 한반도의 평화정착은 물론, 막대한 경제적 효과를 가져 올 것으로 예상되고 있습니다.

– 이상 DSB의 노가리 기자였습니다.

"대한민국이 유라시아대륙의 새로운 주인공으로서 자리매김하고 있다는 반가운 소식이었습니다. 이러한 시점에 우리들의 젊은 대학생들이 자체 제작한 자동차와 소형비행기를 이용하여 유라시아 대륙 횡단에 도전한다고 해서 관심이 집중되고 있는데요. 그 현장에 한별 기자가 나가있습니다. 한별 기자 나오세요."

▶ 한별 기자입니다. 우리들의 젊은 대학생들이 자체적으로 제작한 자동차와 지원받은 소형비행기를 이용해서 유라시아대륙횡단에 도전한다고 합니다. 우선 이들이 제작한 자동차와 소형비행기를 가영 대원이 간단히 소개하도록 하겠습니다.

"먼저, 자동차는 어떠한 지형조건에서도 탁월한 성능을 발휘할 수 있도록 개발되었습니다. 보통 평지에서는 시속 80km, 산악지형에서는 시속 40km 정도의 속도를 유지할 수 있는데요. 연료탱크의 크기는 100L이며, 1L의 연료로 평균 10km를 달릴 수 있습니다. 게다가 하이브리드 자동차라서 전기를 이용한 주행도 가능하다고 합니다. 하루 3시간 정도는 연료 소모 없이 달릴 수 있습니다."

“다음으로 한국항공우주연구원에서 지원한 소형비행기를 소개하겠습니다. ‘반디’라는 이름의 소형비행기는 긴 시간의 시험 운행을 통해 그 안정성을 검증받았습니다. 평균 시속 200km, 1L의 연료로 5km를 날아갈 수 있다고 합니다. 연료탱크는 200L이며, 이착륙과 급유, 중간점검에 필요한 시간은 2시간 정도입니다.”

▶ 자! 지금부터는 이번 유라시아대륙횡단의 탐험대장을 맡고 있는 다나 대원으로부터 유라시아 대륙 횡단 계획과 관련해서 좀 더 자세한 설명을 듣기로 하겠습니다. 다나 대장님 말씀해 주시죠.

“안녕하세요. 탐험대장을 맡고 있는 다나라고 합니다. 저를 비롯한 4명의 탐험대원들은 이번 유라시아 대륙 횡단의 출발점을 대한민국의 수도인 서울로 잡고 있습니다. 저희는 일단 자동차를 이용해 북한을 거쳐 중국 베이징까지 갈 생각입니다. 하지만 아직 이후의 일정은 구체적으로 잡지 못한 상태입니다. 다만, 이번 유라시아 대륙 횡단의 최종 도착지역은 서유럽 국가 중의 한 나라로 선정할 것이며, 역사적인 가치를 고려하여 유럽과 아시아를 이어주었던 실크로드와 몽골리안 루트에 대해 검토할 계획입니다. 또한 안전에 있어서도 다각적인 대비를 하려고 합니다. 각 지역의 내전(전쟁)이라든지 정치적 불안 상황을 꼼꼼하게 체크하고, ‘로드 킬’이나 야생동물의 예기치 못한 공격, 기후나 자연환경의 위협요소 등을 확인해서 안전 확보에도 만전을 기할 것입니다.”

▶ 네, 그렇군요. 그럼, 유라시아대륙횡단에서 자동차와 소형비행기는 어떻게 운영될 것인지 간단히 말씀해 주세요.

“아직 세부적인 운영 계획은 나오지 않았습니다. 다만, 지난주 한국항공우주연구원과의 협의에서 전체 횡단 과정에서 2회 가량은 소형비행기 ‘반디’로 하자는데 합의하였습니다. 하지만 전체 일정 중에 반디를 어떤 곳에 투입할지는 아직 결정되지 않은 상태입니다. 단, 안전을 고려하여 야간비행은 하지 않을 방침(하루 5시간 비행 가능)이며, 이착륙과 급유, 점검이 가능한 공항을 이용해야 하므로, 이를 감안하여 계획을 세울 예정입니다. 자동차 운행과 관련해서는 탐험 일정을 최대한 단축하기 위해 교대 운전으로 24시간 운행할 계획입니다. 하지만 전체적인 피로도와 안전을 고려하여 3일에 한번 정도는 해당 지역에서 12시간가량 휴식을 취할 예정입니다. 그리고 원활한 탐험을 위해 연료보급과 식량보급 관련한 세부 계획을 마련할 생각입니다. 연료와 식량은 보급의 효율성을 감안하여 동시에 이루어집니다. 이러한 부분들을 감안하여 자동차와 소형비행기의 운행계획을 포함하여 유라시아 대륙 횡단의 구체적인 계획을 세워서 다음 주에 발표하도록 하겠습니다."

▶ 유라시아대륙횡단 계획이 다음 주에 어떻게 나올지 정말 기대되는데요. 젊음이 가진 도전정신과 치밀한 계획으로 여러분들의 도전이 멋지게 성공하길 바랍니다. 그럼 다음 주 발표 때 찾아뵙기로 하겠습니다.

[당신의 임무를 기억하세요]

탐험대원인 당신에게 새로운 임무가 주어졌습니다. 그건 다름 아닌, 유라시아 대륙 횡단 계획을 세우는 것이죠. 당신은 탐험대원의 한 사람으로서 앞서 제시한 조건을 모두 충족시킬 수 있는 계획을 세워야 합니다. 유라시아 대륙 횡단 코스와 일정, 자동차와 소형비행기의 운행방법은 전적으로 여러분들이 정해야 합니다. 물론, 자동차와 소형비행기의 연비를 고려해서 연료 및 식량 보급 지역, 이착륙 지역을 미리 결정해야겠지요? 식량 보급 계획을 수립할 때는 해당 지역에서 확보할 수 있는 음식으로 정해야 합니다.

여러분들의 성공적인 임무 완수를 위해서는 기본적으로 각 코스별 이동거리를 반드시 알아야 합니다. 직접 거리를 측정하는 것이 불가능하기 때문에, 세계지도와 지구본을 활용하여 대략적인 거리를 측정하고 이를 활용하도록 하겠습니다. 세계지도에서 거리를 측정하려면 그 지도의 축적을 알아야 하고요. 지구본에서 거리를 측정하기 위해서는 위도와 경도에서 1°의 거리 기준을 알면 쉽게 측정할 수 있습니다. 힌트는 여기까지……, 자! 그러면 여러분들의 멋진 활약을 기대하겠습니다.

※ 참고 : 위도별 위도와 경도 1° 의 길이

위도 (°)	위도 1도의 길이 (km)	경도 1도의 길이 (km)	위도 (°)	위도 1도의 길이 (km)	경도 1도의 길이 (km)
0	110.569	111.322	50	111.230	71.700
5	110.578	110.902	55	111.327	63.997
10	110.603	109.643	60	111.415	55.803
15	110.644	117.553	65	111.497	47.178
20	110.701	114.650	70	111.567	38.188
25	110.770	100.953	75	111.625	28.904
30	110.850	96.490	80	111.666	19.394
35	110.941	91.290	85	111.692	9.735
40	111.034	85.397	90	111.700	0.000
45	111.132	78.850			

QUEST 2-1 **PBL 과정체험하기 : 문제제시**

PBL에서 문제제시 과정은 매우 중요합니다. 문제를 이해하고 파악해야 이후의 학습활동이 바람직한 방향으로 전개될 수 있기 때문입니다. 주어진 흐름을 참고해서 활동시간 안에 문제제시 과정을 체험해 보세요.

● 문제의 핵심내용 정리

문제의 핵심내용과 중심활동 파악하고 정리하기

● 학습목표 도출하기

문제제시
· 문제의 핵심내용 정리
· 학습목표 도출하기
· 과제수행계획서 작성하기
과제수행
발표/평가

문제에 대한 이해를 바탕으로 학습목표 세우기

*위의 칸을 모두 채울 필요는 없습니다. 팀별 논의 과정으로 대체해도 됩니다.

● 과제수행 계획서 작성하기

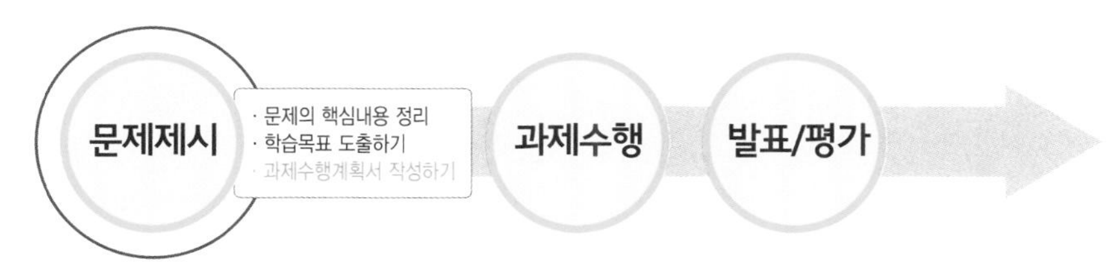

◆ '가설/해결안(ideas)', '이미 알고 있는 사실(facts)', '더 알아야 할 사항(learning issues)', 역할분담 등이 포함된 과제수행계획 세우기

PBL 문제명	
가설/해결안 (ideas)	
어떤 방법으로 문제를 해결할 것인가요?	
이미 알고 있는 사실들(facts)	
문제를 통해 알게 된 사실은 무엇인가요?	
더 알아야 할 사항들 (learning issues)	
문제해결을 위해 더 알아야 할 것은 무엇인가요?	
역할분담	

문제제시 과정에서의 교사역할

문제에 대한 이해와 흥미를 유발할 수 있는 다양한 자료 준비

PBL의 '문제도입' 단계에서 교사의 역할 중 하나는 문제에 대한 이해를 높일 수 있고, 문제에 대한 흥미와 관심을 이끌어낼 수 있는 신문기사 또는 비디오 자료, 혹은 문제 상황을 재연한 연극이나 동영상 자료 등 다양한 자료를 준비하여 활용하면 효과적입니다.

자율적이며 민주적인 학습 분위기 조성

자율적이며 민주적인 학습분위기 조성은 시작부터 마지막에 이르기까지 전체 PBL 과정에서 요구되는 가장 기본적인 학습환경입니다. 교사는 첫 단추에 해당하는 민주적인 학습분위기가 조성될 수 있도록 애써야 하며, 학생들의 능동적인 참여를 이끌어내야 합니다. 자율적이며 민주적인 학습분위기 속에서 문제를 이해하고 공유하기 위한 팀원 간의 토의, 토론과정이 활발하게 이루어질 수 있습니다.

과제수행계획수립과 관련하여 적극적인 안내

학생들은 주어진 문제를 충분히 파악한 이후, 과제수행계획을 수립하도록 해야 합니다. PBL 수업이 처음인 학생들의 경우에는 과제수행계획수립 과정을 무척 어려워하는 경우가 많습니다. 더욱이 연령이 낮을수록 계획수립 단계에서 흥미를 잃어버리기도 합니다. 과제수행계획 과정을 적용할 때는 일반적으로 포함되는 '가설/해결안(ideas)', '이미 알고 있는 사실들(facts)', '더 알아야 할 사항들(learning issues)'에 대한 기본개념을 학생들이 충분히 이해할 수 있도록 교사의 적극적인 안내가 필요합니다.

QUEST 2-2 **PBL 과정체험하기 :** 과제수행

문제해결을 위한 본격적인 과정입니다. 앞서 수립한 계획을 기준으로 과제수행을 진행하게 됩니다. 다음 제시된 과정은 학습의 흐름을 세부적으로 나눈 것으로 실제 수업에서는 이들 과정이 통합적으로 이루어지기도 합니다.

● 개별 문제해결 모색하기

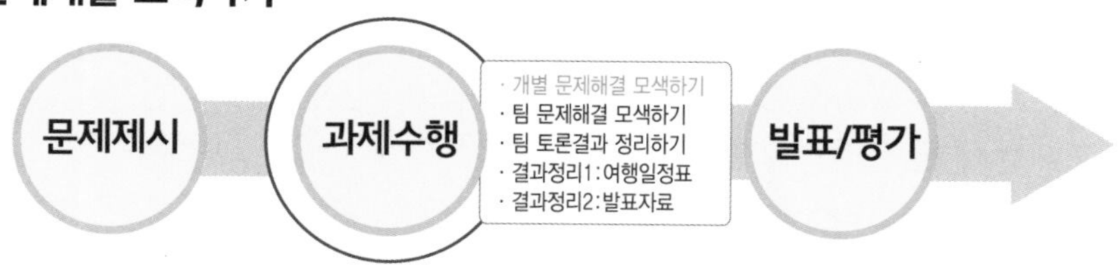

◆ 문제를 해결하기 위해 자기주도적인 개별학습 진행

◆ 문제해결을 위해 개별적으로 정보 탐색 및 자료 수집하기

◆ 탐색한 정보에 대한 활용방안이나 의견 정리

문제를 해결하기 위해 필요한 정보나 자료를 탐색하고 수집해서 그 결과를 온라인 커뮤니티에 올립니다. 자신이 탐색한 정보에 대한 활용방안이나 의견도 함께 정리해서 올리도록 합니다.

내 용	활용방안 및 의견

* 이해를 돕기 위해 제공된 형식입니다 위의 칸을 직접 채울 필요는 없습니다.

● 팀 문제해결 모색하기

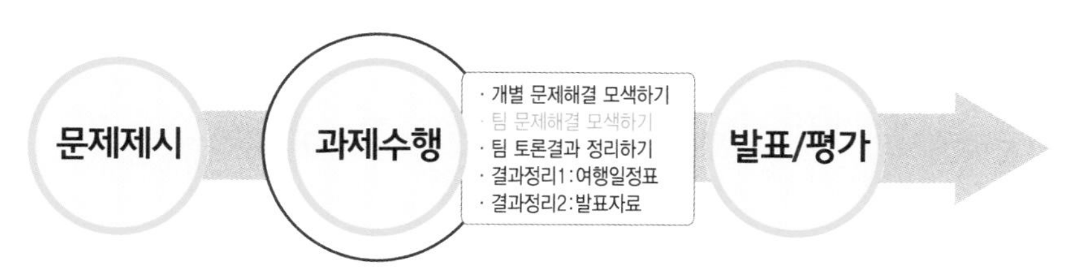

◆ 문제 해결을 위해 팀 단위의 정보 및 자료 공유, 의견교환

◆ 더 알아야 할 사항을 중심으로 정보 탐색, 자료 수집 및 의견 교환 진행

온라인 커뮤니티에 개별적으로 올린 정보나 의견을 살펴보고, 이에 대한 자신의 생각을 정리해 보세요.

팀원이름	의 견	나의 생각

* 이해를 돕기 위해 제공된 형식입니다 위의 칸을 직접 채울 필요는 없습니다.

● 팀 토론결과 정리하기

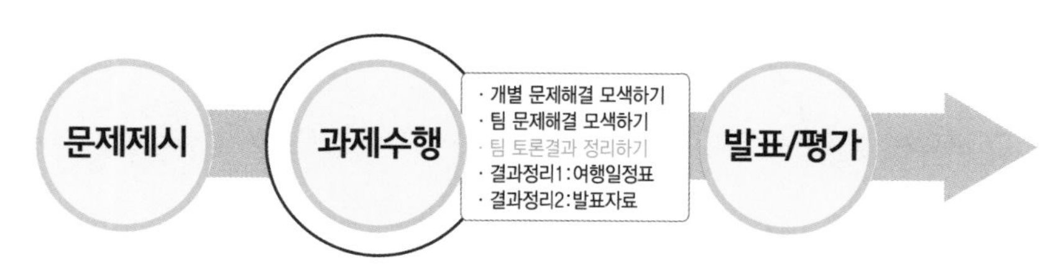

◆ **문제해결모색과정에서 탐색한 정보 및 수집한 자료, 의견 등을 종합하여 정리**

선택한 문제 상황에 맞게 이동수단 활용방안, 여행지역간 이동시간, 여행일정 등을 종합적으로 검토하여 합의된 내용을 정리하도록 합니다.

● 결과정리 Ⅰ : 여행 일정표 만들기

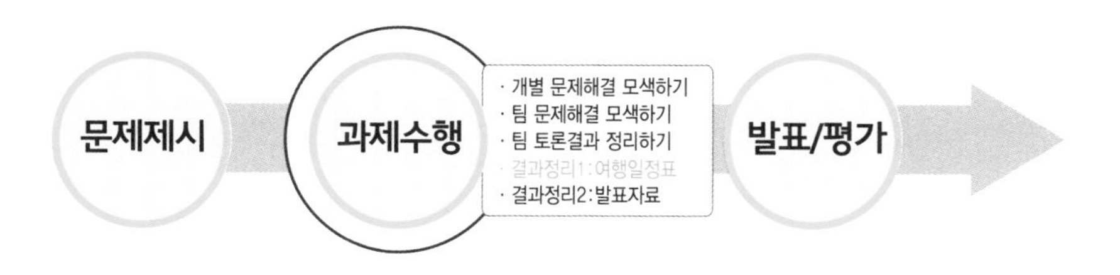

◆ 2박 3일 여행 일정표(다도해해상여행상품) 또는 대륙횡단 일정표(유라시아) 짜기
◆ 여행/횡단코스, 교통수단, 이동시간, 여행일정 등 문제에서 제시한 조건 충족시키기

● 결과정리 Ⅱ : 발표자료 만들기

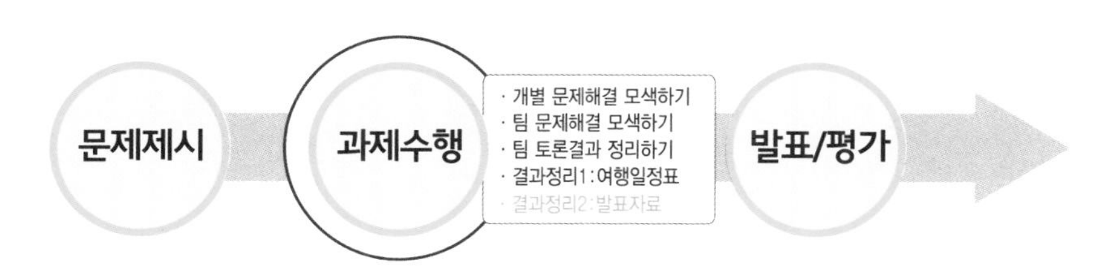

◆ 선택한 문제 상황에 적합한 형태의 발표자료 만들기

행복투어 경영진 앞에서의 프레젠테이션(다도해해상국립공원 여행상품 만들기), 기자회견(도전! 유라시아 대륙횡단)에 적합한 형태로 발표자료를 만들어야 합니다. 시간관계상 실제로 만드는 것이 어려우면 아이디어를 담은 스토리보드 작성으로 대신해도 됩니다.

과제수행 과정에서의 교사역할

온라인 튜터(tutor)로서 학습을 촉진하는 역할 수행

과제수행과정의 상당시간이 온라인 커뮤니티를 통해 이루어질 때가 많습니다. 온라인이라는 공간은 개인과 개인이 만나는 대화적 참여공간으로서 가치를 지니고 있는데, 이때 교사는 온라인 튜터로서 역할을 수행할 필요가 있습니다. 기본적으로 학생들이 자신의 역할에 맞게 자기주도적 학습이 이루어질 수 있도록 독려하고, 학생들이 올린 정보나 의견을 면밀히 점검하고 피드백해야 한다. 때로는 문제해결에 도움이 될 수 있는 학습자원을 제공하면서 학습이 제대로 진행될 수 있도록 지원하고, 학습을 촉진하는 역할을 수행해야 합니다.

학생들이 적응할 때까지 인내하고 또 인내하기

PBL은 학습자가 중심이 되는 학습환경이며 또한 협동학습 환경입니다. 기존에 우리가 흔히 접하던 '조용하고 정돈된' 분위기의 학습환경과는 판이하게 다를 수밖에 없습니다. 지금껏 교사의 지시에 따라 수동적으로 학습에 임하던 학생들은 초기 PBL 수업에서 엄청난 자율성이 주어짐에 따라 오히려 우왕좌왕 하는 경우가 많았습니다. 이는 모두 PBL에서 제공하는 학습환경에 익숙하지 않기 때문에 벌어지는 일입니다. 새로운 PBL 환경에 학생들이 잘 적응할 수 있도록 자율적이며 허용적인 분위기를 조성하고 기다려야 합니다. PBL에서 교사의 '기다림'은 정말 중요한 미덕입니다.

학생들에 대해 확신 갖기

PBL에서 익숙하지 못한 학생들의 모습이나 학생들이 겪는 여러 가지 혼란은 학습자 나름의 인지적 혼란, 갈등, 그것을 해결하고자 하는 부단한 노력에서 비롯되는 경우가 많습니다. 교사는 학생들이 이러한 과정을 거쳐 문제를 해결할 수 있을 것이라는 '확신'을 가지고 기다릴 필요가 있습니다. 학생들에 대한 교사의 확신은 자기 확신으로 이어져서 자기효능감이 높은 학습자로 참여하도록 만듭니다.

학생들의 문제해결과정이 제대로 진행될 수 있도록 적극적인 조언자 역할 수행

교사는 학생들이 독립적으로 사고하고 학습해 갈 수 있도록 직접적인 질문보다는 '좀 더 명확하게 설명...?', '왜 그렇게 생각하는지?', '무슨 뜻인지?' 등의 간접적인 질문을 이용해서 학습을 진행하는 것이 필요합니다. 정답을 요구하는 닫힌 질문이 아닌 확산적 대화로 이어질 수 있는 열린 질문을 하는 것이 중요합니다. 교사가 모든 팀 활동에 참여할 수 없기 때문에 모둠 구성원 각자가 토론한 것을 정리하도록 하고, 토론과정을 성찰해볼 수 있는 기회를 제공해야 합니다. 이때 교사는 팀 내에서 구성원들이 나눈 의견을 여러 각도에서 살펴보고 피드백을 주며, 필요에 따라 문제해결에 필요한 중요한 개념을 설명해 주는 등 학습의 조언자 역할을 수행해야 합니다.

QUEST 2-3 PBL 과정체험하기 : 발표 및 평가

발표과정은 개별학습자에게는 다양한 문제해결과정을 살펴보고 공유할 수 있는 기회를 제공해 주며, 문제해결을 위한 다양한 접근 방식에 대한 직·간접적인 체험의 시간이 되기도 합니다. 발표는 제시된 문제 상황에 따라 다양한 형식으로 진행됩니다.

● 발표하기

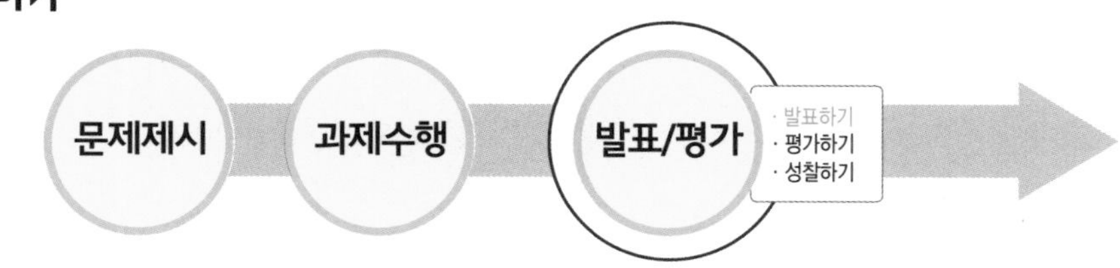

◆ 발표는 학습자에게 다양한 문제해결과정을 살펴보고 공유할 수 있는 기회 제공
◆ 학습결과물을 토대로 발표시나리오를 작성하고 팀별로 발표

선택한 문제 상황에 어울리는 발표시나리오를 작성해 주세요. 발표시나리오는 앞서 정리한 학습결과물을 토대로 작성됩니다. 간단한 방식으로 모의발표를 진행해 보도록 하겠습니다.

* 이해를 돕기 위해 제공된 형식입니다. 상황에 따라 온라인 발표로 진행될 수 있습니다.

● 평가하기

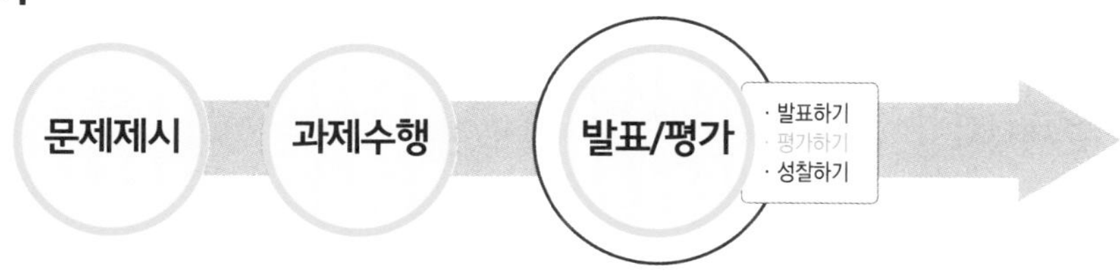

◆ PBL의 평가는 다양한 형태와 방법으로 이루어지며, 결과보다는 과정 중심

◆ 팀별로 발표한 내용에 대한 서술 평가

PBL의 평가는 다양한 형태와 방법으로 이루어지며, 결과보다는 과정이 중심이 됩니다. 무엇보다 문제 상황에 어울리는 방식으로 진행됩니다. 이를테면 회사 간부의 입장에서 각 팀이 개발한 여행상품에 대한 사업성과 타당성을 평가하거나 기자로서 기자회견장에서 발표된 유라시아 대륙횡단 계획을 평가하기도 합니다.

팀 이름	평가 내용(기사문)	점수(5점)

* 이해를 돕기 위해 제공된 형식입니다. 만약 온라인 발표로 진행되면 평가 역시 온라인상에서 이루어지게 됩니다.

● 성찰하기

문제제시 → 과제수행 → 발표/평가
· 발표하기
· 평가하기
· 성찰하기

◆ PBL의 전 과정을 비판적으로 되돌아보며 '성찰저널(Reflective Journal)' 쓰기

PBL의 전 과정을 비판적으로 되돌아보며, 배운 점과 느낀 점, 자신에 대한 평가 등이 포함된 성찰저널을 써 보세요(시간관계상 생략될 수 있습니다). 성찰저널에 특별한 형식이 있는 것은 아닙니다. 형식에 구애받지 않고 사고의 흐름, 글의 전개 등에 따라 성찰저널을 작성하는 것이 바람직합니다.

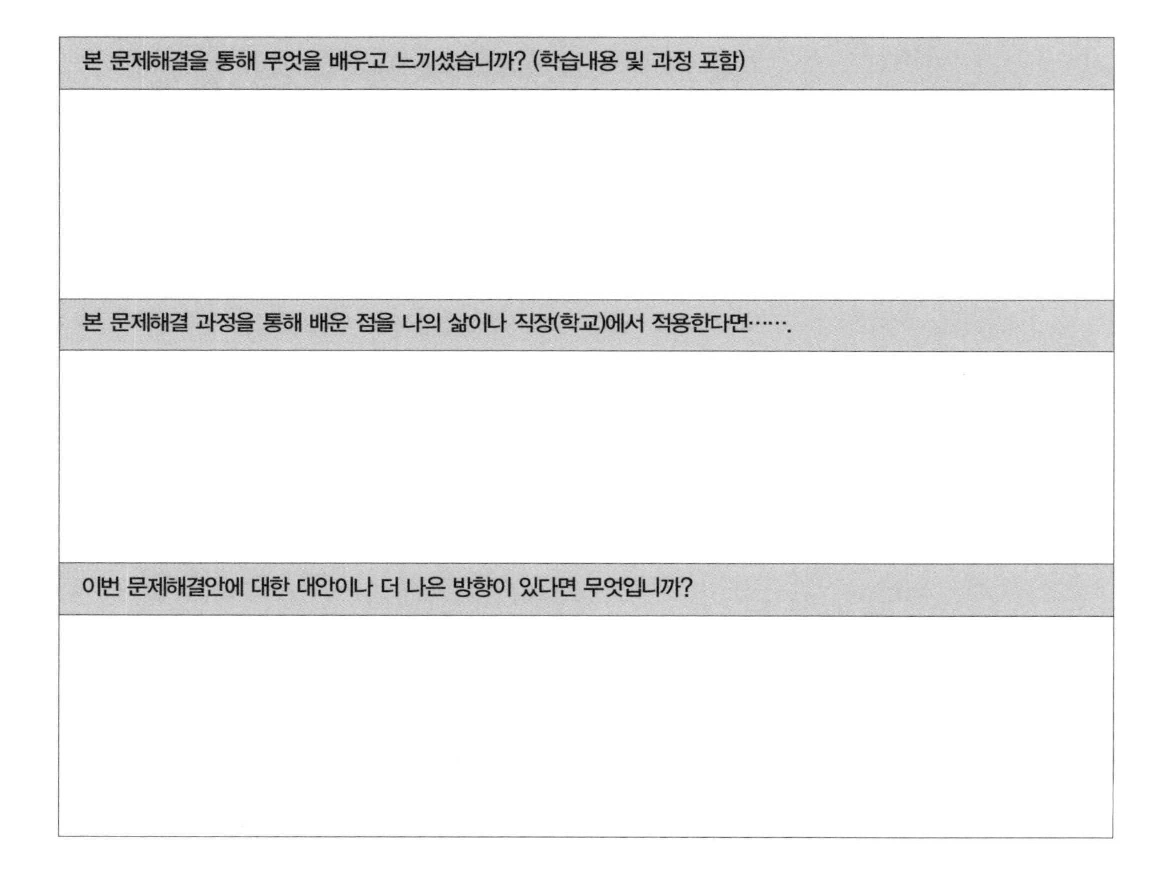

본 문제해결을 통해 무엇을 배우고 느끼셨습니까? (학습내용 및 과정 포함)
본 문제해결 과정을 통해 배운 점을 나의 삶이나 직장(학교)에서 적용한다면…….
이번 문제해결안에 대한 대안이나 더 나은 방향이 있다면 무엇입니까?

본 문제해결 시 팀에 대한 나의 기여도는 무엇입니까?

발표 및 평가 과정에서의 교사역할

발표 분위기 조성 및 기술적인 지원

발표과정은 문제해결과정을 통해 도출한 결과물을 학급 구성원들 앞에서 발표하고 공유하는 시간으로서 '문제'에 대한 다양한 접근 방식에 대해 직·간접적으로 경험해 보고 검증하는 PBL의 마지막 과정입니다. 교사는 발표가 제대로 진행될 수 있도록 제시된 '문제'의 성격에 맞게 발표 분위기를 조성하고 발표에 필요한 기술적인 지원을 할 필요가 있습니다.

동료학습자로서 평가 참여

PBL 수업의 전 과정에서 교사에게 요구하는 역할 중 하나가 '동료학습자'로서의 역할입니다. '발표 및 평가' 단계에서 교사는 교사만의 절대적인 평가가 아닌, 학생들과 함께 참여하는 평가 활동을 전개하는 것이 필요합니다. 동료학습자로서의 역할을 수행함으로써 수평적인 평가 문항을 형성하도록 노력해야 합니다.

문제의 성격과 학습한 내용을 고려한 다양한 평가방법 적용

교사는 다양한 평가방법 중에서 문제의 성격과 학습한 내용 등을 고려하여 평가방법을 결정하고 적용해야 합니다. PBL 수업에는 기본적으로 모든 평가방법을 적용해 볼 수 있습니다. 다만 학습자의 자존감을 낮추는 방식의 운영은 오히려 역효과를 불러올 수 있습니다. 포트폴리오(portfolio), 에세이(Essay), 퀴즈(Quiz), 지필평가, 성찰저널(Reflective Journal) 등 상황에 맞게 타당한 평가방법을 선택하여 적용하도록 합니다.

학습결과를 공유하고 평가할 수 있는 공간으로 온라인 학습커뮤니티 활용

학생들이 PBL 수업의 최종 산출물이나 발표장면 등을 다시 확인하고 피드백할 수 있는 공간으로 온라인 학습커뮤니티를 활용합니다. 학습과정과 결과를 멀티미디어로 기록하고, 이를 교사, 학생, 학부모 모두 공유함으로써 좀 더 타당한 결과를 도출하도록 합니다. 온라인 학습커뮤니티는 팀 토론 공간이면서 학습결과를 공유하고 평가하는 공간으로 손색이 없도록 구현하는 것이 중요합니다.

학생들이 정성스럽게 작성한 성찰저널에 대해 피드백 제공

학생들은 PBL의 전 과정을 되새기며 마지막으로 성찰저널을 작성하게 됩니다. 학생들이 작성하는 성찰저널에는 PBL 과정에서 배운 내용이나 느낀 점, 팀 활동 내용과 자신의 기여도, 학습과정에 대한 반성 등이 담겨져 있습니다. 일종의 자기평가이기도 한 성찰저널에 대해 교사는 정성을 다해 피드백을 제공해 주어야 합니다.

CHAPTER 05

나무에게 새 생명을, 나무를 치료하는 나무의사

INTRO.

나무의사가 하는 일

나무의사는 나무의 병을 진단 및 치료하고 필요에 따라 각종 영양소와 항생제 등을 주입하는 일을 합니다. 나무가 치명적인 상태일 경우엔 썩은 부위를 도려내고 잘라낸 다음, 특수우레탄 등의 인공수지로 연결해주는 일종의 외과수술도 맡아서 합니다. 말을 할 수 없는 나무이기에 색깔과 모양만 보고도 상태를 파악할 수 있는 전문성이 요구됩니다.

참고로 나무의사는 식물학이나 조경학, 미생물학 등을 전공하고 나무의 종류와 생육에 관한 풍부한 지식을 지닌 사람들이 이 자격에 도전하고 있습니다. 각종 진귀한 관상수나 천연기념물, 보호수 곁을 세심하게 살피고 있는 나무의사, 이제 여러분들은 유능한 나무의사가 되어 천년을 살아온 용문사 은행나무 질병의 원인을 조사하고 진단, 처방, 관리에 이르기까지 모든 과정을 수행해야 합니다. '조사-진단-처방(치료)-관리' 4단계 절차에 따라 주어진 문제상황을 나무의사로서 멋지게 해결해 보세요.

* 문제시나리오에 사용된 어휘빈도(횟수)를 시각적으로 나타낸 워드클라우드(word cloud)입니다. 워드클라우드를 통해 어떤 주제와 활동이 핵심인지 예상해 보세요.

나무에게 새 생명을, 나무를 치료하는 나무의사

당신은 나무치료 전문가입니다. 나무의사는 전국적으로 20여 명 안팎으로 있는데, 그 중에서 당신은 가장 능력 있는 나무의사로 통합니다. 정부에서는 당신의 탁월한 나무 치료능력을 인정하여 보호수로 지정된 8,000주 가운데 1/4에 해당하는 2,000주의 관리를 위탁하고 체계적인 관리를 주문하였습니다.

당신의 나무치료과정은 '조사-진단-처방(치료)-관리' 4단계 절차로 진행되며, 식물의 구조와 생장, 기능 등의 전문적인 지식을 바탕으로 각 단계를 수행합니다.

조사연구 :	진단 :	처방 :	관리 :
해당식물의 구조와 생장, 기능 등에 대한 종합적인 연구	연구내용을 바탕으로 해당식물의 질병과 그 원인을 진단	질병에 대한 치료방안 제안 및 치료계획 수립	질병예방 및 건강유지 관리계획

며칠 전, 양평군청으로부터 급하게 전화가 걸려왔습니다. 양평군 용문면 용문사에 위치한 은행나무에 문제가 발생했다는 내용이었습니다. 용문사 은행나무는 나이가 약 1,100살 정도로 추정되며, 높이 42m, 뿌리 부분이 15.2m인 우리나라 은행나무 가운데 나이와 높이에 있어서 최고를 자랑하는 국보급 은행나무입니다. 그래서 1962년 12월 천연기념물 제30호로 지정하여 보호·관리되고 있습니다. 용문사의 은행나무를 치료하기 위한 당신의 손길이 벌써 분주해지고 있네요.

PBL MAP

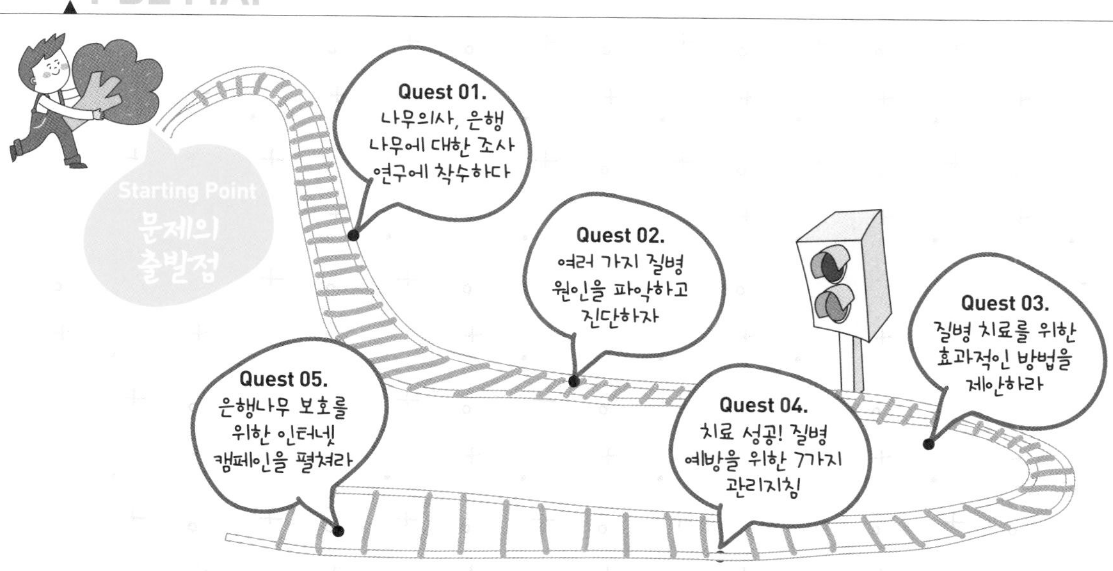

▲Quest 퀘스트 01

나무의사, 은행나무에 대한 조사 연구에 착수하다★★★★★★

[조사연구 – 진단 – 처방 – 관리]

당신은 용문사 은행나무의 건강을 찾아주기 위해 나무치료절차에 따라 먼저 조사연구를 실시하고자 합니다. 기본적으로 은행나무가 식물임을 감안하여 잎과 줄기, 그리고 뿌리가 하는 역할과 기능이 무엇인지 살펴보고, 다른 식물과 구별되는 은행나무만의 특징을 연구할 예정입니다. 유능한 나무의사로서 조사연구에 성실히 참여해 주세요.

구분		조사내용(요약)
식물의 구조	잎	
	줄기	
	뿌리	
은행나무 특징		

관련교과	국어	사회	도덕	수학	과학	실과			체육	예술		영어	창의적 체험활동	자유학기활동		
						기술	가정	정보		음악	미술			진로 탐색	주제 선택	예술 체육
					●								●		●	

1. 은행나무에 대한 정보는 인터넷에서 쉽게 검색하여 찾아볼 수 있습니다. 특히 은행나무는 인간에게 매우 유용하게 활용되고 있는데요. 관련된 정보를 찾아보는 것도 은행나무의 특징을 파악하는 데 도움이 될 겁니다.
2. 과학교과서에 식물과 관련된 단원이 있습니다. 식물의 구조를 이해하는 데 유용한 정보를 제공해 줍니다.
3. 식물을 주제로 한 자연다큐멘터리를 시청한다면 좀 더 생생한 정보를 얻을 수 있을 것입니다.

나만의 교과서

4가지 기본항목을 채우고, 퀘스트 해결과정에서 공부한 내용이나 수집한 정보를 토대로 자신만의 방식으로 알차게 표현해 보세요. 그림이나 생각그물의 형태로 표현하는 것도 좋습니다.

ideas 문제해결을 위한 나의 아이디어	facts 문제와 관련하여 내가 알고 있는 것들

learning issues 문제해결을 위해 공부해야 할 주제	need to know 반드시 알아야 할 것

스스로 평가

자기주도학습의 완성!

		나의 신호등
01	나는 나무의사로서 조사연구의 필요성을 이해하고 적극적으로 참여하였다.	1 2 3 4 5
02	나는 식물의 구조를 이해하고 잎, 줄기, 뿌리의 역할과 기능에 대해 공부하였다.	1 2 3 4 5
03	나는 다른 식물과 구별되는 은행나무만의 특징을 파악하였다.	1 2 3 4 5
04	나는 검증된 자료(관련 책, 교과서, 다큐멘터리 등)를 활용해 조사연구를 진행하였다.	1 2 3 4 5
05	나는 문제해결을 위해 탐구한 내용과 수집한 정보를 바탕으로 나만의 교과서를 멋지게 완성하였다.	1 2 3 4 5

자신의 학습과정을 되돌아보고 진지하게 평가해주세요.

Level up

오늘의 점수	나의 총점수

Quest 퀘스트 02

여러 가지 질병 원인을 파악하고 진단하자 ★★★★★

[조사연구 – 진단 – 처방 – 관리]

"오른쪽 큰 가지에 잎이 나올 시기가 지났는데도 불구하고 아직 잎이 나오지 않고 있습니다. 그리고 다른 가지에도 문제가 있는 것 같아요. 예년보다 잎이 말라서 많이 떨어지고 있는데다가 녹색의 푸르름을 자랑해야 할 잎들이 누렇게 변해가고 있습니다. 어떻게 해결해야 할지 도저히 모르겠네요. 도움 부탁드립니다."

양평군청 김산 산림과장이 말한 용문사 은행나무의 증상을 참고하여, 질병의 원인이 무엇인지 파악하고 진단해야 합니다. 이미 당신은 조사연구 과정을 통해 식물의 잎, 줄기, 뿌리를 비롯해 은행나무만의 고유한 특징을 살펴본 바 있습니다. 여러 환경적 요인을 고려하여 질병의 원인을 과학적으로 진단해 보도록 합시다.

구분	질병원인	진단
잎		
줄기		
뿌리		

관련교과	국어	사회	도덕	수학	과학	실과			체육	예술		영어	창의적 체험활동	자유학기활동		
						기술	가정	정보		음악	미술			진로 탐색	주제 선택	예술 체육
					●								●		●	

1. 유추라는 말에 주목하세요. 산림과장의 이야기를 단서로 식물의 각 부분(잎, 줄기, 뿌리)의 질병원인을 예상해 봅니다.
2. 질병원인을 진단하는데 있어서 반드시 환경적 요인에 의한 영향을 따져보아야 하며 해당 가설이 과연 과학적으로 옳은지 검토합니다.
3. 앞서 조사한 내용과 연계해서 진단과정이 진행되도록 해야 합니다. 모둠별 논의과정을 거쳐 과학적 이유를 들어 최종 진단합니다.

나만의 교과서

4가지 기본항목을 채우고, 퀘스트 해결과정에서 공부한 내용이나 수집한 정보를 토대로 자신만의 방식으로 알차게 표현해 보세요. 그림이나 생각그물의 형태로 표현하는 것도 좋습니다.

ideas
문제해결을 위한 나의 아이디어

facts
문제와 관련하여 내가 알고 있는 것들

learning issues
문제해결을 위해 공부해야 할 주제

need to know
반드시 알아야 할 것

스스로 평가

자기주도학습의 완성!

		나의 신호등
01	나는 나무의사로서 진단과정에 적극적으로 참여하였다.	1 2 3 4 5
02	나는 산림과장의 진술에서 얻은 은행나무의 증상을 토대로 질병을 유추하였다.	1 2 3 4 5
03	나는 잎, 줄기, 뿌리로 나누어 질병의 원인을 예상하고 과학적인 이유를 제시하였다.	1 2 3 4 5
04	나는 질병의 원인에 대한 다양한 추측에 대해 과학적으로 옳은지 충분히 검토하였다.	1 2 3 4 5
05	나는 문제해결을 위해 탐구한 내용과 수집한 정보를 바탕으로 나만의 교과서를 멋지게 완성하였다.	1 2 3 4 5

자신의 학습과정을 되돌아보고 진지하게 평가해주세요.

Level up

오늘의 점수	나의 총점수

Quest 퀘스트 03

질병 치료를 위한 효과적인 방법을 제안하라 ★★★★★

[조사연구 – 진단 – 처방 – 관리]

본격적인 치료과정으로 돌입! 당신이 진단한 은행나무의 질병을 원인부터 치료할 수 있도록 효과적인 방법을 제안해 주어야 합니다. 은행나무의 잎, 줄기, 뿌리 각 부분에 적합한 치료방법은 무엇일까요? 천년의 세월동안 굳건히 이어 온 은행나무가 후세에도 소중한 유산으로 남을 수 있도록 당신의 멋진 활약이 기대됩니다.

구분	질병	처방(치료방법)
잎		
줄기		
뿌리		

관련교과	국어	사회	도덕	수학	과학	실과			체육	예술		영어	창의적 체험활동	자유학기활동		
						기술	가정	정보		음악	미술			진로 탐색	주제 선택	예술 체육
						●							●		●	

1. 은행나무가 식물이라는 사실을 잊지 마세요. 식물의 일반적인 질병과 치료방법에 대한 정보를 참고한다면 도움이 될 것입니다.
2. 치료는 식물의 구조와 기능을 정확하게 이해한 과학적 접근이어야 합니다. 다시금 조사한 내용을 살펴본다면 좋은 아이디어가 떠오를 겁니다.
3. 각종 환경오염(대기, 수질, 토양 등)이나 변화(기후, 생태환경)에 의한 피해가 의심된다면 이를 고려하여 치료방법을 제안해야 합니다.

나만의 교과서

4가지 기본항목을 채우고, 퀘스트 해결과정에서 공부한 내용이나 수집한 정보를 토대로 자신만의 방식으로 알차게 표현해 보세요. 그림이나 생각그물의 형태로 표현하는 것도 좋습니다.

ideas
문제해결을 위한 나의 아이디어

facts
문제와 관련하여 내가 알고 있는 것들

learning issues
문제해결을 위해 공부해야 할 주제

need to know
반드시 알아야 할 것

스스로 평가

자기주도학습의 완성!

		나의 신호등
01	나는 나무의사로서 처방과정을 이해하고 적극적으로 참여하였다.	1 2 3 4 5
02	나는 질병의 원인을 제거하기 위한 효과적인 방법을 제안하고자 하였다.	1 2 3 4 5
03	나는 잎, 줄기, 뿌리로 나누어 질병의 치료방법(처방)을 제안하였다.	1 2 3 4 5
04	나는 각종 환경오염이나 변화에 인한 부정적인 영향을 고려하여 치료방법을 제시하였다.	1 2 3 4 5
05	나는 문제해결을 위해 탐구한 내용과 수집한 정보를 바탕으로 나만의 교과서를 멋지게 완성하였다.	1 2 3 4 5

자신의 학습과정을 되돌아보고 진지하게 평가해주세요.

Level up

오늘의 점수 나의 총점수

Quest 퀘스트 04

치료 성공! 질병예방을 위한 7가지 관리지침

★★★★★

[조사연구 – 진단 – 처방 – 관리]

은행나무의 질병치료에 성공한 당신! 앞으로도 용문사 은행나무가 건강하게 살 수 있도록 지속적인 관리가 필요합니다. 이를 위해 용문사 은행나무의 건강유지와 질병예방을 위한 7가지 관리지침을 만들어 담당기관에 제공할 계획입니다. 관리지침은 일반 시민들의 동참을 전제로 작성될 것입니다.

	관리지침	실천방법
1		
2		
3		
4		
5		
6		
7		

관련교과	국어	사회	도덕	수학	과학	실과			체육	예술		영어	창의적 체험활동	자유학기활동		
						기술	가정	정보		음악	미술			진로탐색	주제선택	예술체육
		●				●							●		●	

1. 앞서 제시한 질병의 원인과 치료방법을 고려하여 관리 지침을 만들어 주세요. 관리지침 제시는 은행나무의 건강유지와 질병예방임을 잊지 마세요.
2. 관리 지침에 따른 실천 방법은 모두가 쉽게 따라할 수 있는 것이어야 합니다. 예를 들어 토양오염을 막기 위한 실천, 쓰레기를 함부로 버리거나 땅에 묻지 않기 등을 들 수 있겠죠. 실제 생활에서 쉽게 실천할 수 있는 것을 정하는 것이 핵심입니다.
3. 관리지침의 제공 방법은 자유롭게 선택할 수 있습니다. 일정 양식을 만들어 인터넷을 통해 제공하거나 동영상을 제작하여 유투브에 올릴 수도 있습니다. 양평군청(www.yp21.net) 참여마당 코너에 올리는 방법 등도 고려할 수 있습니다.

나만의 교과서

4가지 기본항목을 채우고, 퀘스트 해결과정에서 공부한 내용이나 수집한 정보를 토대로 자신만의 방식으로 알차게 표현해 보세요. 그림이나 생각그물의 형태로 표현하는 것도 좋습니다.

ideas
문제해결을 위한 나의 아이디어

facts
문제와 관련하여 내가 알고 있는 것들

learning issues
문제해결을 위해 공부해야 할 주제

need to know
반드시 알아야 할 것

스스로 평가

자기주도학습의 완성!

		나의 신호등
01	나는 나무의사로서 관리지침을 세우는데 적극적으로 참여하였다.	1 2 3 4 5
02	나는 일반시민들의 동참을 전제로 한 7가지 관리지침을 세웠다.	1 2 3 4 5
03	나는 각 관리지침에 따른 실천방법은 모두가 쉽게 이해하고 지킬 수 있도록 제시되었다.	1 2 3 4 5
04	나는 관리지침을 널리 알리기 위해 온라인 공간을 적극 활용하였다.	1 2 3 4 5
05	나는 문제해결을 위해 탐구한 내용과 수집한 정보를 바탕으로 나만의 교과서를 멋지게 완성하였다.	1 2 3 4 5

자신의 학습과정을 되돌아보고 진지하게 평가해주세요.

Level up

오늘의 점수	나의 총점수

Quest 퀘스트 05

은행나무 보호를 위한 인터넷 캠페인을 펼쳐라 ★★★★★★★★★

모든 사람들이 용문사 은행나무와 같은 소중한 보물을 보호하고 올바르게 가꿀 수 있도록 인터넷 캠페인을 시작하려고 합니다. 캠페인을 상징할 수 있는 구호를 만들고 활동을 위한 각종 자료를 준비하여 인터넷 캠페인 활동을 실천하도록 합시다. 여러분들의 적극적인 참여가 천년의 세월을 품은 제2의 용문사 은행나무를 탄생시키고 지켜낼 수 있습니다.

캠페인 구호	
활동자료	
실천계획	

관련교과	국어	사회	도덕	수학	과학	실과			체육	예술		영어	창의적 체험활동	자유학기활동		
						기술	가정	정보		음악	미술			진로 탐색	주제 선택	예술 체육
	●	●									●		●		●	

1. 성공적인 캠페인이 될 수 있도록 기존의 인터넷 캠페인 사례를 꼭 참고하세요.
2. 캠페인 내용이 명확하게 전달되려면 포스터, 홍보동영상 등의 적극적인 활용이 필요합니다.
3. 인터넷을 활용한 캠페인이므로 블로그, 트위터, 메신저, 유튜브 등의 매체를 이용하는 것이 중요합니다. 실천계획에 반드시 반영하세요.

나만의 교과서

4가지 기본항목을 채우고, 퀘스트 해결과정에서 공부한 내용이나 수집한 정보를 토대로 자신만의 방식으로 알차게 표현해 보세요. 그림이나 생각그물의 형태로 표현하는 것도 좋습니다.

ideas 문제해결을 위한 나의 아이디어	facts 문제와 관련하여 내가 알고 있는 것들

learning issues 문제해결을 위해 공부해야 할 주제	need to know 반드시 알아야 할 것

스스로 평가

자기주도학습의 완성!

		나의 신 호 등
01	나는 토의 과정을 거쳐 캠페인 목적이 잘 드러난 구호를 만들 수 있었다.	1 2 3 4 5
02	나는 인터넷 캠페인 활동에 적합한 자료를 만들고 적극적으로 활용하였다.	1 2 3 4 5
03	나는 효과적인 캠페인 활동을 위해 다양한 매체의 활용을 전제로 한 실천계획을 수립하였다.	1 2 3 4 5
04	나는 실제로 인터넷 캠페인 활동을 일정 기간 동안 적극적으로 벌였다.	1 2 3 4 5
05	나는 문제해결을 위해 탐구한 내용과 수집한 정보를 바탕으로 나만의 교과서를 멋지게 완성하였다.	1 2 3 4 5

자신의 학습과정을 되돌아보고 진지하게 평가해주세요.

Level up　오늘의 점수　나의 총점수

All-Clear
sticker

05 CHAPTER

나무에게 새 생명을, 나무를 치료하는 나무의사

★Teacher Tips

Teacher Tips

'나무에게 새 생명을, 나무를 치료하는 나무의사'는 과학/실과(기술·가정) 교과군을 중심으로 두고 구성한 수업입니다. 식물의 구조와 기능에 대해 본격적으로 배우는 초등학교 5학년 학생들부터 해결하기 적합한 문제입니다. 학습할 내용의 특성상 환경교육과 연계하여 진행하기에도 적합합니다. 환경(생태)교육을 기반으로 한 다른 교과나 창의적 체험활동 시간과 연계하여 진행하는 것이 이상적입니다. 중학교 자유학기나 STEAM 교육과 연계하여 진행하면 좀 더 수월하게 적용할 수 있습니다.

'나무의사'는 학생들에게 평소 듣지 못했던 상당히 생소한 직업일 가능성이 높습니다. 일반적으로 사람이나 애완동물의 치료를 전문으로 하는 직업들을 잘 알고 있는터라 나무의사가 하는 일에 대해서 학생들 대부분이 잘 이해합니다. 다만 식물을 가꾸는데 특별한 전문성이 요구되지 않는다고 생각해서 그런지 나무치료가 전문적 행위임을 인식하지 못하는 학생들이 많습니다. 더욱이 생명의 가치를 기준으로 볼 때, 동물에 비해 차별적 관점을 갖는 경우가 대부분입니다. 이는 생명보다는 자원의 관점에서 식물을 다루어왔기 때문이기도 합니다.

수업 초기에 식물 역시 질병에 걸리고, 증상에 따른 전문적 치료가 필요한 소중한 생명임을 강조하는 것이 그래서 중요합니다. 문제의 주인공으로 등장하는 나무의사로서의 역할을 수행하는 것 자체가 어떤 관점에서 출발하는 것인지 학습참여자 모두 분명히 인식할 필요가 있습니다.

교과	영 역		내용요소	
			초등학교 [5–6학년]	중학교 [1–3학년]
과학	생명 과학	생물의 구조와 에너지	◆뿌리, 줄기, 잎의 기능 ◆증산 작용 ◆광합성	◆물의 이동과 증산 작용 ◆광합성 산물의 생성, 저장, 사용 과정 ◆광합성에 필요한 물질 ◆광합성 산물 ◆광합성에 영향을 미치는 요인
		환경과 생태계	◆환경 요인이 생물에 미치는 영향 ◆생태계 보전을 위한 노력	◆생태계 보전을 위한 노력
국어	듣기말하기		◆토의[의견조정] ◆발표[매체활용] ◆체계적 내용 구성	◆토의[문제 해결] ◆발표[내용 구성] ◆매체 자료의 효과
실과 정보	자료와 정보		◆소프트웨어의 이해	◆자료의 유형과 디지털 표현
	기술활용		◆일과 직업의 세계 ◆자기 이해와 직업 탐색	

이 수업과 관련된 교과별 내용요소를 따져본다면 앞의 표와 같습니다. 이들 교과내용들은 기본적으로 은행나무의 질병의 원인을 파악하고 진단하는데 주요 근거로 활용됩니다. 해당 교과단원과 직접적으로 연계하여 수업을 진행하지 않더라도 식물의 구조와 기능을 어느 정도 이해한 상태에서 진행하는 것이 수월합니다.

아울러, 환경교육을 기반으로 한 실과(기술·가정)나 사회교과와의 연계도 충분히 고려해볼 만합니다. 관점을 달리하면 진로교육과의 연계도 고려해볼 수 있습니다. 문제 속 나무의사의 역할을 수행하다보면 해당 직업이 아니더라도 진로탐색의 좋은 계기로 작용할 수 있습니다.

문제의 대체적인 수준을 고려할 때, '나무에게 새 생명을, 나무의사'는 대략 초등학교 5학년 이상이 되어야 무난하게 도전할 수 있습니다. 학생들이 필수적으로 다루게 될 과학지식 영역이 분명한 만큼, 이를 정확하게 이해시키기 위한 강의와 양질의 필독자료를 제공해주는 것이 필요합니다. 수업의 목적에 맞게 추가적인 퀘스트를 개발하여 적용한다면 학습과정이 훨씬 더 풍부해질 수 있습니다.

- 적용대상(권장): 초등학교 5학년–중학교 1학년
- 자유학년활동: 주제선택(권장)
- 학습예상소요기간(차시): 8–10일(8–10차시)
- Time Flow

8일 기준(예)

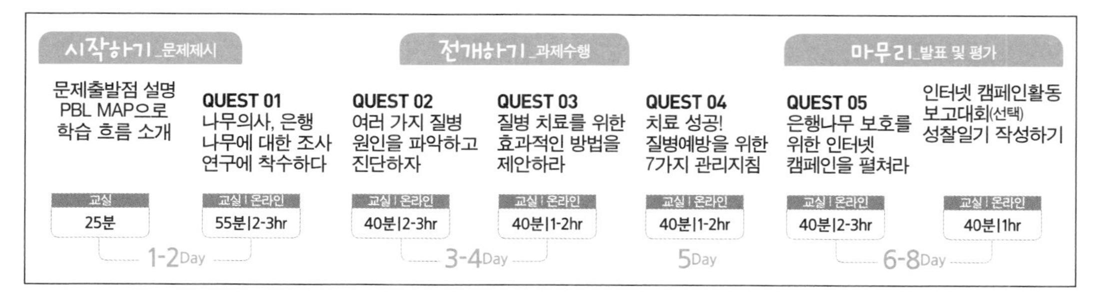

Teacher Tips

● 수업목표(예)

QUEST 01	◆나무의사로서 조사연구의 필요성을 이해하고 적극적으로 참여할 수 있다. ◆문제해결에 기본적으로 필요한 과학지식을 알 수 있다. ◆은행나무의 특징을 이해하고 부정적인 영향을 미칠 요인을 파악할 수 있다.
QUEST 02	◆산림과장의 진술에서 확인한 은행나무의 증상을 토대로 질병을 유추할 수 있다. ◆잎, 줄기, 뿌리로 나누어 질병의 원인을 예상하고 과학적인(논리적인) 근거를 제시할 수 있다. ◆질병의 원인에 대한 다양한 가설을 상호 검토하여 최종안을 정리할 수 있다.
QUEST 03	◆질병의 원인을 제거하기 위한 효과적인 치료방법을 제안할 수 있다. ◆잎, 줄기, 뿌리의 구조와 기능을 고려하여 맞춤형 처방을 도출할 수 있다. ◆각종 환경오염이나 변화에 따른 부정적인 영향을 고려하여 치료방법을 제시할 수 있다.
QUEST 04	◆질병예방에 필요한 7가지 관리지침을 세워 제시할 수 있다. ◆관리지침에 따라 일반 시민들이 쉽게 동참할 수 있는 실천방법을 제안할 수 있다.
QUEST 05	◆캠페인 목적이 잘 드러나도록 구호를 만들고 활동에 적합한 자료를 제작할 수 있다. ◆인터넷을 통한 효과적인 캠페인 활동을 위해 실천계획을 수립할 수 있다. ◆실천계획에 따라 인터넷 캠페인 활동을 벌이고, 그 결과를 공유할 수 있다.
공통	◆문제해결의 주인공으로서 절차와 방법을 이해하고 적극적으로 학습과정에 참여할 수 있다. ◆학습한 내용을 정리하고 자신의 언어로 재구성하는 과정을 통해 창의적인 문제를 만들어낼 수 있다. 이 과정을 통해 지식을 생산하기 위해 소비하는 프로슈머로서의 능력을 향상시킬 수 있다. ◆토의의 기본적인 과정과 절차에 따라 문제해결 방법을 도출하고, 온라인 커뮤니티 등의 양방향 매체를 활용한 지속적인 학습과정을 경험함으로써 의사소통능력을 신장시킬 수 있다.

시작하기

중심활동 : 문제출발점 파악하기, 학습흐름 이해하기

- 학생들이 흔히 알고 있는 식물 관련 직업들과 하는 일에 대해 이야기 나누기
- 문제의 주인공인 나무의사에 대해 알기 쉽게 설명해주기
- 식물보호산업의 규모가 커지고 있음을 알리고, 관련 전공과 자격증도 소개하기
- 문제출발점에 제시된 나무치료과정을 설명하고, 학습흐름을 설명하기
- PBL MAP을 활용해 각 퀘스트의 주제 짚어보기

플로리스트, 가든디자이너로 일컬어지는 조경사, 꽃이나 채소를 재배하고 가꾸는 원예사 등 학생들이 흔히 알고 있는 식물 관련 직업들과 이들이 하는 일을 이야기하며 수업을 시작합니다. 식물 관련 직업이나 산업에 관심이 모아졌을 때, 문제의 주인공인 '나무의

사'를 자연스럽게 소개하도록 합니다. 이때, 나무의사(나무의 피해원인을 정밀 조사하여 진단하고, 효과적인 치료방안을 강구하여 소생시키는 일을 하는 직업)와 수목보호기술자(나무의사의 처방에 따라 나무를 치료하고 관리, 감독하는 직업)를 의사와 간호사라는 직업에 빗대어 설명한다면 학생들이 훨씬 쉽게 이해할 수 있습니다. 간혹 원예치료사(식물을 이용하여 신체적·정서적 장애를 겪고 있는 사람을 치료하는 직업)와 나무의사를 헷갈려 하는 경우가 있습니다. 원예치료사는 사람을 대상으로 하는 만큼, 나무의사가 하는 일과는 근본적으로 다릅니다.

환경에 대한 관심이 높아지면서 식물보호산업의 규모도 커지고 있습니다. 관련 전공과 자격증 취득에 도전하는 사람들도 늘고 있는 추세입니다. 학생들의 진로탐색에 도움이 되도록 해당 직업을 심층적으로 살펴보기 위한 사전 혹은 선택과제를 제공하는 것도 좋은 전략입니다.

나무의사라는 직업을 충분히 이해하고 공유했다면, 문제출발점을 정확히 파악하기 위한 순서로 넘어갑니다. 특히 나무치료과정으로 제시된 4단계 절차를 설명하면서 전체적인 학습흐름을 소개하는 것이 자연스럽습니다. 'PBL MAP'을 활용해 단계적으로 수행해야 할 과제 및 활동을 간략하게 제시하면서, 도전감을 높이는 방향으로 이끌도록 합니다.

전개하기

'나무에게 새 생명을, 나무를 치료하는 나무의사'는 총 5개의 기본퀘스트로 구성되어 있습니다. 교수자가 중점을 두고 싶은 주제나 교과에 따라 여러 유형의 퀘스트를 개발하고 적용할 수 있습니다. 나무의 질병 대부분이 환경과 밀접한 관련이 있으므로, 각종 오염(대기, 토양, 수질), 변화요인(기후, 생태), 사람으로 인한 훼손 등이 종합적으로 고려되도록 안내합니다.

Teacher Tips

● 퀘스트1 : 나무의사, 은행나무에 대한 조사 연구에 착수하다

중심활동 : 은행나무(식물)에 대한 조사연구

- 문제해결을 위해 반드시 이해해야 할 과학지식(식물의 구조, 광합성 등)을 안내하기
- 식물의 잎, 줄기, 뿌리에 부정적인 영향을 미칠 환경요인을 조사하기
- 수목피해사례를 조사하고 원인을 파악한 후 대표적인 부정적 요인을 정리하기
- 병충해에 강한 은행나무의 특징 이해하고 내적요인뿐만 아니라 외적요인에 주목할 수 있도록 안내하기

Quest 퀘스트 01 나무의사, 은행나무에 대한 조사 연구에 착수하다

[[illegible]연구 – 진단 – 처방 – 관리]

당신은 용문사 은행나무의 건강을 찾아주기 위해 [illegible] 조사연구를 실시하고자 합니다. 기본적으로 은행나무가 [illegible]고 뿌리가 하는 역할과 기능이 무엇인지 살펴보고 [illegible] 특징을 연구할 예정입니다. 유능한 나무의사로서 [illegible]

> 초등학생을 대상으로 한다면 식물의 구조(잎, 줄기, 뿌리)와 각 기능에 대한 기본적인 이해를 요구하도록 하고, 중학생이라면 이와 더불어 광합성에 대한 심층적 이해를 바탕으로 문제를 해결할 수 있도록 안내합니다. 해당 교과지식의 단순한 습득보다는 관련 서적과 다큐멘터리 자료 등을 통한 통합적인 이해를 추구합니다.

구분		
식물의 구조	잎	
	줄기	
	뿌리	
은행나무 특징		

> 조사연구가 은행나무의 질병 원인을 진단하기 위한 목적으로 이루어지는 만큼 잎, 줄기, 뿌리에 부정적인 영향을 줄 수 있는 환경적 요인에 대한 다각적인 조사가 이루어질 수 있도록 합니다.
> 수목피해사례를 조사하고 연구하여 실제 부정적인 영향을 주는 대표적인 요인을 추려보는 것도 이후 활동에 도움이 될 수 있습니다.

> 식물의 공통적인 특성 외에 은행나무만의 특징을 조사하여 파악할 수 있도록 합니다. 은행나무가 살아있는 화석으로 칭할 정도로 강인한 생명력을 지닌 식물임을 학생들이 이해하는 것이 중요합니다. 실제로 은행나무의 피해는 자체 질병보다는 환경에 영향을 받아 발생하는 경우가 대부분입니다. 은행나무에 대한 조사연구가 제대로 이루어지게 되면 자연스레 내적요인보다 외적요인에 의한 피해를 의심하게 됩니다. 교수자는 이러한 점을 고려하여 퀘스트1을 진행해 주세요.

관련교과	국어	사회	도덕	수학	과[illegible]	[illegible]	[illegible]	[illegible]	[illegible]	[illegible]	[illegible]	[illegible]어	창의적 체험활동	자유학기활동		
														진로 탐색	주제 선택	예술 체육
					●								●		●	

1. 은행나무에 대한 정보는 인터넷에서 쉽게 검색하여 찾아볼 수 있습니다. 특히 은행나무는 인간에게 매우 유용하게 활용되고 있는데요. 관련된 정보를 찾아보는 것도 은행나무의 특징을 파악하는데 도움이 될 겁니다.
2. 과학교과서에 식물과 관련된 단원이 있습니다. 식물의 구조를 이해하는데 유용한 정보를 제공해 줍니다.
3. 식물을 주제로 한 자연다큐멘터리를 시청한다면 좀 더 생생한 정보를 얻을 수 있을 것입니다.

● 퀘스트2 : 여러 가지 질병 원인을 파악하고 진단하자

중심활동 : 은행나무의 질병원인 진단

- 은행나무의 질병원인 파악하기, 특히 외부적 요인인 환경에 주목하기
- 산림과정의 진술에 기초하여 질병원인 유추해 보기
- 잎, 줄기, 뿌리로 구분하여 질병원인을 진단하기(가설 세우기)
- 질병원인으로 진단한 내용이 논리적으로 타당한지 상호검증하기

Quest 퀘스트 02 여러 가지 질병 원인을 파악하고 진단하자 ★★★★★

[조사연구 – 진단 – 처방 – 관리]

은행나무는 우리나라 기후와 환경에 어느 종보다 잘 적응해 온 수목입니다. 조사연구가 제대로 이루어졌다면 학생들은 은행나무의 질병원인을 외부적 요인인 환경에서 찾을 것입니다. 학생들이 내놓은 해결안 중에는 미처 생각지 못한 아이디어가 담기는 경우가 많습니다. 교수자가 답답한 마음에 적극적으로 개입하면 모둠별로 대동소이한 천편일률적인 답안이 나올 수 있으니 주의해 주세요.

...시기가 지났는데도 불구하고 아직 잎이 나오지 않고 있습니다. 그리고 다 같아요. 예년보다 잎이 말라서 많이 떨어지고 있는데다가 녹색의 푸르름 게 변해가고 있습니다. 어떻게 해결해야 할지 도저히 모르겠네요. 도움

...이 말한 용문사 은행나무의 증상을 참고하여, 질병의 원인이 ...해야 합니다. 이미 당신은 조사연구 과정을 통해 식물의 잎, 줄 ...무만의 고유한 특징을 살펴본 바 있습니다. 여러 환경적 요인을 ... 과학적으로 진단해 보도록 합시다.

구분	질병원인	진단
잎		

산림과장의 진술에서 드러난 은행나무의 이상증세는 다양한 이유에서 비롯된 것일 가능성이 높습니다. 용문사 은행나무가 위치한 지형적 특징에서부터 토양, 대기, 수질(지하수) 오염, 기후변화, 생태환경훼손, 해충(검정주머니유충)의 급증 등 질병원인으로 꼽을 수 있는 이유가 많습니다.

질병원인과 진단은 식물의 구조인 잎, 줄기, 뿌리로 나누어 이루어질 수 있도록 합니다. 이때 은행나무의 증상이 잎과 줄기, 뿌리의 어떤 기능 이상에서 비롯된 것인지 파악하고 이를 토대로 다음 예처럼 진단하도록 하는 것이 필요합니다.
예) 다량의 미세먼지가 빛에너지의 유입과 기공의 호흡을 막아 잎의 3대 기능인 광합성, 증산, 호흡 작용을 하지 못해 나타난 피해이다. 질병원인에 따라 진단내용은 얼마든지 달라질 수 있습니다. 과학적인 이유가 분명한지, 논리적인 타당성을 잘 갖췄는지 여부를 잘 따져보고 상호피드백하면 됩니다.

...학	과학	실과			체육	예술		영어	창의적 체험활동	자유학기활동		
		기술	가정	정보		음악	미술			진로 탐색	주제 선택	예술 체육
	●								●		●	

...림과장의 이야기를 단서로 식물의 각 부분(잎, 줄기, 뿌리)의 질병원인을 예상해 봅니다.
...서 반드시 환경적 요인에 의한 영향을 따져보아야 하며 해당 가설이 과연 과학적으로 옳은

...내용과 연계해서 진단과정이 진행되도록 해야 합니다. 모둠별 논의과정을 거쳐 과학적 이유를 들어 최종 진단합니다.

Teacher Tips

● 퀘스트3 : 질병 치료를 위한 효과적인 방법을 제안하라

● 퀘스트4 : 치료 성공! 질병예방을 위한 7가지 관리지침

중심활동 : 처방하기, 관리지침 만들기

- (퀘스트3) 퀘스트2에서 도출한 질병을 치료하기 위한 방법 제안하기
- 잎, 줄기, 뿌리의 질병원인을 제거하는데 초점을 맞추어 처방하기
- (퀘스트4) 질병예방을 위한 7가지 관리지침 만들기
- 은행나무에 부정적인 영향을 줄 수 있는 환경적 요인에 주목하고 시민들이 동참할 수 있는 실천방법 제안하기

Quest 퀘스트 03 질병 치료를 위한 효과적인 방법을 제안하라 ★★★★★

[조사연구 – 진단 – 처방 – 관리]

본격적인 치료과정으로 돌입! 당신이 진단한 은행나무의 질병을 원인부터 치료할 수 있도록 효과적인 방법을 제안해 주어야 합니다. 은행나무의 잎, 줄기, 뿌리 각 부분에 적합한 치료방법은 무엇일까요? 천년의 세월동안 굳건히 이어 온 은행나무가 후세에도 소중한 유산으로 남을 수 있도록 당신의 멋진 활약이 기대됩니다.

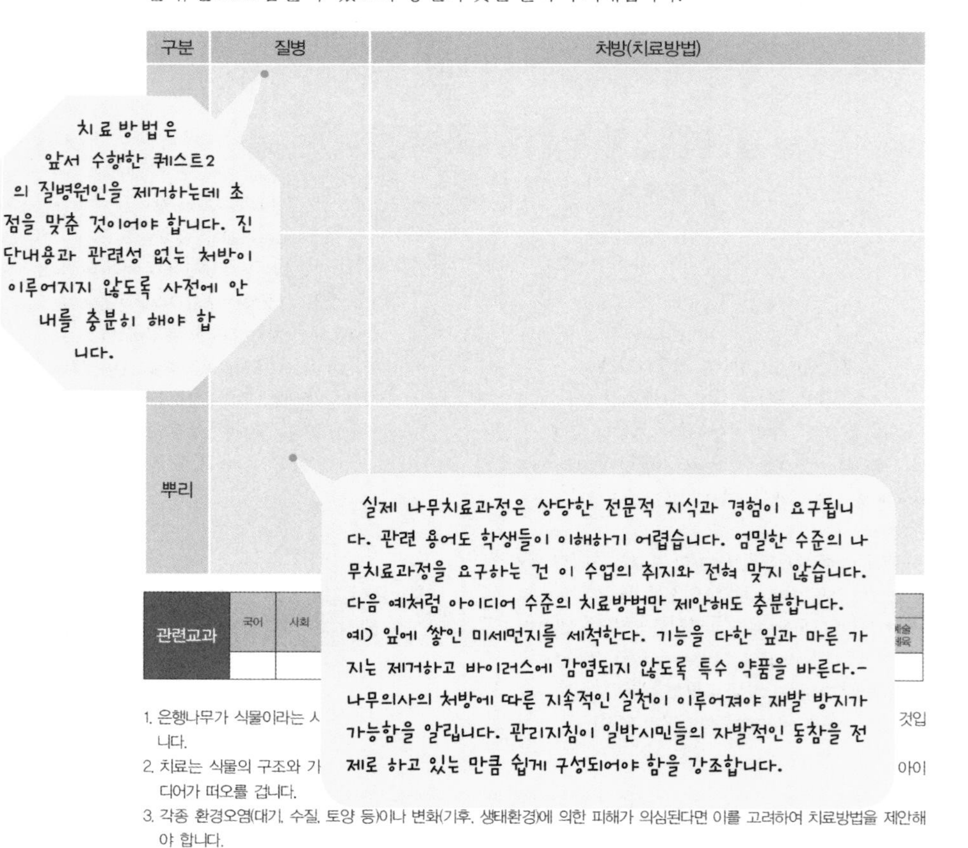

1. 은행나무가 식물이라는 시 ... 것입니다.
2. 치료는 식물의 구조와 가 ... 아이디어가 떠오를 겁니다.
3. 각종 환경오염(대기, 수질, 토양 등)이나 변화(기후, 생태환경)에 의한 피해가 의심된다면 이를 고려하여 치료방법을 제안해야 합니다.

Quest 퀘스트 04 치료 성공! 질병예방을 위한 7가지 관리지침 ★★★★★

[조사연구 – 진단 – 처방 – 관리]

은행나무의 질병치료에 성공한 당신! 앞으로도 용문사 은행나무가 건강하게 살 수 있도록 지속적인 관리가 필요합니다. 이를 위해 용문사 은행나무의 건강유지와 질병예방을 위한 7가지 관리지침을 만들어 담당기관에 제공할 계획입니다. 관리지침은 일반 시민들의 동참을 전제로 작성될 것입니다.

	관리지침	실천방법
1		•
2		
3		
4		

나무의사의 처방에 따른 지속적인 실천이 이루어져야 재발 방지가 가능함을 알립니다. 관리지침이 일반시민들의 자발적인 동참을 전제로 하고 있는 만큼 쉽게 구성되어야 함을 강조합니다.

은행나무에 부정적인 영향을 주는 환경적 요인을 제거하기 위한 방안을 고민하다보면 친환경적 생활의 중요성을 인식하게 됩니다. 굳이 산에 가지 않더라도 생활 속 환경오염물질의 배출을 억제하는 것만으로도 수목의 질병을 예방할 수 있음을 알게 됩니다.
더 나아가 지구환경 변화에 직접적인 영향을 주는 탄소배출과 같은 사안을 관리지침에 담고자 하는 경우가 많습니다. 쓰레기 무단투기 방지에서부터 음악을 통한 나무와의 정서적인 교감까지 학생들이 내놓는 해법은 다양합니다.

실과		체육	예술		영어	창의적 체험활동	자유학기활동		
가정	정보		음악	미술			진로 탐색	주제 선택	예술 체육
						•		•	

1. 앞서 제시한 질병의 원인과 치료방법을 고려하여 관리 지침을 만들어 주세요. 관리지침 제시는 은행나무의 건강유지와 질병예방임을 잊지 마세요.
2. 관리 지침에 따른 실천 방법은 모두가 쉽게 따라할 수 있는 것이어야 합니다. 예를 들어 토양오염을 막기 위한 실천, 쓰레기를 함부로 버리거나 땅에 묻지 않기 등을 들 수 있겠죠. 실제 생활에서 쉽게 실천할 수 있는 것을 정하는 것이 핵심입니다.
3. 관리지침의 제공 방법은 자유롭게 선택할 수 있습니다. 일정 양식을 만들어 인터넷을 통해 제공하거나 동영상을 제작하여 유투브에 올릴 수도 있습니다. 양평군청(www.yp21.net) 참여마당 코너에 올리는 방법 등도 고려할 수 있습니다.

마무리

마지막 단계는 앞서 수행한 과정을 바탕으로 인터넷 환경보호 캠페인를 벌이는 것이 핵심입니다. 무심코 저지르는 직접적인 훼손뿐만 아니라, 각종 환경오염으로부터 숲을 보호하고 아름답게 가꾸기 위한 캠페인 활동으로 대미를 장식합니다.

Teacher Tips

● 퀘스트5 : 은행나무 보호를 위한 인터넷 캠페인을 펼쳐라

중심활동 : 인터넷 캠페인 활동 준비하고 실천하기

- 캠페인 구호 및 온라인 활동자료(UCC) 제작하기
- 실천 가능한 인터넷 캠페인 활동 계획을 수립하고 실천하기
- (선택) 인터넷 캠페인 활동보고회를 열어 결과 공유하기
- 각 퀘스트별 수행점수(경험치)를 각자 집계하고 누계점수 기록하기
- 성찰저널을 작성해서 온라인 학습커뮤니티에 올리고 덧글로 상호피드백 해주기
- [선택] 누적해 온 수행점수를 토대로 레벨 부여하기(Level Up) / PBL 스스로 점검(자기평가 & 상호평가) 내용을 토대로 능력점수(능력치) 집계하기 / Level Up 피드백 프로그램에 따른 개인별 레벨 선정과 프로그래스바 혹은 리더보드 공개하기, 결과에 따른 배지 수여

Quest 퀘스트 05 은행나무 보호를 위한 인터넷 캠페인을 펼쳐라 ********

모든 사람들이 용문사 은행나무와 같은 소중한 보물을 보호하고 올바르게 가꿀 수 있도록 인터넷 캠페인을 시작하려고 합니다. 캠페인을 상징할 수 있는 구호를 만들고 활동을 위한 각종 자료를 준비하여 인터넷 캠페인 활동을 실천하도록 합시다. 여러분들의 적극적인 참여가 천년의 세월을 품은 제2의 용문사 은행나무를 탄생시키고 지켜낼 수 있습니다.

인터넷을 무대로 진행하는 캠페인 활동임을 감안하여 활동자료는 온라인 상에 배포할 수 있는 형태가 되어야 합니다. 유명 SNS나 유투브 등의 동영상 공유사이트에 등록할 자료를 제작하는 것이 좋습니다.

캠페인 구호	
활동자료	
실천계획	

일반 시민들에게 캠페인 활동의 목적이 분명히 전달될 수 있도록 구호를 만듭니다. 모둠별 논의과정을 거쳐서 가장 지지를 많이 받은 구호를 선정하도록 합니다. 추가 수업시수 확보가 가능하다면 기존 곡에 개사를 한 캠페인송을 만들어 활용하는 것도 좋은 방법입니다.

인터넷 캠페인 활동을 위한 실질적인 실천계획을 세워야 합니다. 일정 기간 동안 실제로 인터넷 캠페인 활동을 해야 하기 때문에 실천 가능한 계획이 되어야 합니다. 또한, 학생마다 방과후 일정이 다르다는 점을 고려하여 개별 단위로 시간에 구애받지 않을 방향으로 실천계획을 세우는 것이 중요합니다.

관련교과	국어	사회				기술	가정	정보		음악	미술			탐색	선택	체육
	●	●									●		●		●	

1. 성공적인 캠페인이 될 수 있도록 기존의 인터넷 캠페인 사례를 꼭 참고하세요.
2. 캠페인 내용이 명확하게 전달되려면 포스터, 홍보동영상 등의 적극적인 활용이 필요합니다.
3. 인터넷을 활용한 캠페인이므로 블로그, 트위터, 메신저, 유투브 등의 매체를 이용하는 것이 중요합니다. 실천계획에 반드시 반영하세요.

인터넷 캠페인 활동 실천으로 수업을 마무리지을 수 있지만, 완성도를 좀 더 높이기 위해서는 수업시간을 좀 더 할애하여 '인터넷 캠페인 활동 보고' 시간을 갖는 것이 바람직합니다. 캠페인 구호와 캠페인 송, 활동자료, 실천계획과 실제로 이루어진 실천내용, 이에 대한 네티즌 반응 등을 묶어서 자유롭게 발표하고 공유하는 시간을 갖도록 합니다.

인종차별! 코이코이족 사끼 바트만의 슬픔

Quest 01 _우리나라의 부끄러운 인종차별 문제

Quest 02 _인종차별철폐를 외친 마틴 루터 킹

Quest 03 _피부색이 다른 이유를 밝혀라

Quest 04 _인권운동가가 되어 차별 없는 세상을 만들자

★Teacher Tips

인종차별의 시작

모두
살색입니다

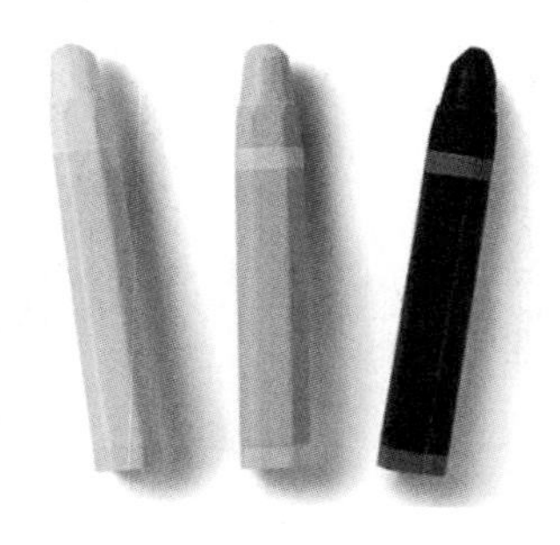

인류는 자연환경에 적응하는 오랜 세월 동안 골격, 피부, 모발 등의 생물학적 특성의 차이가 나타났습니다. '인종'은 바로 이를 기준으로 나눈 것인데, 종교, 문화적, 경제적 우월의식이나 신체적 차이를 이유로 부당한 차별과 폭력이 자행되어 왔습니다. 특히 서구열강이 침략전쟁과 식민지 제도를 정당화하기 위한 수단으로 인종과 문화적 우월주의를 의도적으로 확산시켰던 시기도 있었습니다.

인종에 대한 그릇된 생각은 히틀러의 유대인 홀로코스트를 비롯해 수많은 집시, 아메리카 인디오, 오스트레일리아의 애버리지니, 그리고 아프리카 흑인들을 참혹하게 학살하기에 이릅니다. 물론 점차 극단적인 인종차별주의는 퇴색되고, 사람들의 의식도 많이 성장했지만, 여전히 지구촌 곳곳에서는 종교와 문화적 차이를 인정하지 않는 인종갈등이 계속되고 있습니다.

결코 인종은 차별의 대상이 될 수 없으며 그냥 차이일 뿐임을 참여하는 모두가 이번 프로젝트학습을 통해 배워나가길 바랍니다. 자, 지금부터 여러분 모두가 인권운동가가 되어 '차별없는 세상'을 만들기 위한 활동에 동참해 봅시다.

* 문제시나리오에 사용된 어휘빈도(횟수)를 시각적으로 나타낸 워드클라우드(word cloud)입니다.
워드클라우드를 통해 어떤 주제와 활동이 핵심인지 예상해 보세요.

인종차별! 코이코이족 사끼 바트만의 슬픔

아프리카공화국의 코이코이족, 사끼 바트만은 1789년 태어났습니다. 이 소녀는 여느 원주민 아이들처럼 초원을 뛰놀며 행복하게 자랐습니다. 하지만 누구도 그녀의 인생이 스무 살을 넘기자마자 갈기갈기 찢길 줄은 전혀 알지 못했습니다.

1810년 바트만은 "돈을 벌게 해 주겠다"며 유혹한 영국인에 이끌려 런던으로 갔습니다. 그러나 돈은 커녕 그녀는 기괴하게 생긴 동물 취급을 받으며 유럽을 떠돌아야 했습니다. 백인들과 달리 까만 피부에 툭 불거져 처진 눈두덩이, 큰 가슴과 뒤로 튀어나온 엉덩이를 가졌다는 이유에서였습니다. '호텐토트(백인들이 붙여준 '열등하다'는 의미가 내포됨)의 비너스'라고 불리던 바트만은 유럽인들의 뒤틀린 호기심을 충족시키기 위해 벌거벗은 채 술집에서 춤을 추고 심지어 동물 조련사에게 팔려 서커스단에 끌려 다니기까지 했습니다. 결국 사창가에 넘겨진 그녀는 1816년 스물다섯의 나이로 알코올 중독, 매독, 결핵 등에 감염되어 프랑스 파리에서 처참한 죽음을 맞았습니다.

당시 프랑스 의사들은 과학적 검증이라는 명목 하에 바트만의 시체를 석고모형으로 뜨고 해부했습니다. 그 후, 고통스런 얼굴로 눈을 감은 채 서 있는 그녀의 나체 모형은 파리 인류박물관에 진열되기까지 했습니다. 발라놓은 뼈와 뇌, 생식기 역시 1976년까지 그곳에 전시됐습니다.

바트만이 고국의 품에 안긴 것은 너무도 오래 시간이 지난 이후에 이루어졌습니다. 자국의 재산이라며 돌려주지않던 프랑스가 마침내 바트만의 유해를 본국으로 송환하기로 결정하였던 것입니다. 1994년 취임한 만델라 전 남아공 대통령의 끈질긴 반환 요청이 결실을 맺은 것입니다. 200년이 지나서야 치러진 장례식에서 사람들은 무엇보다 그녀의 유해에 옷 입히는 의식을 정성스럽게 준비하고 거행했습니다. 살아서는 물론이고 죽어서도 사람들의 눈요깃감이었던 그녀에게 진정한 인간으로서의 권리를 돌려준다는 의미에서였습니다.

이처럼 사끼 바트만의 이야기는 유색인종에 대한 백인 사회의 그릇된 가치관을 여실히 보여주는 사례로 우리들에게 큰 교훈을 줍니다. 인종에 대한 그릇된 가치관

은 인류의 기원에 대한 잘못된 이해와 밀접한 관련이 있습니다. '인간은 생김새나 피부색을 떠나 본질적으로 같다'라는 사실을 간과해 버린 채, 경제·문화적 우월주의와 사회적 편견, 그리고 배타적 민족주의에 사로잡혀 오늘날 제2의 바트만을 만들고 있는 것은 아닌지 깊이 고민해 보아야 합니다.

200년 전, 비운의 삶을 살다간 코이코이족 사끼 바트만처럼 여전히 차별로 인해 고통받는 사람들이 존재합니다. 차별의 시선은 인간의 존엄을 위협하는 행동으로 쉽사리 이어질 수 있습니다. 이 세상의 어떤 누구도 인간의 존엄성은 지켜져야 합니다. 사람으로 태어난 모든 이들이 누려야 할 보편적 가치가 훼손되는 일은 더 이상 발생하면 안됩니다.

당신은 인권운동가로서 사람이면 누구나 가져야 할 보편적인 권리를 지켜내는데 앞장서고 있습니다. 올해는 특히 온라인을 통해 차별없는 세상을 만들기 위한 활동을 본격화하고 있습니다. 과연 인권운동가로서 어떤 소중한 발걸음을 내딛을 수 있을까요? 당신의 활약이 무척 기대됩니다.

※ 사끼 바트만은 사라 바트만, 사르키 바트만, 바르티에 바트만 등 다양한 이름으로 표기되고 있습니다. 모두 동일 인물이므로 관련 정보나 자료를 탐색할 때 참고하세요.

PBL MAP

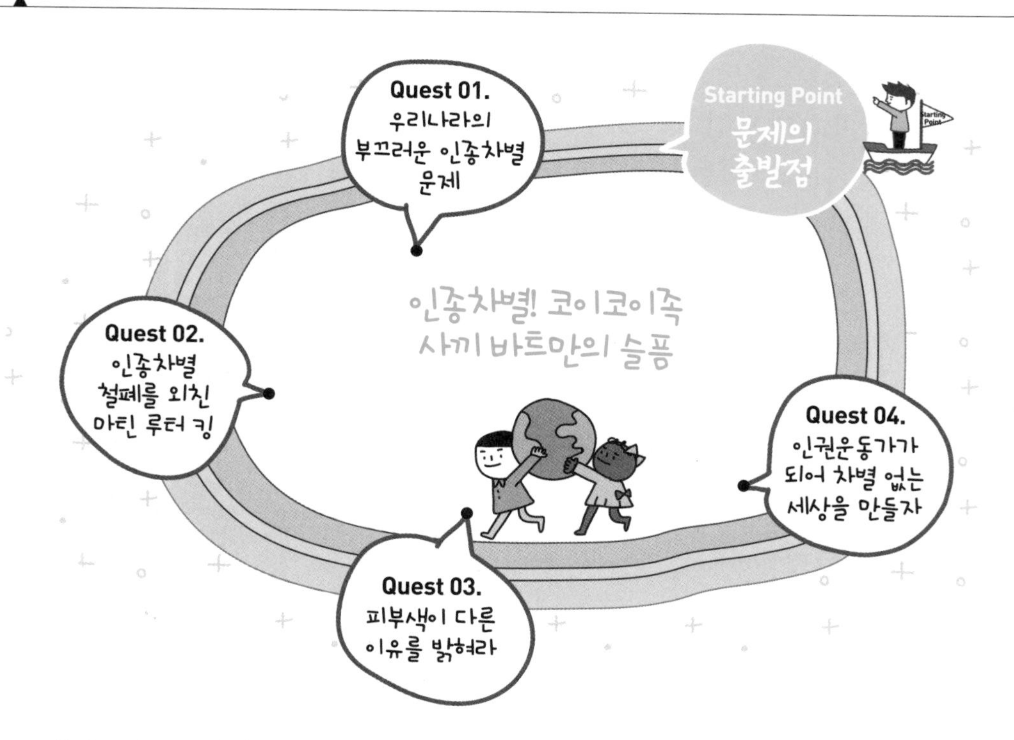

Quest 퀘스트 01

우리나라의 부끄러운 인종차별 문제

★★★★★

인종차별은 과거 특정시기, 어떤 국가의 문제가 아니라 현재 진행 중인 문제입니다. 또한 다른 나라만의 문제가 아닌 우리나라의 문제이기도 합니다. 지금 한국에는 어떤 일이 벌어지고 있을까요? 아래 신문기사의 신음하고 있는 이주노동자들의 삶을 통해 우리의 부끄러운 민낯을 드려다봅시다.

외국인을 바라보는 한국인의 시각은 상당히 편파적이다. 대부분 선진국 출신인 이른바 백인(코카시안)에게는 과도하게 친절하면서도, 동남아 등 저개발국으로부터 온 유색인들에겐 정반대로 고압적이다. 그런가 하면 역사에 대한 인식에 있어서도 다분히 감정적으로 대응해 일을 그르치는 경우가 적지 않다. 앞으로 4회, 왜곡된 사대주의와 편협한 민족주의가 빚어낸 우리들의 일그러진 자화상을 돌아본다.
세상은 갈수록 좁아져 '지구촌'이라는 말이 더 이상 낯설지 않게 되었다. 하지만 아직도 우리 사회 곳곳엔 '빗나간 민족주의'가 뿌리 깊게 자리하고 있다.
산업현장 곳곳에는 이미 30여만 명의 각국 외국인들이 취업하고 있다. 특히 올 8월부터 고용허가제가 시행되면 8만 명 가까운 인력이 추가로 입국할 것으로 보여 외국인 노동자의 비율은 더욱 늘어날 전망이다. 원하든 원하지 않든 외국인 노동자는 이제 우리 산업계를 지탱하고 있는 한 축으로 자리하게 됐다.
하지만 우리의 외국인노동자 정책이 인권침해, 불법체류자 양산, 송출비리 등 문제점을 노출시키고 있는 가운데, 외국인노동자들에 대한 홀대와 반감 또한 날이 갈수록 고조되고 있다.
60~70년대 월남과 서독에서, 80년대 중동의 열사사막에서 외화를 벌어들여 경제성장의 발판을 마련했던 우리 입장에서 요즘 보이고 있는 외국인 노동자들에 대한 비인간적 태도는 '올챙이시절 모르는 개구리'와 같은 편협하고 단세포적인 민족주의의 발현에 다름 아니다.
한편 한국으로 시집온 동남아 여성들이 한국인 가족으로부터 폭력, 감금 등 갖가지 인권유린을 당하는 사례도 늘어나고 있다. 이 또한 우리의 왜곡된 민족주의의 단면이다.

– 이후 생략 –

○○일보

[개별] 인종차별과 관련된 우리나라의 부끄러운 얼굴을 찾아봅시다. ★★★

[팀별] 인종차별과 관련된 우리의 부끄러운 사례 중 3가지를 선택하세요. ★★

관련교과	국어	사회	도덕	수학	과학	실과			체육	예술		영어	창의적 체험활동	자유학기활동		
						기술	가정	정보		음악	미술			진로 탐색	주제 선택	예술 체육
			●										●		●	

1. 이주노동자의 열악한 환경 뒤에는 비뚤어진 인종차별적인 시각이 존재합니다. 다양한 매체를 통해 알려진 사례를 중심으로 찾아보는 것이 효율적입니다.
2. 개별적으로 조사한 사례를 모둠원 간에 공유하고, 이들 중 가장 부끄러운 3가지 사례를 선정하도록 합니다.

나만의 교과서

4가지 기본항목을 채우고, 퀘스트 해결과정에서 공부한 내용이나 수집한 정보를 토대로 자신만의 방식으로 알차게 표현해 보세요. 그림이나 생각그물의 형태로 표현하는 것도 좋습니다.

ideas 문제해결을 위한 나의 아이디어	facts 문제와 관련하여 내가 알고 있는 것들

learning issues 문제해결을 위해 공부해야 할 주제	need to know 반드시 알아야 할 것

스스로 평가

자기주도학습의 완성!

		나의 신호등
01	나는 우리나라의 다양한 매체를 통해 알려진 인종차별사례를 충분히 살펴보았다.	1 2 3 4 5
02	나는 이주노동자가 처한 열악한 환경을 제대로 이해하게 되었다.	1 2 3 4 5
03	나는 가장 부끄럽게 생각되는 인종차별사례를 조사했고, 모둠원들과 공유하였다.	1 2 3 4 5
04	나는 인종차별의 심각성을 느꼈고, 이에 대한 문제의식을 가지게 되었다.	1 2 3 4 5
05	나는 문제해결을 위해 탐구한 내용과 수집한 정보를 바탕으로 나만의 교과서를 멋지게 완성하였다.	1 2 3 4 5

자신의 학습과정을 되돌아보고 진지하게 평가해주세요.

Level up

오늘의 점수	나의 총점수

▲Quest 퀘스트 02

인종차별철폐를 외친 마틴 루터 킹

★★★★★

미국의 인종차별에 대항하여 흑인의 인권운동을 전개한 운동가로서 그는 1964년 노벨평화상을 수상하기도 하였습니다. 그가 워싱턴 대행진에서 연설한 "나에게는 꿈이 있습니다(I have a dream)"는 인종 차별의 철폐에 대한 진실되고 단순한 소망을 표현하여 수많은 사람들의 가슴을 울렸으며, 이후 인종차별철폐 운동에 기폭제가 되었습니다. 특히 당시 정부의 폭력적인 진압에도 불구하고 비폭력주의를 끝까지 고수하며 평화의 가치를 지켜내기도 하였습니다. 21세기 대한민국, 차별없는 세상을 만들기 위해 우리는 무엇을 어떻게 해야 할까요? 마틴 루터 킹에게 묻습니다.

[개별] 미국의 인종차별 역사와 마틴 루터 킹의 인권운동에 대해 조사해봅시다. ★★

[팀별] 마틴 루터 킹의 명연설인 '나에게는 꿈이 있습니다.'를 우리나라의 현실에 맞게 각색하여 발표합니다. ★★★

나에게는 꿈이 있습니다. 조지아 주의 붉은 언덕에서 노예의 후손들과 노예 주인의 후손들이 형제처럼 손을 맞잡고 나란히 앉게 되는 꿈입니다.

나에게는 꿈이 있습니다. 이글거리는 불의와 억압이 존재하는 미시시피 주가 자유와 정의의 오아시스가 되는 꿈입니다.

나에게는 꿈이 있습니다. 내 아이들이 피부색을 기준으로 사람을 평가하지 않고 인격을 기준으로 사람을 평가하는 나라에서 살게 되는 꿈입니다.

지금 나에게는 꿈이 있습니다!

나에게는 꿈이 있습니다. 지금은 지독한 인종 차별주의자들과 주지사가 간섭이니 무효니 하는 말을 떠벌리고 있는 앨라배마 주에서, 흑인어린이들이 백인어린이들과 형제자매처럼 손을 마주 잡을 수 있는 날이 올 것이라는 꿈입니다.

[개별] 마틴 루터 킹으로부터 얻은 답은 무엇입니까? ★

관련교과	국어	사회	도덕	수학	과학	실과			체육	예술		영어	창의적 체험활동	자유학기활동		
						기술	가정	정보		음악	미술			진로 탐색	주제 선택	예술 체육
	●		●										●		●	

1. 마틴 루터 킹과 관련된 책과 인터넷 정보가 많습니다. 그의 전기를 읽어보는 것도 문제해결에 도움이 됩니다.
2. 마틴 루터 킹의 명연설을 각색하며 그 의미와 내용을 되새겨 보도록 합니다. 모둠 구성원들의 아이디어들이 고루 반영될 수 있도록 합니다.

나만의 교과서

4가지 기본항목을 채우고, 퀘스트 해결과정에서 공부한 내용이나 수집한 정보를 토대로 자신만의 방식으로 알차게 표현해 보세요. 그림이나 생각그물의 형태로 표현하는 것도 좋습니다.

ideas
문제해결을 위한 나의 아이디어

facts
문제와 관련하여 내가 알고 있는 것들

learning issues
문제해결을 위해 공부해야 할 주제

need to know
반드시 알아야 할 것

스스로 평가
자기주도학습의 완성!

		나의 신호등
01	나는 미국의 인종차별 역사에 관한 다양한 자료를 충분히 살펴보았다.	1 2 3 4 5
02	나는 마틴 루터 킹이 주도한 흑인인권운동에 대해 비교적 자세히 알게 되었다.	1 2 3 4 5
03	나는 마틴 루터 킹으로부터 차별없는 세상의 중요성을 배웠다.	1 2 3 4 5
04	나는 모둠원들의 다양한 의견을 반영하여 마틴 루터 킹의 연설문을 재구성하였다.	1 2 3 4 5
05	나는 문제해결을 위해 탐구한 내용과 수집한 정보를 바탕으로 나만의 교과서를 멋지게 완성하였다.	1 2 3 4 5

자신의 학습과정을 되돌아보고 진지하게 평가해주세요.

Level up

오늘의 점수	나의 총점수

피부색이 다른 이유를 밝혀라

★★★★★★

인종차별의 빌미가 되는 피부색, 피부색이 다른 이유는 과연 뭘까? 우리는 인류가 그들이 속한 자연과 환경에 유전적으로 적응하고 선택하면서 그 곳에 알맞은 신체적 특징을 갖게 됐으며, 다양한 인종으로 발전하게 되었다는 것을 알고 있습니다. 피부색에 대한 과학적인 접근을 통해 인간이 생물학적으로 다르지 않음을 보여주세요.

[개별] 인류의 기원과 진화의 과정을 탐색하고 이해해 봅시다. ★★★

[팀별] 모둠원들이 조사한 내용을 바탕으로 피부색이 다른 이유를 과학적으로 설명해 보세요. ★★★

관련교과	국어	사회	도덕	수학	과학	실과			체육	예술		영어	창의적 체험활동	자유학기활동		
						기술	가정	정보		음악	미술			진로 탐색	주제 선택	예술 체육
					●								●		●	

1. 인류의 기원과 진화의 과정을 제대로 이해하는 것이 중요합니다. 도서관에서 관련 책을 찾아 읽어 보도록 합시다.
2. 인류가 왜 진화하게 되었는지 과학이론을 토대로 이해하는 것이 중요합니다.
3. 모둠원들이 각자 조사하고 탐구한 내용을 공유하고, 공통분모를 도출하여 설명할 내용을 정리합니다.

나만의 교과서

4가지 기본항목을 채우고, 퀘스트 해결과정에서 공부한 내용이나 수집한 정보를 토대로 자신만의 방식으로 알차게 표현해 보세요. 그림이나 생각그물의 형태로 표현하는 것도 좋습니다.

ideas 문제해결을 위한 나의 아이디어	facts 문제와 관련하여 내가 알고 있는 것들

learning issues 문제해결을 위해 공부해야 할 주제	need to know 반드시 알아야 할 것

스스로 평가

자기주도학습의 완성!

		나의 신호등
01	나는 인류의 기원과 진화의 과정을 과학이론을 토대로 이해하였다.	1 2 3 4 5
02	나는 과학이론을 통해 인간의 피부색이 다른 이유를 알게 되었다.	1 2 3 4 5
03	나는 과제수행 내용을 모둠원들에게 적극적으로 설명하였고, 상대방의 이야기에도 경청하였다.	1 2 3 4 5
04	나는 모둠원들과 공유한 내용을 종합하여 설득력있게 정리하였다.	1 2 3 4 5
05	나는 문제해결을 위해 탐구한 내용과 수집한 정보를 바탕으로 나만의 교과서를 멋지게 완성하였다.	1 2 3 4 5

자신의 학습과정을 되돌아보고 진지하게 평가해주세요.

Level up

오늘의 점수	나의 총점수

인권운동가가 되어 차별 없는 세상을 만들자 ★★★★★★★★★

우리들의 생각이 바뀌지 않으면, 언제든 제2의 사끼 바트만은 생겨날 수 있습니다. 마틴 루터 킹이 비폭력 흑인인권운동을 통해 세상을 점진적으로 바꿔나갔던 것처럼, 우리의 작은 실천이 얼마든지 세상에 작지만 의미 있는 변화를 이끌어 낼 수 있습니다. 그래서 당신은 인권운동가로서 네티즌을 대상으로 인종에 대한 잘못된 정보들을 지적하고 올바른 가치관을 형성할 수 있도록 UCC 자료를 만들어 배포하는 것에 도전하고자 합니다. 차별 없는 세상, 바로 우리의 손끝에서 시작됩니다.

[팀별] 앞선 활동을 바탕으로 UCC 시나리오를 작성하세요.

[팀별] 다양한 표현방식을 적용하여 UCC를 제작하도록 합니다.

관련교과	국어	사회	도덕	수학	과학	실과			체육	예술		영어	창의적 체험활동	자유학기활동		
						기술	가정	정보		음악	미술			진로 탐색	주제 선택	예술 체육
	●		●					●			●		●		●	

1. UCC 시나리오에는 모둠 구성원들의 다양한 의견이 반영될 수 있도록 해야 합니다. 시나리오 작성 과정에서 역할을 나누고 분담하여 진행해 주세요.
2. UCC 제작은 컴퓨터 혹은 스마트폰을 활용하여 제작합니다. 스마트폰의 동영상 편집어플이나 윈도우의 무비메이커를 활용하면 손쉽게 만들 수 있습니다.

나만의 교과서

4가지 기본항목을 채우고, 퀘스트 해결과정에서 공부한 내용이나 수집한 정보를 토대로 자신만의 방식으로 알차게 표현해 보세요. 그림이나 생각그물의 형태로 표현하는 것도 좋습니다.

ideas
문제해결을 위한 나의 아이디어

facts
문제와 관련하여 내가 알고 있는 것들

learning issues
문제해결을 위해 공부해야 할 주제

need to know
반드시 알아야 할 것

스스로 평가
자기주도학습의 완성!

		나의 신호등
01	나는 퀘스트1-3을 통해 수행한 내용을 UCC 시나리오에 반영하였다.	1 2 3 4 5
02	나는 UCC 주제에 부합하는 내용으로 시나리오를 작성하였다.	1 2 3 4 5
03	나는 사이버 인권운동가로서 UCC 제작 및 배포과정에 적극적으로 동참하였다.	1 2 3 4 5
04	나는 온라인을 통해 UCC 자료를 성공적으로 배포하고, 활동결과를 발표하였다.	1 2 3 4 5
05	나는 문제해결을 위해 탐구한 내용과 수집한 정보를 바탕으로 나만의 교과서를 멋지게 완성하였다.	1 2 3 4 5

자신의 학습과정을 되돌아보고 진지하게 평가해주세요.

Level up

오늘의 점수	나의 총점수

All-Clear
sticker

06 CHAPTER

인종차별! 코이코이족 사끼 바트만의 슬픔

★Teacher Tips

Teacher Tips

'인종차별! 코이코이족, 사끼 바트만의 슬픔'은 인권(차별)을 주제로 구성한 수업입니다. 일반적으로 인권관련 교육은 사회/도덕이나 창의적 체험활동 시간을 할애하여 이루어지는 경우가 대부분입니다. 이 수업도 인권과 관련된 단원이나 창체와 연계하여 진행하는 것이 가능합니다. 더불어 인류의 기원과 진화에 대한 과학적 이해를 토대로 해결해야 할 과제도 부여되므로 수업의 목적에 따라 국어, 과학/실과 등의 교과와 연계하여 진행할 수 있습니다.

'사끼 바트만'에 대한 이야기는 흑인인권운동의 상징적인 인물이었던 넬슨만델라 남아공 전대통령과 깊은 관련이 있습니다. 프랑스 정부를 대상으로 7년간의 끈질긴 설득 끝에 송환이 이루어진 바트만은 흑인인권회복의 상징 중에 하나가 되었습니다. 국가, 민족, 인종과 상관없이 사람이면 누구나 마땅히 누려야 할 권리, 인류의 보편적 가치가 지켜지지 않는 것은 과거의 문제만은 아닙니다. 국가와 민족, 사회 갈등의 이면에는 다양한 이유의 차별적 시선이 존재하며 오늘날 역시 심각한 수준의 인권침해사건으로 이어지고 있습니다. 특히 민족우월의식과 인종차별은 인권을 심각하게 유린하면서 수많은 불행의 싹을 틔우고 있습니다.

이 수업은 차별없는 세상을 만드는 것이 인류보편적 가치인 인권을 지키는 길임을 강조하고 있습니다. 우리 주변의 인권 사각지대를 돌아보며 차별이 만연한 대한민국의 부끄러운 자화상을 드러내는 것도 이 수업의 목적 중에 하나입니다. 아무쪼록 관련 교과단원과 연계하여 수업을 진행해 보시길 바랍니다. 이들 교과지식들은 학생들이 인권운동가로서 주어진 문제를 해결하는데 중요한 가치 기준으로 활용될 수 있습니다.

<table>
<tr><th rowspan="2">교과</th><th rowspan="2">영 역</th><th colspan="2">내용요소</th></tr>
<tr><th>초등학교 [5-6학년]</th><th>중학교 [1-3학년]</th></tr>
<tr><td rowspan="2">국어</td><td>듣기말하기</td><td>◆발표[매체활용]
◆체계적 내용 구성</td><td>◆발표[내용 구성]
◆매체 자료의 효과
◆청중 고려</td></tr>
<tr><td>쓰기</td><td>◆목적·주제를 고려한 내용과 매체 선정</td><td>◆대상의 특성을 고려한 설명</td></tr>
<tr><td rowspan="2">도덕</td><td>사회·공동체와의 관계</td><td>◆우리는 서로의 권리를 왜 존중해야 할까? (인권존중)
◆전 세계 사람들과 어떻게 살아갈까? (존중, 인류애)</td><td>◆인권의 도덕적 의미는 무엇인가?(인간존중)
◆다문화 사회에서 발생하는 갈등을 어떻게 해결할 것인가? (문화 다양성)</td></tr>
<tr><td>타인과의 관계</td><td>◆서로 생각이 다를 때 어떻게 해야 할까? (공감, 존중)</td><td>◆폭력의 문제를 어떻게 대할 것인가? (폭력의 문제)</td></tr>
<tr><td>실과
정보</td><td>자료와 정보</td><td>◆소프트웨어의 이해</td><td>◆자료의 유형과 디지털 표현</td></tr>
<tr><td rowspan="3">사회</td><td>법</td><td>◆인권, 기본권과 의무</td><td>◆인권 침해 및 구제 방법, 노동권 침해 및 구제 방법</td></tr>
<tr><td rowspan="2">사회문화</td><td>◆평등 사회</td><td>◆차별과 갈등, 사회문제</td></tr>
<tr><td colspan="2">자료 수집, 자료 분석, 자료 활용</td></tr>
</table>

아울러, 인권교육을 주제로 운영하는 창의적 체험활동이나 중학교 자유학년활동과 연계하여 운영하는 것도 충분히 고려해 볼만 합니다. 문제의 대체적인 수준을 고려할 때, 초등학교 5학년 이상이면 무난하게 도전할 수 있습니다. 수업의 목적에 맞게 추가적인 퀘스트를 개발하여 적용한다면 학습과정이 훨씬 더 풍부해질 수 있으니 고려해 보세요.

- 적용대상(권장): 초등학교 5학년-중학교 1학년
- 자유학년활동: 주제선택(권장)
- 학습예상소요기간(차시): 5-8일(4-8차시)
- Time Flow

8일 기준(예)

시작하기_문제제시		전개하기_과제수행		마무리_발표 및 평가	
문제출발점 설명 PBL MAP으로 학습 흐름 소개	QUEST 01 우리나라의 부끄러운 인종차별 문제	QUEST 02 인종차별철폐를 외친 마틴 루터 킹	QUEST 03 피부색이 다른 이유를 밝혀라	QUEST 04 인권운동가가 되어 차별 없는 세상을 만들자	모둠별 UCC자료 발표 성찰일기(reflective journal) 작성하기
교실 40분	교실 | 온라인 40분 | 2-3hr	교실 | 온라인 40분 | 2-3hr	교실 | 온라인 40분 | 1-2hr	교실 | 온라인 40분 | 1-2hr	교실 | 온라인 40분 | 1hr
1-2Day		4-5Day	6Day	7-8Day	

- 수업목표(예)

QUEST 01	◆다양한 매체를 통해 우리나라의 인종차별 사례를 조사할 수 있다. ◆인종차별의 심각성에 공감하고, 이에 대한 비판적 의식을 가질 수 있다. ◆부끄러운 민낯을 선정하고, 그 이유를 발표할 수 있다.
QUEST 02	◆미국의 인종차별 역사와 흑인인권운동에 대해 알 수 있다. ◆마틴 루터 킹의 연설문을 각색하고 인권운동가로서 직접 미니연설을 할 수 있다. ◆(선택) 마틴 루터 킹에게 얻은 답을 모아 다같이 인권나무를 만들 수 있다.
QUEST 03	◆인류의 기원과 진화에 관한 과학이론을 이해할 수 있다. ◆인간의 피부색이 다른 이유를 과학적 근거를 들어 설명할 수 있다. ◆서로 가르치기 활동을 통해 관련 과학지식을 정확하게 알 수 있다.
QUEST 04	◆앞서 수행한 내용을 UCC 시나리오에 반영하여 작성할 수 있다. ◆설득력을 높일 수 있는 방식으로 UCC를 제작할 수 있다. ◆인터넷을 통해 UCC를 배포하고, 활동 결과를 발표할 수 있다. ◆(선택) UCC 자료 링크를 제공하고 덧글을 통해 감상평을 올릴 수 있다.
공통	◆문제해결의 주인공으로서 절차와 방법을 이해하고 적극적으로 학습과정에 참여할 수 있다. ◆학습한 내용을 정리하고 자신의 언어로 재구성하는 과정을 통해 창의적인 문제를 만들어낼 수 있다. 이 과정을 통해 지식을 생산하기 위해 소비하는 프로슈머로서의 능력을 향상시킬 수 있다. ◆토의의 기본적인 과정과 절차에 따라 문제해결 방법을 도출하고, 온라인 커뮤니티 등의 양방향 매체를 활용한 지속적인 학습과정을 경험함으로써 의사소통 능력을 신장시킬 수 있다.

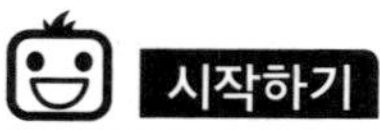

중심활동 : 문제출발점 파악하기, 학습흐름 이해하기

- 문제출발점에 제시된 사끼 바트만에 관한 이야기 나누기
- 지식채널e의 '사끼 바트만' 편을 보고 인종차별의 잔혹성을 공유하기
- 문제의 주인공인 인권운동가에 관한 다양한 이야기 나누고, 인권운동에 대해 간단히 살펴보기
- (선택) 자기평가방법 공유, 온라인 학습커뮤니티 활용 기준 제시하기
- PBL MAP을 활용하여 전체적인 학습흐름과 각 퀘스트의 활동 내용 일부 살펴보기

문제의 출발점은 사끼 바트만에 대한 이야기로 대부분 채워져 있습니다. 학생들이 주어진 문제 속 이야기를 잘 읽는 것만으로도 이번 활동의 의미를 잘 파악할 수 있습니다. 바트만의 아픔을 수업참여자 모두가 공감할 수 있도록 학습분위기를 조성하는 것이 중요합니다. 바트만의 이야기는 EBS지식채널e '사끼 바트만' 편에서도 다루고 있습니다. 그 밖에 인터넷 상에 '바트만'을 키워드로 검색하면 유용한 자료들을 쉽게 구할 수 있습니다. 이들 자료를 효과적으로 활용한다면 수업의 시작을 성공적으로 여는 데 어려움이 없을 것입니다.

바트만에 대한 이야기를 충분히 공유했다면 문제의 주인공이기도 한 인권운동가에 대한 설명으로 이어지는 것이 좋습니다. 세계적인 인권운동가를 예를 들며, 어떤 인권운동을 펼쳤는지 역사적 사건을 중심으로 살펴보거나 학생들이 알고 있는 인물을 중심으로 이야기를 나누는 것도 효과적입니다.

학생들의 진로탐색과 연계하고자 한다면 인권 관련 직무나 국가인권위원회 등의 기관을 소개해주는 것도 도움이 될 수 있습니다. 해당 정보를 심층적으로 살펴보기 위한 사전 혹은 선택과제를 제공하는 것도 좋은 전략 중에 하나입니다. 학생들이 문제상황을 풍부한 사례를 통해 충분히 이해하였다면, 'PBL MAP'을 활용해 단계적으로 수행해야 할 과제 및 활동을 간략하게 소개하도록 합니다.

전개하기

'인종차별! 코이코이족 사끼 바트만'은 총 4개의 기본퀘스트로 구성되어 있습니다. 주제의식이 분명한 만큼 인권과 관련된 다양한 자료를 학생들에게 소개하고 활용하도록 하는 것이 효과적입니다. 관련 주제에 대한 보다 심층적인 학습과정을 요구하고 싶다면 수업 목적에 맞게 퀘스트를 추가적으로 개발하여 적용하는 것이 필요합니다. 가능하다면 지역의 인권단체나 인권운동가와의 연계도 고려해 볼만 합니다. 온라인 상의 작은피드백도 학생들에겐 소중하게 다가갈 수 있습니다. 생각보다 많은 분들이 호의적으로 참여해 주십니다. 작은 용기를 내면 기대이상의 풍부한 결실을 맺을 수 있습니다.

● 퀘스트1 : 우리나라의 부끄러운 인종차별 문제

중심활동 : 우리나라의 인종차별 사례 찾아보기

- 우리나라의 인종차별 사례를 각종 자료를 통해 조사하기
- 비판적인 시각으로 사회문제로 부각되고 있는 사례중심으로 조사하고 정리하기
- 개별 조사한 사례를 모둠원들 간에 공유하고 가장 부끄러운 민낯 3가지를 선정하기
- 모둠별로 부끄러운 민낯 3가지의 사례를 간단히 발표하기

Teacher Tips

Quest 퀘스트 01
우리나라의 부끄러운 인종차별 문제

★★★★★

인종차별은 과거 특정시기, 어떤 국가의 문제가 아니라 현재 진행 중인 문제입니다. 또한 다른 나라만의 문제가 아닌 우리나라의 문제이기도 합니다. 지금 한국에는 어떤 일이 벌어... 하고 있는 이주노동자들의 삶을 통해 우리의 부끄러운 민낯을

사끼 바트만은 학생들 입장에선 가슴은 아프지만 자신들과 상관없는 먼 나라 이야기 정도로 여길 가능성이 높습니다. 인종차별로 인권을 무시하는 사례는 적어도 대한민국과 상관 없다고 여기는 경우도 많습니다. 첫 번째 퀘스트는 이러한 인식을 깨고 우리가 당면하고 있는 문제로 바라볼 수 있도록 하는 데 목적을 두고 있습니다. 차별로 인해 고통받고 있는 대한민국의 현주소를 다양한 사례를 통해 살펴보고 진단하는 것만으로도 이 활동의 의미는 충분합니다.

...히 편파적이다. 대부분 선진국 출신인 이른바 백인(코카시안)에게는 ...으로부터 온 유색인들에겐 정반대로 고압적이다. 그런가 하면 역사 ...로 대응해 일을 그르치는 경우가 적지 않다. 앞으로 4회, 왜곡된 사 ...들의 일그러진 자화상을 돌아본다.

...는 말이 더 이상 낯설지 않게 되었다. 하지만 아직도 우리사회 곳곳엔 '빗 ...의하- 산업현장 ... 이미 30여 만명의 ... 면 8만명 가까운 인력이 추가로 입국 ... 하지 않은 외국인 노동자는 이제 우 ... 하지만 우리의 외국인노동자 정책... ...한 홀대와 ...0년

[개별] 인종차별과 관련된 우리나라의 부끄러운 얼굴을 찾아봅시다. ★★★

개별적으로 우리나라의 차별사례를 조사하여 정리하도록 안내합니다. 특히 인종이 다르다는 이유의 차별, 다문화가정에 대한 차별 등 사회문제로 부각되고 있는 사례 중심으로 살펴보는 것이 효과적입니다. '우리의 부끄러운 민낯'을 드러내는 활동이므로 비판적인 시각의 접근이 요구됩니다.

개별로 조사한 사례를 모둠 구성원 간에 상호 공유하는 활동을 전개합니다. 차별로 인한 인권침해의 심각성을 제대로 인식하는 정도만 해도 충분하므로, 3가지 사례의 선정과정은 가볍게 진행합니다. 이 과정은 단지 이들 사례를 다시금 곱씹는 데 의미를 두는 것입니다.

[팀별] 인종차별과 관련된 우리의 부끄러운 사례 중 3가지를 선택하세요. ★★

● 퀘스트2 : 인종차별 철폐를 외친 마틴 루터 킹

중심활동 : 마틴 루터 킹에게 배우기

- 미국의 인종차별 역사와 마틴 루터 킹의 인권운동에 대해 조사하기
- (선택) EBS 지식채널e 'BLACK' 편을 시청하고 감상소감 나누기
- 마틴 루터 킹의 연설문을 우리 현실에 맞게 각색하기
- 인권운동가로서 연설하기
- (선택) 마틴 루터 킹에게 얻은 답을 개별적으로 적고 협업을 통해 인권나무 완성하기

Quest 퀘스트 02 인종차별철폐를 외친 마틴 루터 킹 ★★★★★

미국의 인종차별ㅇ 동가로서 그는 196 다. 그가 워싱턴 대흐 have a dream)"는 ᄋ 소망을 표현하여 수 종차별철폐 운동에 력적인 진압에도 불 화의 가치를 지켜내 는 세상을 만들기 우 ㅣ 루터 킹에게 묻습니다.

마틴 루터 킹은 흑인인권운동에 있어서 상징적인 인물입니다. 그의 노력은 오늘날 흑인 인권신장에 소중한 밑거름이 되었습니다. 이 퀘스트는 단지 피부색이 다르다는 이유로 부당한 차별을 당해야만 했던 당시 역사를 되짚어보며, 오늘의 거울을 삼는 데 목적을 둡니다. EBS지식채널e 'BLACK'편에는 서로 다른 방식을 택했던 마틴 루터 킹과 말콤엑스를 조명하고 있습니다. 필요에 따라 인물을 설명하기 위한 자료로 활용하는 것도 좋습니다.

[개별] 미국의 인종차별 역사와 마틴 루터 킹의 인권운동에 대해 조사해봅시다. ★★

미국의 인종차별은 원주민(인디언) 말살정책, 흑인노예제도 등 뿌리깊은 역사로부터 이어온 것입니다. 당시 흑인(유색인종)인권운동이 활발히 전개된 이유를 정확히 이해하도록 안내해 주세요. 마틴 루터 킹 관련 도서를 찾아서 읽도록 하여 인물에 대한 이해가 충분히 이루어질 수 있도록 하는 것이 중요합니다.

ㅣ 루터 킹의 명연설인 '나에게는 꿈이 있습니다.'를 우리나라의 현실에 맞게 각색하여 발표 ㅏ. ★★★

꿈이 있습니다. 조지아 주의 붉ᄀ 언덕에서 노예ᄋ ... 들이 형제처럼 손
ᄅ란히 앉게 되는 꿈입니다.
꿈이 있습니다. 이글거리는 불의와 ... 오아시스가
ㅏ.
꿈이 있습니다. 내 아이들이 피부ᄉ ... 가을
ᄂ라에서 살게 되는 꿈입니다.
에게는 꿈이 있습니다!
게는 꿈이 있습니다. 지금은 지독ᄒ
ᅩ 있는 앨라배마 주에서, 흑인어린이
올 것이라는 꿈입니다.

퀘스트1을 수행하는 과정에서 얻게 된 문제의식을 바탕으로 마틴 루터 킹의 연설문을 각색하는 활동입니다. 해당 연설문의 기본 골격은 유지하면서 재구성하도록 안내해 주세요. 연설문이 완성되면 인권운동가로서 직접 연설해보는 시간도 가져봅니다. 아울러, 활동을 되짚어보면서 마틴 루터 킹으로부터 얻은 답이 무엇인지 정리하고 다같이 공유하도록 합니다. 학생들 각자 포스트잇에 마틴 루터 킹으로부터 얻은 답을 쓰게 하고, 칠판에 붙여서 공유하는 시간을 갖도록 합니다. 시각적인 효과를 주기 위해선 잎 모양의 종이에 작성하게 한 후, 인권나무를 완성하는 활동으로 꾸며보는 것도 좋은 시도가 될 수 있습니다.

[개별] 마틴 루터 킹으로부터 얻은 답은 ★

관련교과	국어	사회	도덕	수학	과학	기술	가정	[illegible]	주제선택	예술체육
	●		●						●	

1. 마틴 루터 킹과 관련된 책과 인터넷 정보가 많습니다. 그의 전기를 [illegible] 이 됩니다.
2. 마틴 루터 킹의 명연설을 각색하며 그 의미와 내용을 되새겨 보도록 합니다. 모둠 구성원들의 아이디어들이 고루 반영될 수 있도록 합니다.

● 퀘스트3 : 피부색이 다른 이유를 밝혀라

중심활동 : 피부색이 다른 이유 과학적으로 밝히기

- 인류의 기원과 진화의 과정을 탐색하고 공부하기
- 진화의 관점에서 피부색, 체형 등의 차이가 발생하는 이유 찾아보기
- 모둠별로 공부한 내용을 공유하고, 서로 가르치기 활동을 통해 관련 과학지식에 대한 이해 높이기
- (선택) 관련 과학지식을 다룬 미니강의 제공하고 퀘스트3 생략하기

Quest 퀘스트 03 피부색이 다른 이유를 밝혀라

★★★★★★

인종차별의 빌미가 되는 피부색, 피부색이 다르 … 우리는 인류가 그들이 속한 자연과 환경에 유전적으로 적응하 … 신체적 특징을 갖게 됐으며, 다양한 인종으로 발전하게 … 에 대한 과학적인 접근을 통해 인간이 생물학적으 …

사끼 바트만의 부족 '코이코이'가 사람이라는 뜻이 포함되어 있음을 언급하며, 과연 생물학적으로 어떤 부분이 다른지, 그 차이가 어디에서 비롯됐는지 살펴보도록 안내하면 됩니다.
단, 과제수행시간을 감안하여 인류의 기원과 진화의 과정을 피부색에 국한지어 살펴보도록 하는 것이 효율적입니다.

… 의 과정을 탐색하 … ★★★

환경의 적응과정, 진화에 대한 과학적인 이해를 토대로 피부색, 체형 등의 작은 차이가 발생한 까닭을 설명하도록 합니다.
설명의 내용이 분명한 과학이론을 중심으로 이루어질 수 있도록 하고, 모둠원들이 조사한 내용이 고루 반영될 수 있도록 공통분모를 찾는 것이 필요합니다.
서로 가르치기 활동을 통해 관련 과학지식에 대한 이해를 높이는 것이 좋습니다.

[팀별] 모둠원들이 조사한 내용을 바탕으로 피부색이 다른 이유를 과학적으로 설명해 보세요. ★★★

퀘스트3은 교수자의 수업여건에 따라 미니강의로 대체할 수 있습니다. 관련 다큐멘터리나 책을 선정하여 가볍게 토의활동을 진행하는 것도 좋은 전략입니다. 기본적으로 인류의 피부색이 멜라닌 색소의 양에 의해 결정된다는 사실은 이미 과학적으로 증명되었습니다. 검은 피부가 자외선 차단을 위한 것이며, 이는 생존과 직결되는 문제입니다. 반대로 고위도 지방에선 자외선이 부족하면 죽을 수도 있기 때문에 흰색 피부가 필요했던 것이죠. 피부색은 인류 진화의 결과이며, 위도에 따라 정리된 '피부색 유전자 분포'가 이를 증명합니다. 인종차별은 순전히 과학적 무지의 소산인 셈입니다.

관련교과	국어	사회	도덕	수학		기술	가정	정보		음악	미술			탐색	선택	체육
					●								●		●	

1. 인류의 기원과 진화의 과정을 제대로 이해하는 것이 중요합니다. 도서관에서 관련 책을 찾아 읽어 보도록 합시다.
2. 인류가 왜 진화하게 되었는지 과학이론을 토대로 이해하는 것이 중요합니다.
3. 모둠원들이 각자 조사하고 탐구한 내용을 공유하고, 공통분모를 도출하여 설명할 내용을 정리합니다.

수업의 마무리는 앞서 수행한 과정을 토대로 '차별 없는 세상'을 주제로 한 UCC 제작 및 배포로 구성됩니다. 퀘스트를 수행하는 과정에서 형성된 인종차별에 대한 문제의식이 UCC에 잘 담길 수 있도록 안내해 주세요.

● 퀘스트4 : 인권운동가가 되어 차별 없는 세상을 만들자

중심활동 : UCC 제작 및 배포하기

- 앞서 수행한 퀘스트 내용을 바탕으로 UCC 시나리오 작성하기
- UCC 자료 형식을 자유롭게 선택하고, 설득력 있는 내용구성을 바탕으로 제작하기
- 차별없는 세상을 위한 UCC를 사이버 인권운동가가 되어 온라인을 통해 배포하기
- 온라인을 통해 배포한 UCC 자료를 공유하고 활동결과를 발표하기
- 각 퀘스트별 수행점수(경험치)를 각자 집계하고 누계점수 기록하기
- 학생들은 성찰저널을 작성해서 온라인 학습커뮤니티에 올리고 선생님은 덧글로 피드백 해주기
- [선택] 누적해 온 수행점수를 토대로 레벨 부여하기(Level Up) / PBL 스스로 점검(자기평가 & 상호평가) 내용을 토대로 능력점수(능력치) 집계하기 / Level Up 피드백 프로그램에 따른 개인별 레벨 선정과 프로그래스바 혹은 리더보드 공개하기, 결과에 따른 배지 수여

프로젝트학습

▲Teacher Tips

Quest 퀘스트 04

인권운동가가 되어 차별 없는 세상을 만들자 ★★★★★★★★★

우리들의 생각이 바뀌지 않으면, 언제든 제2의 사끼 바트만은 생겨날 수 있습니다. 마 ... 해 세상을 점진적으로 바꿔나갔던 것처럼, 우리의 ... 미 있는 변화를 이끌어낼 수 있습니다. 그래서 당 ... 르 인종에 대한 잘못된 정보들을 지적하고 올바 ... 료를 만들어 배포하는 것에 도전하고자 합니다. ... 시작됩니다.

UCC 시나리오는 제작할 자료의 형식에 맞게 구성하는 것이 필요합니다. 매체의 성격에 따라 스토리보드, 콘티 방식등을 채택하여 시나리오가 작성되도록 안내해 주세요. 자료의 배포가 인터넷을 통해 이루어지는 만큼, 네티즌들에게 설득력을 줄 수 있는 방식의 내용 구성이 필요함을 강조합니다.

[팀별] 앞선 활동을 바탕으로 UCC 시나리오를 작성하세요.

학생들에게 온라인 배포가 수월하게 이루어질 수 있는 UCC 자료형식을 제안하도록 합니다. 웹툰이나 프레지(prezi), 동영상 자료 등 배포가 용이한 형식의 파일로 저장하도록 주지시켜 주세요.

[팀별] 다양한 표현방식을 적용하여 UCC를 제작하도록 합니다.

최종 순서는 온라인으로 배포한 UCC 자료를 서로 공유하고 발표하는 시간입니다. 교실수업시간이 부족하다면, 온라인 활동으로 대체할 수 있습니다. 온라인 커뮤니티(카페, 블로그, 밴드 등)에 모둠별로 제작한 UCC 자료 링크를 올리고, 학급의 모든 구성원이 댓글을 통해 감상평 및 긍정적 피드백을 남기며 마무리짓도록 합니다.

관련교과	국어	사회	도[illegible]	[illegible]	[illegible]술		영어	창의적 체험활동	자유학기활동		
					[illegible]	미술			진로 탐색	주제 선택	예술 체육
	●		●	[illegible]		●		●		●	

1. UCC 시나리오에는 모둠 구성원들의 다양한 의견이 반영될 수 있도록 해야 합니다. 시나리오 작성 과정에서 역할을 나누고 분담하여 진행해 주세요.
2. UCC 제작은 컴퓨터 혹은 스마트폰을 활용하여 제작합니다. 스마트폰의 동영상 편집어플이나 윈도우의 무비메이커를 활용하면 손쉽게 만들 수 있습니다.

나만의 문제로 출발점 만들기

"선생님들은 저희가 만든 ○○교과서를 아이들에게 잘 가르치시기만 하면 됩니다. 그거면 충분합니다. 다른 건 바라지도 않아요."

세월이 좀 지난 이야기지만, 어느 공청회에서 지위가 높은 교육 관료가 내뱉었던 말은 여전히 불편한 기억으로 남아 있습니다. 노골적으로 지식전달자가 교사의 본연의 역할임을 강조했던 발언이라 더욱 그랬던 것 같습니다. 여전히 학교 현장에서는 교과지식을 빠짐없이 잘 가르치는 것이 교육과정 운영을 위한 기본이라 여겨지기도 합니다. 교육과정 운영에 있어서 교사의 자율권과 선택권이 확대된 가운데도 좀처럼 과거의 방식, 틀에서 벗어나지 못하고 있습니다. 어찌보면 당연합니다. 그만큼 오랜 세월 동안, 아니 지금도 기능적 합리주의의 논리가 교육현장에 설득력을 발휘하고 있기 때문입니다. '기능적 합리주의(technical rationality)'의 논리에 좌우되는 교육환경은 연구하는 사람(이론가)과 실천하는 사람(실천가)을 구분 짓는 것이 효율적이고 효과적이라 여깁니다. 지금껏 우리의 학교교육은 누군가가 집필한 교과서 내용을 현장의 교사들이 효과적으로 전달하는 데 무게 중심을 두어 왔습니다. 이런 환경 속에 대부분의 교사역할은 주어진 교과서 내용을 학생들에게 충실히 전달하는 일 정도로 제한될 수밖에 없었습니다.

숀(Schon, 1983)은 이러한 '기능적 합리주의' 논리에 지배되어 왔던 학교교육을 강력히 비판하면서 교사의 전문지식(professional knowledge)의 본성을 무엇으로 볼 것인가와 같은 근본적인 질문들을 던집니다. 그에 따르면, 이론과 실천은 분리 불가능한 것이기에 학교현장의 교사는 단지 교과지식을 전달하고 전수하는 존재에 머물면 안된다는 것이었습니다. 교사는 수업을 실천하는 중에도, 실천한 이후에도 끊임없이 성찰하며, 이론이 실제가 되고 동시에 실제가 이론이 될만한 역동적인 지식을 구성해 나가는 주체가 되어야 한다고 보았습니다. 이런 맥락에서 틀에 박힌 정형화된 수업패턴에서 벗어나 창의적인 방식의 실질적인 해법을 제안할 수 있는 건 교사만이 할 수 있는 고유의 일임을 자각할 필요가 있습니다. 교육현장의 살아있는 경험들이 모여서 얼마든지 '작지만 설득력있는 이론(local theory)'으로서 의미와 가치를 지닐 수 있음을 확신하는 것이 중요합니다.

그렇다면 교사의 입장에서 어떤 관점으로 수업을 바라보아야 할까요? 분명한 것은 수업이라는 소중한 실천행위가 어떤 관점에 의해 진행되느냐에 따라 얻게 될 결실이 달라진다는 점입니다. 더불어 쇤이 강조한 '성찰적 실천가(reflective practitioner)'로서의 교사가 되기 위한 출발점은 자신의 수업에 대한 비판적, 분석적 시각, 냉철한 자기평가의 토대 위에 성립됩니다.

QUEST 3-1

나의 수업을 비롯한 교육활동 전반을 되돌아보며 강점과 단점을 분석해 봅시다. 의미있는 출발점이 '나' 자신에서 비롯되는 만큼 성실히 작성해 주세요. SWOT 형식, 즉 강점(S), 약점(W), 기회(O), 위협(T)으로 나누어 작성해도 좋습니다.

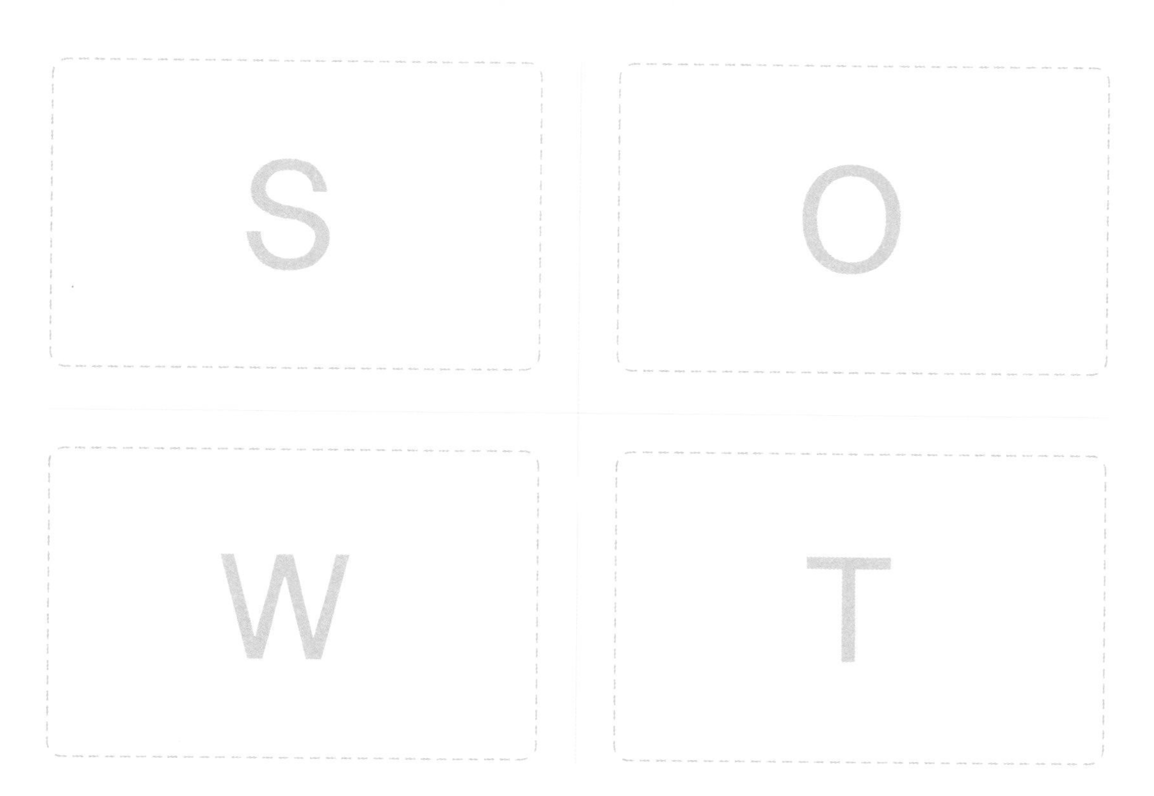

어떤 일이든 출발점이 중요합니다. 물론 그 출발점은 언제나 '나'로부터 시작되어야 합니다. PBL을 현장에 적용해야 할 이유는 정말 많겠지만, 그 이유가 자기 자신으로부터 나올 수 있도록 나만의 문제를 만들어 보는 것은 어떨까요? PBL 설계과정이 '나'의 문제를 해결하는 과정이 된다면, 그 결과는 더할 나위 없이 행복한 생산물이 되겠죠. 다음 보기로 제시된 '나의 고민' 문제를 참고하여 자신의 실천무대에 적합한 문제 상황, 배경, 조건 등을 반영한 '나'로부터 시작되는 문제를 완성해 봅시다.

PBL 문제 **"나의 고민"**

저는 재미교육연구소 연구원으로 근무하고 있으며, 수업 개선을 위한 교육컨설팅 업무를 담당하고 있는 ○○○입니다. 제가 재미교육연구소에 들어오게 된 이유는 재미와 게임요소를 반영한 좀 더 매력적인 PBL 프로그램을 개발하고 적용하기 위함입니다.

저는 최근 들어 교육컨설팅 업무를 수행하면서 풀기 힘든 한 가지 문제에 당면해 있습니다. 며칠 전에 ○○학교의 손 교사가 고민스러운 모습으로 저를 찾아 온 적이 있었는데, 그의 고민은 유능한 교사진에도 불구하고 수년간 ○○학교의 수업만족도가 다른 학교에 비해 매우 낮게 나타나고 있다는 데 있었습니다. 그의 고민은 현재 제가 절실하게 해결해야 할 문제와도 어느 정도 닿아 있었습니다. 사실, 손 교사의 고민은 다소 내용의 차이는 있지만 많은 교사들로부터 제기되고 있는 문제와 유사한 것입니다. 저에게 있어서 그러한 문제를 해결할 수 있는 솔루션은 매우 명확한 것이었습니다.

'교수학습방법을 다양화하고 새로운 전략을 수립하라!'

다음, 손 교사와 나눈 실제 대화 내용에서 이러한 저의 생각이 잘 드러날 것입니다.

연구원 : 왜 수업에 대한 만족도가 낮은지 학생들과 대화하는 시간을 가진 적 있습니까?
손 교사 : 네 그럼요. 며칠 전에 안 그래도 학생들을 모아놓고 수업에 대한 불만이나 불편

한 점이 없는지 대화하는 시간을 가졌어요.

연구원 : 학생들이 어떤 얘기를 하던가요?

손 교사 : 글쎄요. 그것이 좀……. 학생들이 말하는 것을 좀 꺼려하는 것 같았어요. 근데 어떤 학생이 이런 얘기를 하더군요. 선생님들이 교과서 내용을 잘 전달해 주시기는 하지만, 자기에겐 좀 어렵다고 하더군요, 매 시간마다 수업에 집중하는 것도 자신에게 좀 버겁다는 얘기를 하면서 말이죠. 하지만, 다른 학생들은 별 얘기가 없었어요.

연구원 : 선생님, 말씀만으로 판단하는 것은 좀 어렵지만, 한 학생의 얘기를 놓고 봤을 때, 강의 내용이 좀 어렵게 느껴진다는 점과 강의를 위주로 한 수업방식임이 드러나는 것 같아요.

손 교사 : 사실, 저희 교과 성격 상 강의가 중심이 되는 것은 당연한 것이에요. 교과서 지식을 어떻게 스스로 알 수가 있겠어요. 아무 것도 모르는 학생들에게 잘 전달하고 이해시켜야죠.

연구원 : 네, 선생님, 그렇게 생각하실 수 있어요. 효과적인 지식전달에 있어서 강의만한 것이 없죠. 하지만 좀 더 효과적인 수업을 추구하고자 한다면 강의식 수업 위주에서 벗어나 다양한 교수학습방법을 적용할 필요가 있어요. 물론 전략적으로 강의식 수업을 택할 수 있지만 다른 전략도 수립할 필요가 있고요.

손 교사 : 그 부분은 저도 동의해요. 제가 강의식 수업만을 고집한다는 말은 아니었어요. 저는 연구원님이 강의식 수업이 바람직하지 않다는 말씀인 줄 알았어요. 강의 역시 수업에 있어서 전략적인 활용이라는 점이 마음에 들어요. 하지만 사실 막막하네요. 다양한 교수학습방법을 어떻게 고안하고 적용할지…….

연구원 : 하루아침에 해결할 수 있는 문제는 아니지만, 선생님도 충분히 하실 수 있어요. 우선, 기존 수업에 적용되고 있는 방법과 전략에 문제는 없는지 살펴보고요. 이를 바탕으로 효과적인 방법과 전략을 고안해야 될 것 같네요. 방법과 전략만 잘 택한다면 선생님과 학생들 모두에게 만족스런 수업이 될 겁니다.

손 교사와의 대화에서도 잘 드러나듯이, 저는 지금까지 교수학습방법과 전략을 강조하고, 그것으로 인한 가시적인 성과를 가져오는 것이 최고의 해결안이라고 생각해 왔습니다. 부끄럽게도 컨설팅 업무를 수행하는 목적도 교사들의 자기 만족도를 끌어올리는 데 있었기 때문에, 그외 다른 것들은 충분히 고려하지 못한 것 또한 사실입니다. 하지만, 구성주의를 접하고 이와 관련된 다양한 사례와 교수학습모형을 배우고 나서는 그런 저의 생각에 문제가 있을 수 있다는 생각을 갖게 되었습니다. 요즘 저의 머릿속은 복잡하기만 한데요.

'정말 근본적인 문제는 무엇일까?', '과연 나는 어떤 관점을 갖아야 하고, 그 관점에 맞는 교수학습모형과 방법은 어떻게 적용할 수 있을까?', '과연 나는 교육을 어떤 관점으로 바라보고 있는 것일까?', '학습자가 중심이 되고 학습자가 책임지는 수업에 동의하지만 과연 그것을 실천할 의지는 있는 것일까?'…….

전 이번 기회를 통해 실타래처럼 복잡하게 얽혀있는 저의 문제를 파악하고 정교화하여, 명쾌하게 해결해 보고자 합니다. 제가 지금 갖고 있는 교육에 대한 관점, 혹은 신념이 무엇인지 진단해 보고 다소 관념적이고 추상적인 부분은 구체화하여 제 삶의 고리와 연결해 보는 노력으로부터 시작해 보겠습니다. 저의 도전은 다음과 같은 과정을 통해 진행될 것입니다.

[보기]

① 교육에 대한 나의 관점, 혹은 신념이 무엇인지 파악하기
  : 구성주의적 관점과 비교하여 서술하기
② 자신의 삶과 연계된 기존 교육프로그램 혹은 수업에 대한 분석과 비판
③ 수업을 개선하기 위한 교수학습모형 선택, 방법과 전략 등이 담긴 구체적인 해결안 마련
④ 수업실천계획 완성 : 문제개발, 교수학습설계, 온라인 학습환경설계 및 구축, 평가도구 선정 및 개발
⑤ 수업실천계획에 따라 현장적용
⑥ 적용사례 분석과 비판, 개선방향 도출

QUEST 3-2

'나의 문제'를 어떤 과정을 통해 해결하고자 합니까? [보기]를 참고하여 자신의 상황에 맞게 대략적으로 해결과정(단계)을 기술해 봅시다.

문제 상황은 가급적 자신이 직면하고 있는 실제 상황을 배경으로 하는 것이 자연스럽습니다. 제시된 '나의 고민' 문제 전체를 새롭게 구성하지 않고 필요한 부분만 수정하고 각색하더라도 내가 해결해야 할 나만의 문제가 완성될 수 있습니다. 아무쪼록 나만의 문제를 완성하여 의미 있는 출발점을 만들어내길 바랍니다.

QUEST 3-3

'나의 고민' 문제를 토대로 나만의 문제 만들기 과정을 수행해 주세요. 수정하거나 각색한 문제를 아래에 완성해 주세요.

● **나만의 문제 제목** :

CHAPTER 07

내 집은 내가 디자인한다

집은 사람에게 어떤 의미인가?

인류에게 있어서 집은 자연으로부터의 위협에서 자신을 보호하기 위한 공간으로 의미가 컸습니다. 이 때문에 안전을 위해서라면 생활의 불편함 정도는 기꺼이 감수했던 시기가 있었습니다. 그러나 오늘날엔 단순히 자연으로부터 가족의 안전을 지키기 위해 집을 선택하진 않습니다. 현대인에게 집이라는 공간 자체가 주는 의미는 더 다양해졌습니다. 그리고 그런 의미들을 담아낸 자신이 지은 집에서 여생을 보내는 것을 삶의 목표 중 하나로 삼고 있는 사람이 적지 않습니다.

평생 동안 한 집에서만 사는 사람은 별로 없을 겁니다. 최소 한두 번, 많게는 십수 번씩 이사를 하며 사는 게 보통입니다. 하지만 현실은 정작 자기가 지은 집에서 사는 사람은 그리 흔하지 않습니다. 주택처럼 대개의 경우, 이미 그 구조가 다 결정되어 있거나 진즉에 지어놓은 집으로 들어가 사는 게 보편적입니다.

집터를 다듬고, 살 집을 짓는 건축까지는 아니더라도 마음으로 그리던 집이 되도록 설계하는 과정에서부터 자신의 의견이나 바람이 충분히 반영시킬 수 있다면 얼마나 좋을까요? 물론 쉽지 않을 겁니다. 그렇다고 불가능한 것은 아닐 겁니다. 만약 여러분들이 자신의 집 설계과정에 참여한다면 어떤 공간이 만들어질까요? 이번 프로젝트학습을 통해 내 집을 멋지게 디자인해 봅시다.

* 문제시나리오에 사용된 어휘빈도(횟수)를 시각적으로 나타낸 워드클라우드(word cloud)입니다. 워드클라우드를 통해 어떤 주제와 활동이 핵심인지 예상해 보세요.

내 집은 내가 디자인한다!

주식회사 우정건설은 30년의 역사를 자랑하는 중견 기업입니다. 우정건설은 주택건설 사업 부분을 중심으로 친환경적인 주택건설에서 높은 사업 실적을 올리고 있습니다.

올해부터 우정건설은 새로운 방식의 주택건설을 추진하고 있습니다. 단일한 구조로 적용되던 기존의 주택건설 방식에서 탈피, 소비자의 요구를 적극 반영한 개성 있는 집을 건설하려고 합니다. 우정건설의 대표이사는 새로운 방식의 주택건설을 추진하기 위해 설계 과정에서부터 소비자의 참여가 필수적이라고 밝히고 있습니다.

> "그동안 저희 회사의 주택건설 방식은 설계 전문팀의 설계 도면을 가지고 동일한 구조의 주택을 짓는데 머물러 있었습니다. 사실상 소비자의 개성이나 취향이 반영되기는 어려운 구조였지요. 하지만 올해부터 새롭게 시도되는 주택건설 방식은 설계 과정에서부터 소비자를 적극적으로 참여시켜 소비자의 요구가 반영된 다양한 구조의 주택을 건설할 방침입니다. 이는 3D프린팅 기술이 가져올 새로운 변화를 대비하기 위함이기도 합니다."

새롭게 시도하는 우정건설의 시도, 과연 어떤 결실을 맺을 수 있을까요?

PBL MAP

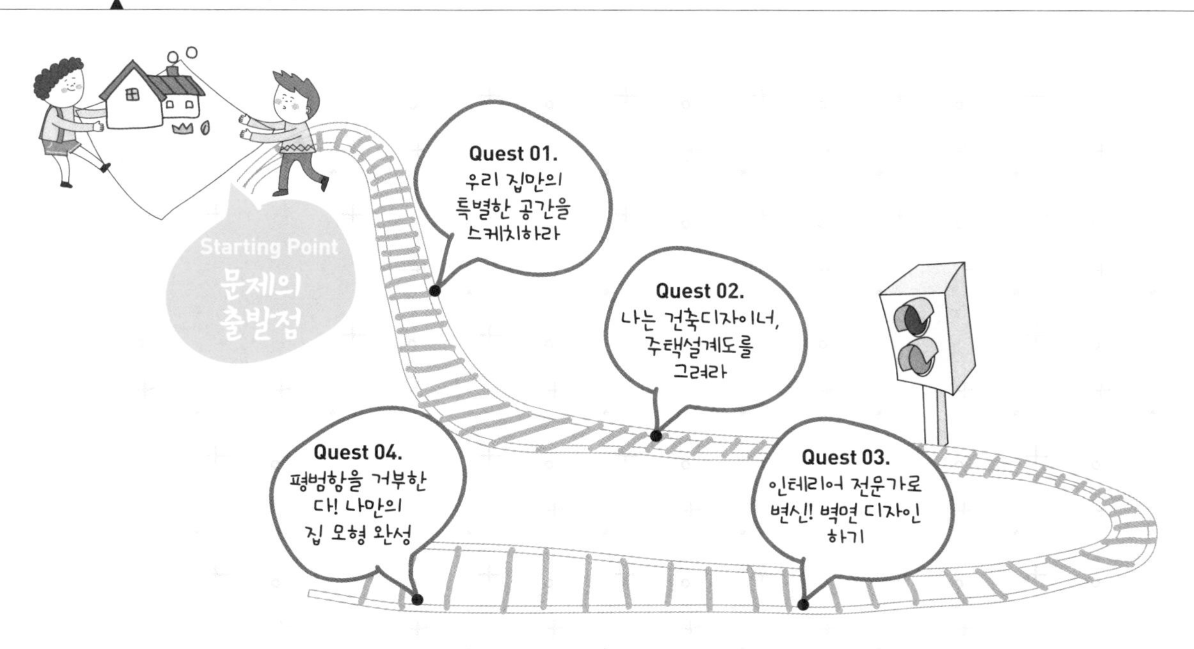

우리 집만의 특별한 공간을 스케치하라

★★★★★

당신은 내년에 우정건설이 짓는 주택에 입주할 예정입니다. 가족 각자의 개성이 녹아있는 공간을 소원하고 있는 터라, 우정건설이 새롭게 추진하고 있는 건설방식을 환영하고 있습니다. 주택 설계 절차는 다음과 같습니다.

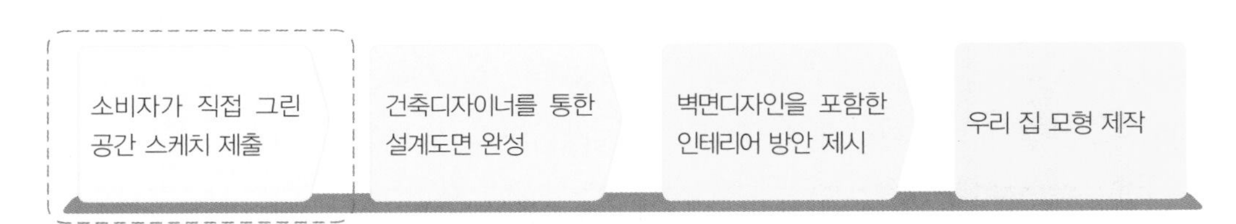

우선, 당신은 설계절차에 따라 공간스케치를 제출해야 합니다. 가족의 의견을 모아서 다양한 개성이 묻어나는 공간을 직접 그려 보세요. 단, 생활자원의 절약과 효율적인 관리가 이루어질 수 있는 방향으로 디자인해야 합니다.

	모둠 가족이 제안한 공간별 테마를 적어보세요.	공간위치 (예)거실
1		
2		
3		
4		

[공간 스케치] 당신의 반짝이는 아이디어와 공간의 특성을 살려서 그려보세요.

관련교과	국어	사회	도덕	수학	과학	실과			체육	예술		영어	창의적 체험활동	자유학기활동		
						기술	가정	정보		음악	미술			진로 탐색	주제 선택	예술 체육
						●					●		●		●	

1. 모둠원 각자가 가족 구성원이 되어 책임질 공간을 정합니다. 모둠 구성원 수에 따라 4명일 때는 거실, 부엌, 방 2개, 3명일 때는 거실, 부엌, 방으로 나누어 활동을 진행하는 것이 좋습니다.
2. 불필요한 시간과 각종 자원(전기에너지, 물, 가스 등)의 낭비를 줄일 수 있도록 친환경적인 주거 공간 스케치가 필요합니다.
3. 인터넷을 통해 공간별 인테리어 디자인을 참고하는 것도 좋은 방법입니다.

나만의 교과서

4가지 기본항목을 채우고, 퀘스트 해결과정에서 공부한 내용이나 수집한 정보를 토대로 자신만의 방식으로 알차게 표현해 보세요. 그림이나 생각그물의 형태로 표현하는 것도 좋습니다.

ideas
문제해결을 위한 나의 아이디어

facts
문제와 관련하여 내가 알고 있는 것들

learning issues
문제해결을 위해 공부해야 할 주제

need to know
반드시 알아야 할 것

스스로 평가
자기주도학습의 완성!

		나의 신호등
01	나는 공간의 특성을 고려하여 특별한 테마를 적용하였다.	1 2 3 4 5
02	나는 생활자원의 절약과 효율적인 관리가 이루어질 수 있도록 공간을 설계하였다.	1 2 3 4 5
03	나는 공간의 특성을 잘 살려서 공간 스케치를 하였다.	1 2 3 4 5
04	나는 공간별 인테리어 디자인 사례를 참고하였다.	1 2 3 4 5
05	나는 문제해결을 위해 탐구한 내용과 수집한 정보를 바탕으로 나만의 교과서를 멋지게 완성하였다.	1 2 3 4 5

자신의 학습과정을 되돌아보고 진지하게 평가해주세요.

Level up

오늘의 점수	나의 총점수

Quest 퀘스트 02

나는 건축디자이너, 주택설계도를 그려라

★★★★★★

소비자가 직접 그린 공간 스케치 제출	건축디자이너를 통한 설계도면 완성	벽면디자인을 포함한 인테리어 방안 제시	우리 집 모형 제작

우정건설의 건축디자이너인 당신은 소비자가 그린 공간 스케치를 바탕으로 설계도면을 그려야 합니다. 집 전체 공간 넓이는 150㎡가 넘지 않습니다. 이들이 앞으로 입주할 주택이 가족의 소망이 담긴 행복한 공간이 될 수 있도록 멋지게 설계도면을 완성해 주세요.

아래 설계도면은 참고용입니다. 축척을 반영하여 방안지에 작성해 주세요.

공간구분	공간의 넓이(㎡)
거실	
부엌(식당)	
안방	
침실	

소비자의 이해를 돕기 위해 건축디자이너로서 공간별 활용 방법을 제안해 주세요.

거실	
부엌	
안방	
침실	

관련교과	국어	사회	도덕	수학	과학	실과			체육	예술		영어	창의적 체험활동	자유학기활동		
						기술	가정	정보		음악	미술			진로 탐색	주제 선택	예술 체육
				●		●							●		●	

1. 집의 전체 넓이는 120~150㎡ 사이가 되도록 합니다. 공간별 넓이를 정확하게 계산해서 완성합니다.
 -1㎡는 가로 1m× 세로 1m
2. 도면의 축척이 1:20 또는 1:40을 지켜서 정확하게 나타내는 것이 중요합니다.
3. 건축디자이너가 제안하는 공간별 활용방법은 소비자의 이해를 돕기 위한 것이므로 예를 들어 쉽게 설명할 수 있어야 합니다.

나만의 교과서

4가지 기본항목을 채우고, 퀘스트 해결과정에서 공부한 내용이나 수집한 정보를 토대로 자신만의 방식으로 알차게 표현해 보세요. 그림이나 생각그물의 형태로 표현하는 것도 좋습니다.

ideas
문제해결을 위한 나의 아이디어

facts
문제와 관련하여 내가 알고 있는 것들

learning issues
문제해결을 위해 공부해야 할 주제

need to know
반드시 알아야 할 것

스스로 평가

자기주도학습의 완성!

		나의 신호등
01	나는 공간의 특성을 고려하여 특별한 테마를 적용하였다.	1 2 3 4 5
02	나는 생활자원의 절약과 효율적인 관리가 이루어질 수 있도록 공간을 설계하였다.	1 2 3 4 5
03	나는 공간의 특성을 잘 살려서 공간 스케치를 하였다.	1 2 3 4 5
04	나는 공간별 인테리어 디자인 사례를 참고하였다.	1 2 3 4 5
05	나는 문제해결을 위해 탐구한 내용과 수집한 정보를 바탕으로 나만의 교과서를 멋지게 완성하였다.	1 2 3 4 5

자신의 학습과정을 되돌아보고 진지하게 평가해주세요.

Level up

오늘의 점수	나의 총점수

Quest 퀘스트 03

인테리어 전문가로 변신!! 벽면 디자인하기

★★★★★★★★★

소비자가 직접 그린 공간 스케치 제출 → 건축디자이너를 통한 설계도면 완성 → 벽면디자인을 포함한 인테리어 방안 제시 → 우리 집 모형 제작

특별한 가구와 소품이 없어도 벽면디자인에 따라 다양한 분위기를 연출할 수 있습니다. 인테리어 전문가로서 벽면디자인에 당신의 감성을 담아보세요. 더불어 소비자가 제안한 공간별 테마에 부합하는 매력적인 작품을 기대하겠습니다.

벽면디자인 시안 – 교실 벽면에 직접 표현하기

벽면디자인을 중심으로 한 인테리어 소개 – UCC 동영상 제작하기

관련교과	국어	사회	도덕	수학	과학	실과			체육	예술		영어	창의적 체험활동	자유학기활동		
						기술	가정	정보		음악	미술			진로 탐색	주제 선택	예술 체육
								●			●		●		●	●

1. 모둠별로 할당된 교실벽면에 직접 구현합니다. 재료는 절연테이프(검정색)로 단순하게 그렇지만 공간의 개성이 잘 드러나도록 표현해 주세요.
2. 사전에 미리 도안을 짜서 벽면에 표현하는 것이 효과적입니다. 기존의 예술작품을 참고해서 표현하는 것도 효과적인 방법이겠죠?
3. 벽면표현은 40분이라는 제한시간이 있습니다. 사전준비가 중요하므로 모둠 구성원 간에 충분히 의견을 교환하세요.
4. 완성된 벽면디자인 작품을 중심으로 인테리어 차별점에 대한 설명 UCC 동영상을 제작하고 온라인 발표공간에 올립니다.

나만의 교과서

4가지 기본항목을 채우고, 퀘스트 해결과정에서 공부한 내용이나 수집한 정보를 토대로 자신만의 방식으로 알차게 표현해 보세요. 그림이나 생각그물의 형태로 표현하는 것도 좋습니다.

ideas 문제해결을 위한 나의 아이디어	facts 문제와 관련하여 내가 알고 있는 것들

learning issues 문제해결을 위해 공부해야 할 주제	need to know 반드시 알아야 할 것

스스로 평가

자기주도학습의 완성!

나의 신 호 등

01	나는 공간의 특성에 맞는 도안을 그렸다.	1 2 3 4 5
02	나는 꾸미는 재료(절연테이프)를 고려해서 표현방법을 적용하였다.	1 2 3 4 5
03	나는 기존 벽면디자인 사례를 탐구했으며, 이를 바탕으로 활동을 진행하였다.	1 2 3 4 5
04	나는 주어진 시간을 초과하지 않고 활동을 마무리하였다.	1 2 3 4 5
05	나는 문제해결을 위해 탐구한 내용과 수집한 정보를 바탕으로 나만의 교과서를 멋지게 완성하였다.	1 2 3 4 5

자신의 학습과정을 되돌아보고 진지하게 평가해주세요.

Level up

오늘의 점수	나의 총점수

Quest 퀘스트 04

평범함을 거부한다! 나만의 집 모형 완성 ★★★★★★★★★

소비자가 직접 그린 공간 스케치 제출	건축디자이너를 통한 설계도면 완성	벽면디자인을 포함한 인테리어 방안 제시	우리 집 모형 제작

이제 마지막 단계만 남았습니다. 당신은 소비자의 요구를 반영한 설계도면과 벽면디자인을 토대로 '집 모형(house miniature)'을 만들어야 합니다. 평범함을 거부한 당신의 선택은 마리스칼, 집이 가족의 행복은 물론 '재미'가 가득한 공간이 될 수 있도록 그의 디자인 철학을 배우고 적용하고자 합니다. 발상의 전환, 파격적인 디자인으로 세상에 둘도 없는 나만의 집을 구현해 보세요.

※ 미니어처(miniature) : 실물과 같은 모양으로 정교하게 만들어진 작은 모형

마리스칼의 디자인 철학을 반영한 나만의 집 모형을 완성하세요.

관련교과	국어	사회	도덕	수학	과학	실과			체육	예술		영어	창의적 체험활동	자유학기활동		
						기술	가정	정보		음악	미술			진로탐색	주제선택	예술체육
						●					●		●		●	●

1. 기본적으로 이전 퀘스트 수행 내용을 토대로 집 모형을 만들어야 합니다. 다만, 대표할 수 있는 특정 공간에 집중해서 나타내는 것도 좋은 방법입니다.
2. 마리스칼의 디자인 철학을 이해하기 위해 충분히 그의 작품을 찾아보고 어떻게 적용할지 고민하도록 합니다.

나만의 교과서

4가지 기본항목을 채우고, 퀘스트 해결과정에서 공부한 내용이나 수집한 정보를 토대로 자신만의 방식으로 알차게 표현해 보세요. 그림이나 생각그물의 형태로 표현하는 것도 좋습니다.

ideas 문제해결을 위한 나의 아이디어	facts 문제와 관련하여 내가 알고 있는 것들

learning issues 문제해결을 위해 공부해야 할 주제	need to know 반드시 알아야 할 것

스스로 평가
자기주도학습의 완성!

		나의 신호등
01	나는 사전에 마리스칼의 디자인 철학을 이해하기 위한 활동을 전개하였다.	1 2 3 4 5
02	나는 파격적이고 창의적인 방법으로 집 모형을 만들었다.	1 2 3 4 5
03	나는 적극적인 참여와 협력, 배려를 통해 모둠활동을 진행하였다.	1 2 3 4 5
04	나는 앞서 수행했던 활동과의 연계성을 고려하여 과제를 수행하였다.	1 2 3 4 5
05	나는 문제해결을 위해 탐구한 내용과 수집한 정보를 바탕으로 나만의 교과서를 멋지게 완성하였다.	1 2 3 4 5

자신의 학습과정을 되돌아보고 진지하게 평가해주세요.

Level up

오늘의 점수	나의 총점수

All-Clear
sticker

07 CHAPTER
내 집은 내가 디자인한다

★Teacher Tips

Teacher Tips

'내 집은 내가 디자인한다'는 자신의 살고 싶은 집을 직접 설계하고 완성하는 활동으로 구성됩니다. 주제의 특성상 초등학교 실과, 중학교 기술 교과와 연계하는 것이 무난하지만, 활동의 성격을 놓고 본다면 미술 교과와의 연계도 충분히 고려해볼 수 있습니다. 가능하다면 연계된 여러 교과를 통합하고, 창의적 체험활동 시간을 적절히 할애하여 충분한 시수를 확보하는 것이 중요합니다. 활동의 특성상 교수자가 사전에 준비해야 할 재료가 많습니다. 수업 시작 전에 반드시 필수재료가 잘 준비됐는지 꼼꼼하게 체크해 주세요.

오늘날 자신이 설계과정에 직접 관여하여 지은 집에 거주하고 있는 사람들은 극히 드물겁니다. 그동안 우리는 설계에서 건축에 이르기까지 집을 짓는 모든 과정을 대부분 해당 전문가의 고유영역으로만 여겨왔습니다. 하지만 최근들어 주택에 대한 기존 생각이 조금씩 바뀌면서 소비자의 개별적인 요구를 일부라도 반영하려는 움직임이 일어나고 있습니다. 소비자의 선택 폭을 넓히고, 일부 공간은 직접 설계에 참여하게 하는 등 제한적 수준이지만 작은 변화들이 감지됩니다. 최근 기술의 발전으로 볼 때, 오래지 않아 설계과정에서부터 건축에 이르기까지 소비자의 개별의견이 적극 반영된 주택이 보편화될지도 모를 일입니다.

2013년 미국 오바마 대통령은 국정연설에서 '3D 프린터의 출현은 제3의 산업혁명이다'라고 말한 바 있습니다. 그가 제3의 산업혁명이라 칭하며 3D 프린터에 주목한 이유는 산업의 기존 구조를 바꿀 정도의 혁신적인 힘을 지녔기 때문입니다. 여기엔 건축분야도 예외가 아닙니다. 이미 중국을 비롯한 미국, 네덜란드 등에서는 3D 프린팅 기술을 활용한 건축이 이루어지고 있습니다. 설계도면을 컴퓨터에 입력만 하면 3D 프린터가 오차없이 그대로 주택을 짓게 되는 시대가 현실로 성큼 다가오고 있는 것입니다. 자신이 디자인한 집에 사는 기분은 어떨까요? 이 수업은 가상이지만, 자신이 그려오던 집을 디자인하고 구현해보는 데 목적을 두고 있습니다. 이 수업과 관련된 교과의 내용요소를 따져본다면 다음과 같습니다.

건축조형이나 디자인 표현영역 등에 중점을 두고자 한다면, 관련된 미술단원과 연계하여 진행하는 것이 바람직합니다. 기본적으로 수업의 목적에 따라 얼마든지 중점 연계교과와 단원을 선정하여 진행할 수 있습니다.

교과	영 역	내용요소	
		초등학교 [5-6학년]	중학교 [1-3학년]
국어	듣기말하기	◆토의[의견조정] ◆발표[매체활용] ◆체계적 내용 구성	◆토의[문제 해결] ◆발표[내용 구성] ◆매체 자료의 효과
실과 정보	생활문화	◆생활 소품 만들기	◆주생활 문화와 주거 공간 활용
	기술시스템	◆소프트웨어의 이해 ◆절차적 문제해결	◆건설 기술 시스템 ◆건설 기술 문제해결
	기술활용	◆일과 직업의 세계 ◆발명과 문제해결	◆발명 아이디어의 실현
미술	표현	◆표현 방법(제작) ◆소재와 주제(발상)	◆표현 매체(제작) ◆주제와 의도(발상)
	체험	◆이미지와 의미 ◆미술과 타 교과	◆이미지와 시각문화 ◆미술관련직업(미술과 다양한 분야)

특정교과 중심의 수업운영에서 탈피하여 창의적 체험활동을 비롯한 중학교 자유학기의 주제선택활동이나 예술·체육활동과 연계하여 운영하는 것도 가능합니다. 문제의 대체적인 수준을 고려할 때, 대략 초등학교 6학년 이상이면 무난히 도전할 수 있습니다. 수업의 목적에 맞게 추가적인 퀘스트를 개발하거나 기존 퀘스트의 내용을 재구성하여 적용한다면 좀 더 효과적인 학습환경을 제공해 줄 수 있을 겁니다.

- 적용대상(권장): 초등학교 6학년-중학교 2학년
- 자유학년활동: 주제선택(권장) / 예술·체육
- 학습예상소요기간(차시): 8-10일(8-10차시)
- Time Flow

8일 기준

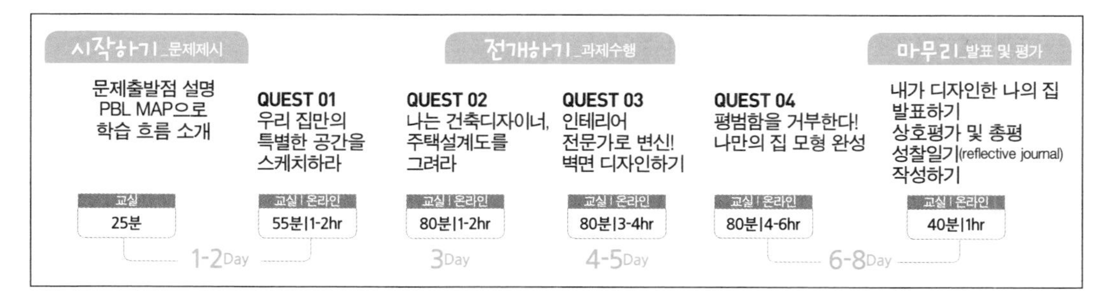

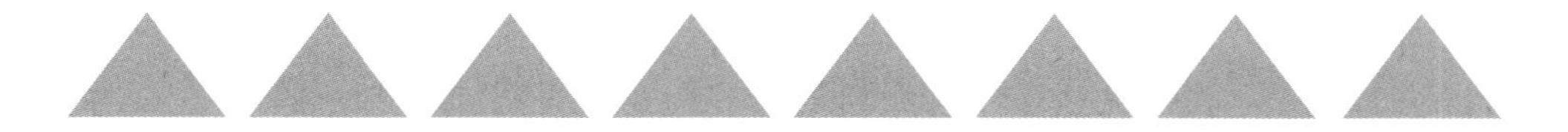

Teacher Tips

● 수업목표(예)

QUEST 01	◆우리 집만의 공간스케치를 통해 생활자원의 절약과 효율적인 관리에 대한 중요성을 인식할 수 있다. ◆주거 공간에 대한 발상의 전환과 공간별 쓰임에 대한 다양한 생각을 동료와 공유할 수 있다.
QUEST 02	◆건축디자이너로서 축척(비례식)을 반영하여 설계도면을 작성할 수 있다. ◆입체 공간을 전개도 방식으로 도면에 나타내고, 각 공간별 넓이를 구할 수 있다. ◆공간스케치를 바탕으로 정확한 설계도면을 완성할 수 있다.
QUEST 03	◆공간별 개성이 잘 드러나도록 선을 이용한 벽면디자인을 할 수 있다. ◆벽면디자인 작품설명 UCC 동영상을 제작할 수 있다.
QUEST 04	◆다양한 입체도형을 이용하여 집 모형을 만들 수 있다. ◆공간스케치와 설계도면에 따른 집모형을 완성할 수 있다. ◆마리스칼의 작품과 디자인 철학을 이해하고 창의적인 방식으로 표현할 수 있다.
공통	◆모든 퀘스트가 건설회사로서 차별화된 경쟁력을 확보하기 위해 추진되는 사업이므로 자유와 경쟁에 대한 기본적인 이해를 바탕으로 문제를 해결할 수 있다. ◆3D 프린팅 기술에 의한 미래 건축분야의 산업변화를 예상하고 관련 진로를 탐색할 수 있다(선택). ◆다양한 매체에서 조사한 내용을 정리하고 자신의 언어로 재구성하는 과정을 통해 창의적인 산출물을 만들어낼 수 있다. 이 과정을 통해 지식을 생산하기 위해 소비하는 프로슈머로서의 능력을 향상시킬 수 있다. ◆토의의 기본적인 과정과 절차에 따라 문제해결 방법을 도출하고, 온라인 커뮤니티 등의 양방향 매체를 활용한 지속적인 학습과정을 경험함으로써 의사소통 능력을 신장시킬 수 있다.

시작하기

중심활동 : 문제의 출발점 파악하기, 학습의 흐름 이해하기

- 집에 관한 가벼운 이야기 나누기 / 3D 프린터를 중심으로 건축의 오늘과 내일의 기술 소개하기
- 문제의 출발점을 제시하고 배경과 상황 안내하기
- 문제의 조건과 주인공으로서의 관점 제시하기
- PBL MAP을 중심으로 '내 집은 내가 디자인한다'의 전체 학습흐름 설명하기
- 각 퀘스트의 활동 내용 일부를 공개하고 문제에서 제시한 주택 설계절차에 따라 활동이 진행된다는 사실 공유하기

인류에게 있어서 집이 가진 의미가 무엇일지 가볍게 이야기하면서 수업을 시작하도록 합니다. 과거에서 현재까지 집과 얽힌 다양한 이야기를 이것저것 끄집어내면서 자연스럽게 수업 주제에 학생들의 관심이 모아지도록 하면 됩니다. 더불어 건축에 활용되고 있는 '3D 프린터' 기술의 오늘과 내일을 소개하면서 앞으로의 관련 산업이 어떻게 변화될지 예

상해 보는 것도 학생들의 호기심을 유발하는 데 도움이 될 수 있습니다. 참고로 3D 프린팅 기술을 이용한 건축사례는 인터넷 검색을 통해 손쉽게 찾을 수 있습니다.

'내 집을 내가 디자인하는 세상'이 가까운 미래엔 누구에게나 가능한 현실이 될 수 있음을 느끼게 된다면, 학생들이 과제를 수행하는 태도부터 달라지게 될 것입니다. 앞서 언급한 내용과 연관지어 문제상황 속 우정건설이 새로운 건축방식을 도입하게 된 배경을 설명하도록 합니다. 이러한 과정을 통해 학생들이 문제상황을 충분히 이해하였다면, 'PBL MAP'을 활용해 학습의 흐름과 각 퀘스트별 수행해야 할 과제 및 활동을 간략하게 소개합니다.

만약 학생들의 진로탐색활동과 연계하고자 한다면 건축분야의 대표적인 직업들을 조사하고 살펴보는 시간을 별도로 가져보는 것이 좋습니다. 현장답사나 전문가 인터뷰 등을 사전 혹은 사후과제로 제시하여 실질적인 모색이 이루어지도록 하는 것도 고려해 볼 만 합니다.

전개하기

'내 집은 내가 디자인한다'는 총 4개의 기본퀘스트로 구성되어 있습니다. 퀘스트는 아래 문제에 표기된 절차순으로 진행됩니다. 특정 교과내용과의 연계성을 높이고자 한다면 해당 활동의 절차를 세분화하고, 추가적인 과제를 제시하여 운영하면 됩니다.

소비자가 직접 그린 공간 스케치 제출	건축디자이너를 통한 설계도면 완성	벽면디자인을 포함한 인테리어 방안 제시	우리 집 모형 제작

Teacher Tips

● 퀘스트1 : 우리 집만의 특별한 공간을 스케치하라

중심활동 : 공간스케치

- 제시된 퀘스트에 따라 우리 집만의 개성을 담아낼 수 있는 공간스케치 활동 펼치기
- 친환경적인 설계를 위해 생활자원의 절약과 효율적인 관리가 이루어지는 방향으로 촉진하기
- 모둠구성원이 가상의 가족이 되어 공간별 역할분담, 개별적으로 테마 결정하기
- 모둠구성원 각자가 정한 공간별 아이디어와 특성을 반영하여 그리기

Quest 퀘스트 01 우리 집만의 특별한 공간을 스케치하라 ★★★★★

당신은 내년에 우정건설이 짓는 주택에 입주할 예정입니다. 가족 각자의 개성이 녹아있는 공간을 소원하고 있는 터라, 우정건설이 새롭게 추진하고 있는 건설방식을 환영하고 있습니다. 주택 설계 절차는 다음과 같습니다.

소비자가 … 공간 스… → 벽면디자인을 포함한 인테리어 방안 제시 → 우리 집 모형 제작

모둠을 가상의 가족단위로 설정하고 각각 책임질 역할을 나누도록 합니다. 예를 들어 4인일 때는 아버지, 어머니, 누나, 나 등으로 하면 됩니다. 모둠 구성원의 공통적인 가족관계를 참고하여 진행하는 것도 좋은 방법입니다.

우선, 당… 제출해야 합니다. 가족의 의견을 모아서 다양한 개성… …요. 단, 생활자원의 절약과 효율적인 관리가 이루어질 수 있… …니다.

	모둠 가족이 제안한 공간별 테마를 적어보세요.	공간위치 (예)거실
1		
2		
3		
4		

[공간스케치] 당신의 반짝이는 아이디어와 공간의 특성을 살려서 그려보세요.

역할에 따라 공간위치를 정하고, 공간의 특성을 담은 테마를 적도록 합니다. 각자 책임질 공간의 테마를 결정할 때는 해당 학생의 개별의견 중심으로 반영하는 것이 불필요한 갈등을 예방할 수 있습니다.

친환경적인 설계의 중요성을 강조하고 생활자원의 절약과 동선(실내 이동)까지 고려한 효율적인 디자인이 이루어지는 방향으로 촉진해야 합니다. 주의할 것은 개별적으로 제안한 공간별 아이디어와 특성이 공간스케치 안에 반영될 수 있도록 해야 한다는 점입니다. 참고로 공간스케치를 키워드 검색하면 손쉽게 해당 사례를 접할 수 있습니다.

관련교과	국어	사회	도덕	수학	과학	실과	
						기술	가정
						●	

1. 모둠원 각자가 가족 구성원이 되어 책임질 공간을 정합니다. 모둠… …, 3명일 때는 거실, 부엌, 방으로 나누어 활동을 진행하는 것이 좋습니다.
2. 불필요한 시간과 각종 자원(전기에너지, 물, 가스 등)의 낭비를 줄일 수 있도… …가 필요합니다.
3. 인터넷을 통해 공간별 인테리어 디자인을 참고하는 것도 좋은 방법입니다.

● 퀘스트2 : 나는 건축디자이너, 주택설계도를 그려라

중심활동 : 설계도면 그리기

- 우정건설의 건축디자이너로서 [퀘스트1]의 공간스케치를 바탕으로 설계도면 작성 안내하기
- 축척을 이용하여 방안지(전지)에 작성하고, 공간별 넓이 산출하기
- 소비자의 이해를 돕기 위한 공간별 활용방법 제안하기

Quest 퀘스트 02 나는 건축디자이너, 주택설계도를 그려라

★★★★★★

학생들은 이전 퀘스트에서 완성한 공간 스케치를 토대로 설계도면을 작성해야 합니다. 기본적으로 우정건설의 건축디자이너로서 활동을 진행해야 하는데, 2절지 이상의 방안지 활용을 권장하는 것도 이와 관련이 있습니다. 건축디자이너들이 흔히 사용하는 도면크기 이상으로 작성하는 것이 상황 몰입감을 높입니다. 더불어 도면의 축척을 계산하는 데 용이한 측면도 있습니다.

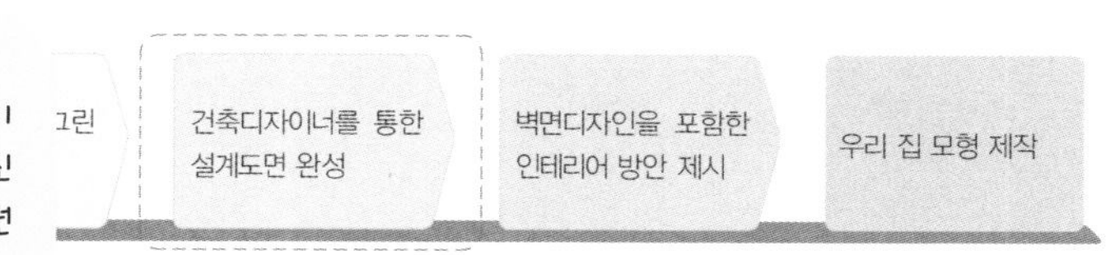

…디자이너인 당신은 소비자가 그린 공간스케치를 바탕으로 설계도면을 … 전체 공간 넓이는 150㎡가 넘지 않습니다. 이들이 앞으로 입주할 주택 … 담긴 행복한 공간이 될 수 있도록 멋지게 설계도면을 완성해 주세요.

아래 설계도면은 참고용입니다. 축척을 반영하여 방안지에 작성해 주세요.

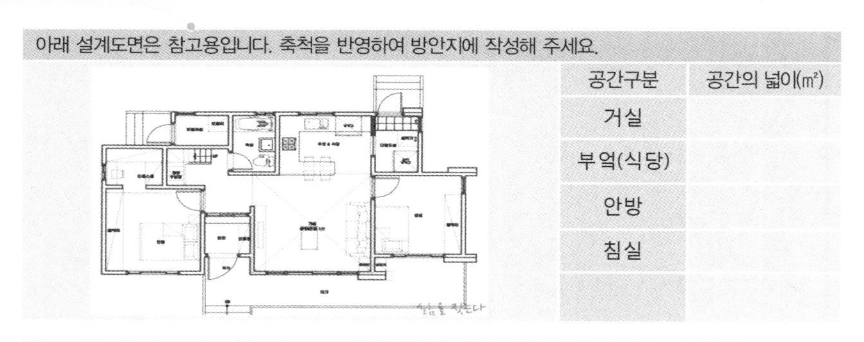

공간구분	공간의 넓이(㎡)
거실	
부엌(식당)	
안방	
침실	

소비자의 이해를 돕기 위해 건축디자이너로서 공간별 활용 방법을 제안해 주세요.

학년이 낮을수록 설계도면을 작성하는데 어려움을 느끼는 경우가 대부분입니다. 무리한 학습진행은 학습의 흥미를 저하시키므로 공간의 '표현'에 중점을 두고 진행하는 것이 수월합니다. 활동의 목적이나 학습자의 수준을 고려해서 소비자의 이해를 돕기 위한 공간별 활용방법 제안에 무게 중심을 두는 것도 괜찮습니다. 해당 현장에 적합한 방법으로 퀘스트를 진행해 주세요.

120-150㎡로 제한된 집의 전체넓이를 감안하여 공간별 넓이를 정하는 것이 중요합니다. 설계도면을 그릴 방안지의 크기를 감안하여 축척을 정하고, 해당 축척에 따라 설계도면이 완성되도록 안내합니다. 기술교과와의 연계성을 강화하고자 한다면 관련 개념에 대한 미니강의를 제공하고, 연습도 하면서 충분한 시간을 할애하도록 하고, 그렇지 않다면 지나치게 엄밀성을 강조하지 않도록 주의합니다.

도덕	수학	과학	실과			체육
			기술	가정	정보	
	●		●			

…20–150㎡ 사이가 되도록 합니다. 공간별 넓이를 정확하게 …
…척이 1:20 또는 1:40을 지켜서 정확하게 나타내는 것이 중요합니다.
3. 건축디자이너가 제안하는 공간별 활용방법은 소비자의 이해를 돕기 위한 것이므로 예를 들어 쉽게 설명할 수 있어야 합니다.

● 퀘스트3 : 인테리어 전문가로 변신! 벽면 디자인하기

중심활동 : 선으로 표현하는 벽면디자인, UCC 영상 제작하기

- 공간별 테마에 부합하는 벽면디자인 구안하기
- 모둠구성원 간의 협업을 통해 최종 디자인 결정하기
- 교실 벽면에 디자인한 도안을 직접 표현하기(절연테이프를 활용한 시안 제작)
- 완성된 벽면디자인 작품을 중심으로 인테리어 차별점에 대한 설명 UCC 영상을 제작하고 온라인 발표공간에 올리기

Quest 퀘스트 03 인테리어 전문가로 변신! 벽면 디자인하기

★★★★★★★★

공간별 테마 중에 모둠에서 하나를 선택하고, 교실 또는 복도 벽면에 직접 표현하는 활동입니다. 절연테이프를 이용하여 표현활동을 하면 전시기간 이후에 깔끔하게 제거하는 데 용이한 면이 있습니다. 더욱이 포스트잇처럼 붙이고 떼기를 반복하며 손쉽게 수정할 수 있습니다.
제한된 수업시간 안에 차질 없이 진행하려면 사전에 도안을 구안하고, 벽면에 옅은 연필로 표시하도록 안내해야 합니다.

소비자가 직접 그린 공간 스케치 제출 → 건축디자이너를 통한 설계도면 완성 → 벽면디자인을 포함한 인테리어 방안 제시 → 우리 집 모형 제작

특별한 가구와 소품이 없어도 벽면디자인에 따라 다양한 분위기를 연출할 수 있습니다. 인테리어 전문가로서 벽면디자인에 당신의 감성을 담아보세요. 더불어 소비자가 제안한 공간별 테마에 부합하는 매력적인 작품을 기대하겠습니다.

벽면디자인 시안 – 교실 벽면에 직접 표현하기

타이머를 이용하여 제한 시간을 수시로 확인하도록 하면 활동의 몰입도가 상당히 높아집니다. 40~50분 정도의 시간 안에 벽면디자인 활동이 이루어지도록 안내해 주세요. 모둠구성원 간 협업이 중요한 만큼 갈등이 발생하지 않도록 사전준비를 철저히 할 필요가 있습니다.

벽면디자인을 중심으로 한 인테리어 소개 – UCC 동영상 제작하

절연테이프를 이용한 벽면디자인은 누구나 손쉽게 할 수 있는 활동입니다. 부모와 함께하는 참여 수업을 고민한다면, 벽면디자인 활동을 다같이 해보는 것도 고려해볼 만합니다.
벽면디자인이 완성되면 이를 배경으로 인테리어의 차별성을 알리는 UCC 영상을 제작하도록 안내합니다. 이때, UCC 영상은 발표내용을 담는 수준으로 촬영하고, 곧바로 온라인 공간에 올려 공유하는 방향으로 진행하는 것이 좋습니다.

과학	실과			체육	예술		...체육
	기술	가정	정보		음악	미술	
			●			●	●

…현합니다. 재료는 절연테이프(검정색)로 단순하게 그렇지만 공간의 개성이 잘 드러나…

…하는 것이 효과적입니다. 기존의 예술작품을 참고해서 표현하는 것도 효과적인 방…

3. 벽면표현은 40분이라는 제한시간이 있습니다. 사전준비가 중요하므로 모둠 구성원 간에 충분히 의견을 교환하세요.
4. 완성된 벽면디자인 작품을 중심으로 인테리어 차별점에 대한 설명 UCC동영상을 제작하고 온라인 발표공간에 올립니다.

● 퀘스트4 : 평범함을 거부한다! 나만의 집 모형 완성

중심활동 : 창의적인 집모형 만들기, 30초 TV CF 제작

- [퀘스트1]의 공간스케치와 [퀘스트2]의 설계도면, 그리고 [퀘스트3]의 벽면디자인을 토대로 '집 모형 (house miniature)' 만들기
- 마리스칼의 작품과 디자인 철학을 접목하여 창의적으로 표현하기
- 최종결과물을 활용한 우정건설의 30초 TV CF 만들기

Quest 퀘스트 04 평범함을 거부한다! 나만의 집 모형 완성

★★★★★★★★

소비자가 직접 그… 공간 스케치 제… | …벽면디자인을 포함한 …테리어 방안 제시 | 우리 집 모형 제작

앞서 수행한 퀘스트 결과물인 공간스케치, 설계도면, 벽면디자인 등을 바탕으로 집 모형을 제작해야 합니다. 기술교과와의 연계성을 고려하지 않고 있다면 좀더 자유롭게 활동을 진행할 수 있습니다.

마리스칼 작품을 살펴보고, 그의 디자인 철학에 대해 충분히 공유하고 논의할 수 있도록 합니다. 기술교과와의 연계성을 고려하고 있다면 설계도면에 따른 정확한 모형 제작을 요구해야 하지만, 그렇지 않다면 마리스칼과 같은 창의적이고 자유로운 표현을 강조하는 것이 좋습니다.

…막 드… …의 요구를 반영한 설계도면과 벽면디자… 집 … …어야 합니다. 평범함을 거부한 당신의 선…, 집이 … …재미'가 가득한 공간이 될 수 있도록 그의 디…배우고 적용하고자 합니다. 발상의 전환, 파격적인 디자인으로 세상에 둘도 …집을 구현해 보세요.

…iature) : …과 같은 모양으로 정교하게 만들어진 작은 모형

마리스칼의 디자인 철학을 반영한 나만의 집 모형을 완성하세요.

집 모형을 완성하면 이를 활용해 30초 TV CF를 제작하도록 안내합니다. TV CF 제작은 즉흥적인 콩트를 동영상에 담는 수준으로 진행하는 것이 적절합니다. 학생들이 지나친 부담감을 호소하지 않도록 활동의 무게를 사전에 조율할 필요가 있습니다. 사람이 드나들 정도로 큰 집모형이 완성되면, 분명 허접할테지만 학생들은 무척 좋아합니다. 가급적 오랜시간을 집모형에서 생활할 수 있도록 배려해 주세요. 그곳에서 간식이나 점심을 즐기게 하면, 이 수업을 평생 잊지 못합니다.

…CAL

학생들이 주변에서 손쉽게 구할 수 있는 재료(책걸상, 종이상자 등)를 이용해 사람이 드나드는 수준의 거대 집모형을 만들도록 하는 것도 재미있는 시도가 될 수 있습니다.

수학	과학	실과			체육	예술		영어	창의적 체험활동	자유학기활동		
		기술	가정	정보		음악	미술			진로 탐색	주제 선택	예술 체육
		●					●		●		●	●

…행 내용을 토대로 집 모형을 만들어야 합니다. 다만, 대표할 수 있는 특정 공간에 집중해서 나…니다.

…철학을 이해하기 위해 충분히 그의 작품을 찾아보고 어떻게 적용할지 고민하도록 합니다.

Teacher Tips

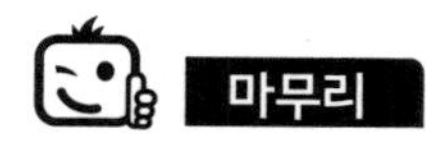

수업의 마무리는 '내가 디자인한 나의 집'이라는 주제로 자랑하기 시간을 갖습니다. 30초 TV CF를 보여주면서, 퀘스트별 수행한 내용을 간략하게 소개할 수 있도록 안내해 주세요. 아래처럼 PBL 수업을 마무리하면 됩니다. 선택활동은 '게임화(Gamification)'에 적합한 피드백시스템을 운영했을 때 권장되는 순서입니다. 참고하세요.

중심활동 : 발표 및 평가하기

- 모둠별로 '내가 디자인한 나의 집' 자랑하기
- [선택] 각 퀘스트별 수행점수(경험치)를 각자 집계하고 누계점수 기록하기
- [선택] 누적해 온 수행점수를 토대로 레벨 부여하기(Level Up)
- [선택] PBL 스스로 점검(자기평가 & 상호평가) 내용을 토대로 능력점수(능력치) 집계하기
- 학생들은 성찰저널(reflective journal)을 작성해서 온라인 학습커뮤니티에 올리고 선생님은 덧글로 피드백 해주기
- [선택] Level Up 피드백 프로그램에 따른 개인별 레벨 선정과 프로그래스바 혹은 리더보드 공개하기, 결과에 따른 배지 수여

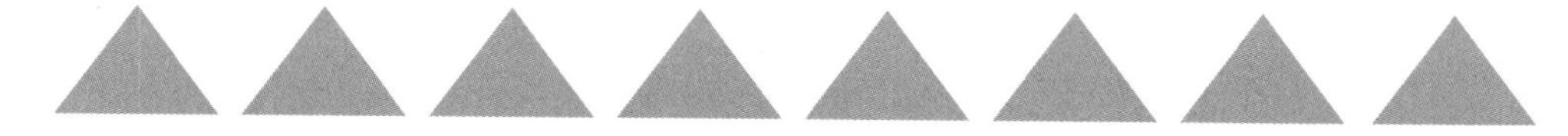

CHAPTER 08

꿀벌이 사라졌다

INTRO.

꿀벌이 사라지면 지구는 어떻게 되지?

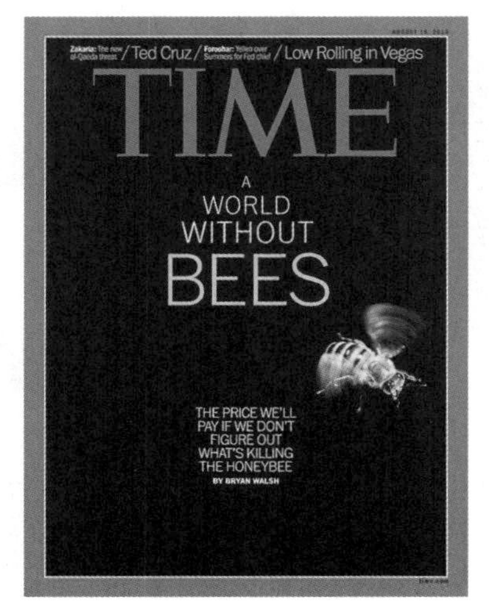

'꿀벌이 사라지면 4년 이내에 인류가 멸망한다.' 세계적인 과학자 아인슈타인은 꿀벌 멸종과 지구 멸망의 상관성을 주장하였습니다. 그는 지구상에서 꿀벌이 사라지며 생긴 사건 사고와 현상들이 각기 별개가 아닌 한 선 위에 존재하다고 보았습니다. 이와 관련하여 휴대전화에서 발생하는 전자기장이 전세계 벌의 감소 원인이 될 수 있으며, 야생화의 감소와 최신 살충제로 인한 신경계 교란으로 벌이 멸종할 수 있다고 생물학자들과 관련 전문가들이 주장하고 있습니다.

그도 그럴 것이 지구는 꿀벌에 대한 의존도가 대단히 높습니다. 지구에 존재하는 충매화의 경우 꿀벌에 대한 의존도가 대략 80%를 넘어서고 있으며, 인간의 먹거리 중 1/3이상이 꿀벌과 관계하고 있다고 합니다. 실제로 21세기 들어 지구촌 각지에서 꿀벌 멸종 현상이 나타나고 있으며, 그런 위기감을 반영하듯 인류멸망, 지구종말론의 가설 중 하나로 자루 거론되고 있습니다.

자, 이제 여러분들은 꿀벌이 사라진 가상의 지구에서 인류의 생존을 위한 방법을 찾아내야 하는 임무가 부여됩니다. 더 나아가 지구상에서 하나 둘씩 사라지고 있는 동식물에 주목하고 이들을 지키기 위한 각종 활동을 벌이게 됩니다.

* 문제시나리오에 사용된 어휘빈도(횟수)를 시각적으로 나타낸 워드클라우드(word cloud)입니다.
워드클라우드를 통해 어떤 주제와 활동이 핵심인지 예상해 보세요.

꿀벌이 사라졌다

꿀벌이 갑자기 사라졌습니다. 온 세계가 충격에 휩싸인 상태입니다. 여기저기서 인류의 멸망을 우려하는 목소리가 터져 나오고 있습니다.

'도대체 원인이 뭘까요?'

'어디서부터 어떻게 잘못된 걸까요?'

'정말 꿀벌의 멸종이 인류의 멸망으로 이어지게 될까요?'

지금 절망에 빠진 세계를 구하기 위해 여러 분야의 유능한 전문가들이 모이고 있다는 소식입니다. 꿀벌의 멸종이 '풍전등화(風前燈火)', 바람 앞에 등불처럼 인류의 운명을 위태롭게 만들고 있습니다. 한치 앞도 내다보지 못하는 것이 인생이라지만 그냥 이대로 기다릴 순 없는 노릇입니다. 반드시 알아야 합니다. 아직 인류의 운명은 결정되지 않았으니까요. 이제부터 당신에게 중요한 임무가 부여됩니다.

지피지기백전백승(知彼知己百戰百勝)!

PBL MAP

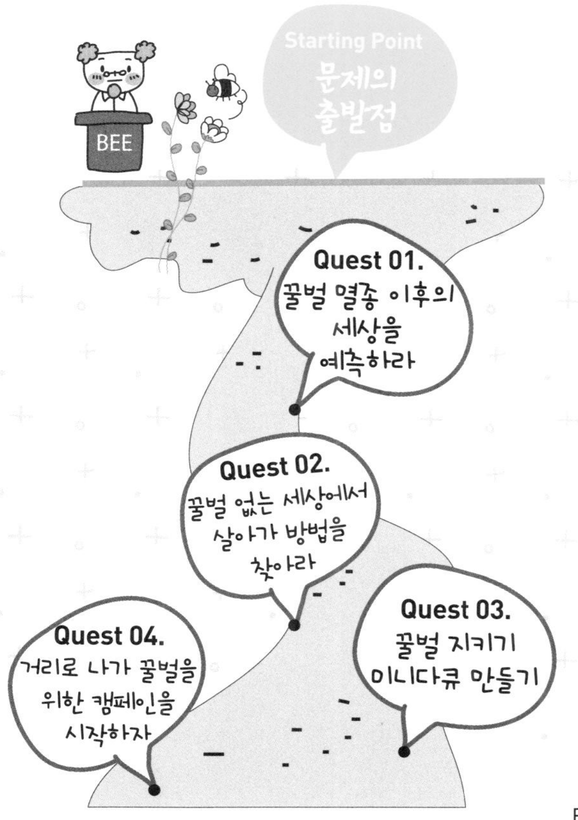

Quest 퀘스트 01

꿀벌 멸종 이후의 세상을 예측하라

★★★★★★

충매화, 즉 곤충의 수분으로 열매를 맺는 식물이 지구상에 80% 정도를 차지하고 있습니다. 당장 꿀벌에 의해 수분이 이루어져 왔던 식물들의 멸종이 우려되고 있는데요. 현실적인 고통으로 다가올 날이 얼마 남지 않은 상태입니다. 가까운 미래에 꿀벌의 멸종이 가져올 메가톤급 폭풍이 어느 정도일지 예측해보는 것은 지금으로서 상당히 중요해 보입니다. 분야별 정확한 예측은 해결방법을 찾을 때까지 급작스런 혼란을 예방할 수 있고, 운이 좋다면 생태계 복원을 위한 작은 실마리도 찾을 수 있을 겁니다. 당신이 있어 아직 희망은 있습니다. 전문가로서 꿀벌 멸종 이후의 세상을 분야별로 예측하고, 일반인도 이해하기 쉽도록 가상시나리오를 작성해 제시해 주세요.

❶ 꿀벌 멸종이 어떤 변화를 초래하게 될까요? 분야별로 근거를 들어 예측해 봅시다.

분 야	예 측	근 거
인간사회 (경제, 정치)		
생태계 (동물과 식물)		
지구환경 (기후)		
그밖에		

❷ 일반인도 이해하기 쉽도록 '꿀벌 멸종 이후의 세상' 가상시나리오를 작성해 주세요.

	가상시나리오
인간사회 (경제, 정치)	
생태계 (동물과 식물)	
지구환경 (기후)	
그밖에	

관련교과	국어	사회	도덕	수학	과학	실과			체육	예술		영어	창의적 체험활동	자유학기활동		
						기술	가정	정보		음악	미술			진로 탐색	주제 선택	예술 체육
	●	●			●								●		●	

1. 그동안 꿀벌들은 지구상에서 어떤 역할을 하고 있었을까요? 제대로 알고 출발한다면 꿀벌 멸종이 가져올 세상을 예측하는데 도움이 될 겁니다.
2. 분야별 예측은 반드시 사회적, 과학적 근거를 가지고 이루어져야 합니다. 자신의 개인적 생각을 정리하는 것은 바람직하지 않습니다. 주의해 주세요.
3. 가상시나리오는 일반인도 쉽게 이해할 수 있도록 작성하는 것이 좋습니다. 필요에 따라서 사진자료나 웹툰 형태로 표현하도록 하세요.

나만의 교과서

4가지 기본항목을 채우고, 퀘스트 해결과정에서 공부한 내용이나 수집한 정보를 토대로 자신만의 방식으로 알차게 표현해 보세요. 그림이나 생각그물의 형태로 표현하는 것도 좋습니다.

ideas 문제해결을 위한 나의 아이디어	**facts** 문제와 관련하여 내가 알고 있는 것들

learning issues 문제해결을 위해 공부해야 할 주제	**need to know** 반드시 알아야 할 것

스스로 평가
자기주도학습의 완성!

		나의 신호등
01	나는 꿀벌 멸종에 관한 정보를 적극적으로 찾아보았다.	①②③④⑤
02	나는 꿀벌 멸종이 가져올 변화에 대해 인간사회, 생태계, 지구환경 등으로 나누어 예상해 보았다.	①②③④⑤
03	나는 꿀벌 멸종이 가져올 변화에 대한 분야별 예측에 대한 근거를 분명히 밝혔다.	①②③④⑤
04	나는 예측한 내용과 근거를 들어 설득력있는 가상시나리오를 작성하고자 애썼다.	①②③④⑤
05	나는 문제해결을 위해 탐구한 내용과 수집한 정보를 바탕으로 나만의 교과서를 멋지게 완성하였다.	①②③④⑤

자신의 학습과정을 되돌아보고 진지하게 평가해주세요.

Level up

오늘의 점수

나의 총점수

Quest 퀘스트 02

꿀벌 없는 세상에서 살아가는 방법을 찾아라 ★★★★★

여러 분야에서 암울한 예측만 쏟아내고 있습니다. 예측한 내용만 보더라도 꿀벌 없는 세상은 분명 인류에게 큰 위협이 될 것입니다. 확실한 대비가 필요합니다. 무엇보다 사랑하는 가족을 지키기 위해서라도 여러 상황을 고려하여 가상시나리오별 대응 방안을 강구해 놓아야 합니다. 구체적일수록 좋겠죠? 꿀벌 없는 세상에서의 생존을 위한 현실성 있는 대책을 기대하겠습니다.

각 분야의 가상시나리오별 대응 방안을 제시해 주세요.

	대응 방안
인간사회 (경제, 정치)	
생태계 (동물과 식물)	
지구환경 (기후)	
그밖에	

관련교과	국어	사회	도덕	수학	과학	실과			체육	예술		영어	창의적 체험활동	자유학기활동		
						기술	가정	정보		음악	미술			진로 탐색	주제 선택	예술 체육
		●			●		●						●		●	

1. 퀘스트1의 가상시나리오에 따른 대응 방안을 제시해야 합니다. 현실성 있는 대책이 되려면 구체적인 행동지침이 있어야 합니다. 무엇을 준비하고 무엇을 해야 하는지 제시하는 것이 필요합니다.
2. 사랑하는 가족을 지키기 위한 대응 방안이 되려면 국가 단위가 아닌 가족 단위의 실천을 전제로 해야 합니다.
3. 모둠별 활발한 논의과정을 거쳐 가상시나리오와 대응방안의 완성도를 높입니다.

나만의 교과서

4가지 기본항목을 채우고, 퀘스트 해결과정에서 공부한 내용이나 수집한 정보를 토대로 자신만의 방식으로 알차게 표현해 보세요. 그림이나 생각그물의 형태로 표현하는 것도 좋습니다.

ideas
문제해결을 위한 나의 아이디어

facts
문제와 관련하여 내가 알고 있는 것들

learning issues
문제해결을 위해 공부해야 할 주제

need to know
반드시 알아야 할 것

스스로 평가
자기주도학습의 완성!

		나의 신호등
01	나는 꿀벌 없는 세상에 대한 예측을 토대로 현실성 있는 대응 방안을 고민하였다.	1 2 3 4 5
02	나는 분야별 예측시나리오를 바탕으로 가족단위의 생존 대책을 마련하고자 하였다.	1 2 3 4 5
03	나는 생존 가능성을 높일 수 있는 생활 자원의 효율적인 관리 방법을 제안하고자 하였다.	1 2 3 4 5
04	나는 모둠원 간의 충분한 의사소통을 통해 가상시나리오와 대응방안의 완성도를 높였다.	1 2 3 4 5
05	나는 문제해결을 위해 탐구한 내용과 수집한 정보를 바탕으로 나만의 교과서를 멋지게 완성하였다.	1 2 3 4 5

자신의 학습과정을 되돌아보고 진지하게 평가해주세요.

Level up　오늘의 점수　나의 총점수

Quest 퀘스트 03

꿀벌 지키기 미니다큐 만들기

★★★★★★★

이제 인류는 꿀벌 없는 세상에서 살아가야 합니다. 미련하게도 우리는 꿀벌이 사라지고 나서야 그 소중함을 깨닫게 되었습니다. 꿀벌이 아니더라도 우리 주변에 익숙하게 만나던 동식물들도 하나 둘씩 자취를 감추고 있습니다. 더 이상 똑같은 실수는 안 됩니다. 지킬 수 있을 때 지켜야 합니다. 많은 사람들에게 경각심을 심어줄 수 있는 강렬한 미니다큐를 만들어 봅시다. 지금까지 수행한 결과를 바탕으로 제작하면 됩니다.

미니다큐 제작을 위한 콘티를 작성해 주세요.

* 콘티(continuity): 본래 영화나 드라마 촬영을 위하여 각본을 바탕으로 필요한 모든 사항을 기록한 것. 장면의 번호, 화면의 크기, 촬영 각도와 위치에서부터 의상, 소품, 대사, 액션 따위까지 적혀 있다. 다큐멘터리의 종류에 따라 콘티 활용이 이루어진다.

관련교과	국어	사회	도덕	수학	과학	실과			체육	예술		영어	창의적 체험활동	자유학기활동		
						기술	가정	정보		음악	미술			진로 탐색	주제 선택	예술 체육
	●							●					●		●	●

1. 미니다큐는 5분 정도(최장 7분)의 분량으로 제작합니다. 필요하다면 기존의 사진이나 동영상을 넣는 것도 좋은 방법입니다.
2. 미니다큐는 유튜브를 통해 많은 사람들에게 공개됩니다.

나만의 교과서

4가지 기본항목을 채우고, 퀘스트 해결과정에서 공부한 내용이나 수집한 정보를 토대로 자신만의 방식으로 알차게 표현해 보세요. 그림이나 생각그물의 형태로 표현하는 것도 좋습니다.

ideas 문제해결을 위한 나의 아이디어	facts 문제와 관련하여 내가 알고 있는 것들

learning issues 문제해결을 위해 공부해야 할 주제	need to know 반드시 알아야 할 것

스스로 평가

자기주도학습의 완성!

나의 신호등

01	나는 앞서 수행한 내용을 바탕으로 꿀벌 멸종이 가져올 부정적인 미래를 담은 다큐멘터리를 만들고자 하였다.	1 2 3 4 5
02	나는 다큐멘터리에 담을 내용을 콘티로 작성하여 준비하였다.	1 2 3 4 5
03	나는 생동감 넘치는 영상을 만들기 위해 인터넷의 다양한 멀티미디어 자료를 활용하였다.	1 2 3 4 5
04	나는 유투브를 비롯한 SNS를 이용해 미니다큐를 여러 사람과 공유하였다.	1 2 3 4 5
05	나는 문제해결을 위해 탐구한 내용과 수집한 정보를 바탕으로 나만의 교과서를 멋지게 완성하였다.	1 2 3 4 5

자신의 학습과정을 되돌아보고 진지하게 평가해주세요.

Level up

오늘의 점수	나의 총점수

Quest 퀘스트 04

거리로 나가 꿀벌을 위한 캠페인을 시작하자 ★★★★★★★

당신이 만든 미니다큐가 사람들의 마음을 움직이고 있습니다. 유튜브 조회수가 급격히 증가하면서 '꿀벌 없는 세상'을 살아가는 우리에게 경종을 울리고 있습니다. 이제 거리로 나가 행동으로 보여줄 차례입니다. 환경부스를 꾸미고 사람들을 불러 모으세요. 그리고 면대면 캠페인 활동을 시작하는 겁니다. 한 사람이 모여 두 사람이 되고, 그렇게 모이다보면 환경에 소중함을 깨닫는 사람들이 점점 많아질 거예요. 뭐 하세요? 지금 당장 시작해야죠!

Let's do it now!

캠페인 활동을 준비해 봅시다.

캠페인 광고

캠페인 슬로건

캠페인 피켓

캠페인 송

캠페인 기획 및 부스 설치

캠페인 이벤트

캠페인부스 설치 및 꾸미기

관련교과	국어	사회	도덕	수학	과학	실과			체육	예술		영어	창의적 체험활동	자유학기활동		
						기술	가정	정보		음악	미술			진로 탐색	주제 선택	예술 체육
	●		●					●		●	●		●		●	●

1. 캠페인 활동을 위해 준비해야 할 것은 여러 가지입니다. 역할분담이 중요합니다. 협의해서 준비하도록 하세요.
2. 면대면 캠페인 활동입니다. 다수가 아니라 소수를 대상으로 집중적으로 설득하는 방식을 채택하고 있습니다.

나만의 교과서

4가지 기본항목을 채우고, 퀘스트 해결과정에서 공부한 내용이나 수집한 정보를 토대로 자신만의 방식으로 알차게 표현해 보세요. 그림이나 생각그물의 형태로 표현하는 것도 좋습니다.

ideas
문제해결을 위한 나의 아이디어

facts
문제와 관련하여 내가 알고 있는 것들

learning issues
문제해결을 위해 공부해야 할 주제

need to know
반드시 알아야 할 것

스스로 평가

자기주도학습의 완성!

나의 신 호 등

01	나는 꿀벌 없는 세상에 살아가야 할 사람의 입장에서 환경캠페인을 준비하였다.	1 2 3 4 5
02	나는 광고, 슬로건, 피켓, 노래 등을 만들어 캠페인 활동을 벌였다.	1 2 3 4 5
03	나는 사람들의 시선을 모을 수 있도록 창의적인 발상으로 캠페인 부스를 설치하고 꾸몄다.	1 2 3 4 5
04	나는 면대면 설득의 효과를 높이기 위해 캠페인 활동을 효과적으로 펼쳤다.	1 2 3 4 5
05	나는 문제해결을 위해 탐구한 내용과 수집한 정보를 바탕으로 나만의 교과서를 멋지게 완성하였다.	1 2 3 4 5

자신의 학습과정을 되돌아보고 진지하게 평가해주세요.

오늘의 점수 나의 총점수

All-Clear
sticker

08 CHAPTER

꿀벌이 사라졌다!

★Teacher Tips

Teacher Tips

'꿀벌이 사라졌다'는 꿀벌 멸종이라는 가상의 상황을 전제로 진행되는 수업입니다. 상상 이상으로 꿀벌이 인류에게 미치는 영향력은 대단합니다. 중점을 두고자 하는 영역이나 교과가 있다면 얼마든지 이와 연계하여 수업을 심화시키고 확장시킬 수 있습니다. 특정교과 중심보다는 통합(융합)수업을 지향하고, 창의적 체험활동이나 자유학기활동과의 연계를 적극 고려할 필요가 있습니다. 학습할 내용의 특성상 STEAM, 생태환경교육 등의 프로그램으로 활용하는 것도 충분히 가능합니다. 교수자의 전문적 판단 하에 수업의 목적과 대상학습자의 수준을 감안하여 준비하고 진행해 주세요.

꿀벌은 학생들에게 매우 친숙한 곤충 중에 하나입니다. 지구상에서 꿀벌이 하는 일은 많은 이들에게도 잘 알려져 있는 사실입니다. 하지만 얼마나 많은 생명들이 꿀벌에게 의존하고 있으며, 어떤 영향을 미치고 있는지, 이와 관련해서 고민하거나 탐구해 본 학생들은 극히 드뭅니다. 오늘날 지구상에는 수많은 멸종위기 동·식물이 있고, 매년 이들 중 상당수가 지구상에서 완전히 자취를 감추고 있습니다. 그러나 이들 멸종 동·식물의 소식을 들어도 대다수가 무덤덤하게 넘기기 일쑤입니다. 안타까운 일로 느낀다 해도 당장 그로 인해 내가 받을 영향은 미미하거나 전혀 없다고 여길 때가 대부분입니다.

그래서 이 수업은 지구상에 존재하는 동식물 모두가 저마다 고유의 역할이 있으며, 서로 영향을 주고받는 상호의존적인 관계임을 학습참여자가 알고 깨닫도록 하는데 우선적인 가치를 둡니다. 당연히 공존, 공생, 상생의 생태적 관점이 과제를 해결하는 과정 내내 기본적으로 요구되게 됩니다. '꿀벌 멸종이 4년 이내 인류멸망으로 이어질 것'이라 말했던 아인슈타인의 경고(그가 말한 것이 아니라는 의견도 있음)가 오늘날 우리에게 무엇을 의미하는 것인지 나름대로 알게 되는 것만으로도 소기의 수업목적은 달성되었다고 볼 수 있습니다.

'꿀벌이 사라졌다'는 여러 교과와 연계하여 진행할 수 있습니다. 과제의 내용과 직접적으로 관련된 사회와 과학교과를 중심으로 운영하거나 중심활동의 성격에 맞게 자유학년활동, 창의적 체험활동 프로그램으로 활용할 수 있습니다. 경우에 따라서는 동아리프로그램으로도 활용할 수 있습니다. 다만 '다큐멘터리 제작' 동아리처럼 활동성격이 문제에서 요구하는 중심활동과 일치할 때만 가능합니다. 이 수업은 전반적인 활동의 수준을 고려할 때, 대략 초등학교 5학년 이상이면 무난히 도전할 수 있습니다. 대상 학생과 수업의 목적을 고려하여 기본 퀘스트를 수정하거나 활동의 양을 조절하여 적용이 수월하도록 준비해 주세요.

교과	영 역	내용요소	
		초등학교 [5-6학년]	중학교 [1-3학년]
국어	듣기말하기	◆토의[의견조정] ◆발표[매체활용] ◆체계적 내용 구성	◆토의[문제 해결] ◆발표[내용 구성] ◆매체 자료의 효과
과학	환경과 생태계 [초등학교]	◆환경요인/환경오염이 생물에 미치는 영향 ◆생태계 보전을 위한 노력 ◆먹이 사슬과 먹이 그물	◆지구계의 구성 요소 ◆온실 효과 ◆지구 온난화
	고체지구, 대기와 해양[중학교]	◆환경요인/환경오염이 생물에 미치는 영향 ◆ 생태계 보전을 위한 노력 ◆먹이 사슬과 먹이 그물	◆지구계의 구성 요소 ◆온실 효과 ◆지구 온난화
실과 정보	자료와 정보	◆소프트웨어의 이해	◆자료의 유형과 디지털 표현
미술	표현	◆표현 방법(제작) ◆소제와 주제(발상)	◆표현 매체(제작) ◆주제와 의도(발상)
	체험	◆이미지와 의미 ◆미술과 타 교과	◆이미지와 시각문화 ◆미술관련직업(미술과 다양한 분야)
사회	지속 가능한 세계	◆지구촌 환경문제 ◆지속가능한 발전 ◆개발과 보존의 조화	◆지구환경문제 ◆지역 환경문제 ◆환경 의식
	사회문화	자료 수집, 자료 분석, 자료 활용	

- 적용대상(권장): 초등학교 6학년–중학교 2학년
- 자유학년활동: 주제선택(권장)
- 학습예상소요기간(차시): 8–12일(9–12차시)
- Time Flow

8일 기준

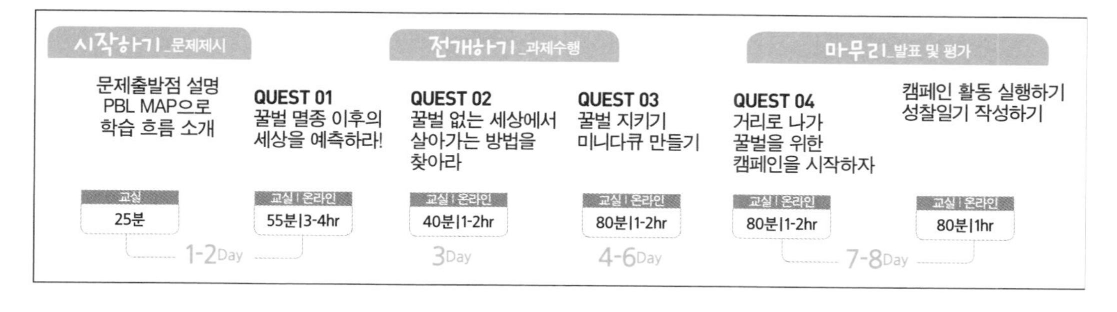

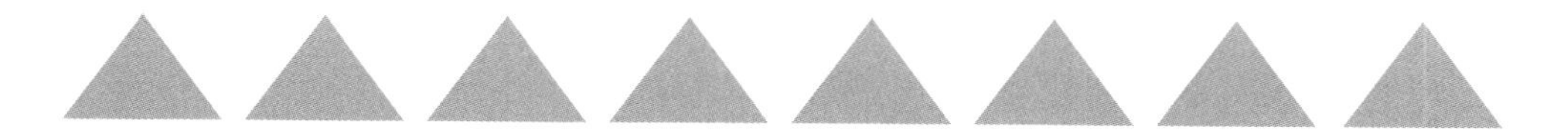

Teacher Tips

● 수업목표(예)

QUEST 01	◆꿀벌 멸종이 가져올 변화(인간사회, 생태계, 지구환경 등)를 명확한 근거를 들어 타당성 있게 예측할 수 있다. ◆예측한 내용과 근거를 들어 설득력 있는 가상시나리오를 작성할 수 있다.
QUEST 02	◆꿀벌 없는 세상에 대한 예측을 토대로 현실성 있는 대응 방안을 제시할 수 있다. ◆인간사회, 생태계, 지구환경 등의 분야별 가상시나리오에 따른 가족 단위의 실천 대책을 마련할 수 있다. 특히 생활 자원의 효율적인 관리 방법을 제안할 수 있다.
QUEST 03	◆꿀벌 멸종에 대한 경각심을 일깨워 줄 미니 다큐멘터리를 제작할 수 있다. ◆인터넷의 다양한 멀티미디어 자료와 풍부한 정보를 활용하여 만들 수 있다. ◆유튜브(YouTube)를 통해 미니다큐를 공유하고 확산시킬 수 있다.
QUEST 04	◆환경의 소중함을 일깨워줄 수 있는 캠페인 활동을 기획하고 전개할 수 있다. ◆캠페인 활동에 필요한 광고, 슬로건, 피켓, 노래 등을 직접 만들고 준비할 수 있다. ◆창의적인 발상으로 시각적인 주목을 받을 수 있도록 캠페인 부스 설치 및 꾸미기를 할 수 있다.
공통	◆생태계와 환경에 대한 이해를 바탕으로 제시된 문제들을 해결할 수 있다. ◆다양한 매체에서 조사한 내용을 정리하고 자신의 언어로 재구성하는 과정을 통해 창의적인 산출물을 만들어낼 수 있다. 이 과정을 통해 지식을 생산하기 위해 소비하는 프로슈머로서의 능력을 향상시킬 수 있다. ◆토의의 기본적인 과정과 절차에 따라 문제해결 방법을 도출하고, 온라인 커뮤니티 등의 양방향 매체를 활용한 지속적인 학습과정을 경험함으로써 의사소통 능력을 신장시킬 수 있다.

시작하기

중심활동 : 문제출발점 파악하기, 학습흐름 이해하기

- 멸종되거나 멸종위기에 처한 동식물을 시작으로 꿀벌 개체수의 급격한 감소에 관한 이야기 나누기
- 문제의 출발점을 제시하고 배경과 상황 안내하기
- 문제의 조건과 주인공으로서의 관점 제시하기
- (선택) 게임화 전략에 따른 피드백 방법에 맞게 게임규칙(과제수행규칙) 안내하기
- (선택) 자기평가방법 공유, 온라인 학습커뮤니티 활용 기준 제시하기
- 활동 내용 예상해 보기, PBL MAP을 활용하여 전체적인 학습흐름과 각 퀘스트의 활동 내용 일부 공개하기

수업은 최근에 멸종하거나 멸종위기에 처한 동식물에 대한 이야기를 나누며 시작하는 것이 자연스럽습니다. 지난 40여년 동안 지구상에서 사라져간 동식물이 전체 중 30% 이상에 이르고, 멸종위기 동식물만 해도 척추동물의 20%, 무척추동물의 30%, 식물 종은 68%가 멸종위기를 겪고 있는 상황임을 소개하며 심각성을 공유합니다(출처: 2010년 세계자연보전연맹(IUCN)의 생물 종 연구결과). 그러고나서 최근 몇 년 사이 꿀벌 개체수가

급격히 감소하고 있는 현상에 대한 이야기로 화제를 옮기도록 합니다. 이때 우리 나라를 포함한 세계 곳곳에서 꿀벌들이 감쪽같이 사라지는 사건이 발생하고 있음을 각종 영상 자료들을 통해 제시하는 것이 좋습니다. 꿀벌의 갑작스런 멸종이 현실이 될 수도 있다는 가정은 학생들이 과제에 임하는 태도와 과제수행결과에 영향을 미칩니다. 그렇기 때문에 우리 주변에서 꿀벌이 완전히 사라질 수 있다는 위기감을 학생들이 느끼도록 만드는 것이 대단히 중요합니다.

문제의 출발점은 꿀벌이 갑자기 사라진 세상을 담고 있습니다. 아인슈타인이 말했다고 전해지는 꿀벌의 멸종과 인류멸망 간의 상관관계도 제시된 상황 속에 담겨있습니다. 주어진 가상상황이 여러모로 절망스럽지만, 문제 속 주인공은 인류의 운명 앞에 희망을 찾아야 할 임무가 부여됩니다. 간혹 학생들이 문제상황에 심취해 지나치게 비관적이고 절망적인 결론을 도출하는 경우가 있습니다. 과정내내 부여된 임무를 상기시키며 혹독한 환경을 딛고 희망을 찾기 위한 방안을 모색하도록 안내하는 것이 필요합니다.

'꿀벌이 사라졌다' 문제상황에 대한 충분한 파악이 이루어졌다면, 학생들이 경험하게 될 활동을 간략하게 소개하도록 합니다. PBL MAP을 활용해 전체적인 학습흐름과 각 퀘스트별 활동내용을 간략하게 제시하는 것이 효과적입니다. 수업운영에 있어서 도입하고자 하는 규칙이나 평가방법, 새로운 학습환경이 있다면, 학습참여자가 충분히 이해할 수 있도록 설명해 주어야 합니다.

전개하기

'꿀벌이 사라졌다'는 총 4개의 기본퀘스트로 구성되어 있습니다. 가상시나리오, 다큐멘터리, 캠페인 등 어떻게 보면 다소 이질적인 활동들로 채워져 있어서 선생님들 입장에선 수업 운영의 부담을 좀 느낄 수 있습니다. 이 수업은 첫 단추를 잘 꿰면 비교적 수월하게 진행됩니다. 문제의 출발점이 잘 형성됐다면, 이제 수업에 참여하는 학생들을 믿고 맡기는 일만 남습니다. 잘 믿고 기다리면 기대이상의 결과를 내놓는 경우가 많습니다. 그렇지 않더라도 학생들은 분명 꿀벌에 대한 다른 시선을 갖게 될 것입니다.

● 퀘스트1 : 꿀벌 멸종 이후의 세상을 예측하라

중심활동 : 꿀벌 멸종 이후를 분야별로 예측하고 가상시나리오 작성하기

- 꿀벌들이 지구상에서 어떤 역할을 하고 있었는지 확인하고, 꿀벌 멸종의 이유를 간단히 살펴보기
- 제시된 퀘스트에 따라 꿀벌 멸종 이후에 어떤 변화를 초래하게 될지 예상해 보기
- (온라인) 인간사회, 생태계, 지구환경 등의 분야로 크게 나누고, 개별적으로 역할을 맡아 분야별 예측을 진행하기
- 예측에 대한 명확한 근거를 인터넷과 책을 통해 찾아보고, 자신의 예상을 타당화 시키기(온라인)
- 개별적 분야별로 예측한 내용을 상호 공유하고 토의과정을 통해 모둠별 합의안을 도출하기
- (온라인) 모둠별 최종 합의안을 토대로 가상시나리오를 작성하여 일반인의 눈높이에 적합한 콘텐츠 제작하기

꿀벌 멸종 이후의 세상을 예측하라! Quest 퀘스트 01

문제에 제시된 대로 지구상에 80%를 차지하는 충매화의 멸종우려를 부각시키며 퀘스트를 제시합니다. 한해살이 식물의 경우, 곤충의 수분이 이루어지지 않으면 곧바로 멸종에 이르게 됨을 강조하는 것도 문제의 심각성을 인식하는 데 도움이 됩니다. 덧붙여 전체 식물의 68%가 멸종위기에 있음을 상기시켜주면 퀘스트를 수행할 이유가 좀 더 분명해질 수 있습니다.

꿀벌 멸종 이후의 세상을 인간사회, 생태계, 지구환경 등으로 나누어 살펴보도록 안내합니다. 생태계에 어떤 부정적인 영향을 미칠지, 경제에는 어떤 타격을 줄지, 인류생존을 위협할 변화는 무엇일지 등 학생들이 다양한 가설을 세울 수 있도록 활발한 토론분위기를 조성하도록 합니다.

❷ 일반인도 이해하기 쉽도록 '꿀벌멸종 이후의 세상' 가상시나리오를 작성해 주세요.

	가상시나리오
인간사회 (경제, 정치)	
생태계 (동물과 식물)	
지구환경 (기후)	
그밖에	

꿀벌 멸종 이후의 세상에 대한 분야별 예측은 논리적인 타당성을 확보하는 것이 중요합니다. 개별적으로 세운 가설을 모둠원 간에 검증하고, 이에 대한 과학적 근거를 제시할 수 있도록 안내합니다. 여기서 중요한 것은 끊임없는 상호 토의와 공유의 과정입니다. 적절한 시간 안배를 통해 모둠별 합의안이 도출할 수 있도록 합니다.

분야별 예측내용과 근거를 토대로 일반인들도 쉽게 이해할 수 있는 가상시나리오를 작성합니다. 시나리오에 특별한 형식은 없습니다. 학생들이 표현하고 싶은 방식대로 꿀벌 멸종 이후에 어떤 변화가 일어날 것이며, 그 결과가 어떻게 나타날지 자유롭게 기술하도록 안내해 주세요. 참고로 가상시나리오를 키워드 검색하면 다양한 이슈별 사례를 많이 찾을 수 있습니다. 가상시나리오에 대한 이해를 높이기 위한 참고자료로 활용하는 것도 좋은 방법입니다.

● 퀘스트2 : 꿀벌 없는 세상에서 살아가는 방법을 찾아라

중심활동 : 꿀벌 없는 세상에서 생존하기 위한 대응방안 만들기

- [퀘스트2] 문제와 활동지를 제시하고 중심활동 설명하기
- 학습주제 도출하고, 해결방안 탐색하기
- [선택] 모둠 단위의 짝그룹을 만들어 상호발표와 자유로운 토의·토론과정 진행하기
- [퀘스트1]에서 작성한 가상시나리오에 대한 대응 방안을 논의하기
- 현실성 있는 대책이 될 수 있도록 가족 단위의 행동지침 마련하기
- 주어진 환경 속에 생활자원의 효율적인 관리 방법 제안하기

Quest 퀘스트 02 꿀벌 없는 세상에서 살아가는 방법을 찾아라 ★★★★★

여러 분야에서 암울한 예측만 쏟아내고 있습니다 예측한 ... 벌 없는 세상은 분명 인류에게 큰 위협이 될 것입니다. 확실한 ... 랑하는 가족을 지키기 위해서라도 여러 상황을 고려 ... 구해 놓아야 합니다. 구체적일수록 좋겠죠? 꿀 ... 있는 대책을 기대하겠습니다.

모둠별로 [퀘스트 1]에서 작성한 가상시나리오를 중심으로 인류에게 가장 큰 위협이 될 만한 것이 무엇인지 깊이있게 논의하도록 합니다. 모둠 구성원 간에 충분한 공유가 이루어졌다면 모둠 단위로 짝 그룹을 만들어 가상시나리오를 상호 발표하고 이에 대한 자유로운 토의·토론 과정으로 이어지는 것이 효과적입니다. 현장상황과 주어진 시간을 감안하여 선택적으로 적용해 주세요.

각 분야의 가상시나리오별 대응 방안을 제시해 주세요.

앞서 활동한 내용을 바탕으로 분야별 가상시나리오에 대한 대응방안을 논의하도록 합니다. 가급적 현실성 있는 대책이 될 수 있도록 가족 단위 생존을 위한 행동지침이 포함되도록 안내합니다.

	대응 방안
(동물과 식물)	
지구환경 (기후)	
그밖에	

가상시나리오 상황에서 대응방안으로 활용 가능한 현실성있는 대책이 되도록 하는 것이 중요합니다. 예상되는 최악의 환경 속에서 생활자원의 효율적인 관리 및 활용을 통한 생존 방안이 포함되도록 안내해 주세요.

관련교과	국어	사회	도덕	수학	과학	실과			체육	예술		영어	창의적 체험활동	자유학기활동		
						기술	가정	정보		음악	미술			진로 탐색	주제 선택	예술 체육
		●			●		●						●		●	

1. 퀘스트1의 가상시나리오에 따른 대응 방안을 제시해야 합니다. 현실성 있는 대책이 되려면 구체적인 행동지침이 있어야 합니다. 무엇을 준비하고 무엇을 해야 하는지 제시하는 것이 필요합니다.
2. 사랑하는 가족을 지키기 위한 대응 방안이 되려면 국가 단위가 아닌 가족 단위의 실천을 전제로 해야 합니다.
3. 모둠별 활발한 논의과정을 거쳐 가상시나리오와 대응방안의 완성도를 높입니다.

Teacher Tips

● 퀘스트3 : 꿀벌 지키기 미니다큐 만들기

중심활동 : 사람들의 마음에 경각심을 심어 줄 미니다큐 제작하기

- [퀘스트3] 문제를 확인하고 핵심활동 파악하기
- 지식채널e '의문의 실종' 편을 보여주고 미니다큐의 다양한 형식을 공유하기
- 모둠별로 콘티를 작성하고 이를 바탕으로 개별 역할분담하기
- 개별적으로 미니다큐 제작을 위한 자료 수집하기(온라인)
- (선택) 교재원을 비롯한 학교 주변에서 꿀벌 생태를 관찰하고 동영상으로 촬영하기
- 수집한 자료와 직접 촬영한 동영상 자료를 활용하여 문제에서 제시한 꿀벌 멸종 이후를 전제로 한 미니다큐 제작하기(개별적으로 맡은 분량을 만들고, 모아서 하나의 다큐로 이어붙이기)
- 미니다큐는 5분 정도의 분량으로 제한하고 다양한 방식으로 표현할 것을 권장하기
- 유투브(YouTube)에 제작한 미니다큐를 올리고 모든 사람과 공유하기

Quest 퀘스트 03 꿀벌 지키기 미니다큐 만들기

★★★★★★★

...상에서 살아가... 게도 우리는 꿀벌이 사라지 ... 게 되었습... 리 주변에 익숙하게 만 ... 자취를 긴... 은 실수는 안 됩니다. ... 다. 많은 ... 수 있는 강렬한 미니 ... 지 수행한... 면 됩니다.

미니다큐 제작은 역할분담이 중요합니다. 효과적인 역할분담을 위해서는 다큐에 담을 내용이 정확히 표현된 콘티가 필요합니다. 콘티로 표현된 다큐 장면별로 개별 역할을 나누고, 각자 동영상을 제작하도록 하는 것도 고려해볼 만합니다. 각자 맡은 분량의 영상을 이어붙여서 하나의 영상을 만드는 방식으로 진행해 보세요. 물론 마무리는 동영상 제작에 감각이 있는 학생이 맡아서 완성하는 것이 좋습니다.

미니다큐의 형식은 EBS의 지식채널e가 대표적입니다. 꿀벌 멸종을 다룬 '의문의 실종' 편을 보여주면서 설득력 있는 미니다큐 제작이 이루어질 수 있도록 해주세요.

미니다큐 제작을 위한 콘티를 작성해 주세요.

설득력을 높일 만한 기존 사진이나 동영상을 사용하는 것은 좋은 전략입니다. 미니다큐가 가급적 5분 분량으로 제작되도록 안내하고, 동영상 편집의 수월함을 줄 수 있는 소프트웨어나 어플을 소개합니다. 유투브 공개를 원칙으로 공개해야 함을 알리고, 필요에 따라서 이용방법을 가르쳐 줍니다. 다만, 학년이 높을수록 동영상 편집이나 유투브 이용방법 등을 알고 있는 경우가 많습니다. 전체를 대상으로 하기보다는 학생들의 요구를 살펴보고 개별, 모둠별로 진행하는 것이 적절합니다. 어떤 면에서는 학생 간에 서로 가르쳐주기를 통해 배우는 것이 더 효과적이기도 합니다.

다큐제작을 위한 새로운 자료를 탐색하기 보다는 가상시나리오와 대응방안을 도출하는 데 중요하게 사용됐던 정보와 자료들이 활용될 수 있도록 안내합니다. 이왕이면 모둠뿐만 아니라 다른 모둠 전체의 자료가 온라인 커뮤니티를 통해 공유되도록 하고, 이를 다큐제작에 자유롭게 사용할 수 있게 하는 것이 효과적입니다.

수업의 마무리는 캠페인 활동을 준비하고 실행하는 것으로 채워집니다. 앞서 수행한 내용을 토대로 설득력있는 캠페인 활동을 계획하고, 주어진 환경에 맞게 실천에 옮기도록 하는 것이 중요합니다.

● 퀘스트4 : 거리로 나가 꿀벌을 위한 캠페인을 시작하자

중심활동 : 캠페인 활동 준비하기

- [퀘스트4]의 문제를 파악하고 캠페인 활동을 위한 계획세우기
- 역할분담을 통해 캠페인 활동에 필요한 슬로건, 피켓, 캠페인 송, 소품 등을 준비하기 / 다양한 방법의 실제 캠페인 활동 참고하기
- 캠페인 활동의 거점이 되는 환경부스와 관련한 아이디어 교환하기
- 설득력을 높일 수 있는 캠페인 이벤트를 고안하고, 적용할 준비하기

프로젝트학습

Quest 퀘스트 04

거리로 나가 꿀벌을 위한 캠페인을 시작하자 ★★★★★★★

가상시나리오를 작성하고, 대응방안을 짜며, 미니다큐를 제작하면서 얻은 문제의식을 토대로 캠페인 활동을 준비하는 것이 중요합니다. 더불어 앞서 수행한 결과물을 캠페인 활동에서 적극 활용할 수 있도록 안내해야 합니다. 캠페인의 내용이 단순히 꿀벌 멸종에 관한 내용에만 머물지 않도록 멸종위기 동·식물을 비롯한 환경보호의 중요성을 강조합니다.

...가 사람들의 마음을 움직이고 있습니다. 유투브 조회수가 급격 ...는 세상'을 살아가는 우리에게 경종을 울리고 있습니다. 이제 거리 ...차례입니다. 환경부스를 꾸미고 사람들을 불러 모으세요. 그리 ...시작하는 겁니다. 한 사람이 모여 두 사람이 되고, 그렇게 모이 ...깨닫는 사람들이 점점 많아질 거예요. 뭐 하세요? 지금 당장 시

Let's do it now!

캠페인 활동을 준비해 봅시다.

캠페인 광고, 슬로건, 피켓, 노래 등 사람들의 시선을 모을 수 있는 방법을 선택하여 준비하도록 합니다. 기존의 여러 캠페인 활동을 참고하여 준비하는 것도 좋은 전략입니다.

캠페인 광고	캠페인 슬로건
캠페인 피켓	캠페인 송

캠페인 활동을 구체적으로 기획하고, 기획한 내용에 어울리는 환경부스와 관련한 아이디어를 교환하도록 안내합니다. 환경부스가 캠페인 활동의 거점이 되는 만큼 어떻게 꾸밀지, 각자의 역할은 어떻게 나눌지 토의하여 결정합니다.

캠페인 기획 및 부스 설치

캠페인 이벤트	캠페인부스 설치 및 꾸미기

캠페인 활동을 학내에서 불특정 학생들을 대상으로 벌일지(혹은 실제 거리로 나가서 진행할지), 아니면 학급 내에서 가상으로 할지를 결정하여 알려주어야 합니다. 불특정 학생들을 대상으로 하거나 일반인을 대상으로 펼치는 캠페인 활동의 경우는 수업부담은 크지만 효과만큼은 상당합니다. 현장 상황에 맞게 가장 적합한 환경을 선택하여 캠페인 활동을 진행해 주세요.

관련교과	국어	사회	도덕	수학	과학	...	자유학기활동	
							주제선택	예술체육
	●		●				●	●

1. 캠페인 활동을 위해 준비해야 할 것은 여러 가지 ...세요.
2. 면대면 캠페인 활동입니다. 다수가 아니라 소수를 ...습니다.

캠페인 활동 준비가 이루어졌다면, 부스 운영을 통한 캠페인 활동을 벌이기를 합니다. 캠페인 활동은 얼마든지 다양한 방식으로 진행이 가능합니다. 학교 주변 거리로 나가서 실제 캠페인을 진행하는 방법부터 교실 안에서 가상으로 운영해 보는 것까지 주어진 환경에 맞게 선택하도록 합니다. 아래 제시된 방법은 아무래도 수업참여자의 부담이 낮고, 적용이 수월한 교실 속 캠페인 활동 실행하기의 예입니다.

중심활동 : 캠페인 활동 실행하기(발표)

- 모둠별로 부스 운영을 통한 캠페인 활동 벌이기(예)

◆그룹별로 부스설치 공간을 배정하고 캠페인 활동을 위해 준비한 자료를 설치하기
◆캠페인 활동은 1부와 2부로 나뉘며, 그룹별로 이미 구분한 A조와 B조가 역할을 바꿔가며 캠페인 활동 주도하기
◆캠페인 활동 1부는 각 그룹 A조가 발표를 주도하며, B조는 청중으로서 자기 그룹을 제외한 캠페인 활동에 참여, 발표는 다른 그룹을 대상으로 2회 실시.

1차 발표			2차	
[1그룹] A조 –	청중 [2그룹] B조		[1그룹] A조 –	청중 [3그룹] B조
[2그룹] A조 –	[3그룹] B조	▶	[2그룹] A조 –	[1그룹] B조
[3그룹] A조 –	[1그룹] B조		[3그룹] A조 –	[2그룹] B조

◆발표시간은 15분으로 제한되며, 2회 실시 총 30분간 발표 진행
◆상호평가는 청중 역할을 하는 학습자에게 지급된 코인을 통해 이루어지며, 블랙칩(3점), 레드칩(2점), 화이트칩(1점)을 인상적인 캠페인 활동 여부에 따라 해당 그룹에 지급.
◆캠페인 활동 2부는 1부와 반대로 각 그룹 B조가 발표를 주도하며, A조는 청중으로서 자기 그룹을 제외한 캠페인 활동에 참여, 발표 역시 다른 그룹을 대상으로 2회 실시.

1차 발표			2차	
[1그룹] B조 –	청중 [2그룹] A조		[1그룹] B조 –	청중 [3그룹] A조
[2그룹] B조 –	[3그룹] A조	▶	[2그룹] B조 –	[1그룹] A조
[3그룹] B조 –	[1그룹] A조		[3그룹] B조 –	[2그룹] A조

◆발표시간은 15분으로 제한되며, 타이머를 활용하여 정보 제공
(위의 순서에 따라 발표 2회 실시 총 30분간 발표 진행)
◆상호평가는 청중 역할을 하는 학습자에게 지급된 코인을 통해 이루어지며, 블랙칩(3점), 레드칩(2점), 화이트칩(1점)을 인상적인 캠페인 활동 여부에 따라 해당 그룹에 지급하기, 특별히 참관하는 선생님들도 상호평가에 참여하여 그룹별로 우수한 팀에게 보너스 칩 주기
◆교사는 관찰자로서 학생들의 활동 장면을 동영상과 사진으로 촬영하고 학급 홈페이지에 올리기
◆이후 온라인 활동 안내하기(덧글을 통한 온라인 평가와 성찰일기 작성 안내, 총평)

- [선택] 각 퀘스트별 수행점수(경험치)를 각자 집계하고 누계점수 기록하기
- [선택] 누적해 온 수행점수를 토대로 레벨 부여하기(Level Up)
- [선택] PBL 스스로 점검(자기평가 & 상호평가) 내용을 토대로 능력점수(능력치) 집계하기
- 학생들은 성찰저널(reflective journal)을 작성해서 온라인 학습커뮤니티에 올리고 선생님은 덧글로 피드백 해주기(온라인)
- [선택] Level Up 피드백 프로그램에 따른 개인별 레벨 선정과 프로그래스바 혹은 리더보드 공개하기, 결과에 따른 배지 수여

게임화 전략으로 문제에 매력을 더하라!

게임의 요소나 디자인적 사고를 다른 분야에 적용하여 이전 보다 즐겁고 매력적인 것으로 변화시키려는 시도, 이른바 '게임화(Gamificaton)'로 PBL을 디자인하기 위해 무엇부터 시작해야 할까요? 게임은 탄탄한 서사구조를 지닌 이야기가 기반이 되어 가상의 공간을 만들어 냅니다. 이야기가 빈약한 게임은 초반에 열광할지 몰라도 금세 관심이 시들어 버리게 되죠. 온라인 게이머들이 오랫동안 열광해 온 게임들의 성공 비결에는 공통적으로 블록버스터 영화를 능가하는 웅대하고 매력적인 서사 구조가 자리하고 있습니다. PBL의 중심에도 다양한 이야기를 담을 수 있는 '문제(Problem)'가 있는 만큼, 게임과 PBL의 공통분모는 분명하지 않을까요? 「재미와 게임으로 빚어낸 신나는 프로젝트학습」에 수록된 내용을 토대로 네 번째 실전가이드를 시작하겠습니다.

● 우리는 스토리텔링 애니멀?!

꿈을 꾸거나 몽상에 빠지거나 우리의 머릿속은 의식적이든 무의식적이든 끊임없이 이야기를 만들어냅니다. 수업 시간의 지루함을 달래주는 선생님의 맛깔스런 옛이야기에 아이들은 푹 빠지기도 하고, 지루한 시간을 견디기 위해 온갖 이야기들을 머릿속에 떠올리기도 합니다. 여가 시간에는 소설, 만화, 영화, 연극 등 각종 매체를 통해 접하는 가상의 이야기 속에서 상상의 나래를 펼치기도 합니다. 어린 시절 손때 묻은 만화책을 꺼내 들고 보고 또 보며 즐거워하던 경험은 이야기가 가진 힘을 가늠해 볼 수 있습니다. 훌륭한 서사구조와 흥미로운 내용으로 채워진 이야기만 있다면 사람들은 언제든 즉각적으로 반응합니다. 이처럼 이야기에 빠져드는 본성에 주목한 조나선 갓셜(Jonathan Gottschall)은 그의 저서를 통해 인간을 「스토리텔링 애니멀(storytelling animals)」이라 규정짓습니다.

이와 같은 특징을 지닌 이야기는 PBL의 성공에 한 몫을 합니다. PBL의 문제는 특별한 이야기를 기반으로 하고 있습니다. 실제 세계에 존재할 법한 이야기는 학생들의 호기심을 자극합니다. 문제 상황 속에 빠져들게 되면 학생들은 문화재 보존전문가, 큐레이터, 나무치료사, 여행설계사, 기상캐스터, 경찰관, 법의관 등 각 세계 속에 존재하는 가상의 인물이 되어 주어진 상황에 적합한 해결안을 저절로 내놓게 됩니다. 이런 맥락에서 PBL은 미완성된 이야기를 학생들의 다양한 사고과정을 거쳐 완성시키는 이야기 창작 과정이라고도 볼 수 있습니다. PBL 문제는 그 고유의 특성인 비구조성으로 인해 열린 서사구조를 갖고 있으며, 기본적으로 학생들로 하여금 시나리오 작가로서의 역할을 요구합니다.

무엇보다 이야기는 학습의 목표를 매력적인 것으로 만듭니다. 어린 시절 쥘 베른의 「해저2만리」와 「달나라탐험」 등의 이야기에 이끌려 과학자의 길에 들어섰다고 말하는 사람은 많아도 과학교과서에 이끌려 그 길을 걷게 됐다고 고백한 사람은 찾을 수 없습니다. 교과서 안에 수많은 목표들이 단원과 차시 단위로 제시되어 있지만, 그런 세부적인 목표가 과학에 대한 학생들의 흥미를 이끌어내지 못하는 것이 엄연한 현실입니다. 우리나라는 국제학업성취도비교평가에서 늘 제일 낮은 수준의 교과 흥미도를 나타내고 있습니다. 과거 기억을 더듬어 보아도 학교현장에서 목표를 소홀히 한 적은 없었는데 말입니다.

QUEST 4-1

어떤 PBL 문제를 만들고 싶은가요? 머릿속에 있는 아이디어들을 마구마구 꺼내봅시다. 아이디어와 얽힌 이야기를 탐색해 보는 것도 좋은 접근이 될 수 있습니다. 마인드맵으로 자유롭게 표현해 주세요. 문제개발을 위한 자신만의 'Big Idea'를 완성해 주세요.

● 모방은 창조의 어머니

게임의 세상뿐만 아니라 우리가 접하는 모든 매체는 표현의 방식만 다를 뿐, 거의 대부분이 이야기의 힘을 빌리고 있습니다. 이야기로 뒤덮여 있는 세상 속에서 사람들은 공감하고 느끼며, 자신의 삶에 필요한 지혜를 얻습니다. 그렇기 때문에 다양한 분야에서 쏟아지고 있는 이야기들 중에 PBL 문제에 담아낼 수 있는 꺼리는 무궁무진합니다. 마크 라이너스(Mark Lynas)가 쓴 '6도(Six Degrees)'는 1도부터 6도까지의 지구 온도 상승 시나리오를 담고 있습니다. 온도 상승에 지구환경에 미치는 재앙적인 결과를 과학적으로 상세하게 그려내고 있는 작품입니다. 그의 작품은 내셔널지오그래픽의 다큐멘터리로 실감나게 그려지기도 했습니다. 라이너스의 작품은 지구온난화의 파괴적인 영향력에 대해 강력한 경각심을 심어주기에 충분했습니다. 그의 이야기는 '6도의 악몽' PBL 문제를 만드는 데 중요한 모티브로 작용했습니다. 학생들이 지구온난화에 대한 문제의식을 갖도록 하는 것은 우리 주위에서 벌어지고 있는 실제 사건들만 한 것이 없습니다. 참여자의 삶의 맥락 속에 이야기가 맞닿아 있도록 하는 것은 문제 개발의 기본 중에 기본입니다.

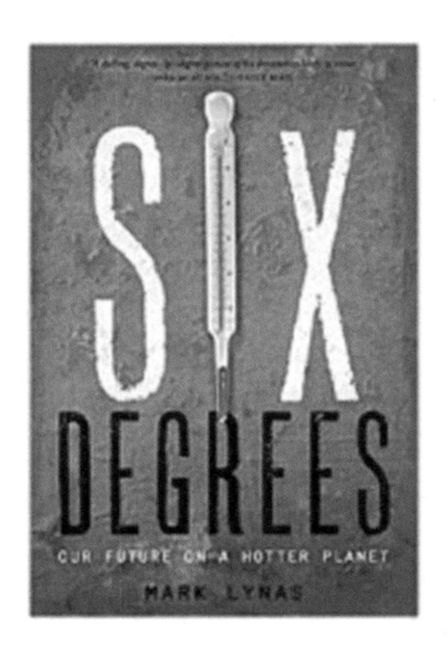

MADANG 6℃의 악몽

문제의 출발점 Starting Point | 배경epic

전국의 강과 하천이 녹조로 몸살을 앓고 있습니다. 4대강 보건설의 영향도 있지만, 전문가들은 수온의 상승이 결정적인 영향이라 보고 있습니다. 최근 들어 폭염과 마른장마, 집중호우 등 예기치 않은 기상변화가 심상치 않습니다. 지구온난화가 점점 심각한 수준에 이르면서 동식물뿐만 아니라 인간의 생존에 실질적인 위협이 되고 있는 것입니다. 이를 증명하듯 유엔(UN) 산하 국제기후변화위원회(IPCC)는 폭염·호우·가뭄·태풍·우박 등 '극한적인 기상 이변'이 뚜렷하게 증가하고 있다는 보고서를 발표하였습니다. 이 보고서에서는 최악의 경우 지구의 온도가 100년 안에 평균 6℃ 상승할 것이라 경고하고 있습니다.

이런 상황 속에서 우리는 생존의 길을 찾아야 합니다. 미래의 당신은 가족을 지켜내야 하는 막중한 책임을 안고 있습니다. 가족의 안전을 대비하고 실천하는 일이 미래의 당신에게 주어진 일입니다. 극한의 기상 이변에서 가족의 안전을 지킬 비책을 준비해 봅시다. 지구온도변화에 따른 위기대응매뉴얼 '1·3·6'을 만드는 것은 그 출발점입니다.

"기후변화, 이제 먼 나라의 이야기가 아닙니다."

© 정준환

문제의 상황이 가상이고, 그 자체가 허구일지라도 이야기의 맥락은 참여자를 둘러싼 현실 세계, 삶의 맥락과 어떤 방식이든 닿아 있어야 합니다. 그러나 작가가 아닌 이상 교육실천가들이 새로운 이야기를 창조해낸다는 건 어려운 일입니다. '6도의 악몽'처럼 세상의 흥미로운 이야기들이 얼마든지 PBL 문제 안에 담을 수 있습니다. 당신의 마음을 사로잡은 이야기가 있다면, 그 아이디어를 가져와 PBL 문제로 만들어 보는 것은 어떨까요?

QUEST 4-2

'Big Idea'를 토대로 문제의 배경이 될 이야기를 창작해 주세요. 기존의 뉴스, 소설, 영화, 드라마, 다큐멘터리 등 다양한 이야기를 모티브로 풍부하고 매력적인 상황을 글로 그려봅시다.

MOTIVE

STORY

보 기

EBS지식채널e 의문의 실종

꿀벌이 갑자기 사라졌습니다. 온 세계가 충격에 휩싸인 상태입니다. 여기저기서 인류의 멸망을 우려하는 목소리가 터져 나오고 있습니다.

'도대체 원인이 뭘까요?'

'어디서부터 어떻게 잘못된 걸까요?'

'정말 꿀벌의 멸종이 인류의 멸망으로 이어지게 될까요?'

지금 절망에 빠진 세계를 구하기 위해 여러 분야의 유능한 전문가들이 모이고 있다는 소식입니다. 꿀벌의 멸종이 '풍전등화(風前燈火)', 바람 앞에 등불처럼 인류의 운명을 위태롭게 만들고 있습니다. 한치 앞도 내다보지 못하는 것이 인생이라지만 그냥 이대로 기다릴 순 없는 노릇입니다. 반드시 알아야 합니다. 아직 인류의 운명은 결정되지 않았으니까요. 이제부터 당신에게 중요한 임무가 부여됩니다.

● 이야기가 있어야 목표가 명확해진다.

일반적으로 수업에서의 목표 제시 단계는 매우 중요한 과정으로 여겨집니다. 열성적인 교사는 학생들이 수업목표를 제대로 인식할 수 있도록 각종 효과음, 멀티미디어 자료를 총동원하기도 하고, 갖가지 방법과 부가적인 설명을 동원해서 목표의식을 형성하도록 애씁니다. 학교교육의 바이블이라고 할 수 있는 교과서나 지도서를 펼쳐보면 교과영역별, 단원별, 차시별 목표들이 정교하게 잘 짜여 있음을 발견할 수 있습니다. 게다가 이들 목표는 평가의 준거로서 대상 학생들의 학업성취수준을 가늠하는 잣대로 사용되는 터라 무시할 수 없습니다. 그러나 문제는 이들 목표가 학생들 대다수의 마음을 사로잡지 못하고 있다는 점입니다. 게임화에서 강조하는 명확해 보이는 목표가 있지만 게임과 같이 자발적 참여를 끌어내지 못합니다.

왜 그럴까요? 근본적으로 이들 목표에는 현실성이 결핍되어 있습니다. 교과별로 체계화시킨 지식들은 그 특성상 해당 교과나 분야의 권위자에 의해 추상화된 개념에 기초할 수밖에 없습니다. 학생들의 입장에선 그런 지식들이 어떤 경험적 세계에서 비롯됐는지 알 수가 없습니다. 학습자가 자신의 경험적 세계와 어떻게 연결되었는지 알 수 없다면 아무리 체계화된 지식이라도 명확한 목표를 만들어낼 수 없습니다.

더불어 교과 수업에서 제시되는 목표는 해당 내용 지식의 이해와 습득에만 초점을 두는 경우가 대부분입니다. 교과지식을 학습자 머리에 입력하고 저장하는 것에만 치우친 나머지, 진작 해당 지식들을 학생들이 배워야 할 이유는 생략됩니다. 지식을 기억하는 것은 배움의 시작일 뿐인데, 딱 거기까지만 합니다. 단순히 아는 것으로 그치는 교육은 현실 세계로 가져갔을 때, 전혀 힘을 발휘할 수 없습니다. 학생들이 공감을 이끌어내지 못하는 목표들은 어떠한 이유에서든 달성될 수가 없습니다.

실제 우리들이 경험하는 세상은 마케팅, 제품생산, 각종건설, 금융상품 개발, 영화제작, 생태환경 조성 등등 구체적이고 뚜렷한 목표들로 가득합니다. 관련 지식은 이들 목표를 실현시키는데 꼭 필요한 무형의 자원으로서 활용됩니다. 현실 세계에서 지식의 소비는 모두 생산적인 활동과 연결되어 있습니다. 게임도 마찬가지입니다. 세계에서 두 번째로 가장 큰 위키가 「월드 오브 워크래프트(world of warcraft)」인데, 이곳에는 9만 개 이상의 정보가 있습니다. 매월 5백만 명이 그 위키를 이용하며 지식의 보고서를 만들어 가고 있습니다. 게임의 독특한 세계를 구성하는 매력적인 이야기가 지식의 끊임없는 생산과 소비를 촉진합니다. 게임 플레이어들은 가상으로 펼쳐놓은 세계 안에서 유용하게 활용할 지식을 갈구하며, 이야기 속의 삶을 살기 위해 자발적인 학습을 지속합니다.

이처럼 게임이나 실제 세상이 보여주는 목표들은 학교 수업에서 일반적으로 접하는 목표들과 차이를 나타냅니다. 그렇기 때문에 게임화된 수업에서 제시할 목표는 구체적으로 생산해야 할 유·무형의 산출물로 구현될 도달지점을 갖고 있어야 합니다. 이렇듯 명확한 목표만 있다면, 지식의 습득과 활용은 자연스럽게 이루어지게 됩니다. 무엇보다 가상의 세계를 만들어내는 이야기 속의 주인공이 되면 목적의식은 분명해집니다. 이야기에 담긴 상황을 통해 해야 할 일과 도달한 목적을 자연스럽게 도출하면서 해당 학습과정은 자발적인 참여를 기반으로 진행되게 됩니다. 이 부분은 PBL도 다르지 않습니다.

게임화를 적용하지 않은 일반적인 PBL 문제라도 담고 있는 이야기 안에는 학습자가 해야 할 명확한 목표가 제시되어 있습니다. 학생들이 문제 속 이야기의 주인공이 되기만 하면, 저절로 주어진 상황에 맞는 목적을 실현하게 되어 있습니다. 유라시아 대륙횡단을 해야 하는 탐험대원으로서 서울에서 유럽의 어느 국가까지 여러 난관을 해소하며 '유라시아 대륙횡단 계획 수립'이라는 목표를 달성하는 경우처럼 말입니다. 유라시아 대륙횡단 계획을 수립하기 위해 학생들은 속력, 지도의 축척, 비와 비율, 유라시아 대륙에 있는 국가와 도시들, 기후와 자연환경, 고유의 음식문화, 내전이나 야생동물의 위협 등 안전에 관한 정보, 지형 정보, 위도와 경도 등에 이르기까지 다양한 지식을 습득하고 활용하게 됩니다.

BOSS LEVEL 보스레벨 | 도전! 유라시아 대륙횡단

최근들어 시베리아 횡단철도(TSR)와 한반도 종단철도(TKR)와의 연결이 활발하게 논의되고 있습니다. 대한민국을 시작으로 한 유라시아 철도횡단의 꿈이 현실로 다가오고 있는 것입니다. 철도를 통한 유라시아 대륙으로의 진출은 한반도의 평화정착은 물론, 막대한 경제적 효과를 가져 올 것으로 예상되고 있습니다.

- 이상 DSB의 노가리 기자였습니다.

"대한민국이 유라시아대륙의 새로운 주인공으로서 자리매김하고 있다는 반가운 소식이었습니다. 이러한 시점에 우리들의 젊은 대학생들이 자체 제작한 자동차와 소형비행기를 이용하여 유라시아 대륙 횡단에 도전한다고 해서 관심이 집중되고 있는데요. 그 현장에 한별 기자가 나가있습니다. 한별 기자 나오세요."

한별 기자입니다. 우리들의 젊은 대학생들이 자체적으로 제작한 자동차와 지원받은 소형비행기를 이용해서 유라시아 대륙 횡단에 도전한다고 합니다. 우선 이들이 제작한 자동차와 소형비행기를 가영 대원이 간단히 소개하도록 하겠습니다

"먼저, 자동차는 어떠한 지형조건에서도 탁월한 성능을 발휘할 수 있도록 개발되었습니다. 보통 평지에서는 시속80km, 산악지형에서는 시속40km 정도의 속도를 유지할 수 있는데요. 연료탱크의 크기는 100L이며, 1L의 연료로 평균 10km를 달릴 수 있습니다. 게다가 하이브리드 자동차라서 전기를 이용한 주행도 가능하다고 합니다. 하루 3시간 정도는 연료 소모 없이 달릴 수 있습니다."

"다음으로 한국항공우주연구원에서 지원한 소형비행기를 소개하겠습니다. '반디'라는 이름의 소형비행기는 긴 시간의 시험 운행을 통해 그 안정성을 검증받았습니다. 평균 시속 200km, 1L의 연료로 5km를 날아갈 수 있다고 합니다. 연료탱크는 200L이며, 이착륙과 급유, 중간점검에 필요한 시간은 2시간 정도입니다."

자! 지금부터는 이번 유라시아 대륙 횡단의 탐험대장을 맡고 있는 다나 대원으로부터 유라시아 대륙 횡단 계획과 관련해서 좀 더 자세한 설명을 듣기로 하겠습니다 다나 대장님 말씀해 주시죠

"안녕하세요. 탐험대장을 맡고 있는 다나라고 합니다. 저를 비롯한 4명의 탐험대원들은 이번 유라시아 대륙 횡단의 출발점을 대한민국의 수도인 서울로 잡고 있습니다. 저희는 일단 자동차를 이용해 북한을 거쳐 중국 베이징까지 갈 생각입니다. 하지만 아직 이후의 일정은 구체적으로 잡지 못한 상태입니다. 다만, 이번 유라시아 대륙 횡단의 최종 도착지역은 서유럽 국가 중의 한 나라로 선정할 것이며, 역사적인 가치를 고려하여 유럽과 아시아를 이어주었던 실크로드와 몽골리안 루트에 대해 검토할 계획입니다. 또한 안전에 있어서도 다각적인 대비를 하려고 합니다. 각 지역의 내전(전쟁)이라든지 정치적 불안 상황을 꼼꼼하게 체크하고, '로드 킬'이나 야생동물의 예기치 못한 공격, 기후나 자연환경의 위험요소 등을 확인해서 안전 확보에도 만전을 기할 것입니다."

네, 그렇군요. 그럼, 유라시아 대륙 횡단에서 자동차와 소형비행기는 어떻게 운영될 것인지 간단히 말씀해 주세요

"아직 세부적인 운영 계획은 나오지 않았습니다. 다만, 지난주 한국항공우주연구원과의 협의에서 전체 횡단 과정에서 2회 가량은 소형비행기 '반디'로 하자는데 합의하였습니다. 하지만 전체 일정 중에 반디를 어떤 곳에 투입할지는 아직 결정되지 않은 상태입니다. 단, 안전을 고려하여 야간비행은 하지 않을 방침(하루 5시간 비행 가능)이며, 이착륙과 급유, 점검이 가능한 공항을 이용해야 하므로, 이를 감안하여 계획을 세울 예정입니다. 자동차 운행과 관련해서는 탐험 일정을 최대한 단축하기 위해 교대 운전으로 24시간 운행할 계획입니다. 하지만 전체적인 피로도와 안전을 고려하여 3일에 한번 정도는 해당 지역에서 12시간가량 휴식을 취할 예정입니다. 그리고 원활한 탐험을 위해 연료보급과 식량보급 관련한 세부 계획을 마련할 생각입니다. 연료와 식량은 보급의 효율성을 감안하여 동시에 이루어집니다. 이러한 부분들을 감안하여 자동차와 소형비행기의 운행계획을 포함하여 유라시아 대륙 횡단의 구체적인 계획을 세워서 다음 주에 발표하도록 하겠습니다."

유라시아 대륙 횡단 계획이 다음 주에 어떻게 나올지 정말 기대되는데요. 젊음이 가진 도전 정신과 치밀한 계획으로 여러분들의 도전이 멋지게 성공하길 바랍니다. 그럼 다음 주 발표 때 찾아뵙기로 하겠습니다

[당신의 임무를 기억하세요]

탐험대원인 당신에게 새로운 임무가 주어졌습니다. 그건 다름 아닌, 유라시아 대륙 횡단 계획을 세우는 것이죠. 당신은 탐험대원의 한 사람으로서 앞서 제시한 조건을 모두 충족시킬 수 있는 계획을 세워야 합니다. 유라시아 대륙 횡단 코스와 일정, 자동차와 소형비행기의 운행방법은 전적으로 여러분들이 정해야 합니다. 물론, 자동차와 소형비행기의 연비를 고려해서 연료 및 식량 보급 지역, 이착륙 지역을 미리 결정해야겠지요? 식량 보급 계획을 수립할 때는 해당 지역에서 확보할 수 있는 음식으로 정해야 합니다.

여러분들의 성공적인 임무 완수를 위해서는 기본적으로 각 코스별 이동거리를 반드시 알아야 합니다. 직접 거리를 측정하는 것이 불가능하기 때문에, 세계지도와 지구본을 활용하여 대략적인 거리를 측정하고 이를 활용하도록 하겠습니다. 세계지도에서 거리를 측정하려면 그 지도의 축척을 알아야하고요. 지구본에서 거리를 측정하기 위해서는 위도와 경도에서 1°의 거리 기준을 알면 쉽게 측정할 수 있습니다. 힌트는 여기까지…. 자! 그러면 여러분들의 멋진 활약을 기대하겠습니다.

ⓒ 정준환

※ 참고 : 위도별 위도와 경도 1°의 길이

위도 (°)	위도 1도의 길이(km)	경도 1도의 길이 (km)	위도 (°)	위도 1도의 길이(km)	경도 1도의 길이(km)
0	110.569	111.322	50	111.230	71.700
5	110.578	110.902	55	111.327	63.997
10	110.603	109.643	60	111.415	55.803
15	110.644	117.553	65	111.497	47.178
20	110.701	114.650	70	111.567	38.188
25	110.770	100.953	75	111.625	28.904
30	110.850	96.490	80	111.666	19.394
35	110.941	91.290	85	111.692	9.735
40	111.034	85.397	90	111.700	0.000
45	111.132	78.850			

만약 구체적인 상황을 담은 이야기 없이 '유라시아 대륙횡단 계획 수립하기' 활동을 진행하였다면 어땠을까요? 아마도 학생들이 내놓은 결과물은 유라시아 대륙 횡단 코스 짜기에 불과했을 것입니다. 현장에서 적용되고 있는 PBL 수업들 가운데는 이야기가 생략된 채, 주제와 활동만 제시되어 진행되는 경우가 많습니다. 학습 과정에서 맥락적인 지식구성이 이루어지게 하려면 풍부한 상황과 조건을 담은 이야기는 필수입니다.

QUEST 4-3

주제와 이야기(문제상황)에 어울리는 자연스런 활동에는 어떤 것이 있을까요? 중심활동을 정하고, 이와 관련한 활동별 핵심목표를 세워봅시다. 가급적 구체적으로 작성해 주세요.

중심활동	핵심목표

보 기

중심활동	핵심목표(학습목표)
꿀벌 멸종 이후를 예측하고 가상시나리오 작성하기	·꿀벌 멸종이 가져올 변화를 명확한 근거를 들어 타당성 있게 예측할 수 있다. ·예측한 내용과 근거를 들어 설득력 있는 가상시나리오를 작성할 수 있다.
꿀벌 없는 세상에서 생존하기 위한 대응 방안 만들기	·꿀벌 없는 세상에 대한 예측을 토대로 현실성 있는 대응 방안을 제시할 수 있다. ·가상시나리오에 따른 가족 단위의 실천 대책을 마련할 수 있다.
사람들의 마음에 경각심을 심어 줄 미니다큐 제작하기	·꿀벌 멸종에 대한 경각심을 일깨워 줄 미니 다큐멘터리를 제작할 수 있다. ·인터넷의 다양한 멀티미디어 자료와 풍부한 정보를 활용하여 만들 수 있다.
캠페인 활동으로 환경에 소중함을 알리기	·환경의 소중함을 일깨워줄 수 있는 캠페인 활동을 기획하고 전개할 수 있다. ·캠페인 활동에 필요한 광고, 슬로건, 피켓, 노래 등을 직접 만들고 준비할 수 있다.

● 퀘스트가 길을 안내해 준다

게임 공간에서 '퀘스트'는 가상 세계와 맥락을 같이하는 각종 임무, 과제 등을 일컫습니다. 대부분의 게임은 각자의 세계에서 생존하고 고유의 목적을 달성하기 위해 각종 '퀘스트'를 수행하게 되는데, 게임을 자발적으로 플레이하도록 만드는 것도 다양한 형태로 제공되는 '퀘스트' 덕분입니다. 그렇기 때문에 아무리 이야기가 매력적이고 달성할 목표가 분명이 있더라도 퀘스트의 질이 따라오지 못하면 게임플레이어들의 관심은 금세 식을 수밖에 없습니다.

그렇다면 PBL 상황에서 '퀘스트'를 어떤 식으로 구현하면 좋을까요? 기본적으로 '퀘스트'는 문제 상황과 맥락을 같이 해야 하며, 작은 임무들을 하나하나 수행해 나가면서 궁극적인 목표에 이르도록 안내해 주는 역할을 맡아주어야 합니다. 아울러 PBL 문제를 칙센트미하이가 몰입의 조건으로 강조했던 '도전적이더라도 달성 가능한 과제'로 인식시켜주는 것은 물론, 학습자가 길을 잃지 않고 자발적인 참여를 지속할 수 있는 환경이 되어주어야 합니다. 물론 '퀘스트'가 디딤돌과 같이 PBL의 출발지점(문제제시)에서부터 도착지점(최종결과도출)까지 안전하게 건널 수 있도록 돕는 역할만 부여된 것은 아닙니다. 궁극적으로 학습의 재미가 지속되는 환경을 구현하는 것이 게임화를 반영하는 근본적인 목적입니다.

문제 : 나무에게 새 생명을…, 나무치료사

이현지, 그녀는 나무치료 전문가입니다. 나무치료사는 전국적으로 20여명 안팎으로 있는데, 그 중에서 그녀는 가장 능력 있는 나무치료사로 통합니다. 최근에는 천연기념물로 지정되어 보호받고 있던 500여년 된 회화나무를 고사 직전에서 치료하여 그녀의 능력을 다시한번 확인시켜 주었습니다.

이현지 나무 치료사는 이 땅의 나무들이 그 푸르름을 간직한 채, 천년의 세월을 이겨낼 수 있기를 간절히 바라며, 자신의 직업에 무한한 자부심을 갖고 있습니다. 그리고 그녀의 간절한 바람은 어제와 오늘 바로 이 순간에도 나무 치료사라는 직업을 천직으로 살게 만드는 밑거름이 되고 있습니다. 정부에서는 그녀의 탁월한 나무 치료능력을 인정하여 보호수로 지정된 8000주 가운데 1/4에 해당하는 2000주의 관리를 위탁하고 체계적인 관리를 주문하였습니다.

그녀의 나무치료과정은 '조사-진단-처방(치료)-관리' 4단계 절차로 진행되며, 식물의 구조와 생장, 기능 등의 전문적인 지식을 바탕으로 각 단계를 수행합니다.

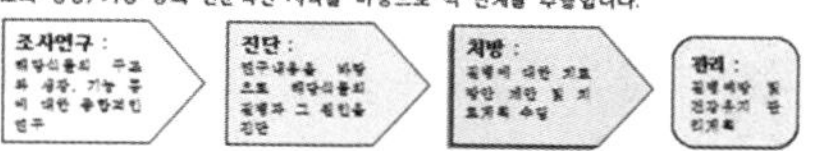

며칠 전, 양평군청으로부터 급하게 전화가 걸려왔습니다. 양평군 용문면 용문사에 위치한 은행나무에 문제가 발생했다는 내용이었습니다. 용문사 은행나무는 나이가 약1,100살 정도로 추정되며, 높이 67m, 뿌리 부분이 15.2m인 우리나라 은행나무 가운데 나이와 높이에 있어서 최고를 자랑하는 국보급 은행나무입니다. 그래서 1962년 12월 천연기념물 제30호로 지정하여 보호관리되고 있습니다.

1단계 조사연구 :
나무치료사 이현지는 그녀만의 나무치료절차에 따라 용문사 은행나무의 건강을 찾아주기 위한 조사연구에 돌입합니다. 은행나무(식물)의 잎과 줄기, 그리고 뿌리가 하는 역할과 기능이 무엇인지 조사하고 여러 사례와 함께 종합적으로 연구할 계획입니다.

이현지 나무치료사는 양평군청 이재선 산림과장과 용문사 은행나무에 대해 통화를 했습니다. 은행나무에 대해 그는 다음과 같이 말했습니다.

'오른쪽 큰 가지에 잎이 나올 시기가 지났는데도 불구하고 아직 잎이 나오지 않고 있습니다. 그리고 다른 가지에도 문제가 있는 것 같아요. 예년보다 잎이 말라서 많이 떨어지고 있는데다가 녹색의 푸르름을 자랑해야 될 잎들이 누렇게 변해가고 있습니다. 어떻게 해결해야 될지? 도저히 모르겠네요. 도움 부탁드립니다.'

2단계 진단 :
나무치료사 이현지는 이재선 과장이 말한 은행나무의 증상과 연구한 내용을 바탕으로 은행나무의 질병이 무엇이며, 그 원인이 무엇인지 파악하고 진단할 것입니다. 그녀는 식물의 구조인 잎, 줄기, 뿌리 세 부분으로 나눠서 각각 은행나무의 증상과 관련하여 질병 원인을 진단할 계획입니다.

나무치료사 이현지는 은행나무의 증상에 대해 잎과 줄기, 그리고 뿌리로 나누어 질병을 파악하고 그 원인을 진단하였습니다. 다음 절차에 따라 그녀는 진단한 내용을 바탕으로 치료방안을 도출하고, 장기적인 치료계획을 수립할 계획입니다. 그녀는 우리나라의 역사와 정기가 살아있는 이 은행나무를 꼭 치료해서 우리의 소중한 유산으로 후세에 남길 것임을 다짐하였습니다.

3단계 처방 :
나무치료사 이현지는 은행나무의 질병원인을 진단하고, 이를 바탕으로 본격적인 치료과정에 돌입할 것입니다. 또한 은행나무의 잎, 줄기, 뿌리 세 부분으로 나눠서 각각 치료방법을 제안하고, 장기적인 치료계획을 수립할 것입니다.

마지막으로 그녀는 용문사 은행나무가 앞으로도 건강하게 살 수 있도록 지속적인 관리계획을 수립하려고 합니다.

4단계 관리 :
나무치료사 이현지는 용문사 은행나무의 건강유지와 질병예방을 위한 관리지침을 마련하여 용문사와 양평군청에 제출할 계획입니다.

1. 나무치료사의 입장에서 '조사-진단-처방(치료)-관리' 4단계 절차로 진행된 용문사 은행나무 치료과정을 발표를 통해 공개합니다.
2. 과학 7단원 식물의 잎이 하는 일을 비롯한 3학년에서부터 5학년 까지 다룬 식물 관련 단원을 참고합니다.

이런 생각을 토대로 기존의 PBL 문제를 퀘스트형으로 바꾸어 보았습니다. 그 대상은 「교실 속 즐거운 변화를 꿈꾸는 프로젝트 학습」에서 소개된 바 있는 '나무치료사'라는 PBL 문제였습니다. 흥미로운 점은 현장에 적용했을 때 학생들의 반응이었습니다. 게임이 청소년들의 핵심적인 놀이문화라서 그런지 '퀘스트'라는 용어에 상당히 친숙한 모습을 보였습니다. 용어가 주는 친근감이 학습과정에 대한 막연한 두려움을 어느 정도 해소해주는 역할을 했습니다. PBL 문제를 퀘스트형으로 재구성하니 기존의 수업 진행 방식과 여러모로 차이를 보이게 됐습니다. '나무치료사' PBL의 경우엔 문제의 출발점에서부터 절차가 제시되어 있어서 어떤 성격의 퀘스트가 앞으로 나올지 짐작할 순 있었지만, 구체적으로 어떤 활동을 하게 될지 미리 알 수 없는 상황이 연출됐습니다. 불확실성이 학생들에게 다음에 나올 퀘스트에 대한 기대감으로 이어졌고, 긴 호흡으로 가야 했던 기존방식에서 짧은 시간 안에 퀘스트를 해결해야 하는 방식으로 바뀌면서 이전에 없던 긴박감이 더해졌습니다. 이러한 현상은 퀘스트 형식을 도입한 다른 PBL 수업에서도 거의 일관되게 나타났습니다.

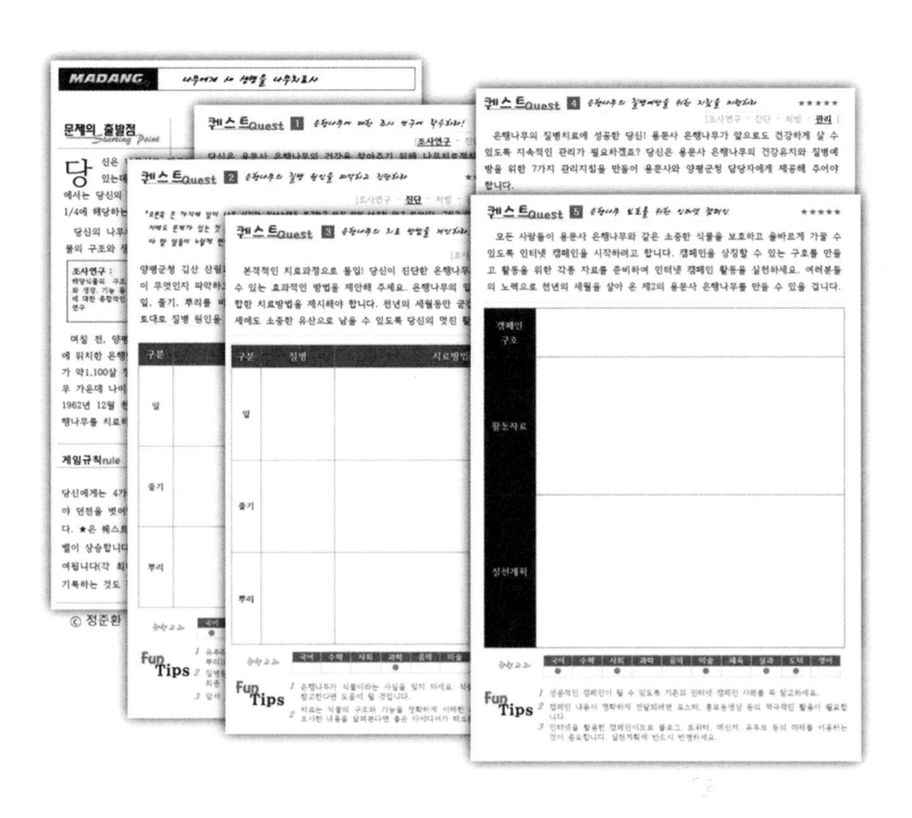

퀘스트Quest 4

[조사연구 - 진단 - 처방 - 관리]

은행나무의 질병치료에 성공한 당신! 용문사 은행나무가 앞으로도 건강하게 살 수 있도록 지속적인 관리가 필요하겠죠? 당신은 용문사 은행나무의 건강유지와 질병예방을 위한 7가지 관리지침을 만들어 용문사와 양평군청 담당자에게 제공해 주어야 합니다.

퀘스트Quest 5

모든 사람들이 용문사 은행나무와 같은 소중한 식물을 보호하고 올바르게 가꿀 수 있도록 인터넷 캠페인을 시작하려고 합니다. 캠페인을 상징할 수 있는 구호를 만들고 활동을 위한 각종 자료를 준비하여 인터넷 캠페인 활동을 실천하세요. 여러분들의 노력으로 천년의 세월을 살아 온 제2의 용문사 은행나무를 만들 수 있을 겁니다.

캠페인 구호	
활동자료	
실천계획	

주어진 퀘스트를 하나하나 수행하다보면 자연스럽게 최종 도달점에 도착하게 됩니다. 보통 1-2주일 단위로 적용되는 PBL 수업에서 간혹 활동을 미루다가 막판에 몰아치기를 해서 허접한 결과를 내놓는 경우가 있는데, 퀘스트 형식은 그런 일들을 방지해 주기도 합니다. 각 퀘스트를 제한된 시간 안에 해결해야 하고, 다음 퀘스트 자체가 이전 퀘스트를 기반으로 제시되기 때문에 더욱 그렇습니다. 정해진 시간 안에 활동해야 할 부분이 명확해서 이전처럼 막판 몰아치기가 불가능해진 것입니다. 또한 퀘스트를 더한 PBL이 교사에게도 적용의 수월함을 제공한다는 점입니다. 기존의 PBL 수업에서는 동일한 문제라도 교사의 역량에 따라 차이가 많았고, 문제를 개발한 교사가 아닌 이상 학습과정 전체를 조망하고 학생들에게 적절한 피드백을 주며 이끌어가기가 쉽지 않았습니다. 학생들 각자의

학습 과정을 예측하기 힘들어 시간의 안배나 수업진행의 어려움 등으로 인해 PBL의 현장 적용을 가로막는 요인이 되기도 했습니다. 그런데 퀘스트 형식을 도입하여 구성한 PBL 문제는 이러한 진입장벽을 상당부분 해소해 주었습니다. PBL 적용이 수월해지고, 학습 속도를 맞출 수 있었습니다. 더욱이 '무임승차'가 기존 PBL 방식에 비해 많이 줄어들기도 했습니다. 퀘스트는 학생뿐만 아니라 교사에게도 수업의 좋은 길라잡이가 된 셈입니다.

QUEST 4-4

이야기의 맥락과 어울리는 중심활동별 시나리오를 작성해 봅시다. 학습자가 단계별로 수행해야 하는 과제인 '퀘스트(Quest)'를 완성하는 과정입니다.

단계	시나리오	중심활동

보 기

단계	시나리오	중심활동
[퀘스트1] 꿀벌 멸종 이후의 세상을 예측하라!	충매화, 즉 곤충의 수분으로 열매를 맺는 식물이 지구상에 80% 정도를 차지하고 있습니다. 당장 꿀벌에 의해 수분이 이루어져왔던 식물들의 멸종이 우려되고 있는데요. 현실적인 고통으로 다가올 날이 얼마 남지 않은 상태입니다. 가까운 미래에 꿀벌의 멸종이 가져올 메가톤급 폭풍이 어느 정도일지 예측해 보는 것은 지금으로서 상당히 중요해 보입니다. 분야별 정확한 예측은 해결방법을 찾을 때까지 급작스런 혼란을 예방할 수 있고, 운이 좋다면 생태계 복원을 위한 작은 실마리도 찾을 수 있을 겁니다. 당신이 있어 아직 희망은 있습니다. 전문가로서 꿀벌 멸종 이후의 세상을 분야별로 예측하고, 일반인도 이해하기 쉽도록 가상시나리오를 작성해서 제시해 주세요.	꿀벌 멸종 이후를 분야별로 예측하고 가상 시나리오 작성하기
[퀘스트2] 꿀벌 없는 세상에서의 생존방안	여러 분야에서 암울한 예측만 쏟아내고 있습니다. 예측한 내용만 보더라도 꿀벌 없는 세상은 분명 인류에게 큰 위협이 될 것입니다. 확실한 대비가 필요합니다. 무엇보다 사랑하는 가족을 지키기 위해서라도 여러 상황을 고려하여 가상시나리오별 대응 방안을 강구해 놓아야 합니다. 구체적일수록 좋겠죠? 꿀벌 없는 세상에서의 생존을 위한 현실성 있는 대책을 기대하겠습니다.	꿀벌 없는 세상에서 생존하기 위한 대응 방안 만들기

문제의 출발점에서부터 퀘스트 상황까지 완성이 됐다면, 만든 문제가 적절한지 여부를 검증하는 과정이 필요합니다. 타당성 검토의 목적은 문제를 해결했을 때, 주어진 조건과 상황에 부합하는 학습목표를 도출해내고, 학습자들에게 지적인 도전과 학습(활동)에 대한 적극적인 동기부여를 줄 수 있는지는 여부를 판단하기 위해서입니다. 문제의 타당성을 검토하는 방법은 일반적으로 자기평가, 전문가 검토, 동료학습자(교사) 평가, 학생들에 의한 평가 등이 있습니다. 이들 중 적용이 수월한 방법을 택하여 만든 문제를 검증하고, 수정·보완하는 과정을 꼭 필요합니다. 일반적인 검증 기준은 다음과 같습니다.

기 준

01. 학습자의 경험과 배경으로부터 출발할 수 있는 수준의 내용인가?

02. 학습자들의 흥미와 관심을 유발시킬 수 있는 문제인가?

03. 문제해결안이 다양하게 제시될 수 있는가?

04. 실제 삶과 연계 된 실제적인(authentic) 문제인가?

05. 문제가 비구조적이며 복잡한가? (여러 요인들을 복합적으로 고려해야 할 문제)

06. 주어진 문제에서 주인공의 역할과 해야 할 과제가 분명히 명시되어 있는가?

07. 문제해결에 요구되는 사고과정이 그 분야의 전문가나 직업인에 의해 사용되는 것인가?

08. 주어진 수업 시간 안에 해결할 수 있는 문제인가?

본 실전가이드에서는 일반적인 기준을 포괄한 문제의 여섯 가지 조건을 평가의 잣대로 활용하고자 합니다. 관련 설명은 '「교실 속 즐거운 변화를 꿈꾸는 프로젝트학습」 pp.172-184'에서 찾아볼 수 있습니다. PBL 문제의 성격을 충족하고 있는지 기준에 따라 꼼꼼히 살펴보도록 합시다.

QUEST 4-5

PBL 문제의 완성은 가장 중요한 출발점입니다. 아무리 좋은 학습환경을 구현했다고 하더라도 PBL에서 요구하는 문제의 성격을 충족시키지 못했다면 결과적으로 정체성이 모호한 수업이 되어 버리게 마련입니다. 여러분들이 만든 PBL문제가 다음 여섯 가지 조건을 충족시키고 있는지 점검해 보도록 합시다.

문제의 여섯 가지 조건

문제의 완성도를 점검해 봅시다. 동료학습자와 상호점검하거나 스스로 점검하여 문제의 타당성을 검증해 봅니다.

	점검항목	나의 신호등
01	**정답은 없다. 학생마다 다양한 결과가 나올 수 있는 열린 문제** 단순한 조사학습이나 정답 찾기의 문제라면 PBL에는 적합하지 않다. 문제해결을 위한 길이 한 가지나 두 가지 정도로 정해져 있어서 각 팀마다 비슷한 답이 나오는 문제가 만들어졌다면 PBL이 아닌 다른 수업을 한 것이다.	❶❷❸❹❺
02	**해당 분야의 전문가로서 생각하고 실천할 수 있는 문제** 문제에 등장하는 주인공의 입장이 되다 보면, 이를테면 문화재 보존전문가, 큐레이터, 나무치료사, 여행설계사, 기상캐스터, 경찰관, 법의관 등 그들 세계의 전문가적인 사고방식을 자연스럽게 배우고 실천할 수 있게 된다.	❶❷❸❹❺
03	**학습자의 경험과 배경으로부터 출발할 수 있는 문제** 가급적 학습자의 배경지식, 경험, 능력과 연관성을 맺도록 해야 한다. 만일 문제가 학생들이 이해하기 힘든 내용이거나 그들의 경험과 배경하고 전혀 관계없는 것이라면 주어진 상황과 거리가 있는 학습활동이 이루어지거나 중도 포기를 외치는 부정적 결과가 나타날 수 있다.	❶❷❸❹❺
04	**우리들의 삶과 연계된 실제적인 문제** '실제성'을 학생들의 삶의 테두리 안으로 제한하는 우를 범하지 말아야 한다. 문제의 주인공이 학생 신분일 수도 있지만, 큐레이터, 나무치료사, 여행설계사, 기상캐스터, 경찰관, 법의관 등 모든 직업군의 사람일 수 있기 때문이다. 학생들이 가깝게 느끼는 또래 집단의 이야기에서부터 다소 멀지만 현실에 존재하는 다양한 세계의 이야기까지 문제에 담지 못할 것은 없다.	❶❷❸❹❺
05	**학습자들의 흥미와 관심을 유발할 수 있는 소재 반영** 문제가 PBL의 특성을 잘 반영하여 실제성과 비구조성을 지니고 있다고 해서 다 좋은 문제는 아니다. 학생들의 관심을 모으기에는 너무 일반적이거나 흔한 주제면 곤란하다. 주인공의 역할이 흥미를 끌기에는 무미건조하고 경직된 것이라면 피하는 것이 좋다.	❶❷❸❹❺
06	**학습기간과 수업시간을 고려해서 문제의 내용과 범위 결정** 교육과정에서 확보한 수업시수와 계획된 학습 기간이 초과할 정도로 문제의 해결절차가 복잡하거나 불필요한 활동들이 많이 들어가지 않도록 주의해야 한다. 문제 하나로 너무 많은 것을 얻으려 할수록 다루어야 할 지식과 활동의 양이 감당하기 어려울 정도로 늘어난다.	❶❷❸❹❺

CHAPTER 09

석유 없는 세상, 혼란 속에 빠지다

석유는 인류와 얼마나 가까운가?

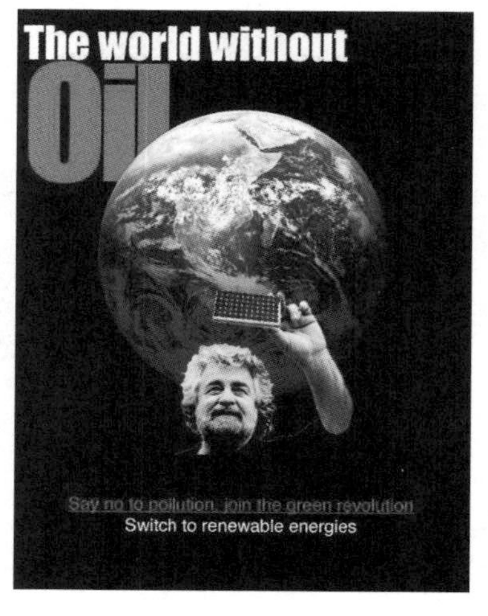

석유자원은 인류의 생활을 획기적으로 변화시켜 왔습니다. 그동안 석유는 교통수단을 움직이는 에너지원에 머물지 않고, 각종 제품의 재료로 가공되어 폭넓게 사용되어 왔습니다. 인류가 일상에서 활용하는 물건 중 상당수가 석유와 관련된 제품입니다. 그리고 그 종류는 상상 이상으로 다양합니다.

만일 이러한 석유자원이 갑자기 고갈된다면 인류는 어떤 위기를 겪게 될까요? 대체에너지 개발이 활발하게 이루어지고 있는 현재에도 여전히 인류는 석유자원에 상당히 의존하고 있는 상태입니다.

여러분들이 경험하게 될 '석유 없는 세상(world without oil)' 프로젝트학습은 석유자원의 갑작스런 고갈 이후를 배경으로 합니다. 켄 에클런드(Ken Eklund)의 기획으로 탄생한 동명 대체현실게임에서 기본적인 아이디어를 가져왔는데요. 이 게임에 참여한 사람들은 미래 예측 전문가가 되어 석유가 없는 세상을 예측한 시나리오를 쓰고, 실제 사건인 것마냥 행동하며 그 결과를 공유했다고 합니다. 이제 여러분들 차례입니다. 석유없는 세상 속에 빠져들어 봅시다. 과연 석유없는 세상에서 우리의 삶은 어떻게 바뀌게 될까요? 주어진 임무를 해결하며 석유없는 세상에서의 생존방안을 도출해 봅시다.

* 문제시나리오에 사용된 어휘빈도(횟수)를 시각적으로 나타낸 워드클라우드(word cloud)입니다.
워드클라우드를 통해 어떤 주제와 활동이 핵심인지 예상해 보세요.

석유 없는 세상, 혼란 속에 빠지다

가까운 미래, 석유수출국기구(OPEC)가 전격적으로 석유생산 중단을 발표했습니다. OPEC의 일일 산유량은 3,310만 배럴로 세계 생산량의 약 45.9%(2008년 기준)를 점유하고 있었습니다. 매년 산유량의 변화는 다소 있었지만, 전세계 석유 생산량에서 대략 절반의 비중을 유지해 왔습니다. 그러던 OPEC이 회원국 간의 신뢰 관계가 점차 깨지면서 이전에 해오던 석유가격과 생산량 조절 협의를 중단하기에 이르렀습니다. 결과적으로 회원국 간의 공조가 사라지면서 무분별한 생산이 촉발하게 되었고, 전세계 석유 가격은 급락했죠.

석유 가격의 급락은 대체에너지 수요를 급감시켰으며, 관련 기업을 도산하게 만들었습니다. 대한민국을 포함한 여러 나라들이 앞 다투어 시행하려 했던 대체에너지 개발 프로젝트는 줄줄이 연기되거나 폐지됐습니다. 석유의 가격이 유래를 찾기 힘들 정도로 저렴해지면서 값비싼 대체에너지 개발에 막대한 예산을 쏟아 부을 명분이 사라진 것이죠. 경제적 실효성이 낮은 상황에서, 게다가 관련 기업이 도산한 상태에서 사업 추진은 사실상 불가능해진 상태입니다.

언제가 될지 모를 석유자원의 고갈을 염려하며 대책을 세우기보다 당장의 경제적 이익을 좇아 저렴한 석유자원을 이용하는 것이 현실적인 선택으로 여겨졌습니다. 그렇게 인류는 석유자원의 사용을 급격히 늘려가면서 바로 어제까지 숨가쁘게 달려왔습니다.

그리고 충격적인 오늘에 이르렀습니다. 올 것이 온 것이죠. OPEC의 석유생산 중단 발표는 전세계 산유국의 생산 중단과 감축으로 이어졌습니다.

그것은 상상할 수 없을 정도의 석유 가격 폭등으로 이어졌습니다. 불과 하루 사이에 석유 가격은 20배를 넘겼고, 부르는 것이 값이 되었습니다. 그 마저도 확보할 수 없는 상태입니다. 그야말로 석유가 어떤 값진 보석보다 비싼 자원이 된 것이죠. 대한민국이 비축하고 있는 석유는 평소 수요 기준으로 불과 30일만 버틸 수 있습니다. 우리가 서로 협력만 한다면 버틸 수 있는 시간은 좀 더 늘어날 것입니다.

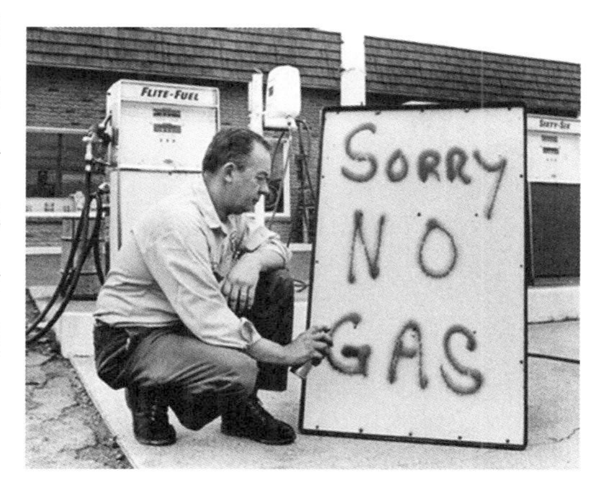

'우리는 앞으로 어떻게 해야 할까?'

'World Without Oil' 석유 없는 세상에서 펼쳐지는 생존 게임, 당신의 선택이 궁금합니다.

PBL MAP

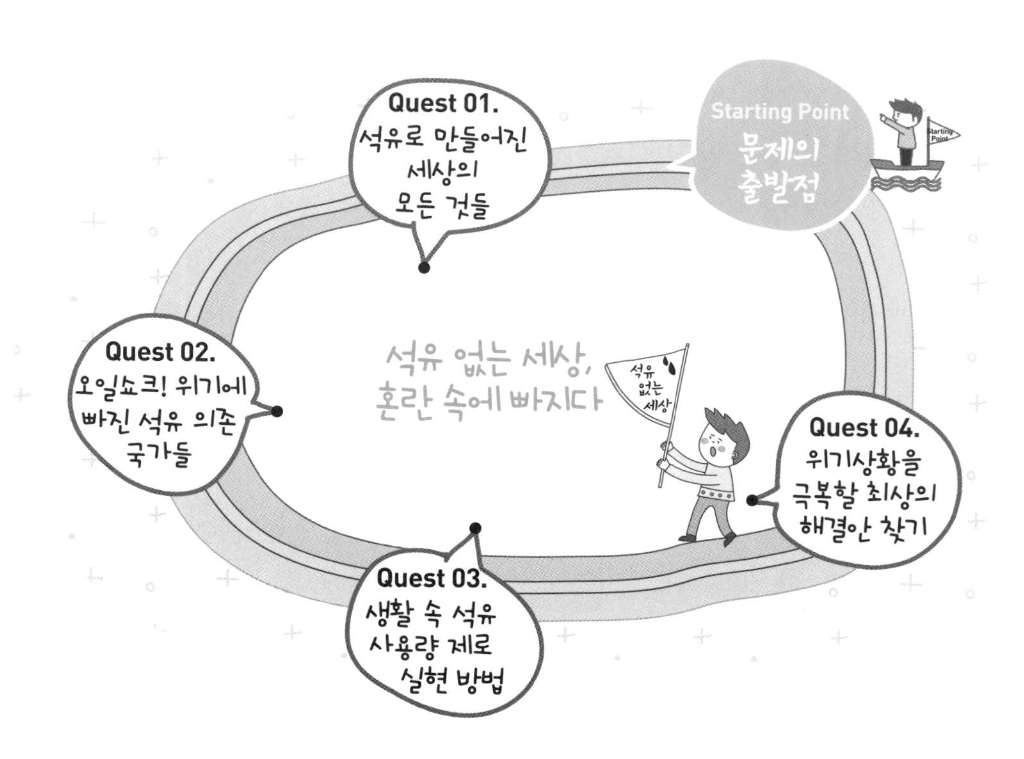

석유로 만들어진 세상의 모든 것들

★★★★★

갑작스런 소식에 모두가 커다란 혼란 속에 빠진 상태입니다. 단순히 자동차를 비롯한 교통수단의 연료로만 생각해 왔는데 우리가 활용하고 있는 많은 제품들이 석유를 재료로 만들어졌다고 합니다. 그야말로 석유로 만들어진 세상 속에서 우린 풍요를 누리며 살아왔던 것입니다. 우리는 반드시 알아야 합니다. 과연 석유 없는 세상이 인간의 삶에 어떤 영향을 미칠지 예측하기 위해서라도 필요한 과정이죠.

❶ [개별] 석유로 만들어진 제품을 찾아봅시다.

제품명	용 도	제품명	용 도

❷ [팀별] 석유로 만들어진 제품을 팀별로 공유하고, 필수적인 여섯 제품을 선정하세요. (중요도 순으로 기록하기)

1		4	
2		5	
3		6	

❸ [개별] 오늘 하루의 기록(석유 제품을 중심으로 기술하기)

제목	
내용	

관련교과	국어	사회	도덕	수학	과학	실과			체육	예술		영어	창의적 체험활동	자유학기활동		
						기술	가정	정보		음악	미술			진로탐색	주제선택	예술체육
	●	●					●						●		●	

1. 우리가 익숙히 사용하는 제품 중에는 석유화학제품이 많이 있습니다. 충분한 탐색을 통해 석유가 우리 삶에 어떤 편리함을 주고 있는지 확인해 봅시다.
2. 석유제품 중에 중요도를 감안하여 TOP6를 작성하고, 오늘 하루 동안 이용한 석유제품을 중심으로 일기형식으로 기록합니다.

나만의 교과서

4가지 기본항목을 채우고, 퀘스트 해결과정에서 공부한 내용이나 수집한 정보를 토대로 자신만의 방식으로 알차게 표현해 보세요. 그림이나 생각그물의 형태로 표현하는 것도 좋습니다.

ideas 문제해결을 위한 나의 아이디어	facts 문제와 관련하여 내가 알고 있는 것들

learning issues 문제해결을 위해 공부해야 할 주제	need to know 반드시 알아야 할 것

스스로 평가
자기주도학습의 완성!

		나의 신호등
01	나는 우리 생활 속에서 흔히 사용되는 석유로 만들어진 제품들을 찾았다.	1 2 3 4 5
02	나는 석유로 만든 제품들을 모둠원들과 공유하였다.	1 2 3 4 5
03	나는 하루동안 사용한 석유제품을 중심으로 일기를 썼다.	1 2 3 4 5
04	나는 일상에서 석유제품에 대한 의존도가 얼마나 높은지 알게 되었다.	1 2 3 4 5
05	나는 문제해결을 위해 탐구한 내용과 수집한 정보를 바탕으로 나만의 교과서를 멋지게 완성하였다.	1 2 3 4 5

자신의 학습과정을 되돌아보고 진지하게 평가해주세요.

오늘의 점수 나의 총점수

오일쇼크! 위기에 빠진 석유 의존 국가들

★★★★★★★

OPEC의 석유생산 중단 발표는 석유가격의 대폭적인 상승과 함께 관련 제품의 가격 상승과 품귀 현상을 빚어냈습니다. 여전히 석유에 대한 의존도가 높았던 각 국가들은 과거의 오일쇼크와는 비교도 되지 않을 큰 위기에 봉착하게 됐습니다. 스태그플레이션 정도가 아닌 경제체제 전체의 붕괴마저도 염려해야 될 상황에 놓이게 된 것입니다.

*스태그플레이션(stagflation) : 침체를 의미하는 '스태그네이션(stagnation)'과 물가상승을 의미하는 '인플레이션(inflation)'을 합성한 용어로, 경제활동이 침체되고 있음에도 불구하고 지속적으로 물가가 상승되는 상태가 유지되는 저성장·고물가 상태를 의미한다(예를 들어 매월 받는 급여는 그대로이거나 오히려 줄어들었는데, 각종 제품이나 식료품 가격은 오르고 있는 상황).

❶ [개별] 오일쇼크와 관련한 역사적 사실을 공부해 봅시다! 과거를 알아야 현재의 위기를 제대로 볼 수 있죠.

❷ [개별] 역사적 사실을 바탕으로 지금의 오일쇼크가 우리의 경제에 어떤 영향을 미칠지 예측해 봅시다.

❸ [팀별] 구성원들이 예측한 상황을 바탕으로 '오일쇼크 직후'의 상황을 시나리오로 작성해 보세요.

시나리오

관련교과	국어	사회	도덕	수학	과학	실과			체육	예술		영어	창의적 체험활동	자유학기활동		
						기술	가정	정보		음악	미술			진로 탐색	주제 선택	예술 체육
	●	●											●		●	

1. 석유생산 감축이 몰고 온 오일쇼크 사례가 있습니다. 자세히 살펴본다면 현재 다가온 오일쇼크의 여파를 예상할 수 있을 거예요.
2. 오일쇼크 직후의 모습입니다. 먼 장래의 이야기가 아님을 감안해서 시나리오를 작성해 주세요.

나만의 교과서

4가지 기본항목을 채우고, 퀘스트 해결과정에서 공부한 내용이나 수집한 정보를 토대로 자신만의 방식으로 알차게 표현해 보세요. 그림이나 생각그물의 형태로 표현하는 것도 좋습니다.

ideas 문제해결을 위한 나의 아이디어	facts 문제와 관련하여 내가 알고 있는 것들

learning issues 문제해결을 위해 공부해야 할 주제	need to know 반드시 알아야 할 것

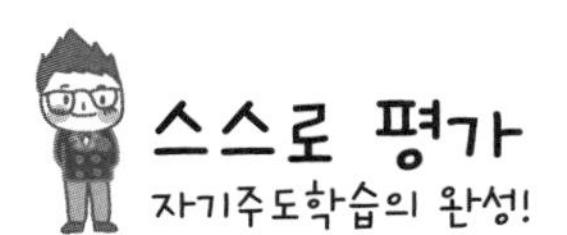

스스로 평가
자기주도학습의 완성!

나의 신호등

01	나는 과거 오일쇼크가 벌어진 배경과 경제에 미치 영향에 대해 충분히 공부하였다.	1 2 3 4 5
02	나는 역사적 사실에 기초해 앞으로 벌어질 오일쇼크의 영향을 예측하였다.	1 2 3 4 5
03	나는 모둠원들이 예측한 오일쇼크 후의 상황을 공유하고, 공통의 안을 도출하였다.	1 2 3 4 5
04	나는 오일쇼크 후의 상황을 가상시나리오로 작성하였다.	1 2 3 4 5
05	나는 문제해결을 위해 탐구한 내용과 수집한 정보를 바탕으로 나만의 교과서를 멋지게 완성하였다.	1 2 3 4 5

자신의 학습과정을 되돌아보고 진지하게 평가해주세요.

Level up

오늘의 점수 나의 총점수

Quest 퀘스트 03

생활 속 석유 사용량 제로 실현 방법

★★★★★★★

예견된 일이 벌어지고 있습니다. 시중에서 석유와 관련된 제품들이 자취를 감춰버렸습니다. 석유를 원재료로 사용하는 산업은 고사 위기에 처해 있고, 그곳에 종사하는 수많은 직장인들이 대량 실직을 하고 있습니다. 하루아침에 기약 없는 내일로 내밀리고 사람들이 폭증하고 있는 상황에서 정부는 어떠한 대책도 내놓지 못하고 있습니다. 이제 믿을 수 있는 건 내 주변의 가족과 이웃, 그리고 친구뿐이죠. 석유 없는 세상을 대비하여 실질적인 지혜를 모아야 할 시점, 생활 속 석유 사용량 제로를 실현하기 위한 방법을 찾아보세요!

❶ [개별] 하루(혹은 특정시간)를 정해서 석유 사용량 제로 방법을 고안하고 실천하세요. 이를 바탕으로 석유 사용량을 최소화시킬 수 있는 생활 속 노하우를 공개해 보세요!

체험일시	
체험내용	
대체사용물건	
나만의 노하우	

❷ [팀별] '석유 사용량 제로' TOP 5

순위	제안자	석유 사용량 제로 방법
1		
2		
3		
4		
5		

관련교과	국어	사회	도덕	수학	과학	실과			체육	예술		영어	창의적 체험활동	자유학기활동		
						기술	가정	정보		음악	미술			진로 탐색	주제 선택	예술 체육
		●					●						●		●	

1. 석유 없이 살 수 있는 방법은 무엇일까요? 하루를 보내며 가급적 석유 제품을 사용하지 않거나 최소화해서 지내보도록 합시다. 경험을 바탕으로 석유 사용량 제로 노하우를 제안해 주세요.
2. 2모둠이 짝이 되어 구성원들이 제안한 석유 사용량 제로 노하우 중에 TOP5를 선정해 봅니다.

나만의 교과서

4가지 기본항목을 채우고, 퀘스트 해결과정에서 공부한 내용이나 수집한 정보를 토대로 자신만의 방식으로 알차게 표현해 보세요. 그림이나 생각그물의 형태로 표현하는 것도 좋습니다.

ideas
문제해결을 위한 나의 아이디어

facts
문제와 관련하여 내가 알고 있는 것들

learning issues
문제해결을 위해 공부해야 할 주제

need to know
반드시 알아야 할 것

스스로 평가

자기주도학습의 완성!

		나의 신호등
01	나는 약속한 시간(기간) 동안 석유 사용량 제로를 위한 방안을 몸소 실천하였다.	1 2 3 4 5
02	나는 실제 경험을 바탕으로 석유 사용량 최소화를 위한 노하우를 제안하였다.	1 2 3 4 5
03	나는 석유 사용량 제로 방법을 공유하고, 모둠별로 가장 효과적인 방법을 선정하였다.	1 2 3 4 5
04	나는 기존 석유제품을 대체할 수 있는 친환경제품에 대해 충분히 알게 되었다.	1 2 3 4 5
05	나는 문제해결을 위해 탐구한 내용과 수집한 정보를 바탕으로 나만의 교과서를 멋지게 완성하였다.	1 2 3 4 5

자신의 학습과정을 되돌아보고 진지하게 평가해주세요.

Level up

오늘의 점수 나의 총점수

위기상황을 극복할 최상의 해결안 찾기

★★★★★★★

석유생산 중단이 장기화되면서 상황은 더 악화되고 있습니다. 산업사회 이후, 석유에 의존해 왔던 인류의 삶은 이제 뿌리채 흔들리고 있습니다. 지구상에서 석유가 완전히 사라진 이후, 우리가 겪게 될 세상은 어떤 모습일까요? 그리고 생존을 위해 우리들은 어떻게 협력하고 대비해야 할까요? 이런 이유에서 석유 없는 세상이 몰고 올 위기상황을 예측하고 대책을 강구하는 시도는 매우 중요합니다. 분명한 근거와 상상력을 총동원해서 위기상황을 그려보세요. 그리고 위기상황을 극복해낼 수 있는 최상의 해결안을 제안해 보세요.

❶ [팀별] 석유 없는 세상 속 위기상황을 담은 시나리오를 작성하고, 극으로 꾸밉시다.

❷ [팀별] 다른 모둠이 예상한 위기상황에 대해 최상의 해결안을 제안하세요.

모둠명	최상의 해결안

관련교과	국어	사회	도덕	수학	과학	실과			체육	예술		영어	창의적 체험활동	자유학기활동		
						기술	가정	정보		음악	미술			진로 탐색	주제 선택	예술 체육
	●	●											●		●	

1. 앞서 수행한 퀘스트2의 가상시나리오를 바탕으로 석유 없는 세상을 그려보고, 닥쳐 올 위기상황을 실감나게 표현하는 것이 중요합니다. 이를 위해 역할극이나 동영상을 활용한 사전촬영을 진행하도록 하세요.
2. 위기상황에 따라 각 모둠은 최상의 해결안을 제시해야 합니다. 여기에 퀘스트3 석유 사용량 제로를 위한 실천 노하우가 포함되도록 해주세요. 각 모둠별로 준비한 해결안은 발표 때까지 공개하지 않도록 해야 합니다. 다른 모둠을 통해 위기상황에 대한 해법을 들은 이후에 발표하게 됩니다. 참고하세요.

나만의 교과서

4가지 기본항목을 채우고, 퀘스트 해결과정에서 공부한 내용이나 수집한 정보를 토대로 자신만의 방식으로 알차게 표현해 보세요. 그림이나 생각그물의 형태로 표현하는 것도 좋습니다.

ideas 문제해결을 위한 나의 아이디어	facts 문제와 관련하여 내가 알고 있는 것들

learning issues 문제해결을 위해 공부해야 할 주제	need to know 반드시 알아야 할 것

스스로 평가

자기주도학습의 완성!

		나의 신호등
01	나는 석유 없는 세상 속 위기상황을 시나리오에 생생하게 담고자 애썼다.	1 2 3 4 5
02	나는 시나리오를 단편영화나 역할극으로 완성하여 표현하였다.	1 2 3 4 5
03	나는 위기상황에 따른 해결안(모범답안)을 준비하고, 최종적으로 제시하였다.	1 2 3 4 5
04	나는 다른 모둠에서 제시한 석유 없는 세상 속 위기상황에 대한 해결방안을 제안하였다.	1 2 3 4 5
05	나는 문제해결을 위해 탐구한 내용과 수집한 정보를 바탕으로 나만의 교과서를 멋지게 완성하였다.	1 2 3 4 5

자신의 학습과정을 되돌아보고 진지하게 평가해주세요.

Level up 오늘의 점수 나의 총점수

All-Clear
sticker

09 CHAPTER

석유 없는 세상, 혼란 속에 빠지다

★Teacher Tips

Teacher Tips

'석유 없는 세상, 혼란 속에 빠지다'는 갑작스런 석유고갈로 인한 가상의 상황을 전제로 진행되는 수업입니다. 우리 주변의 대부분이 석유로 만들어진 것임을 이해하고, 그것에 대한 문제의식을 갖는 것이 이 수업의 기본적인 목적입니다. 주제와 관련하여 중점을 두고자 하는 영역이나 교과가 있다면 얼마든지 수업을 심화시키고 확장시킬 수 있습니다. 통합(융합)수업을 지향하는만큼, 창의적 체험활동이나 자유학기활동과 연계하여 진행하는 것이 좋습니다. 학습자가 수행할 과제의 특성상 STEAM, 환경교육 등의 프로그램으로 활용하는 것도 충분히 가능합니다. 교수자의 전문적 판단 하에 수업의 목적과 대상학습자의 수준을 감안하여 추가적인 활동을 제시하고, 기존 퀘스트 내용을 재구성하여 수업을 운영하도록 합니다.

산업사회 이후 인류는 석유에 대한 의존도를 키워왔습니다. 우리가 일상에서 사용하는 대부분의 제품들이 석유자원과 직·간접적으로 관련되어 있습니다. 하지만 대부분의 사람들은 석유가 실제 생활에 얼마나 깊숙이 자리잡고 있으며, 이들 제품에 어느 정도나 의존하고 있는지 잘 알지 못합니다. 굳이 관심을 기울여서 알고자 노력하지도 않습니다. 지구의 모든 자원이 그렇듯 석유 또한 유한성을 지닌 자원입니다. 석유시추기술의 발달 등으로 고갈되는 시점이 뒤로 밀리고 있지만, 결국 바닥을 드러낼 수밖에 없습니다. 게다가 지구는 장대한 시간 동안 이산화탄소를 석유나 석탄 등과 같은 형태로 땅속 깊숙이 가두어 생명이 살 수 있는 최적의 환경을 유지해 왔습니다. 이들 자원의 무분별한 사용은 필연적으로 지구환경의 파괴로 이어질 수밖에 없고, 이미 상당한 수준의 대가를 치르고 있는 중이기도 합니다.

이러한 측면에서 '석유 없는 세상'은 역설적으로 우리가 지향해야 할 미래라고 볼 수 있습니다. 주어진 문제가 석유의 고갈로 인해 재앙처럼 닥칠 위기상황에 초점을 맞추고 있지만, 실은 이를 극복하기 위한 창의적인 해법이 핵심입니다. 거창한 수업목적을 두지 않더라도 석유로 만들어진 지금의 세상을 학생들이 제대로 인식하고 이것에 대한 문제의식을 갖는 것만으로도 절반 이상의 성공입니다.

이 수업은 과제의 내용과 직접적으로 관련된 사회와 실과(가정) 교과와 연계하여 진행할 수 있습니다. 자유학기활동, 창의적 체험활동 프로그램으로 활용한다면, 주제를 중심으로 폭넓은 학습이 가능해집니다. 현장 상황에 맞게 탄력적으로 적용해 주세요. 관련 교과의 내용요소를 제시하자면 다음과 같습니다.

교과	영 역	내용요소	
		초등학교 [5-6학년]	중학교 [1-3학년]
국어	듣기말하기	◆토의[의견조정] ◆발표[매체활용] ◆체계적 내용 구성	◆토의[문제 해결] ◆발표[내용 구성] ◆매체 자료의 효과
	문학	◆이야기, 소설 ◆일상 경험의 극화	◆이야기, 소설 ◆개성적 발상과 표현
실과 정보	자료와 정보	◆소프트웨어의 이해	◆자료의 유형과 디지털 표현
	생활문화	◆주거 환경과 안전	◆주생활 문화와 주거 공간 활용
	기술시스템	◆절차적 문제해결	◆신·재생 에너지
사회	경제	◆경제 안정, 국가 간 경쟁, 상호 의존성	◆수요 법칙, 공급 법칙, 시장 가격의 결정 및 변동, 물가 상승, 실업
	지속가능한 세계	◆지속가능한 발전 ◆개발과 보존의 조화	◆지구환경문제 ◆환경 의식
	사회문화	자료 수집, 자료 분석, 자료 활용	

'석유 없는 세상'은 제시된 과제의 난이도를 고려할 때, 초등학교 5학년 이상이면 무난하게 도전할 수 있습니다. 특정 교과와 단원의 내용을 좀 더 심화시키고자 한다면, 이와 관련된 추가 과제를 제시하거나 강의를 통해 자세히 설명하는 것이 효과적입니다. 학생들이 특정 교과내용에 지나치게 치우치게 되면, 본래 수업의 목적이나 의도에서 벗어나 진행될 수 있습니다. 통합적이고 창의적인 사고능력이 발휘될 수 있도록 자유로운 학습 분위기를 조성하고, 학생들의 다양한 의견을 경청하는 자세가 중요합니다.

- 적용대상(권장): 초등학교 5학년–중학교 3학년
- 자유학년활동: 주제선택(권장)
- 학습예상소요기간(차시): 8–12일(9–12차시)
- Time Flow

8일 기준

Teacher Tips

● 수업목표(예)

QUEST 01	◆일상생활에서 자주 사용되는 석유로 만든 제품에 대해 알 수 있다. ◆석유제품에 대한 의존도를 파악하고 일상의 사례를 통해 확인할 수 있다. ◆석유와 직·간접적으로 얽힌 자신의 일상을 돌아보고 일기형식으로 기록할 수 있다.
QUEST 02	◆과거 오일쇼크가 발생하게 된 원인 및 배경, 경제에 미친 영향을 이해할 수 있다. ◆갑작스런 석유고갈로 인한 오일쇼크의 영향을 과거 사례를 토대로 예측할 수 있다. ◆오일쇼크로 야기될 가상의 위기상황을 가상시나리오로 작성할 수 있다.
QUEST 03	◆약속된 시간 동안 석유 사용량 제로를 위한 실천을 할 수 있다. ◆기존의 석유제품을 대체할 수 있는 친환경 제품을 찾아보고, 이를 사용할 수 있다. ◆직접 경험(실천)을 바탕으로 석유 사용량 제로를 위한 노하우를 제시할 수 있다.
QUEST 04	◆석유 없는 세상 속 위기상황을 극으로 표현할 수 있다. ◆위기상황을 극복하기 위한 최상의 해법을 제안할 수 있다. ◆석유 없는 세상 속 위기상황과 해결방안을 공유하고, 적절한 피드백을 제공할 수 있다.
공통	◆석유로 만들어진 세상, 그로 인한 환경문제에 대한 이해를 바탕으로 제시된 과제들을 해결할 수 있다. ◆다양한 매체에서 조사한 내용을 정리하고 자신의 언어로 재구성하는 과정을 통해 창의적인 산출물을 만들어낼 수 있다. 이 과정을 통해 지식을 생산하기 위해 소비하는 프로슈머로서의 능력을 향상시킬 수 있다. ◆토의의 기본적인 과정과 절차에 따라 문제해결 방법을 도출하고, 온라인 커뮤니티 등의 양방향 매체를 활용한 지속적인 학습과정을 경험함으로써 의사소통 능력을 신장시킬 수 있다.

※ 프로슈머 [Prosumer]: 앨빈 토플러 등 미래 학자들이 예견한 생산자(producer)와 소비자(consumer)를 합성한 말

시작하기

중심활동 : 문제출발점 파악하기, 학습흐름 이해하기

- 석유의 생성원인, 석유와 과학기술의 발전, 최근 관련 이슈 등 석유에 관한 다양한 이야기 나누기
- 석유의 갑작스런 고갈이 오래전부터 예견되고 있는 가상의 상황임을 알리고 문제의 출발점이 '나의 문제'로 인식되도록 안내하기
- 석유 없는 세상이 되어버린 문제상황과 위기 앞에 놓인 주인공으로서의 관점 제시하기
- (선택)게임화 전략에 따른 피드백 방법에 맞게 게임규칙(과제수행규칙) 안내하기
- (선택)자기평가방법 공유, 온라인 학습커뮤니티 활용 기준 제시하기
- 활동내용 예상해 보기, PBL MAP을 활용하여 전체적인 학습흐름과 각 퀘스트의 활동 내용 일부 소개하기

석유가 어떻게 생성되었는지 자유롭게 이야기를 나누며 수업을 시작해보는 것은 어떨까요? 일상에서 흔히 사용되는 연료지만, 석유의 생성원인과 매장량에 대한 논쟁은 여전

히 진행 중에 있습니다. 아마도 대부분의 학생들은 고대에 지구상에 살았던 수많은 종류의 생물들이 퇴적 지층에 갇힌 후 높은 열과 압력을 받아서 석유라는 물질이 생성됐다고 알고 있을 겁니다. 이른바 석유의 유기물 생성기원설로 우리가 사실처럼 여기고 있는 주류 이론입니다. 유기물 기원설이 사실이라면 석유 매장량은 당연히 한정된 것이고 인류는 석유고갈 사태를 맞이하게 될 것입니다. 그런데 이런 주류 이론에 도전하는 주장들이 최근들어 늘어나고 있습니다. 지하 깊은 곳에 탄화수소와 금속탄화물 등이 물과 만나 고온과 고압을 받으면서 석유가 된다는 이론인데요. 이를 석유의 무기물 생성기원설이라고 합니다. 마그마를 재료로 삼아서 석유가 만들어지고 있다면, 석유의 고갈은 걱정할 필요가 없는 셈입니다.

석유의 생성원인에 대한 궁금증이 석유 자체에 대한 관심으로 이어지도록 했다면 수업의 첫 단추는 제법 잘 꿴 것입니다. 덧붙여 석유가 우리 인류에게 어떤 혜택을 주었는지, 과학과 기술의 발전에 어떤 역할을 했는지 상식적인 수준에서 공유하는 것도 적절합니다. 제시될 문제상황과도 관련이 깊은 유가하락(저유가) 이슈를 소개하고, 정치·경제적 이유를 다각도로 살펴보면서 수업을 시작하는 것도 효과적인 접근 전략이 될 수 있습니다. 석유와 관련된 다양한 이야기가 가상의 문제상황을 '나의 문제'로 받아들이는 데 중요한 역할을 하게 됩니다.

문제의 출발점은 석유가 갑작스레 고갈된 상황을 담고 있습니다. 문제에선 저유가가 대체에너지 산업의 붕괴로 이어졌다는 가정을 두고 있는데, 실제 이들 에너지 산업을 지연시키거나 붕괴시키기 위한 목적으로 저유가 정책을 펴기도 합니다. 최근(2015-2016년) 유가급락의 주요원인 중에는 세일에너지 산업의 저지를 위한 의도가 깔려있다고 합니다. 아무튼 주어진 문제상황이 충분히 현실 가능한 시나리오로 느끼도록 만드는 것이 중요합니다.

이렇게 수업참여자들을 석유 없는 세상으로 안내하는 데 성공하였다면, 주어질 학습과정에 대해 간략하게 소개하도록 합니다. 여느 PBL 수업과 마찬가지로 MAP을 활용해 전체적인 학습흐름과 각 퀘스트별 활동내용을 간략하게 설명하는 것이 무난합니다. 수업운영에 있어서 도입하고자 하는 규칙이나 평가방법, 학생들에게 낯설만한 새로운 학습환경이 있다면, 학생들이 충분히 이해할 수 있도록 설명해 주어야 합니다.

Teacher Tips

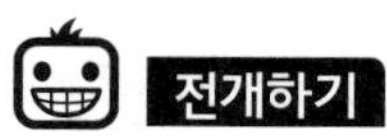

'석유 없는 세상'은 총 4개의 기본퀘스트로 구성되어 있습니다. 활동의 난이도가 그리 높지 않아서 초등학교 고학년 이상이라면 수업적용이 무난하게 이루어질 것입니다. 특히 석유 사용량 제로를 위한 도전활동에서 학생들은 남다른 반응을 보이는 경우가 많습니다. 이 수업을 실천하며 학생들의 반응을 직접 느껴보시기 바랍니다.

● 퀘스트1 : 석유로 만들어진 세상의 모든 것들

중심활동 : 석유로 만들어진 제품 조사하기, (선택)석유제품 사용을 중심으로 '나의 하루' 기록하기

- 일상에서 흔히 사용하고 있는 제품 중 석유성분을 재료로 만든 것에는 어떤 것이 있는지 이야기 나누기
- (온라인) 플라스틱, 합성섬유, 각종 화학물질 등의 주재료가 석유와 어떤 관계가 있는지 조사하고, 이를 활용해 만든 제품에는 어떤 것이 있는지 조사하기
- 개별적으로 조사한 내용을 모둠원들과 공유하고, 필수품 중심으로 여섯 가지 제품 선정하기
- 하루 동안 어떤 제품을 사용했는지 나열해보고, 이들 중 석유와 관련된 제품에는 어떤 것이 있는지 추려보기
- (선택) 하루 동안 사용한 석유제품을 중심으로 '나의 하루'를 일기형식으로 기록하기

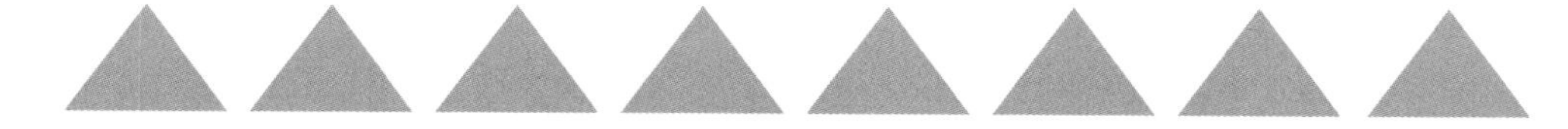

Quest 퀘스트 01

석유로 만들어진 세상의 모든 것들

★★★★★

갑작 … 단순히 자동차를 비롯한 교
통수 … 은 제품들이 석유를 재료로
만들어 … 우린 풍요를 누리며 살아왔
던 것 … 이 인간의 삶에 어떤 영향을
미칠지

문제출발점에 이어서 바로 퀘스트1을 제시하는 것이 자연스럽습니다. 우리가 일상에서 사용하고 있는 대다수의 제품들이 석유를 재료로 만들어졌음을 수업에 참여하는 학생들이 알고 느끼는 것이 중요합니다. 이를 위해 모두가 공통적으로 사용하고 있는 물건 중 석유와 관련된 제품에는 어떤 것이 있는지 살펴보는 과정이 효과적일 수 있습니다. 학생들이 지니고 있는 소지품으로 국한하여 살펴보아도 충분합니다. 각종 학용품, 가방, 옷, 신발, 휴대폰 등 대부분이 석유화학제품이니 말입니다.

❶ [개별] 석유로 만들어진 제품을 찾아봅시다.

제품명	용 도	제품명	용 도

❷ [팀별] 석유로 만들어진 제품을 팀별로 공유하고, 필수적인 여섯 제품을 선정하세요
(중요도 순으로 기록하기).

1	
2	
3	

학생들이 온라인을 통해 관련 정보를 찾아보아도 동일한 결론을 얻게될 것입니다. 우리의 일상에서 활용되는 물건 중 석유화학제품이 아닌 것을 찾는 것이 오히려 어렵게 느껴질 것입니다. 그래서 여섯 가지 석유제품을 선정하는 활동의 목적은 석유로 만들어진 세상에 대한 학생들의 문제인식을 모으는 데 초점을 맞추어야 합니다.

❸ [개별] 오늘 하루의 기록 (석유 제품을 중심으로 기

제목	
내	

하루 동안 어떤 제품을 사용했는지 모둠원들과 함께 나열해보고, 이들 중 석유관련제품에는 어떤 것이 있는지 살펴봅니다. 이어서 학생들이 자신의 하루일과를 되돌아보면서 석유제품 사용을 중심으로 한 기록활동을 진행합니다. 다만 이 활동은 평소 이루어지는 일기쓰기와 연계하여 진행하는 것이 적합합니다. 평소 일기쓰기 지도를 하고 있지 않다면, 시간순으로 석유제품 사용기록을 하도록 하고, 불필요하게 여겨진다면 교수자의 판단 하에 생략해도 괜찮습니다.

실과		체육	예술		영어	창의적 체험활동	자유학기활동		
가정	정보		음악	미술			진로 탐색	주제 선택	예술 체육
●						●		●	

1. 우리 … 제품이 많이 있습니다. 충분한 탐색을 통해 석유가 우리 삶에 어떤 편리함을 주고 …
2. 석유제품 중 … P6를 작성하고, 오늘 하루 동안 이용한 석유제품을 중심으로 일기형식으로 기록합니다.

● 퀘스트2 : 오일쇼크! 위기에 빠진 석유 의존 국가들

중심활동 : 오일쇼크 이후 세상 예측하기, 가상시나리오 작성하기

- (온라인) 과거 오일쇼크의 발생원인과 배경, 경제에 미친 영향 등에 대해 조사하고 공부하기
- 역사적 사실을 토대로 오일쇼크가 우리 경제에 어떤 영향을 미칠지 예측하기
- 개별적으로 조사한 내용을 바탕으로 '오일쇼크 직후'의 상황을 시나리오로 작성하기

Quest 퀘스트 02 오일쇼크! 위기에 빠진 석유 의존 국가들

★★★★★★★

OPEC의 석유생산중단 발표는 석유가격의 대폭적인 상승과 함께 관련 제품의 가격 상승과 품귀 현상을 빚어냈다. 여전히 석유에 대한 의존도가 높았던 각 국가들은 과거의 오일쇼크와는 비교도 되지 않을 큰 위기에 봉착하게 됐다. 스태그플레이션 정도가 아닌 경제체제 전체의 붕괴마저도 염려해야

*스태그플레이션(stagflation) : 침체 … 상승을 의미하는 '인플레이션(inflation)'을 … 불구하고 지속적으로 물가가 상승되는 … 한다 …를 들어 매월 받는 급여는 그대로 … 료품 …은 오르고 있는 상황).

본격적인 퀘스트 수행에 앞서 과거 오일쇼크의 발생원인과 배경, 경제에 미친 영향 등을 상세히 조사하도록 안내합니다. 이 활동은 사전 과제의 성격이 강하므로 퀘스트1이 끝나자마자 퀘스트2를 제시하여 다음 수업시간까지 개별적으로 오일쇼크에 대해 공부해오도록 하는 것이 적절합니다.

과거 오일쇼크 이후 벌어진 역사적 사실을 토대로 석유고갈이라는 극단적 상황에서 빚어진 오일쇼크를 예상합니다. 그리고 오일쇼크 이후의 세상을 예측하여 인류가 어떤 위기상황에 직면하게 될지, 어떤 변화를 겪게 될지 모둠원들과 논의하도록 합니다.

[개별] 오일쇼크와 관련한 역사적 사실을 공부해 보자! 과거를 알아야 현재의 위기를 제대로 볼 수 있다.

❷ [개별] 역사적 사실을 바탕으로 지금의 오일쇼크가 우리의 경제에 어떤 영향을 미칠지 예측해 봅시다.

❸ [팀별] 구성원들이 예측한 상황을 바탕으로 '오일쇼크 직후' 의 상황을 시나리오로 작성해 보자.

시

앞서 논의한 내용을 바탕으로 오일쇼크 이후의 세상(석유 없는 세상)을 담은 가상시나리오를 작성합니다. 가상의 인물과 배경 등을 내세워 일종의 단편소설이나 만화 등의 형식으로 표현하는 것을 적극 고려하도록 안내해 주세요. 가상시나리오를 어떻게 표현할지에 대한 부분은 항상 그렇듯 학생들에게 맡기는 것이 좋습니다.

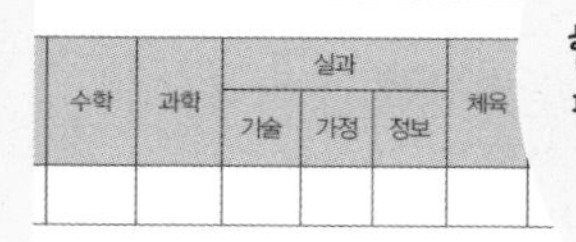

수학	과학	실과			체육
		기술	가정	정보	

…크 사례가 있습니다. 자세히 살펴본다면 현… 있을

…장래의 이야기가 아님을 감안해서 시나리오를 작성해 …

모둠별로 오일쇼크 이후의 세상을 자유롭게 논의하는 과정을 거쳐 공통의 안을 도출해야 합니다. 이를 토대로 일상에서 어떤 불편함을 경험하게 될지 예상하고, 어떤 대체제품을 활용하게 될 것인지 추가적인 논의로 이어지도록 합니다.

● 퀘스트3 : 생활 속 석유 사용량 제로 실현 방법

중심활동 : 석유 사용량 제로에 도전하기

- (온라인) 앞서 조사한 석유관련 제품을 하나도 사용하지 않고 특정 기간 동안 생활하기
- (온라인) 체험일시, 체험내용, 대체사용물건(제품), 나만의 노하우 등을 정리하여 기록하기
- (선택) SNS를 이용하여 실천내용을 실시간으로 공유할 수 있도록 하기
- 직접적인 경험을 바탕으로 한 석유 사용량 제로를 위한 실천 노하우 제안하기
- '석유 사용량 제로 Top5' 선정하기

Quest 퀘스트 03 생활 속 석유 사용량 제로 실현 방법 ★★★★★★★

예견된 일이 벌어지고 있다. 시중에서 석유와 관련된 … 자취를 감춰버렸다. 석유를 원재료로 사용하는 산업은 고사 위기에 처해 … 많은 직장인들이 대량 실직을 하고 있다. 하루아침에 기… 급증하고 있는 상황에서 정부는 어떠한 대책도 내놓… 내 주변의 가족과 이웃, 그리고 친구뿐이다. 석유 … 찾아야 할 시점, 생활 속 석유 사용량 제로를 실현 …

석유 없는 세상 속 인물이 되어 석유 사용량 제로에 도전하는 활동이 진행됩니다. 특정 기간을 공통적으로 정하거나 학생들 각자의 일정에 따라 자율적으로 정하여 진행하도록 하는 방법이 있습니다. 최소 하루 이상을 석유 사용량 제로에 도전할 수 있도록 안내해 주세요.

정해진 기간 동안에는 앞서 퀘스트를 수행하며 알게 된 석유관련 제품을 하나도 사용하지 못하고, 석유를 연료로 사용하는 교통수단의 이용도 당연히 금지됩니다. 자신의 석유 사용량 제로 도전기를 시간대별로 기록하고 사진으로 남겨 인증할 수 있도록 합니다. SNS를 이용하여 실시간 공유의 장을 만들면 훨씬 적극적으로 참여하게 됩니다.

❶ [개별] 하루(혹은 특정시간)를 정해서 석유 사용량 제… …으로 석유 사용량을 최소화시킬 수 있는 생활 속 노하우를 …

체험일시	
체험내용	
대체사용물건	
나만의 노하우	

❷ [팀별] '석유 사용량 제로' TOP 5

순위	제안자	석유 사용량 제로 방법
1		
2		
3		
4		
5		

직접적인 경험을 바탕으로 석유 사용량 제로를 위한 실천 노하우를 제안하도록 안내합니다. 모둠별로 각자의 실천 노하우를 공유하고, 논의과정을 거쳐 '석유 사용량 제로 Top 5'를 선정하도록 합니다.

관련교과	국어	사회	도덕	수학		기술	가정	정보	체육	예술		영어	창의적 체험활동	자유학기활동		
										음악	미술			진로 탐색	주제 선택	예술 체육
		●					●						●		●	

1. 석유 없이 살 수 있는 방법은 무엇일까요? 하루를 보내며 가급적 석유 제품을 사용하지 않거나 최소화해서 지내보도록 합시다. 경험을 바탕으로 석유 사용량 제로 노하우를 제안해 주세요.
2. 2모둠이 짝이 되어 구성원들이 제안한 석유 사용량 제로 노하우 중에 TOP5를 선정해 봅니다.

Teacher Tips

수업의 마무리는 모둠별로 위기상황을 극으로 표현하고, 이에 대한 최상의 해결안을 공유하는 것으로 채워지게 됩니다. 학생들은 앞서 퀘스트2에서 작성했던 가상시나리오를 극에 맞게 재구성하고, 석유 사용량 제로 실천노하우를 중심으로 최적의 해법을 마련하게 됩니다.

● 퀘스트4 : 위기상황을 극복할 최상의 해결안 찾기

중심활동 : 석유 없는 세상 속 위기상황을 극으로 표현하기, 위기상황별 최상의 해결안 제안하기

- 석유 없는 세상 속 위기상황을 담은 가상시나리오(퀘스트2)를 극에 맞게 재구성하기
- 역할극, 단편영화, 라디오극 등으로 석유 없는 세상 속 위기상황을 실감나게 표현하기(모둠별 발표)
- 각 모둠이 표현한 석유 없는 세상 속 위기상황에 대한 부가적인 설명을 듣고, 토의과정을 거쳐 최적의 해법을 해당 모둠에게 제안하기
- 상대모둠이 제안한 해법을 수용하고, 자신들이 준비한 최상의 해결안 공개하기
- (선택) 최상의 해결안을 포함하여 위기상황별 각종 해결안에 대한 추가적인 논의 진행하기
- 학생들은 성찰저널(reflective journal)을 작성해서 온라인 학습 커뮤니티에 올리고 선생님은 덧글로 피드백 해주기

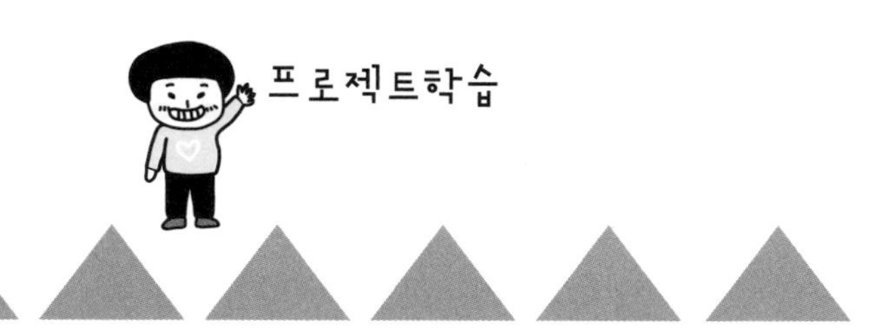

Quest 퀘스트 04

위기상황을 극복할 최상의 해결안 찾기

★★★★★★★

석유생산 중단이 장기화되면서 상황
해 왔던 인류의 삶은 이제 뿌리채 흔들
후, 우리가 겪게 될 세상은 어떤 모습
고 대비해야 할까? 이런 이유에서 석유
을 강구하는 시도는 매우 중요하다. 눈
려보자. 그리고 위기상황을 극복해낼 수 있는 최상의 해결안을 제안하자.

석유 없는 세상 속 위기상황은 퀘스트2의 활동내용을 바탕으로 재구성하면 됩니다. 앞서 수행한 과제에 이어서 진행되는 활동인 만큼, 학생들이 새롭게 활동을 준비하는 일이 발생하지 않도록 사전에 안내하는 것이 필요합니다.
퀘스트2에서 작성했던 가상시나리오를 표현하고자 하는 극의 형태에 맞게 고치도록 합니다. 극의 완성도를 높이는 방향으로 내용을 보강하여 구성하는 것이 중요합니다.

1 [팀별]석유 없는 세상 속 위기상황을 담은 시나리오를 작성하고, 극으로 꾸밉시다.

역할극, 단편 영화, 라디오극 등 표현의 형식을 자유롭게 열어두는 것이 좋습니다. 학생들의 의견을 존중하여 결정하도록 하고, 석유 없는 세상 속 위기상황을 실감나게 표현하는 데 초점을 맞출 수 있도록 강조합니다.

예상한 위기상황에 대해 최상의 해결안을 제안하세요.

최상의 해결안

극으로 표현한 석유 없는 세상 속 위기상황에 대해 모둠별로 해결방안을 논의하고, 최적의 해법을 제안합니다. 이를 위해 각 모둠의 극이 끝나면, 표현한 위기상황에 대한 부연설명을 듣고, 해법을 찾기 위한 토의과정을 모둠별로 진행합니다. 그리고 여기서 도출한 최적의 해법을 발표한 모둠에게 제안하는 방식으로 운영됩니다.

상대 모둠이 제안한 해법을 수용하고, 자신들이 마련한 최상의 해결안을 공개합니다. 시간이 가능하다면 이에 대한 추가적인 논의를 이끌어내는 것이 좋습니다. 기본적으로 위기상황별 해법은 퀘스트3에서 수행한 석유 사용량을 줄이기 위한 실천경험이 밑바탕에 깔려 있어야 합니다. 학생들 간의 활발한 상호작용이 이루어질 수 있도록 교수자의 간섭을 최소화하고, 자율적이고 민주적인 학습 분위기를 조성하는 것이 중요합니다.

관련교과	체육	예술		영어	창의적 체험활동	자유학기활동		
		음악	미술			진로 탐색	주제 선택	예술 체육
					●		●	

1. 앞서 수행한 퀘 세상을 그려보고, 닥쳐 올 위기상황을 실감나게 표현하는 것이 중요합니다. 이를 위해 역할극이나 동영상을 활용한 사전촬영을 진행하도록 하세요.
2. 위기상황에 따라 각 모둠은 최상의 해결안을 제시해야 합니다. 여기에 퀘스트3 석유 사용량 제로를 위한 실천 노하우가 포함되도록 해주세요. 각 모둠별로 준비한 해결안은 발표 때까지 공개하지 않도록 해야 합니다. 다른 모둠을 통해 위기상황에 대한 해법을 들은 이후에 발표하게 됩니다. 참고하세요.

CHAPTER 10

고릴라에게 배우는 고릴라퀴즈

공부에 대한 생각

학교에 입학하면서부터 받게 되는 책, 교과서! 매년 만나는 교과서엔 정말 많은 지식이 담겨 있는데요. 우린 이들 지식을 머릿속에 오랫동안 담아두기 위해 치열한 노력을 기울입니다. 같은 내용을 이런 저런 방법으로 수없이 반복해가며 지루한 시간을 버텨내는 것이 대한민국 학생들에게 주어진 핵심 임무 중에 하나입니다.

그런데 문제는 교과서 지식을 왜 배워야 하는지, 그 이유를 생각할 틈도 없이 지낸다는 겁니다. 그냥 시험을 잘 보기 위해, 좋은 상급학교에 입학하기 위해 어쩔 수 없이 참고 견디며 해야만 하는 의무일 뿐입니다. 많은 학생들이 경쟁에서 이기는 방법으로 공부를 선택하는 걸 이상하게 바라보는 사람은 그리 많아 보이지 않습니다. 오랜 세월 동안 깊숙이 뿌리 내려버린 공부에 대한 우리들의 생각이 딱딱하게 굳어져서 그런 건 아닐까요?

여러분들은 어떻게 생각하나요? 이제 여러분들은 고릴라퀴즈의 주인공이 되어 다른 생각으로 교과서를 만나보도록 하겠습니다. 교과서에 담긴 위대한 유산을 찾아 경쟁이 아닌 상생을 목적으로 한 퀴즈대회를 열도록 하겠습니다.

* 문제시나리오에 사용된 어휘빈도(횟수)를 시각적으로 나타낸 워드클라우드(word cloud)입니다.
워드클라우드를 통해 어떤 주제와 활동이 핵심인지 예상해 보세요.

고릴라에게 배우는 고릴라퀴즈

사람과의 DNA가 97-98% 일치하는 고릴라, 침팬지 다음으로 인간과 비슷한 동물입니다. 인류의 먼 조상도 어느 지점에선 고릴라의 수준에 불과했었겠죠? 사실 2%의 차이가 오늘날의 인류문명을 세웠다고 볼 수 있습니다.

그러나 찬란한 문명 뒤에는 전쟁과 파괴의 참혹한 역사가 늘 자리하고 있습니다. 바로 지금 이 순간에도 세계 곳곳에서 전쟁과 파괴의 참혹한 역사는 되풀이 되고 있죠. 물론 경우는 다르겠지만, 치열한 경쟁 속에 살아남아야 하는 우리들 역시 다르지 않습니다. 승자가 독식하는 세상 속에 약자에 대한 배려는 실종되기 마련입니다.

과연 이대로 괜찮을까요? 그래서 인간보다 열등하다고 치부하는 고릴라에게서 배움을 얻고자 합니다. 고릴라는 15-30마리가 함께 무리를 지으며 살아갑니다. 경험 많고 지혜로운 리더를 중심으로 평생 평화로운 삶을 추구합니다. 외모와 달리 외부로부터 위협을 받지 않는다면 먼저 공격하는 법도 없습니다. 이웃 고릴라 무리와도 경쟁보다 상생을 택하며 평화롭게 지내지요. 고릴라 공책이 추구하는 가치도 바로 여기에 있습니다. 치열한 경쟁이 우선되는 공부가 공존과 상생의 가치를 공유하는 기회가 될 수만 있다면 그것 자체만으로도 의미 있는 시도가 아닐까요?

PBL MAP

Quest 퀘스트 01

교과서 속 위대한 유산을 찾아라

★★★★★★★

인류의 위대한 유산 중에 엄선된 지식들을 담고자 노력한 책 중에 하나가 교과서입니다. 교과서 속에는 인류의 문명을 세우고 발전시키는 데 중요한 영향을 미친 수많은 지식들이 담겨져 있습니다. 우리들이 편안하게 누리고 있는 많은 것들은 교과서에 담긴 지식을 출발점으로 삼고 있기도 합니다. 하지만 불행히도 재미있는 책이 아니죠. 더 불행한 건 지식을 곱씹으며 앎의 기쁨을 주기보다 시험을 목적으로 일시적인 암기의 대상이 되는 현실입니다. 시험 볼 때까지 한시적으로 기억해 두었다가 시험이 끝나면 쓸모가 없어지는 그런 지식들로 치부되는 거죠. 결과적으로 교과서에서 다룬 수많은 지식들은 머릿속에서 흔적 없이 사라지고 자신감을 떨어뜨리는 시험점수만 기억됩니다. 절대 정상이 아니죠. 이제 여러분들의 할 일은 바꾸는 겁니다. 고릴라쿼즈 정신, '상생과 공존'의 가치에 부합하는 교과서 속 지식을 찾는 일에 뛰어 드는 거죠. 한치의 망설임도 없이 말이죠. 교과서 속 위대한 유산을 찾는 일에 동참해 주세요.

❶ [개별] 인류의 상생과 공존의 정신을 살릴 수 있는 10가지 위대한 유산을 찾아봅시다. 주어진 범위 내의 내용이 골고루 반영될 수 있도록 해 주세요. ★★★★★

과목	내 용	선정 이유	쪽수

❷ [팀별·개별] 모둠원들이 선정한 위대한 유산을 살펴보고, 후대가 앞으로도 배워야 할 최고의 유산 TOP5를 개별적으로 선정해 주세요. ★★

구분	과목	내 용	선정 이유	발견자
1				
2				
3				
4				
5				

관련교과	국어	사회	도덕	수학	과학	실과			체육	예술		영어	창의적 체험활동	자유학기활동		
						기술	가정	정보		음악	미술			진로 탐색	주제 선택	예술 체육
	○	○	○	○	○	○	○	○	○	○	○	○	●		●	

1. 상생과 공존을 직접적으로 언급하지 않더라도 인류의 평화로운 발전에 꼭 필요한 교과 지식을 선정하면 됩니다.
2. 특정 과목에 편중되지 않도록 가급적 모든 과목을 대상으로 위대한 유산을 찾아주세요.
3. 최고의 유산 Top5는 자신의 것을 제외한 것으로 서로의 의견을 나누며 개별적으로 선정하면 됩니다. 모둠 공통의 Top5를 만드는 것이 아닙니다.

나만의 교과서

4가지 기본항목을 채우고, 퀘스트 해결과정에서 공부한 내용이나 수집한 정보를 토대로 자신만의 방식으로 알차게 표현해 보세요. 그림이나 생각그물의 형태로 표현하는 것도 좋습니다.

ideas 문제해결을 위한 나의 아이디어	facts 문제와 관련하여 내가 알고 있는 것들

learning issues 문제해결을 위해 공부해야 할 주제	need to know 반드시 알아야 할 것

스스로 평가

자기주도학습의 완성!

나의 신호등

01	나는 주어진 범위(교과 및 단원) 안에서 다뤄진 각종 지식을 살펴보았다.	①②③④⑤
02	나는 인류의 공존과 상생에 도움을 줄 위대한 유산 10가지 이상을 선정하였다.	①②③④⑤
03	나는 다른 모둠원이 선정한 위대한 유산들을 면밀히 살펴보고 충분히 공유하였다.	①②③④⑤
04	나는 공유한 위대한 유산 중 Top5를 명확한 기준에 의해 선정하였다.	①②③④⑤
05	나는 문제해결을 위해 탐구한 내용과 수집한 정보를 바탕으로 나만의 교과서를 멋지게 완성하였다.	①②③④⑤

자신의 학습과정을 되돌아보고 진지하게 평가해주세요.

Level up

오늘의 점수

나의 총점수

Quest 퀘스트 02

고릴라퀴즈 참가를 위한 나만의 문제 만들기 ★★★★★★★★★★

여러분들이 선정한 교과서 속 위대한 유산을 문제로 만들어 주세요. 처음부터 끝까지 문제 만들기의 모든 과정을 밟아도 좋지만, 교과서나 각종 문제집에 담긴 기존 문제들을 참고하고 활용해서 만들어도 좋습니다. 문제의 질이 떨어지지 않도록 충분한 검토 과정을 거쳐서 완성해 주세요. 고릴라퀴즈에 참가하기 위해선 개인별로 10개 이상의 문제를 만들어야 합니다.

❶ [개별] 10가지 위대한 유산을 토대로 한 고릴라퀴즈 문제를 만들어 주세요. 선다형, 단답형으로 각 절반씩 출제하면 됩니다. ★★★★★

과목	문 제	정 답	방식

❷ [개별] 고릴라퀴즈 문제를 완성했다면, A4 절반 크기 정도의 문제카드를 만들어 주세요. 카드 앞면에는 문제내용, 뒷면에는 답안을 표기하면 됩니다. 상대방이 문제내용을 신속하고 정확하게 읽을 수 있도록 글씨체와 크기를 고려해야 합니다. ★★

문제

경쟁이 아닌 공존과 상생에 의미를 두고 진행하는 퀴즈대회의 이름은 무엇인가?

<힌트> 고릴라

정답

고릴라퀴즈

❸ [팀별] 모둠별로 문제를 검토하고 수정·보완해주세요. 그리고 자신의 것을 제외한 최고의 문제 TOP5를 선정해 주세요. ★★

	과목	문 제	선정 이유	출제자
1				
2				
3				
4				
5				

관련교과	국어	사회	도덕	수학	과학	실과			체육	예술		영어	창의적 체험활동	자유학기활동		
						기술	가정	정보		음악	미술			진로 탐색	주제 선택	예술 체육
	○	○	○	○	○	○	○	○	○	○	○	○	●		●	

1. 10가지 위대한 유산마다 각 1개의 문제를 출제하면 됩니다. 최소한 개별적으로 10개의 문제를 만드는 것으로 그 이상 만드는 것도 상관없습니다. 원하는 만큼 마음껏 문제를 만들어 보세요.
2. 문제는 선다형(선택형)과 단답형으로 만듭니다. 가극적 한쪽 유형이 40% 이상의 비중을 유지할 수 있도록 해 주세요.
3. Top5 선정 시 모둠 구성원 간의 상호 검토를 진행해 주세요. 검토 결과에 따라 수정보완을 진행해야 합니다. 자신의 것을 제외한 Top5를 개별적으로 선정합니다.

나만의 교과서

4가지 기본항목을 채우고, 퀘스트 해결과정에서 공부한 내용이나 수집한 정보를 토대로 자신만의 방식으로 알차게 표현해 보세요. 그림이나 생각그물의 형태로 표현하는 것도 좋습니다.

ideas 문제해결을 위한 나의 아이디어	facts 문제와 관련하여 내가 알고 있는 것들

learning issues 문제해결을 위해 공부해야 할 주제	need to know 반드시 알아야 할 것

스스로 평가

자기주도학습의 완성!

		나의 신호등
01	나는 위대한 유산을 기초로 퀴즈 문제를 만들었다.	1 2 3 4 5
02	나는 내용이 중복되지 않도록 위대한 유산별 1문제를 만들었으며, 주어진 범위 안에서 골고루 출제하고자 하였다.	1 2 3 4 5
03	나는 고릴라퀴즈대회에서 활용할 문제카드를 제시된 양식에 맞게 제작하였다.	1 2 3 4 5
04	나는 모둠별로 만든 문제에 대해 상호 피드백 해주고, 최고의 문제 Top5를 선정하였다.	1 2 3 4 5
05	나는 문제해결을 위해 탐구한 내용과 수집한 정보를 바탕으로 나만의 교과서를 멋지게 완성하였다.	1 2 3 4 5

자신의 학습과정을 되돌아보고 진지하게 평가해주세요.

Level up

오늘의 점수	나의 총점수

Quest 퀘스트 03

탈락자 없는 고릴라퀴즈가 열렸다 ★★★★★★★

지혜로운 리더를 뽑는 고릴라퀴즈가 시작됩니다. 이 퀴즈의 특징은 탈락자가 없다는 겁니다. 퀴즈대결의 승자는 리더가 되고, 패자는 리더와 함께 다음 라운드를 수행하게 됩니다. 특징은 라운드가 진행될수록 위대한 유산(문제)이 많아진다는 것입니다. 처음엔 10문제로 시작하지만 20문제, 40문제, 80문제로 사람이 더해지는 만큼 지식의 양도 늘어납니다. 여러분들이 고릴라퀴즈대회의 주인공입니다.

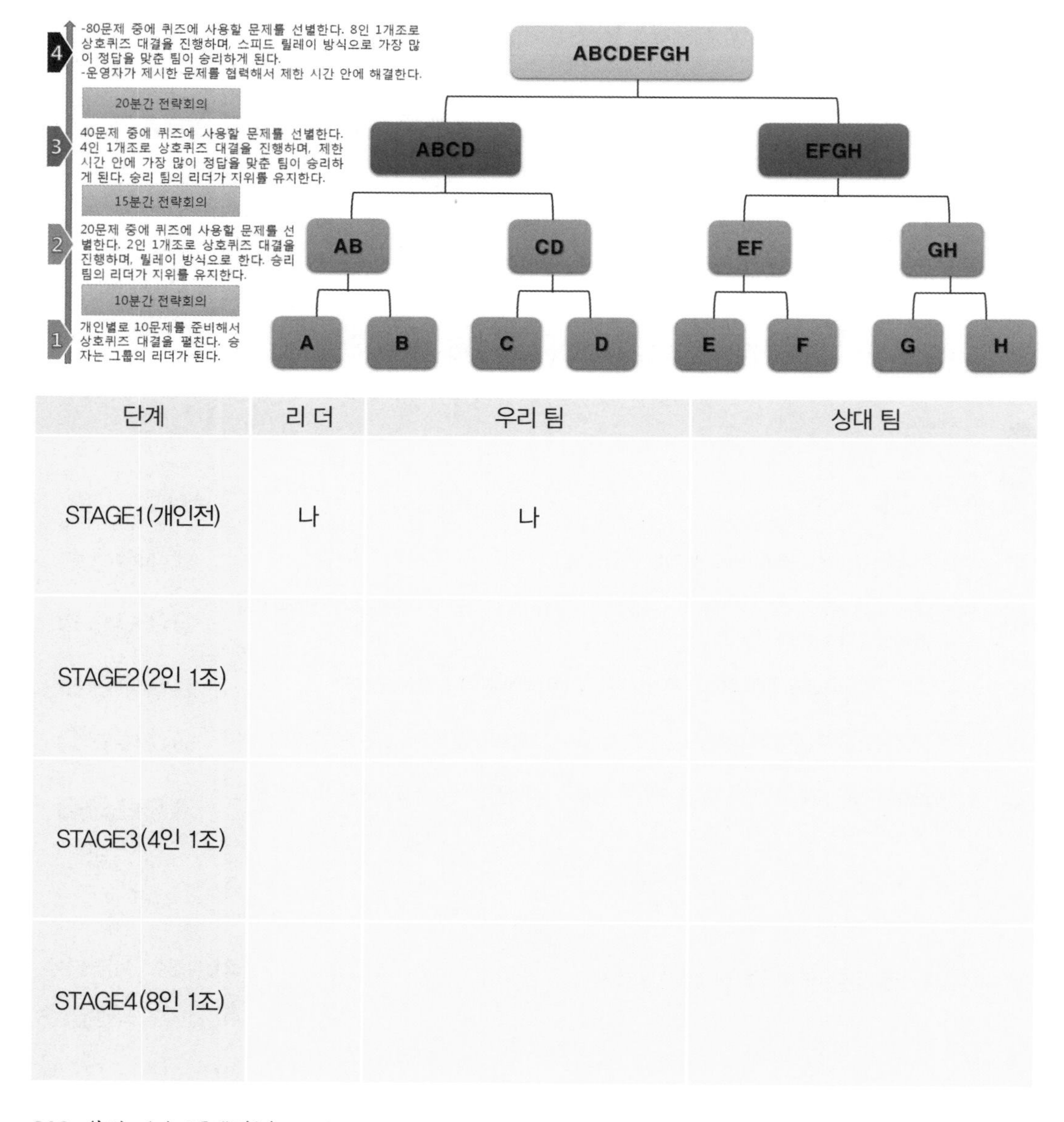

단계	리 더	우리 팀	상대 팀
STAGE1(개인전)	나	나	
STAGE2(2인 1조)			
STAGE3(4인 1조)			
STAGE4(8인 1조)			

전략회의	내 용(요약)
1차(10분)	
2차(15분)	
3차(20분)	

관련교과	국어	사회	도덕	수학	과학	실과			체육	예술		영어	창의적 체험활동	자유학기활동		
						기술	가정	정보		음악	미술			진로 탐색	주제 선택	예술 체육
	○	○	○	○	○	○	○	○	○	○	○	○	●		●	

1. 고릴라퀴즈 첫 단계인 개인전 상대는 제비뽑기로 결정됩니다. 단, 경우에 따라서 첫 단계부터 2인 1조로 지정한 팀이 있을 수 있습니다. 주어진 시간(10분) 안에 퀴즈대결을 마무리해야 합니다. 퀴즈는 동시에 진행됩니다. 문제가 사전에 유출되지 않도록 주의해 주세요!
2. 승자가 리더의 역할을 부여받지만 기본적으로 대결 이후에 상대팀과 공동체를 이루게 됩니다. 그리고 더불어 문제로 표현된 위대한 유산을 공동 소유하게 됩니다. 상대 팀에게 유출되지 않도록 보완에 신경을 써야 합니다.

나만의 교과서

4가지 기본항목을 채우고, 퀘스트 해결과정에서 공부한 내용이나 수집한 정보를 토대로 자신만의 방식으로 알차게 표현해 보세요. 그림이나 생각그물의 형태로 표현하는 것도 좋습니다.

ideas 문제해결을 위한 나의 아이디어	facts 문제와 관련하여 내가 알고 있는 것들

learning issues 문제해결을 위해 공부해야 할 주제	need to know 반드시 알아야 할 것

스스로 평가
자기주도학습의 완성!

나의 신호등

01	나는 고릴라퀴즈대회 진행방식을 이해하고 적극적으로 참여하였다.	1 2 3 4 5
02	나는 상대와의 퀴즈대결을 규칙에 따라 정정당당하게 치렀다.	1 2 3 4 5
03	나는 퀴즈대회를 통해 접한 다양한 지식들을 제대로 알기 위해 애썼다.	1 2 3 4 5
04	나는 협업이 요구되는 단계(STAGE2)부터는 구성원 간의 배려와 협력을 통해 팀워크를 높이고자 하였다.	1 2 3 4 5
05	나는 문제해결을 위해 탐구한 내용과 수집한 정보를 바탕으로 나만의 교과서를 멋지게 완성하였다.	1 2 3 4 5

자신의 학습과정을 되돌아보고 진지하게 평가해주세요.

Level up

오늘의 점수 나의 총점수

절대미션을 해결하여 최종관문을 통과하라

★★★★★

여러분들은 위대한 유산을 토대로 지혜로운 공동체를 만들어 왔습니다. 이제 고릴라퀴즈의 하이라이트인 절대미션만 남았습니다. 절대미션을 해결하여 최종관문을 통과하지 못한다면, 공동체로서 생존을 장담할 수 없습니다. 공동체의 발전과 안녕을 위해서라도 절대미션은 꼭 해결해야 합니다. 각 공동체가 그동안 축적해 온 위대한 유산을 바탕으로 지혜나무를 완성하는 것이 바로 여러분들이 해결해야 할 절대미션입니다. 집단지성을 발휘하여 고릴라퀴즈대회의 최종관문을 성공적으로 통과하길 바랍니다.

※ 집단지성(Collective Intelligence): 서로 협력하고 경쟁하는 가운데 얻게 된 집단의 지적능력으로 어느 개인의 지적능력보다 뛰어나다. 비슷한 말로 사용되는 용어 중에는 집단지혜(collective wisdom)가 있다.

{지혜나무} 위대한 유산을 대표하는 핵심용어를 중심으로 지혜나무를 완성해 주세요. 관련성이 높은 용어들을 한 가지에 묶어주는 것이 중요합니다.

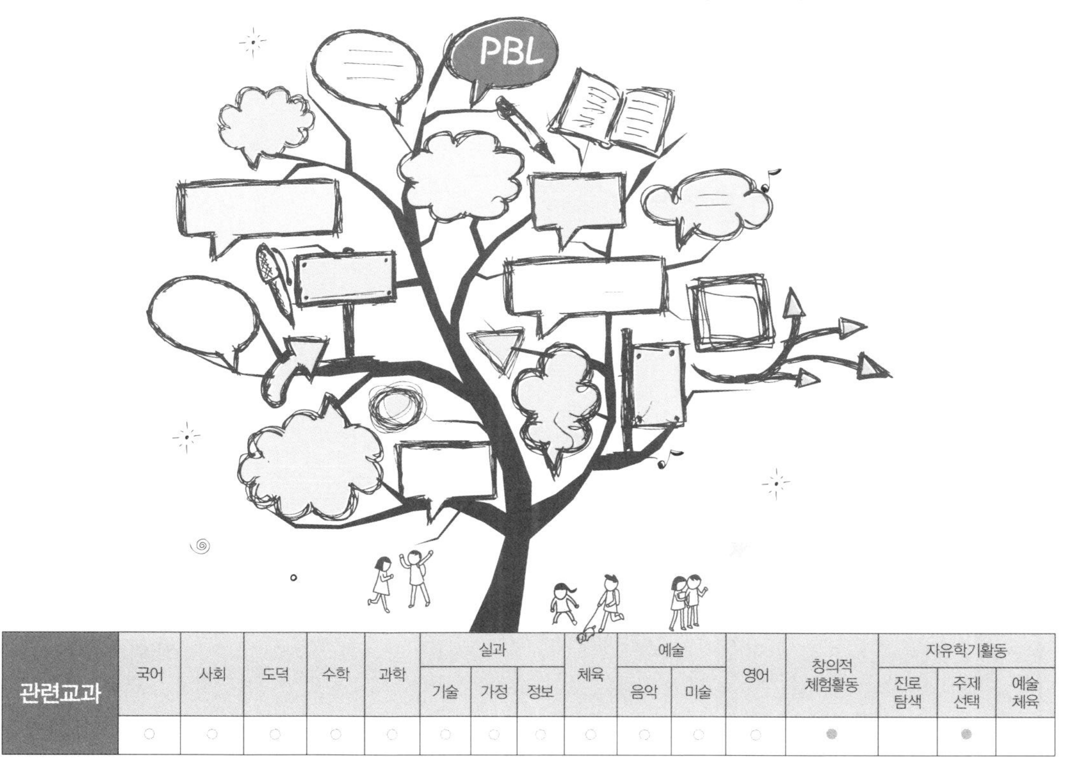

관련교과	국어	사회	도덕	수학	과학	실과			체육	예술		영어	창의적 체험활동	자유학기활동		
						기술	가정	정보		음악	미술			진로 탐색	주제 선택	예술 체육
	○	○	○	○	○	○	○	○	○	○	○	○	●		●	

1. 지혜나무는 고릴라퀴즈를 통해 팀별로 축적한 위대한 유산(문제)을 활용해 만드는 것입니다. 제시된 자료는 이해를 돕기 위함이며 실제 활동은 전지를 이용해 진행하는 것이 적합합니다.
2. 지혜나무는 흔히 개념지도(concept map), 개념나무로 불려집니다. 위대한 유산의 중심용어(keyword)를 잎이나 열매로 생각하고, 상호관계를 가지로 표현하는 것이라 이해하면 됩니다.

나만의 교과서

4가지 기본항목을 채우고, 퀘스트 해결과정에서 공부한 내용이나 수집한 정보를 토대로 자신만의 방식으로 알차게 표현해 보세요. 그림이나 생각그물의 형태로 표현하는 것도 좋습니다.

ideas
문제해결을 위한 나의 아이디어

facts
문제와 관련하여 내가 알고 있는 것들

learning issues
문제해결을 위해 공부해야 할 주제

need to know
반드시 알아야 할 것

스스로 평가
자기주도학습의 완성!

		나의 신호등
01	나는 공동체에 축적된 위대한 유산과 상호협력을 통해 지혜나무를 완성하였다.	1 2 3 4 5
02	나는 위대한 유산을 상징하는 핵심용어를 중심으로 지혜나무를 꾸미고자 하였다.	1 2 3 4 5
03	나는 구성원 간의 상호역할을 존중하고, 모두가 참여하는 활동이 되도록 애썼다.	1 2 3 4 5
04	나는 지혜나무(개념나무)의 잎과 열매, 가지, 뿌리 등에 담아야 할 내용을 일관된 기준에 따라 분류하여 완성하였다.	1 2 3 4 5
05	나는 문제해결을 위해 탐구한 내용과 수집한 정보를 바탕으로 나만의 교과서를 멋지게 완성하였다.	1 2 3 4 5

자신의 학습과정을 되돌아보고 진지하게 평가해주세요.

Level up

오늘의 점수 나의 총점수

All-Clear
sticker

10 CHAPTER

고릴라에게 배우는 고릴라퀴즈

고 릴 라

★Teacher Tips

Teacher Tips

'고릴라에게 배우는 고릴라퀴즈'는 '꿈과 끼로 똘똘 뭉친, 나는야 웹툰작가'처럼 모든 교과와 연계하여 진행할 수 있는 수업입니다. 퀴즈 문제를 만드는 과정에서 해당 교과의 내용을 폭넓게 공부할 수 있다는 이점이 있습니다. 다분히 의도적이지만 중요한 시험을 대비하거나 배운 내용을 복습하기 위한 목적으로 얼마든지 활용 가능합니다. 다만, 지나치게 넓은 범위를 제시할 경우, 포기하는 학생이 다수 발생하여 학습효과가 반감될 수 있습니다. 제한적인 시간을 감안하여 대부분의 학생들이 수행하기에 적절한 범위를 제시하는 것이 중요합니다. 아무튼 학습자에게 어느 정도의 학습량을 요구할지는 전적으로 이 프로그램을 운영할 교수자의 몫입니다.

시험을 많이 치를수록 학습의 흥미나 자존감이 낮아진다는 연구결과가 꾸준히 나오고 있습니다. 그만큼 시험이 학습의 질을 높이는데 그다지 기여하지 못하고 있다는 얘기가 되겠죠. 시험 앞에선 늘 작아지는 사람들, 아마도 극소수를 제외하곤 대다수가 그럴 것입니다. 고릴라퀴즈는 경쟁으로 점철되는 시험의 방식에서 벗어나 공존과 상생의 의미를 되새기며, 배움의 목적을 회복하는 데 의미을 둡니다.

그렇기에 고릴라퀴즈에선 패자가 없습니다. 퀴즈대결은 공동체의 리더를 뽑는 과정이며, 위대한 유산을 공유하고 공동의 지혜를 얻는 과정이기도 합니다. 퀴즈대회가 진행되는 내내 탈락자없이 처음부터 끝까지 모두가 참여하며 진행됩니다. 인류의 문명이 개인과 개인, 가족과 가족, 부족과 부족, 국가와 국가 간 상호교류와 통합을 통해 지금에 이른 것처럼, 공동체를 형성해가는 과정이 퀴즈대회과정 속에 고스란히 담겨 있습니다. 이러한 이유로 고릴라퀴즈의 목적은 공존과 상생의 가치를 추구하는 지혜로운 공동체를 함께 만들어가는 데 있습니다.

'고릴라퀴즈'의 본래 취지를 살리기 위해서는 참여하는 학생들이 문제의 정답을 맞추거나 교과지식을 머릿속에 기억시키는 데만 집착하지 않도록 하는 것이 중요합니다. 오답에 좌절하는 분위기가 형성되면 흥미는 사라지고, 부정적인 감정만이 남게 될 것입니다. 실패에 허용적이고, 도전을 낙관하도록 만드는 힘은 교수자의 밝은 표정과 따뜻한 시선, 작은 격려의 의해 형성됩니다. 학생들의 여러 모습 때문에 속마음이 불편해지더라도 선생님의 빛나는 연기력으로 대처해 나가시길 바랍니다.

이 수업은 학년의 경계가 없으며, 다루지 못할 내용이나 교과도 없습니다. 특정 교과수업시간과 연계하거나, 여러 주제로 자유학년활동, 창의적 체험활동 프로그램으로 활용할 수 있습니다.

교과	영역	내용요소	
		초등학교 [5-6학년]	중학교 [1-3학년]
국어	쓰기	◆목적·주제를 고려한 내용과 매체 선정	◆표현의 다양성
	듣기 말하기	◆구어 의사소통 ◆체계적 내용 구성 ◆추론하며 듣기 ◆공감하며 듣기	◆의미 공유 과정 ◆청중 고려 ◆비판하며 듣기 ◆배려하며 말하기

- 적용대상(권장): 초등학교 5학년-중학교 3학년
- 자유학년활동: 주제선택(권장)
- 학습예상소요기간(차시): 5-8일(7-9차시)
- Time Flow

8일 기준

시작하기_문제제시		전개하기_과제수행		마무리_발표 및 평가	
문제출발점 설명 PBL MAP으로 학습 흐름 소개	QUEST 01 교과서 속 위대한 유산을 찾아라	QUEST 02 고릴라퀴즈에 참가하기 위한 나만의 문제 만들기	QUEST 03 탈락자 없는 고릴라퀴즈가 열렸다	QUEST 04 절대미션을 해결하여 최종관문을 통과하라	지혜나무 전시하기 성찰일기 작성하기
교실 40분	교실 | 온라인 40분|3-4hr	교실 | 온라인 40분|3-4hr	교실 80-120분	교실 | 온라인 40분|1hr	
1-3Day		4-6Day	7Day	8Day	

- 수업목표(예)

QUEST 01	◆주제와 범위 안에서 다루어진 내용을 이해하고, 관련된 지식을 구체적으로 살펴볼 수 있다. ◆인류의 공존과 상생을 위해 남겨야할 위대한 유산을 선정할 수 있다. ◆동료학습자가 선정한 위대한 유산을 공유하고, 명확한 기준에 의해 Top5를 선정할 수 있다.
QUEST 02	◆위대한 유산의 핵심내용을 중심으로 퀴즈 문제를 만들 수 있다. ◆고릴라퀴즈대회에 참가하기 위해 문제카드를 제시된 양식에 맞게 제작할 수 있다. ◆모둠 안에서 퀴즈문제를 공유하고 상호피드백을 통해 수정·보완할 수 있다.
QUEST 03	◆고릴라퀴즈대회의 규칙과 진행방식을 이해하고 적극적으로 참여할 수 있다. ◆상대와의 퀴즈대결을 규칙에 따라 정정당당하게 치를 수 있다. ◆퀴즈대회에서 다룬 다양한 지식들을 알기 위해 노력할 수 있다. ◆고릴라퀴즈의 취지에 부합하도록 공동체 구성원 간의 배려와 협력을 바탕으로 참여할 수 있다.
QUEST 04	◆공동체의 축적된 위대한 유산과 상호협력을 통해 지혜나무(개념나무)를 완성할 수 있다. ◆위대한 유산을 상징하는 핵심용어를 중심으로 지혜나무를 꾸밀 수 있다. ◆구성원 간의 상호역할을 존중하고, 모두가 참여하는 활동이 될 수 있도록 노력할 수 있다. ◆지혜나무의 잎과 열매, 가지, 뿌리 등에 담아야 할 내용을 일관된 기준에 따라 알맞게 분류할 수 있다.
공통	◆문제해결의 절차와 방법에 대한 이해를 바탕으로 학습과정에 참여할 수 있다. ◆공부한 내용을 정리하고 자신의 언어로 재구성하는 과정을 통해 창의적인 문제를 만들어낼 수 있다. 이 과정을 통해 지식을 생산하기 위해 소비하는 프로슈머로서의 능력을 향상시킬 수 있다. ◆토의의 기본적인 과정과 절차에 따라 문제해결 방법을 도출하고, 온라인 커뮤니티 등의 양방향 매체를 활용한 지속적인 학습과정을 경험함으로써 의사소통 능력을 신장시킬 수 있다.

Teacher Tips

'고릴라퀴즈' 퀘스트의 일부 내용만 고치면 다른 목적으로도 얼마든지 활용이 가능합니다. 이를테면, 아래의 문제처럼 찾아야 할 위대한 유산을 교과서의 내용이 아닌 특정 작가의 작품이나 고전문학, 학년별 필독도서 등으로 범위를 제시하게 되면 전혀 다른 느낌의 독서퀴즈대회가 열리게 됩니다. 활동의 목적과 대상 학생의 특성을 고려하여 문제를 재구성하고, 현장에 맞게 적용해 보세요.

Quest 퀘스트 01

위대한 유산을 찾아라

책 속에는 다양한 인물과 그들의 삶이 존재합니다. 책장을 넘기며 작은 이야기들에 빠져들다보면 우리의 인생을 행복하고 풍요롭게 가꾸어줄 소중한 교훈들을 만나게 됩니다. 그리고 이들 중에는 시대와 민족을 초월하여 오랫동안 사랑받아온 책들이 있습니다. 이곳에는 각자의 흥미와 적성에 따라 꿈을 키우면서 행복한 사람으로 성장하는 데 필요한 지식과 지혜가 가득 담겨있습니다. 자, 그렇다면 우리들의 삶에 길라잡이가 되어줄 위대한 유산(책)은 어디에 있을까요? 지혜의 창고인 도서관에서 위대한 유산을 찾아봅시다.

[도서관 프로젝트를 위한 수정한 퀘스트 예]

중심활동 : 문제출발점 파악하기, 학습흐름 이해하기

- 멸종위기종인 고릴라에 관한 다양한 이야기를 나누고, 잘못된 선입견 바로잡기
- 경쟁의 도구로 전락한 시험의 폐해와 문제점들을 진지하게 논의하기
- 고릴라퀴즈를 도입하려는 이유와 배경을 설명하며 문제출발점 제시하기
- (선택) 게임화 전략에 따른 피드백 방법에 맞게 게임규칙(과제수행규칙) 안내하기
- (선택) 자기평가방법 공유, 온라인 학습커뮤니티 활용 기준 제시하기
- 활동내용 예상해 보기, PBL MAP을 활용하여 전체적인 학습흐름과 각 퀘스트의 활동 내용 일부 소개하기

영화 킹콩의 모델이기도 한 고릴라는 본래 수줍음이 많고, 가족 단위로 평화롭게 사는 동물입니다. 자신의 영역에 침입하거나 어린 새끼를 위협하지 않는 한 먼저 공격하는 법도 없습니다. 오히려 인간의 탐욕으로 인해 얼마지나지 않아 지구상에서 완전히 사라질

지도 모르는 멸종위기종이죠. 이 수업의 시작으로 영화 킹콩에 관한 내용을 가볍게 꺼내면서 고릴라와 관련된 이러저런 이야기를 나누는 것은 어떨까요? 어떤 시작이든 고릴라에 대한 잘못된 선입견을 깨고 평화를 사랑하는 숲속의 신사로 바라보도록 하는 것이 중요합니다. 더불어 늘 경쟁하고 싸워야 하는 우리들의 모습을 고릴라와 대비시키면서 경쟁의 도구로 전락한 시험의 폐해와 문제점들을 진지하게 논의하고 공감하는 시간을 갖는다면, 더욱 의미있는 출발선이 만들어질 수 있습니다.

경쟁보다 공존과 상생에 방점을 찍은 고릴라퀴즈의 도입이유와 배경은 문제의 출발점에 고스란히 담겨 있습니다. 고릴라퀴즈를 시도하고자 하는 이유와 배경에 대해 학생들이 공감하면 할수록 제시된 문제상황을 '나의 문제'로 인식하게 될 것입니다. 이런 공감대를 바탕으로 학생들을 고릴라퀴즈에 동참하게 만드는 데 성공하였다면, 이어서 어떤 과정으로 진행될지 간략하게 소개하는 시간을 갖습니다. PBL MAP을 활용해 전체적인 학습흐름과 각 퀘스트별 활동내용을 간략하게 설명하고, 특별히 고릴라퀴즈대회가 기존의 방식과 어떤 점이 다른지 강조하도록 합니다.

전개하기

'고릴라퀴즈'는 총 4개의 기본퀘스트로 구성되어 있습니다. 퀘스트1과 2는 퀴즈문제를 만드는 활동이며, 퀘스트3과 4는 고릴라퀴즈대회 활동을 담고 있습니다. 내용 자체의 난이도는 대상 학년에 따라 얼마든지 조정이 가능하지만, 학생들이 수행해야 할 활동의 난이도는 높은 편입니다. 최소 초등학교 고학년 정도가 되어야 활동 참여가 무난합니다.

● 퀘스트1 : 교과서 속 위대한 유산을 찾아라

중심활동 : 위대한 유산 찾기, 위대한 유산 Top5 선정하기

- 제시된 조건과 범위를 고려하여 내용을 살펴보고 자세히 공부하기
- 인류 문명의 발전을 위해 후대에 전할 위대한 유산 10가지 선정하기
- 개별적으로 찾은 위대한 유산의 선정 이유를 분명히 밝히기
- 모둠원들이 찾은 위대한 유산을 공유하고, 명확한 기준에 따라 Top5 선정하기

Teacher Tips

Quest 퀘스트 01

교과서 속 위대한 유산을 찾아라

★★★★★★★

문제출발점에서 강조한 내용을 상기시키며, 퀘스트1을 제시합니다. 공존과 상생, 다른 표현으로 우리가 속한 공동체(국가, 사회, 가족 등)의 안녕과 발전에 꼭 필요한 지식을 찾는 것이 주요활동입니다. 이를 위해서는 기본적으로 제시된 조건과 범위에 맞게 내용을 살피고 공부하는 과정이 필요합니다. 퀘스트를 제시하면서 어떤 교과와 단원, 주제 등을 범위로 하는지 알려주어야 합니다. 단, 학생들이 공부해야 할 분량이 많으면 시작도 하기 전에 포기하는 경우가 발생합니다. 교수자가 생각했을 때 최소한의 범위가 학생들에겐 적정 분량일 가능성이 높습니다.

…된 지식들을 담고자 노력한 책 중에 하나가 교과서입니…을 세우고 발전시키는 데 중요한 영향을 미친 수많은 지…들이 편안하게 누리고 있는 많은 것들은 교과서에 담긴 지…합니다. 하지만 불행히도 재미있는 책이 아니죠. 더 불행한…을 주기보다 시험을 목적으로 … 되는…시적으로 기억해 두었다가 … 결과적으로 교과서에서 … 떨어뜨리는 시험점수만 … 제 여러분들의 할 일은 바꾸는 겁니다. 고릴라퀴즈 … 는 교과서 속 지식을 찾는 일에 뛰어 드는 거죠. 한치의 … 위대한 유산을 찾는 일에 동참해 주세요.

학생들의 관점에서 인류의 문명 발전에 기여할 지식을 선정하도록 하는 것이 중요합니다. 선정한 지식을 교수자의 관점에서 판단하거나 평가하는 것은 학생들의 참여의지를 꺾는 행위가 될 수 있습니다. 다소 미흡하고 허접한 결정이더라도 학생의 출발점을 고려하여 수용적인 태도도 임해야 합니다. 10가지 위대한 유산을 선정하는 과정은 눈에 들어나는 것보다 훨씬 많은 시간투자가 이루어집니다.

❶ [개별]인류의 상생과 공존의 정신을 살릴 수 있는 10가지 위대한 유산을 찾아봅시다. 주어진 범위 내의 내용이 골고루 반영될 수 있도록 해 주세요. ★★★★★

과목	내 용	선정이유	쪽수

❷ [팀별·개별]모둠원들이 선정한 위대한 유산을 살펴보고, … 앞으로도 배워야 할 최고의 유산 TOP5를 개별적으로 선정해 주세요. ★★

구분	과목	내 용	선정이유	발견자
1				
2				
3				
4				
5				

Top5 선정은 모둠 구성원이 찾은 위대한 유산을 서로 공유하는 데 목적을 둡니다. 각자에게 위대한 유산의 선정기준과 관점의 차이를 이해하고, 관련된 여러 지식을 접할 수 있는 기회로 작용할 것입니다. Top5 선정은 개별 기준에 의해 자신이 찾은 위대한 유산을 제외하고 진행됩니다. 자신이 선정한 위대한 유산을 모둠원들에게 밝히고, 그 이유를 설명하면서 활동을 마무리합니다.

● 퀘스트2 : 고릴라퀴즈 참가를 위한 나만의 문제 만들기

중심활동 : 퀴즈문제 만들기, Top5 퀴즈문제 선정하기

- 퀘스트1에서 선정한 위대한 유산에 관한 문제만들기
- 속도감있게 진행되어야 할 퀴즈대회임을 강조하고, 짧은 시간 안에 응답할 수 있는 문제유형으로 만들기
- (선택) 모둠별로 출제한 퀴즈문제에 대한 상호 피드백을 실시하고 수정·보완하기
- 통일된 양식에 맞게 문제카드 제작하기
- 모둠별로 완성된 퀴즈문제를 공유하고 Top5 선정하기

Quest 퀘스트 02 고릴라퀴즈 참가를 위한 나만의 문제 만들기

문제를 만든다는 것 자체가 학생들에겐 매우 부담스러울 수 있습니다. 그리고 학생들이 평소에 접해 왔던 유형의 문제를 만드는 것이 그나마 편하게 느낄 가능성이 높습니다. 간혹 기준을 지나치게 높게 잡아서 수준있는 문제를 요구하는 경우가 있습니다. 이는 학생들에겐 불가능에 가까운 미션임을 알아야 합니다. 위대한 유산으로 선정한 지식을 문제의 형태로 재구성하는 것 자체만으로 학생들은 인정받을 만합니다.

퀴즈대회의 속성상 제한된 시간 안에 속도감있게 풀 수 있는 문제를 만들어야 합니다. 선다형, 단답형으로 문제를 만들 수 있도록 설명합니다. 문제개발을 지나치게 어려워하는 학생들에겐 교과서나 문제집 등에서 쉽게 접할 수 있는 문제사례를 참고하도록 안내해 주세요.

❶ [개별] 10가지 위대한 유산을 토대로 한 고릴라퀴즈 문... 각 절반씩 출제하면 됩니다. ★★★★★

과목	문 제	...	방식

❷ [개별] 고릴라퀴즈 문제를 완성했다면, A4 절반 크기 정도의 문제카드를 만들어 주세요. 카드 앞면에는 문제내용, 뒷면에는 답안을 표기하면 됩니다. 상대방이 문제내용을 신속하고 정확하게 읽을 수 ... 록 글씨체와 크기를 고려해야 합니다. ★★

가능하다면 문제의 완성도를 높이기 위해 상호 피드백하는 시간을 갖도록 합니다. 온라인 커뮤니티를 이용해 모둠별로 서로의 미흡한 점을 지적해주고, 수정·보완하는 방식으로 차시부담을 더는 것이 적합니다. 책임감을 느낄 수 있는 짝 단위로 상호 피드백을 하는 것도 좋은 방법입니다.

문제

경쟁이 아닌 공존과 상생에 의미를 두고 진행하는 퀴즈대회의 이름은 무엇인가?

<힌트> 고릴라

...별] 모둠별로 문제를 검토하고 수정·... TOP5를 선정해 주세요

	과목	문...
1		
2		

문제를 최종적으로 완성하면 제시된 양식에 맞게 문제카드를 만들도록 합니다. 문제카드는 참여하는 모든 학생들이 동일한 양식에 맞게 제작하는 것이 중요합니다. 더불어 글씨체와 크기를 지정하여 가독성을 갖추도록 안내해 주세요. 문제카드가 완성되면, 모둠별로 만든 문제를 공유하도록 합니다. 그리고 최고의 문제 Top5를 선정합니다. Top5 선정은 문제를 단순히 공유하는데 목적을 두지 않습니다. 퀴즈대회에서 만날지도 모를 예상 문제를 미리 접하는데 있으며, 퀴즈대회를 대비하는데 필요한 공부가 무엇일지 관련 정보를 얻는데 있습니다.

퀘스트2를 끝으로 위대한 유산과 문제를 함께 공유했던 모둠은 해체됩니다. 참고로 다음 퀘스트의 고릴라퀴즈대회는 개인전부터 시작되며, 각자 만든 문제카드로 참여하게 됩니다.

Teacher Tips

● 퀘스트3 : 탈락자 없는 고릴라퀴즈가 열렸다

중심활동 : 고릴라퀴즈대회에 참여하기

- 고릴라퀴즈대회 규칙과 운영방식에 대해 자세히 안내하기
- (STAGE1) 각자 준비해 온 문제카드를 이용해 개인전 참여하기
- (STAGE2) 체험일시, 체험내용, 대체사용물건(제품), 나만의 노하우 등을 정리하여 기록하기
- (STAGE3) SNS를 이용하여 실천내용을 실시간으로 공유할 수 있도록 하기
- (STAGE4) 직접적인 경험을 바탕으로 한 석유 사용량 제로를 위한 실천 노하우 제안하기

Quest 퀘스트 **03**

탈락자 없는 고릴라퀴즈가 열렸다

지혜로운 리더를 뽑는 고릴라퀴즈가 시작됩니다. 이 퀴즈의 특징은 탈락자가 없다는 겁니다. 퀴즈대결의 승자는 리더가 되고, 패자는 리더와 함께 다음 라운드를 수행하게 됩니다. 특징은 라운드가 진행될수록 위대한 유산(문제)이 많아진다는 겁니다. 처음엔 10문제로 시작하지만 20문제, 40문제, 80문제로 사람이 더해지는 만큼 지식의 양도 늘어납니다. 여러분들이 고릴라퀴즈대회의 주인공입니다.

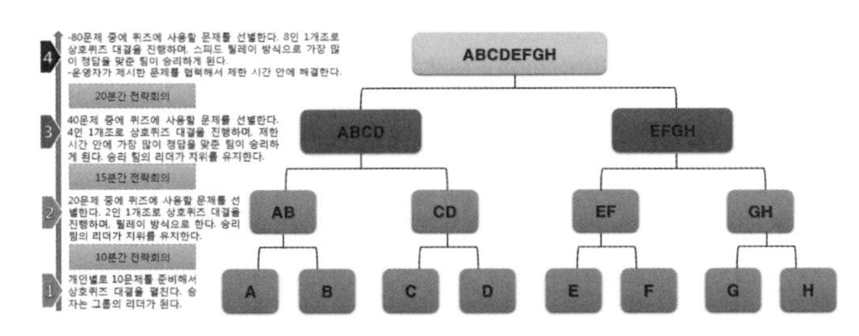

탈락자가 없는 고릴라퀴즈대회의 규칙과 운영방식을 학생들에게 자세히 소개합니다. 특히 단계(STAGE)별 퀴즈대결 방식이 다르므로 각각의 차이와 참여방법을 설명하는데 좀 더 많은 시간을 할애해야 합니다. 한편 퀴즈대결이 원활하게 진행하려면 교실공간에 있는 책걸상을 복도로 내놓거나 가장자리에 모아두는 것이 좋습니다.

[STAGE1] 퀘스트1과 2를 통해 완성한 문제카드로 개인대결을 벌이는 단계입니다. 대진표는 사다리타기, 번호순, 남녀 등등 참여하는 학생들이 동의하는 방식으로 짜면 됩니다.

◇ 1:1 대결할 상대가 결정되면, 서로 마주보고 정해진 자리에 앉습니다.

◇ 참가자 모두 착석이 끝나면 제한시간(10분)을 알리고 퀴즈대결을 시작합니다.

◇ 퀴즈대결은 문제당 제한시간(30초) 안에 얼마나 많이 맞추는지, 아니면 상호간에 문제를 교대로 내면서 전체 제한시간동안 얼마나 많은 문제를 맞추는지를 겨루면 됩니다.

◇ 퀴즈대결결과를 토대로 최종승자를 가리고, 이긴 사람이 리더가 됩니다. 퀴즈대결을 벌인 참가자들은 운명의 공동체를 형성하게 됩니다.

◇ 이렇게 구성한 팀별로 전략회의를 진행합니다. 전략회의는 다음 단계 퀴즈대결을 준비하는 과정이며, 대결에 사용할 문제의 우선순위를 결정하는 시간입니다.

[STAGE2] 두 번째 퀴즈대결은 짝 단위로 이루어집니다. 1단계에서 구성된 팀끼리 맞붙어서 보유하고 있는 20문제 중에 선별하여 퀴즈대결을 벌이면 됩니다.

◇ 대결할 팀이 결정되면, 서로 마주보고 앉습니다. 퀴즈문제를 내는 것은 정해진 한 사람이 할 수 있지만, 상대방의 문제를 맞추는 것은 교대하며 진행합니다. 이때, 같은 팀이더라도 서로 답을 가르쳐주면 반칙입니다(오답처리).

◇ 팀별로 착석이 끝나면 제한시간(10분)을 알리고 퀴즈대결을 시작합니다.

◇ 퀴즈대결은 앞서 했던 방식과 동일하게 문제당 제한시간(30초) 안에 얼마나 많이 맞추는지, 아니면 대결팀 간에 문제를 교대로 내면서 전체 제한시간동안 얼마나 많은 문제를 맞추는지를 겨루면 됩니다.

◇ 퀴즈대결 결과를 토대로 최종 이긴 팀을 가리고, 이 팀의 리더가 새롭게 구성된 팀의 리더가 됩니다. 퀴즈대결을 벌인 두 팀은 통합되어 하나의 공동체를 형성하게 됩니다.

◇ 다음 단계 퀴즈대결을 준비하기 위해 2차 전략회의로 바로 이어집니다. 릴레이방식으로 진행되는 퀴즈방식을 이해하고 팀이 보유하고 있는 40문제의 난이도를 고려하여 순서를 정합니다.

[STAGE3] 앞서 수행한 퀴즈대결을 통해 4인 이상으로 새롭게 구성된 팀끼리 퀴즈대결을 펼치는 단계입니다. 세 번째 퀴즈대결은 팀원이 늘어난 만큼 이전과 다른 방식으로 진행됩니다. 참가자들에게 바뀐 방식을 이해하도록 잘 설명하는 것이 중요합니다.

◇ 대결할 팀을 결정하고 서로 마주보고 일렬로 섭니다.

◇ 참가팀이 정해진 위치에 서면 제한시간(10분)을 알리고 퀴즈대결을 시작합니다.

◇ 퀴즈대결은 서로 마주 본 맨 앞 사람이 공격(문제내기)과 방어(문제맞추기)를 주고 받는 방식으로 진행되는데요. 방어에 성공하면 계속 앞자리에서 공격을 막아내고, 방어에 실패하면 뒷렬로 이동하게 되는 방식입니다.

◇ 퀴즈대결 결과는 방어성공 횟수로 가릴 수 있습니다. 방어에 성공을 많이 한 팀이 승리하게 되고, 이긴 팀의 리더가 자신의 지위를 계속 유지하게 됩니다. 마찬가지로 퀴즈대결을 벌인 두 팀이 운명의 공동체를 형성하게 됩니다.

◇ 3차 전략회의는 앞서 했던 활동과는 다릅니다. 각 팀별로 축적한 80문제를 자신의 팀이 맞추는 방식으로 진행되기 때문입니다. 팀별로 보유하고 있는 문제들을 다같이 공유하고 서로 가르쳐주며 빠른 시간 안에 익혀야 합니다.

[STAGE4] 마지막 단계는 스피드 릴레이 퀴즈대결입니다. 각 팀이 보유한 문제카드를 임의로 섞어서 퀴즈대결에서 풀어야 할 동일한 숫자의 문제를 준비합니다. 다시 강조하지만, 이번 퀴즈대결에서 풀어야 할 문제들은 자신이 속한 공동체 구성원들이 출제한 것입니다. 앞서 수행했던 퀴즈대결들은 동시에 시작했던 반면, 이번 단계는 팀별 순서를 정해서 진행하는 것이 수월합니다.

◇ 퀴즈대결 팀 순서를 정하고, 일렬로 섭니다. 단, 스피드퀴즈대결인 만큼 문제내는 속도가 중요합니다. 문제출제자가 같은 팀이어야 불필요한 갈등이 발생하지 않습니다.

Teacher Tips

◇ 제한시간(5분) 안에 얼마나 많은 문제를 맞추는지가 승패를 좌우합니다. 맨앞 사람이 출제한 문제를 맞추고, 뒷 사람이 다음 문제를 푸는 방식이며 서있는 순서대로 진행합니다. 반대로 앞 사람이 문제를 맞추지 못하면 뒷 사람이 동일한 문제를 풀어야 하고, 정답을 맞출 때까지 다음 문제로 넘어가지 않습니다. 만약 해당 문제를 도저히 풀 수 없다고 판단되면 통과를 외치고 다음 문제로 넘어갈 수 있지만, 감점(-1)이 발생합니다.

◇ 스피드 퀴즈대결은 제한시간 동안에 맞춘 전체 문제 수에서 통과를 외쳤던 문제 수를 뺀 나머지로 점수를 집계합니다. 공정한 점수 집계를 위해 상대팀이 심사자로 참여하여 진행합니다.

◇ 마지막 퀴즈대결 결과를 발표합니다. 팀별 승패에 학생들이 집착하지 않도록 이어서 다음 활동을 안내합니다. 공동체의 완성을 위해 최종 관문이 남았다는 사실을 밝히고, 구성원 간에 협력을 바탕으로 그동안 축적한 위대한 유산을 활용해 지혜나무를 완성해야 함을 알립니다.

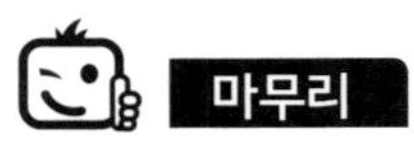

고릴라퀴즈대회를 통해 구성된 공동체(팀)에게 그들의 집단능력을 증명하기 위한 절대미션이 제시됩니다. 이들이 절대미션을 해결해야 최종관문을 통과하고 발전 가능한 공동체로 인정받게 됩니다.

● 퀘스트4 : 절대미션을 해결하여 최종관문을 통과하라

중심활동 : 지혜나무 완성하기

- 팀별로 보유하고 있는 위대한 유산(80문제)을 활용하여 지혜나무로 명명한 개념지도 그리기 활동 진행하기
- 위대한 유산과 관련된 지식이나 내용을 추가로 찾아 지혜나무에 반영하기
- 제한된 시간(40분-50분) 안에 절대미션을 수행하도록 하고, 타이머를 제공하여 남은 시간을 확인하도록 하기
- 완성된 각 팀의 지혜나무를 교실 벽에 전시하고 공유하기
- 학생들은 성찰저널(reflective journal)을 작성해서 온라인 학습커뮤니티에 올리고 선생님은 덧글로 피드백 해주기

Quest 퀘스트 04

절대미션을 해결하여 최종관문을 통과하라

★★★★★

여러분들은 위대한 유산을 토 … 그릴라퀴
즈의 하이라이트인 절대미션만ㅇ … 통과하
지 못한다면, 공동체로서 생존을 … ㅓ해서라
도 절대미션은 꼭 해결해야 합니 … 을 바탕
으로 지혜나무를 완성하는 것이 … ㅂ단지성
을 발휘하여 고릴라퀴즈대회의 ㅊ

위대한 유산의 핵심용어들을 활용해 팀별로 지혜나무(개념지도)를 그리도록 안내합니다. 원활한 활동을 위해 교실바닥에 전지를 놓고 진행하는 것이 적합하며 매직펜을 이용할 수 있도록 준비합니다. 제한된 시간 안에 지혜나무를 완성하기 위해서는 공동체 내에 유기적인 협력이 필요합니다. 지혜나무를 직접 그리는 그룹과 위대한 유산을 분류하고 추가적인 정보를 찾아 제공하는 그룹을 나누어 진행하면 훨씬 효율적으로 지혜나무를 완성할 수 있을 겁니다.

※ 집단지성(Collective Intelligence): 서로 협력하고 경쟁하는 가운데 얻게 된 집단의 지적능력으로 어느 개인의 지적능력보다 뛰어나다. 비슷한 말로 사용되는 용어 중에는 집단지혜(collective wisdom)가 있다.

{지혜나무}

위대한 유산을 대표하는 핵심용어를 중심으로 지혜나무를 완성해 주세요. 관련성이 높은 용어들을 한 가지에 묶어주는 것이 중요합니다.

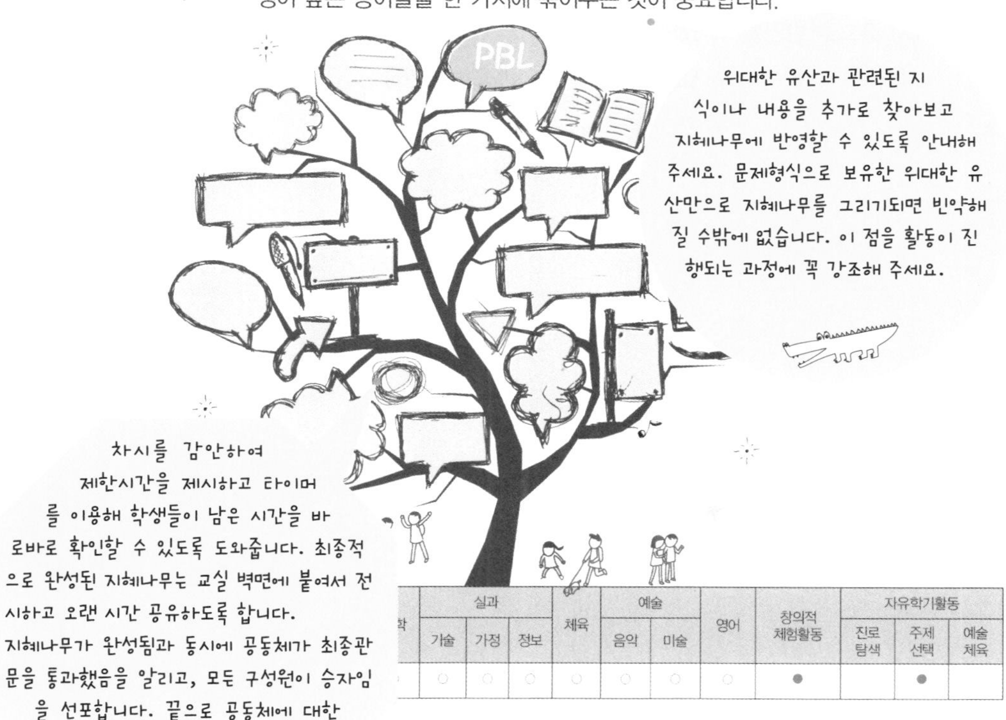

위대한 유산과 관련된 지식이나 내용을 추가로 찾아보고 지혜나무에 반영할 수 있도록 안내해 주세요. 문제형식으로 보유한 위대한 유산만으로 지혜나무를 그리기되면 빈약해 질 수밖에 없습니다. 이 점을 활동이 진행되는 과정에 꼭 강조해 주세요.

차시를 감안하여 제한시간을 제시하고 타이머를 이용해 학생들이 남은 시간을 바로바로 확인할 수 있도록 도와줍니다. 최종적으로 완성된 지혜나무는 교실 벽면에 붙여서 전시하고 오랜 시간 공유하도록 합니다.
지혜나무가 완성됨과 동시에 공동체가 최종관문을 통과했음을 알리고, 모든 구성원이 승자임을 선포합니다. 끝으로 공동체에 대한 아낌없는 축복과 함께 수업을 마무리하면 됩니다.

…학	실과			체육	예술		영어	창의적 체험활동	자유학기활동		
	기술	가정	정보		음악	미술			진로 탐색	주제 선택	예술 체육
	○	○	○	○	○	○	○	●		●	

… 축적한 위대한 유산(문제)을 활용해 만드는 것입니다. 제시된 자료는 이해를 돕기 … 해 진행하는 것이 적합합니다.

2. 지혜 … cept map), 개념나무로 불려집니다. 위대한 유산의 중심용어(keyword)를 잎이나 열매로 생각하고, 상호관계를 가지로 표현하는 것이라 이해하면 됩니다.

※ 학교도서관에서 진행하기 위해 수정한 퀘스트1과 2의 예를 함께 수록합니다. 고릴라퀴즈는 일종의 그릇입니다. 활동 목적에 맞게 다양한 내용을 채울 수 있으므로 재구성하여 활용해 주세요.

위대한 유산을 찾아라!

책 속에는 다양한 인물과 그들의 삶이 존재합니다. 책장을 넘기며 작은 이야기들에 빠져들다보면 우리의 인생을 행복하고 풍요롭게 가꾸어 줄 소중한 교훈들을 만나게 됩니다. 그리고 이들 중에는 시대와 민족을 초월하여 오랫 동안 사랑받아온 책들이 있습니다. 이곳에는 각자의 흥미와 적성에 따라 꿈을 키우면서 행복한 사람으로 성장하는데 필요한 지식과 지혜가 가득 담겨있습니다. 자, 그렇다면 우리들의 삶에 길라잡이가 되어줄 위대한 유산(책)은 어디에 있을까요? 지혜의 창고인 도서관에서 위대한 유산을 찾아봅시다.

[개별] 인류의 상생과 공존의 지혜를 얻을 수 있는 위대한 유산을 찾아봅시다. 고전에서 현대작품까지 골고루 반영될 수 있도록 해 주세요. ★★★★★

	책제목	지은이	최고의 한줄	선정 이유

[팀별·개별] 모둠원들이 선정한 위대한 유산을 살펴보고, 후대에 영원히 남겨야 할 TOP5를 선정해 주세요.

★★

구분	책제목	지은이	선정 이유	발견자
1				
2				
3				
4				
5				

관련교과	국어	사회	도덕	수학	과학	실과			체육	예술		영어	창의적 체험활동	자유학기활동		
						기술	가정	정보		음악	미술			진로 탐색	주제 선택	예술 체육
	●												●		●	

1. 도서관에서 인류의 삶을 행복하고 풍요롭게 가꾸어줄 책을 찾도록 합니다. 장르와 상관없이 고전에서 현대작품까지 골고루 살펴보고 결정해야 합니다.
2. '최고의 한줄'은 해당 작품의 정신을 엿볼 수 있는 것이어야 합니다. 만약 마음에 와닿는 문구를 발견하지 못했을 때에는 내용요약으로 대체해도 됩니다.
3. 최고의 유산 Top5는 자신의 것을 제외한 것으로 서로의 의견을 나누며 개별적으로 선정하면 됩니다. 모둠 공통의 Top5를 만드는 것은 아닙니다.

퀴즈문제에 위대한 유산을 담다

여러분들이 선정한 위대한 유산을 문제로 만들어 주세요. 문제는 단지 책에 있는 내용을 정확히 맞추는데 초점을 두고 있지 않습니다. 상대에게 책을 잠시나마 만나게 하고, 그 가치를 공유하도록 하는 데 목적을 둡니다. 책에 흥미와 호기심을 느낄 수 있도록 문제를 만들어 주세요. 문제의 질이 떨어지지 않도록 서로 간의 충분한 검토 과정을 거쳐 완성하는 것이 중요합니다.

[개별] 위대한 유산을 토대로 한 고릴라퀴즈 문제를 만들어 주세요. 선다형, 단답형으로 각 절반씩 출제하면 됩니다. ★★★★★

	책제목	문 제	정 답	방식

[개별] 고릴라퀴즈 문제를 완성했다면, A4 절반 크기 정도의 문제카드를 만들어 주세요. 카드 앞면에는 문제내용, 뒷면에는 답안을 표기하면 됩니다. 상대방이 문제내용을 신속하고 정확하게 읽을 수 있도록 글씨체와 크기를 고려해야 합니다. ★★

문제

경쟁이 아닌 공존과
상생에 의미를 두고
진행하는 퀴즈대회의
이름은 무엇인가?
<힌트> 고릴라

정답

고릴라퀴즈

[팀별] 모둠별로 문제를 검토하고 수정·보완해주세요. 그리고 자신의 것을 제외한 최고의 문제 TOP5를 선정해 주세요. ★★

	책제목	문 제	선정 이유	출제자
1				
2				
3				
4				
5				

관련교과	국어	사회	도덕	수학	과학	실과			체육	예술		영어	창의적 체험활동	자유학기활동		
						기술	가정	정보		음악	미술			진로 탐색	주제 선택	예술 체육
	●												●		●	

1. 위대한 유산(책)에서 10개의 문제를 출제하면 됩니다. 최소한 개별적으로 10개의 문제를 만드는 것으로 그 이상 만드는 것도 상관없습니다. 원하는 만큼 마음껏 문제를 만들어 보세요.
2. 문제는 선다형(선택형)과 단답형으로 만듭니다. 가급적 한쪽 유형이 40% 이상의 비중을 유지할 수 있도록 해 주세요.
3. Top5 선정 시 모둠 구성원 간의 상호 검토를 진행해 주세요. 검토 결과에 따라 수정보완을 진행해야 합니다. 자신의 것을 제외한 Top5를 개별적으로 선정합니다.

Visual Thinking! 고릴라공책 프로젝트학습에 도전하기

학창시절, 지루한 수업시간을 빨리 보내기 위해 머릿속에 떠오르는 대로 낙서하던 경험이 있을 거예요.

습관적으로, 거의 본능적으로 공책에 긁적이는 자기 자신을 발견하곤 합니다.

물론 '공부'라는 목적을 가진 행위가 낙서와 같은 것일 수는 없지만 '낙서'라는 우리에게 너무도 익숙한 방식을 활용해 공부한 내용을 그려보는 것은 어떨까요?

누구든 비주얼하게 씽킹할 수 있습니다.

앞서 살펴본 바와 같이 '10장 고릴라에게 배우는 고릴라퀴즈'는 교과수업을 위한 프로젝트학습활동입니다. 교과지식을 인류의 위대한 유산으로 보고, 고릴라퀴즈라는 특수한 상황 속에서 공유의 마당을 펼치도록 구성되어 있습니다. 「셀프프로젝트학습」의 'Section3. 고릴라공책, 내가 찾은 위대한 유산'도 이와 맥락을 같이 합니다. 다만, 고릴라공책 프로젝트학습활동은 기록에 초점을 두는 것이 특징입니다. 독일의 발도로프 교육에서 학생들이 수업 시간에 배운 것을 자기만의 방식으로 스스로 노트에 적거나 그림으로 그려 놓는데, 이런 활동이 고릴라공책 프로젝트학습의 핵심과정이라 볼 수 있습니다. 교과서(혹은 책) 속 위대한 유산을 찾아 기록할 수 있는 '비주얼 노트 테이킹(Visual Note Taking)' 공간을 제공해 줌으로써 학생들에게 특별한 학습경험을 제공해줍니다.

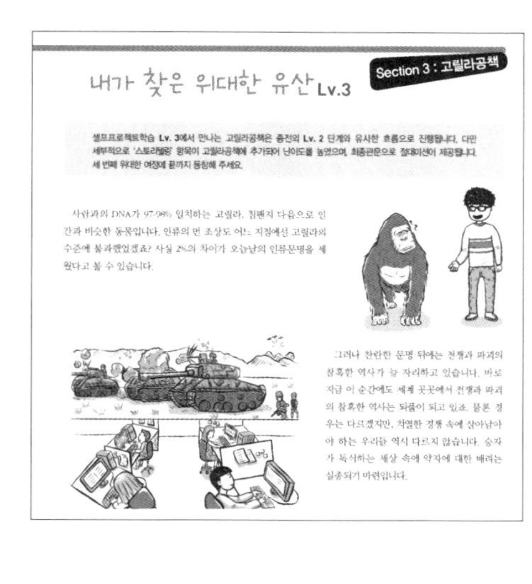

내가 찾은 위대한 유산 Lv.3

Section 3 : 고릴라공책

셀프프로젝트학습 Lv. 3에서 만나는 고릴라공책은 종전의 Lv. 2 단계와 유사한 흐름으로 진행됩니다. 다만 세부적으로 '스토리텔링' 항목이 고릴라공책에 추가되어 난이도를 높였으며, 최종관문으로 절대미션이 제공됩니다. 세 번째 위대한 여정에 끝까지 동참해 주세요.

사람과의 DNA가 97-98% 일치하는 고릴라. 침팬지 다음으로 인간과 비슷한 동물입니다. 인류의 먼 조상도 어느 지점에선 고릴라의 수준에 불과했었겠죠? 사실 2%의 차이가 오늘날의 인류문명을 세웠다고 볼 수 있습니다.

그러나 찬란한 문명 뒤에는 전쟁과 파괴의 참혹한 역사가 늘 자리하고 있습니다. 바로 지금 이 순간에도 세계 곳곳에서 전쟁과 파괴의 참혹한 역사는 되풀이 되고 있죠. 물론 경우는 다르겠지만, 치열한 경쟁 속에 살아남아야 하는 우리들 역시 다르지 않습니다. 승자가 독식하는 세상 속에 약자에 대한 배려는 실종되기 마련입니다.

그래서 「자기주도학습의 완성, 셀프프로젝트학습」의 'Section3. 고릴라 공책'은 교과서(Quest A)와 책(Quest B)을 재료로 비주얼 노트북을 완성하는 프로젝트학습입니다. 문제출발점은 이 책에 수록된 '고릴라퀴즈'와 크게 다르지 않습니다. 교과서 혹은 책 속에서 만난 지식 가운데 인류를 이롭게 할 소중한 지혜(지식)들을 찾아 고릴라공책에 멋지게 담아내는 것이 핵심임무입니다. 첫 번째 퀘스트는 교과서와 책에 담긴 지식을 고릴라공책 활동지에 작성하도록 요구합니다.

Quest 퀘스트 B : 교과서 속 위

책 속에는 다양한 인물과 그들의 삶이 존재합
하고 풍요롭게 가꾸어줄 소중한 교훈들을 만
아온 책들이 있습니다. 이곳에는 각자의 흥미
지혜가 가득 담겨있습니다. 자, 그렇다면 우
호기심과 흥미를 좇아 지혜의 창고인 도서

나의 위대한 여정 8

자신의 호기심과 흥미가 책을 선정하는 기
자, 그렇다면 책 속에 감춰진 보물들을 어
것으로 완성됩니다. 고릴라 공책을 작성할

고릴라 공책	위대한 유산 [핵심키워드]
1	
2	
3	
4	
5	
6	
7	
8 보스 레벨	Big Idea! C

Quest 퀘스트 A : 교과서 속 위대한 유산을 찾아라!

인류의 위대한 유산 중에 엄선된 지식들을 담고자 노력한 책 중에 하나가 교과서입니다. 교과서 속에는 인류의 문명을 세우고 발전시키는 데 중요한 영향을 미친 수많은 지식들이 담겨져 있습니다. 우리들이 편안하게 누리고 있는 많은 것들은 교과서에 담긴 지식을 출발점으로 삼고 있기도 합니다. 하지만 불행히도 재미있는 책이 아니죠. 더 불행한 건 지식을 곱씹으며 앎의 기쁨을 주기보다 시험을 목적으로 일시적인 암기의 대상이 되는 것이 오늘날의 현실입니다. 시험 볼 때까지 한시적으로 기억해 두었다가 시험이 끝나면 쓸모가 없어지는 그런 지식들로 치부되는 거죠. 결과적으로 교과서에서 다룬 수많은 지식들은 머릿속에서 흔적 없이 사라지고 자신감을 떨어뜨리는 시험점수만 기억됩니다. 절대 정상이 아니죠. 이제 당신의 할 일은 바꾸는 겁니다. 지금까지의 생각을 바꾸고 교과서 속 위대한 유산을 찾아 떠나 봅시다.

나의 위대한 여정 8 목차

스스로 선정한 과목과 단원을 중심으로 기억 속에 남겨두고 싶은 교과서의 위대한 유산을 찾아 떠나봅시다. '나의 위대한 여정 8' 미션은 활동내용을 '고릴라 공책'에 기록하는 것으로 완성됩니다. 고릴라 공책을 작성하며 내용 하나하나를 곱씹어보면서 다음 목차를 완성해 봅시다.

고릴라 공책	위대한 유산 [핵심키워드]	중심과목 I 단원(주제)	활동제목(내용)	기록일 [월/일]
1	생태계	과학 2 생물과 환경	생태계에 대한 모든 것	4 / 8
2	갑오개혁 을미사변	사회 2-2 자주독립 국가의 선도	갑오개혁과 을미사변 탐구	4 / 9
3				/
4				/
5				/
6				/
7				/
8 보스 레벨	Big Idea! Creative Thinking! – 나의 위대한 여정에 대한 한줄 평가			/

'나의 위대한 여정 8' 목차에는 각 고릴라공책에 담은 대표적인 지식들, 중심과목 및 단원, 활동제목(내용), 기록일 등을 보기처럼 작성하도록 하고 있습니다.

「셀프프로젝트학습」의 고릴라공책 활동지는 '지혜나무'와 '지식보물상자'를 기본으로 하고 있으며 책의 레벨(Lv.)이 오를수록 '개념스케치북', '스토리텔링' 순으로 추가됩니다.

지혜나무는 일종의 개념지도(conceptual map)로 이해하면 됩니다. 해당 교과에서 배운 내용을 핵심용어, 상징하는 그림 등으로 서로의 관련성을 감안하여 기록하면 됩니다. 나무의 가지는 기준에 따른 분류를 나타내며 열매는 관련 지식을 대표하는 용어라고 생각하면 됩니다. 마인드맵과 어떤 점이 다른지 설명해주면서 고릴라공책의 지혜나무 활동방법을 익힐 수 있도록 지도해 주세요.

공부한 내용의 중심용어(단어)들로 지혜나무를 완성해 주세요. 관련성이 높은 용어들을 한 가지에 묶어주는 것이 중요합니다. 탐스런 지식열매가 가득 차도록 자유롭게 꾸며주세요.

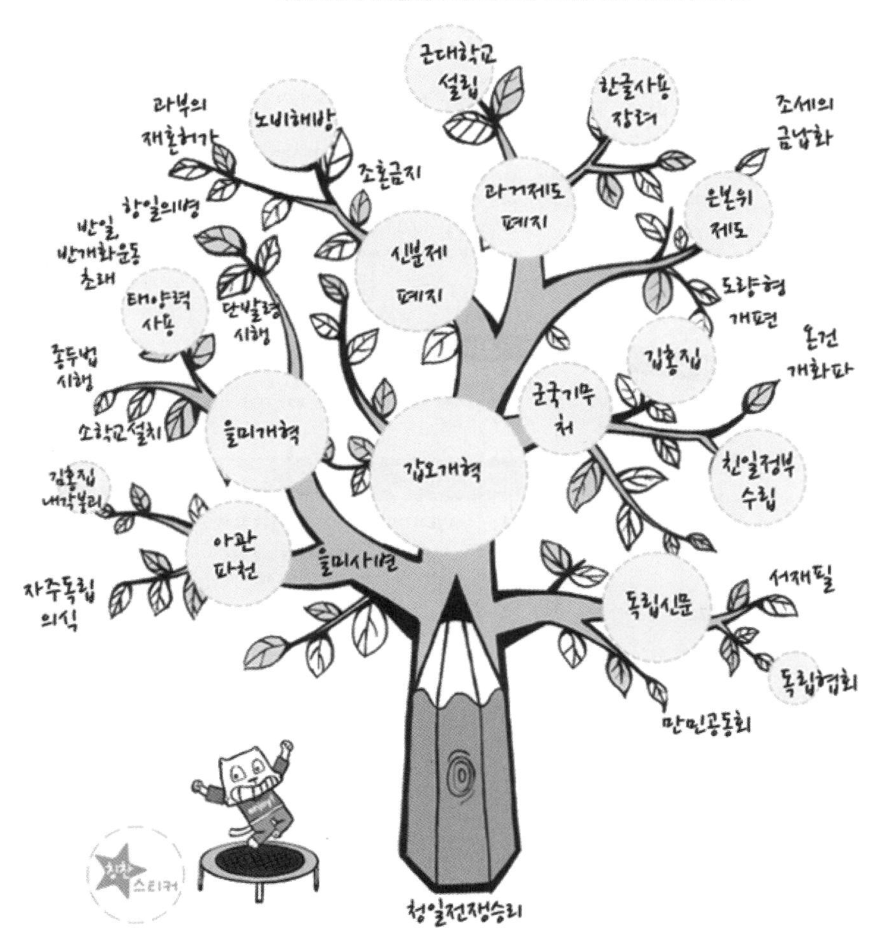

QUEST 5-1

고릴라 공책의 지혜나무를 체험해 보세요. 내용은 선생님이 원하는 어떤 주제든 상관없습니다.

고릴라공책 02 : 활동제목

공부한 내용의 중심용어(단어)들로 지혜나무를 완성해 주세요. 관련성이 높은 용어들을 한 가지에 묶어주는 것이 중요합니다. 탐스런 지식열매가 가득 차도록 자유롭게 꾸며주세요.

지식보물상자는 주요지식의 내용을 간략하게 정리하는 공간입니다. 먼저 수행한 지혜나무와 연계하여 활동을 진행하면 됩니다.

참고로 「셀프프로젝트학습, 잼공노트북 Lv.1」 책은 고릴라공책의 구성을 '지혜나무'와 '지식보물상자'까지로 제한하고 있습니다. 처음 도전하는 학생들이 고릴라공책활동에 쉽게 적응할 수 있도록 난이도를 조절한 것입니다.

공부한 내용 중에 오랫동안 기억 속에 담아 두고 싶은 지식은 무엇입니까? 여러분들이 엄선한 지식열매를 보물상자에 담아주세요.

QUEST 5-2

고릴라 공책의 지식보물상자를 체험해 보세요. 지혜나무에서 다루었던 내용을 기반으로 하면 됩니다.

공부한 내용 중에 오랫동안 기억 속에 담아 두고 싶은 지식은 무엇입니까? 여러분들이 엄선한 지식열매를 보물상자에 담아주세요.

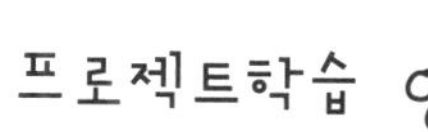

개념스케치북은 학생들이 자유롭게 자기만의 방식으로 비주얼 노트테이킹을 할 수 있는 공간으로 생각하면 됩니다. 지혜나무와 지식보물상자 활동에서 기록했던 지식을 토대로 머릿속에 떠오르는 장면을 그림으로 표현하는데 초점을 두고 있습니다. 개념스케치북은 「셀프프로젝트학습, 잼공노트북 Lv.2」부터 고릴라공책에 해당 공간이 제공됩니다. 책의 레벨이 추가되는 활동에 의해 구분된다는 점을 상기해 주시기 바랍니다.

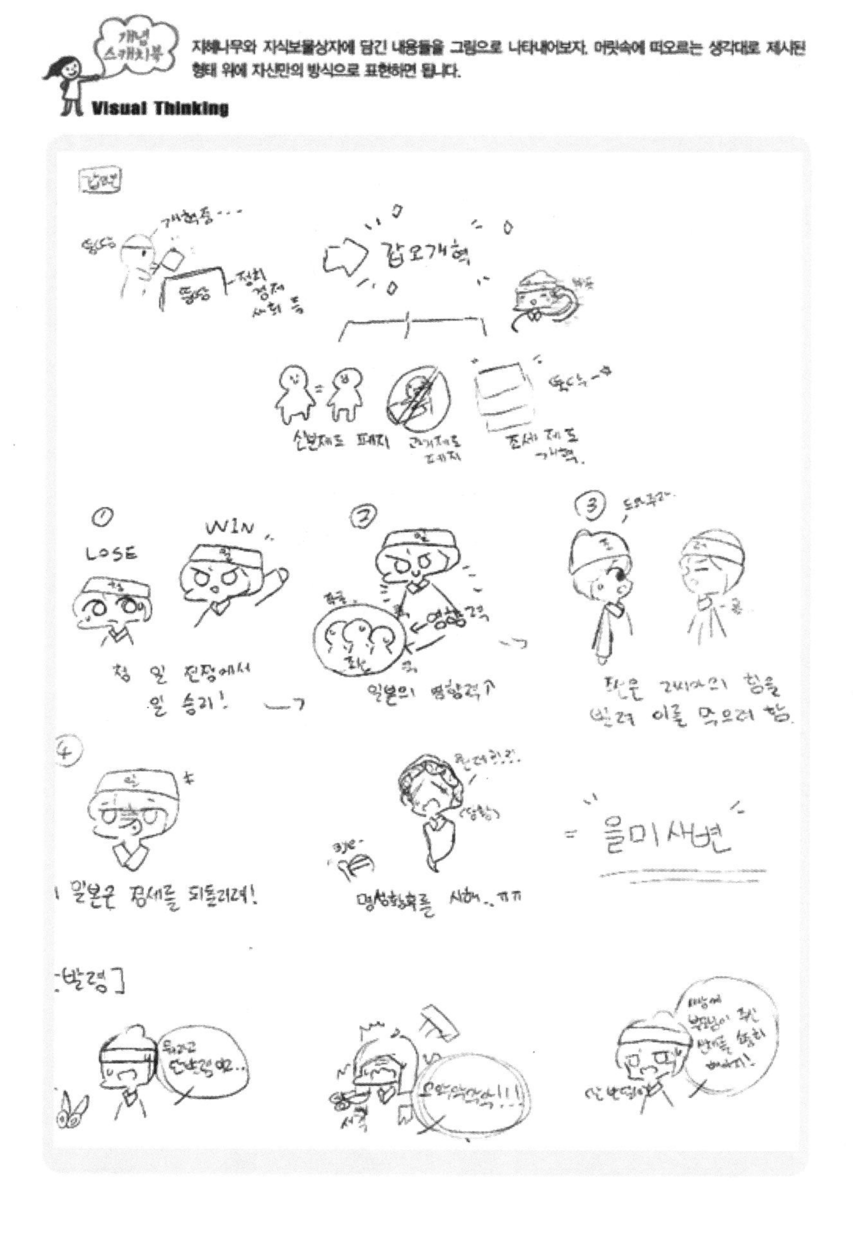

QUEST 5-3

고릴라 공책의 개념스케치북을 경험해 보세요. '비주얼 씽킹(Visual Thinking)'을 강조하는 만큼 배운 내용을 이미지로 표현하는 것이 필요합니다.

지혜나무와 지식보물상자에 담긴 내용들을 그림으로 나타내어보자. 머릿속에 떠오르는 생각대로 제시된 형태 위에 자신만의 방식으로 표현하면 됩니다.

'스토리텔링'은 '지혜나무', '지식보물상자', '개념스케치북' 활동을 토대로 이야기를 구성하는 활동공간입니다. 이야기 표현방식은 학생들이 자유롭게 결정할 수 있습니다. 공부한 내용이 고스란히 담긴 이야기를 만들 수 있고, 특정 지식(교과내용)을 토대로 허구의 이야기를 지어낼 수도 있습니다. 상상력을 강조하며 스토리텔링 활동을 설명해주세요. 스토리텔링 공간은 「셀프프로젝트학습, 잼공노트북 Lv.3」의 고릴라공책에서 제공됩니다.

스토리텔링 Story Telling

개념스케치북에 그려진 그림 속에서 떠오르는 이야기를 꺼내어 적어 봅시다. 어떤 이야기든 상관이 없습니다.

청일전쟁에 승리한 일본은 자신의 욕심을 드러내기 시작했습니다. 온건개화파인 김홍집 등을 앞세워 친일정부를 수립하고, 정치, 경제, 사회 등의 전 분야에 조선의 낡은 제도를 개혁하기 위한 정책을 펼치게 됩니다. 이 과정에서 철저히 일본의 이익을 위한 조치들을 실시하게 되고, 그만큼 일본의 영향력은 커져가기만 했던 것이죠. 일본의 영향력이 커지자 위협을 느꼈던 조정은 러시아의 힘을 빌려 막고자 했습니다. 점차 일본에게 불리해진 정세가 계속되자 명성황후 시해사건인 을미사변을 벌이게 됩니다. 고종은 일본의 위협을 피하여 러시아공사관으로 거처를 옮기는 아관파천을 단행하게 되고, 그러는 동안 여러 나라들이 조선의 이권을 침탈하기에 이릅니다. 을미사변에 이은 단발령 실시로 인해 전국적으로 항일의병이 일어나게 되고, 끝내 갑오개혁을 주도했던 김홍집은 살해되어 내각이 붕괴됩니다. 한편 서재필은 나라의 지원을 받아 독립신문을 창간하고 독립협회, 만민공동회 등을 통해 자주독립의 열기가 끓어오르게 됩니다. 혼란의 시대, 외세의 내정 간섭과 침략에 맞서 미스터션샤인의 활약이 본격화 되었답니다.

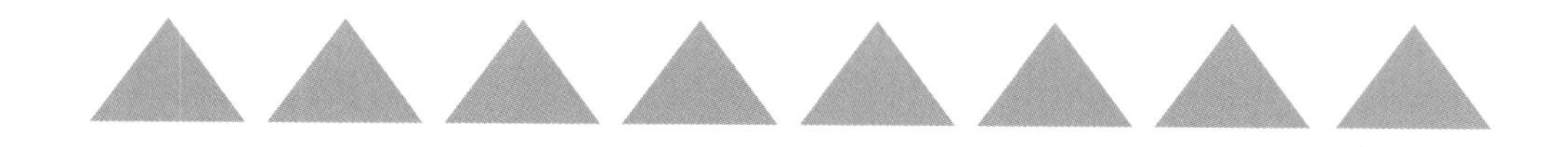

QUEST 5-4

고릴라 공책의 스토리텔링을 경험해 봅니다. 앞서 수행한 활동내용을 토대로 이야기 창작에 도전해 보세요.

스토리텔링 **Story Telling**

개념스케치북에 그려진 그림 속에서 떠오르는 이야기를 꺼내어 적어 봅시다. 어떤 이야기든 상관이 없습니다.

고릴라공책의 '나의 위대한 여정'은 여덟 번째로 제공되는 보스레벨을 끝으로 마무리됩니다. 이 활동지에서는 지금껏 배운 지식들을 종합하고 시각적으로 표현하는 것이 핵심입니다. 앞서 수행했던 고릴라공책 활동지보다 정성을 많이 기울일 수 있도록 격려해 주세요. 지속적인 실천을 위해서라도 만족스런 마무리가 중요합니다. 긍정적인 피드백과 더불어 책에 첨부된 올클리어 스티커를 꼭 활용해 보세요.

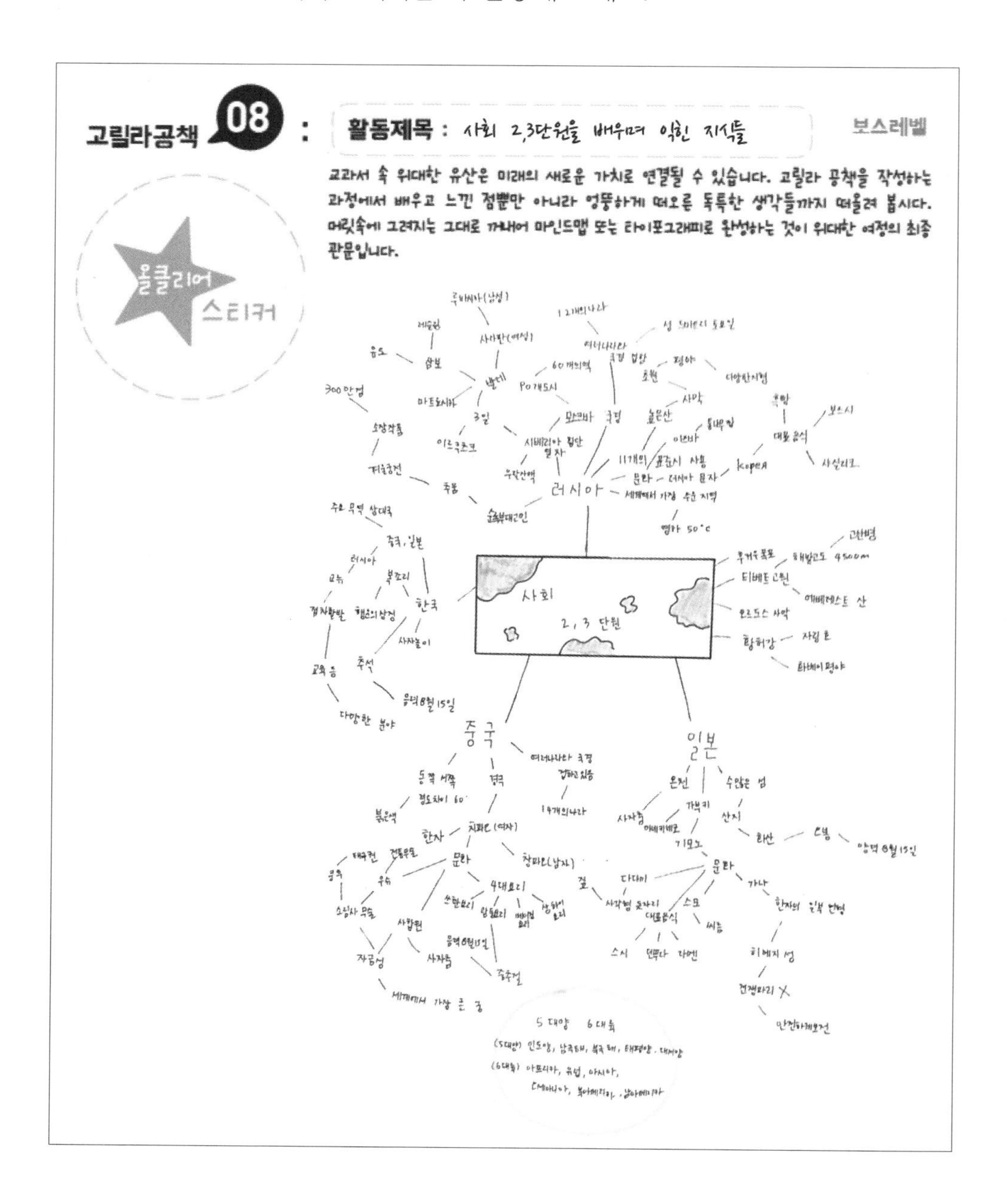

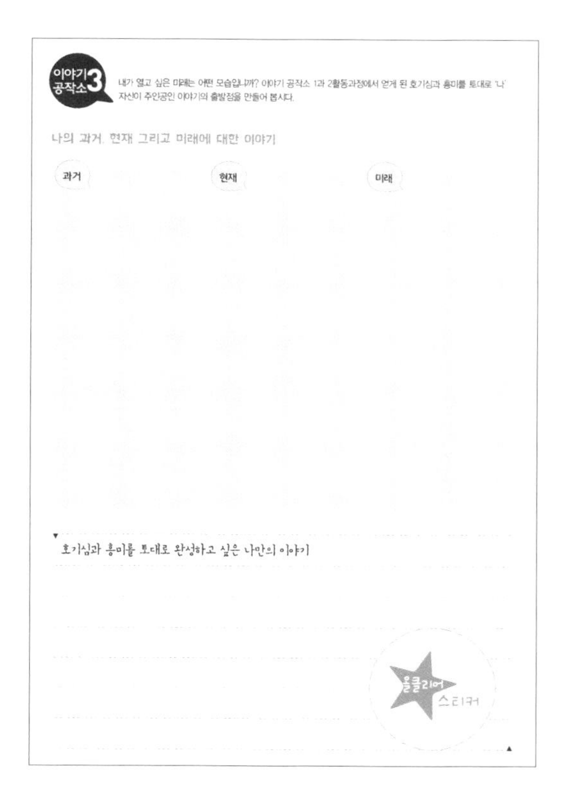

이야기 공작소 3

내가 열고 싶은 미래는 어떤 모습입니까? 이야기 공작소 1과 2활동과정에서 얻게 된 호기심과 흥미를 토대로 '나' 자신이 주인공인 이야기의 출발점을 만들어 봅시다.

나의 과거, 현재 그리고 미래에 대한 이야기

과거 / 현재 / 미래

호기심과 흥미를 토대로 완성하고 싶은 나만의 이야기

올클리어 스티커

고릴라공책 프로젝트학습활동의 최종 퀘스트는 책시리즈마다 각기 다른 활동을 요구합니다. '이야기 공작소(1탄)'를 시작으로 '고릴라 퀴즈(2탄)', '지식큐브(3탄)' 활동이 책시리즈 순서대로 제공됩니다. 이들 활동은 앞서 수행한 고릴라공책에 담긴 위대한 유산(지식)들을 활용해 이루어지게 되는데요. 고릴라공책 프로젝트학습의 최종관문인 셈입니다.

고릴라 퀴즈 3

[고릴라 퀴즈활동하기] 전형적인 고릴라 퀴즈대회는 학급 단위로 지혜로운 리더를 뽑기 위한 방식으로 진행됩니다. 관련 내용은 '설레는 수업, 프로젝트학습 1탄'에 자세히 수록되어 있으니 참고하세요. 여기서는 대규모가 아니라 소규모 친구들이나 가족들과 즐길 수 있는 방식을 소개하고자 합니다.

올클리어 스티커

신문지 게임과 함께하는 고릴라 퀴즈

● 준비물 : 신문지, 문제카드 | 참가자 : 4인 기준

01. 퀴즈문제 출제자 1인을 제외한 3명이 함께 문제를 맞춘다.
02. 바닥에 신문지를 완전히 펼쳐서 놓고, 3명이 동시에 올라선다.
03. 신문지에 모두 올라선 상태에서 문제를 맞출 수 있으며, 틀리면 반을 접는다. – 게임시간과 신문지 크기를 고려하여 틀리면 반으로 접고, 맞으면 현상유지 혹은 다시 펼치도록 규칙을 정한다.
04. 문제 출제자 역할을 바꿔가며 진행하는 것이 좋으며, 맞춘 문제 개수, 버틴 시간 등을 기준으로 진행하도록 한다. – 참가 인원이 많으면 팀을 나누어 대결하는 형식을 취하는 것도 좋다. 다만 승부에 지나치게 집착하지 않도록 하자.
05. 퀴즈활동이 진행되는 내내 신문지 위에서의 협력이 요구되며, 그것 자체를 목적으로 지식을 공유하는데 초점을 둔다.

다트 게임과 함께하는 고릴라 퀴즈

● 준비물 : 신문지, 문제카드 | 참가자 : 4인 기준

01. 참가자가 만든 문제카드를 골고루 섞어서 정답이 보이지 않도록 테이블 위에 올려놓는다.
02. 다트 판(과녁)을 걸어 놓고 참가자가 순서대로 다트 판(화살, 모형 탄알 등)을 던진다. – 다트 외에도 완구 총과 활을 이용하여 동일한 방식으로 진행할 수 있다.
03. 다트 판 점수를 확인한다. 문제카드를 확인하고 정답을 맞춰야 해당 점수를 획득할 수 있다. – 문제카드를 확인하고 출제하는 것은 상대방(상대팀)이 하는 것이 공정하다. 참가 인원이 많으면 짝을 이루어 대결을 펼치고, 문제도 함께 맞추는 것이 바람직하다.
04. 승부와 상관없이 출제된 문제와 정답을 빠짐없이 공유하도록 한다.

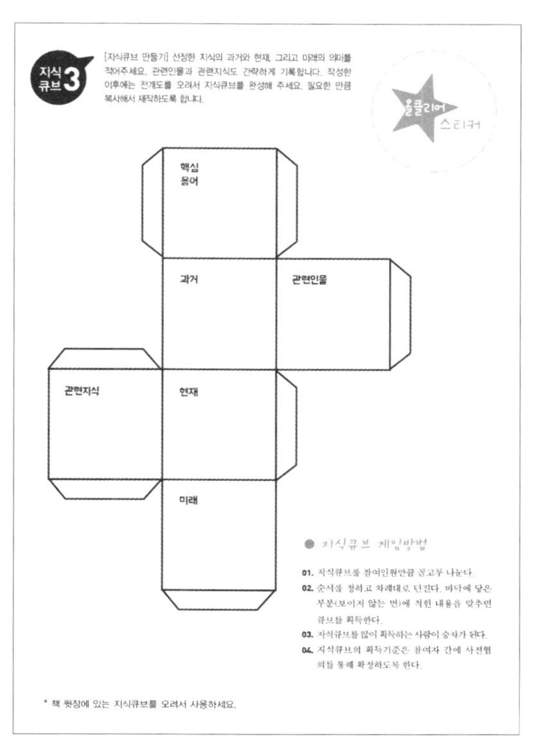

지식 큐브 3

[지식큐브 만들기] 선정한 지식의 과거와 현재, 그리고 미래의 의미를 적어주세요. 관련인물과 관련지식도 간략하게 기록합니다. 작성한 이후에는 전개도를 오려서 지식큐브를 완성해 주세요. 필요한 만큼 복사해서 제작하도록 합니다.

올클리어 스티커

핵심 용어 / 과거 / 관련인물 / 관련지식 / 현재 / 미래

● 지식큐브 게임방법

01. 지식큐브를 참여인원만큼 골고루 나눈다.
02. 순서를 정하고 차례대로 던진다. 바닥에 닿은 부분(보이지 않는 면)에 적힌 내용을 맞추면 큐브를 획득한다.
03. 지식큐브를 많이 획득하는 사람이 승자가 된다.
04. 지식큐브의 획득기준은 참여자 간에 사전협의를 통해 확정하도록 한다.

* 책 뒷장에 있는 지식큐브를 오려서 사용하세요.

CHAPTER 11 나만의 공부레시피

INTRO. 공부, 뻔하지 않게 펀(fun)하게 즐겨보자!

학교수업,
당연히 열심히 듣는다.

학원수업도 마찬가지다.

물론, 교육방송도 빼놓지 않는다.

매일매일,
그렇게 듣고 또 듣는다.

참을 忍

정말, 공부의 신이 되고 싶다.

하지만, **현실**은…

솔직히, 어제 공부한 것도
기억이 나질 않아.

으~~~ 윽~~~~

누굴 닮아서 이리도 머리가 나쁜 걸까?

토닥토닥~

공부하느라 많이 지쳤구나.

힘내라 힘! 아자아자~ 화이팅!

원래, 우리 **뇌**는 **기억**보다 **망각**을 잘해.

그래서 인류는 기억을

대신할 방법을 발전시켜 왔지.

두둥

궁극의 발명품까지…

더 나아가 **인공지능**…

아이고, 그만하자.

분명한 건 이제 사람보다

기억력이 좋은 물건이 점점 많이

확실히 말할 수 있는 건, 기억력이

능력이던 시대는 이미 지났다는 거야.

INTRO.

그렇다고 실망할 필요는 없어.
인간의 두뇌는 무엇보다 특별하니까.

우리 뇌가 좋아하는 방식으로
공부를 한다면 상상도 못할 놀라운 능력의
소유자가 될 수도 있어.

우선, 듣고, 읽고, 쓰는 위주의 공부,
수동형 학습방법에서는 벗어나야 해.

적극적으로 설명하고, 다양한 방식으로 표현하고
여러 도구를 활용해 실컷 만들어 보는
그런 학습방법을 적용해봐.

"한국에서 가장 이해하기 힘든 것은 교육이 정반대로 가고 있다는 것이다. 한국 학생들은 하루 15시간 이상을 학교와 학원에서, 자신들이 살아갈 미래에 필요하지 않을 지식을 배우기 위해 그리고 존재하지도 않는 직업을 위해, 아까운 시간을 허비하고 있다."

- 미래학자 앨빈토플러(Alvin Toffler) 2008년 한국강연내용 중

물론 지금껏 해오던 공부방식에서
벗어나는 데는 용기가 필요할 거야.

새로운 학습방법으로 공부를 하다보면
시간이 많이 걸릴 수도 있어.

명심하면 좋겠어. 교과서에 구애받지 않고 자유로운 상태에서 호기심이 이끄는 대로 맘껏 상상의 나래를 펼치는 것이 진정한 공부라는 것을……

새로운 것을 생각하고 창조적인 표현과 지식의 기쁨을 깨닫는 것이 얼마나 즐겁고 행복한 일인지 알게 될 거야.

우리를 억누르고 있는 교육현실에서 다 바꿀 수는 없겠지.

나로부터 시작되는, 내가 만들어 특별한 그런 공부에 도전해 보는 거야.

굳이 노력이라는 말을 앞세우지 않더라도 그냥 절로 몰입하게 되는 공부를 경험해 보자.

공부, 뻔하지 않게 펀(fun)하게 즐겨보자!

프로젝트학습

나만의 공부레시피

Starting Point

문제의 출발점

셀프 프로젝트학습 주제에 어울리는 문제 상황은 어떤 것일까요? 자신이 시급히 해결해야 할 실제 상황에서부터 여러 장르의 가상이야기에 이르기까지 담아내지 못할 내용은 없습니다. 프로젝트학습의 시작을 알리는 나만의 문제 출발점을 작성해 봅시다.

나는 이상하게도 소란스런 곳으로 가야만 공부가 잘 된다. 심지어 모두가 잠든 조용한 시간에도 일부러 라디오와 TV를 켜고 공부할 때가 많다. 게다가 앞과 옆이 막힌 도서관 책상에서는 아무 것도 할 수 없다. 여러 사람들이 오가는 탁 트인 장소야말로 공부가 잘 되는 명당이다. 난 도대체 왜 이러는 걸까? 솔직히 주변에선 믿을 수 없다지만 난 정말 그런 환경에서 놀라운 집중력이 발휘된다. 그리고 얼마 전 이런 공부스타일이 나름 과학적인 근거가 있음을 알게 됐다.

얼마 전 시카고 대학의 소비자 저널은 백색소음이라고 일컫는 중간 정도의 소음이 조용한 공간에 비해 오히려 집중력과 창의성을 높여준다는 연구결과를 발표했다. 한국산업심리학회에서도 일정한 소음이 집중력과 기억력을 높여주고 스트레스를 낮춰준다는 비슷한 연구결과를 공개한 바 있다. 이들 결과는 도서관 혹은 독서실 등의 조용한 공간에서 공부가 가장 잘 된다는 일반적인 상식을 완전히 뒤엎는 것이었다.

이쯤 되니 점점 나만의 공부스타일이 궁금해졌다. 남들 하는 대로 그냥 따라가는 똑같은 방식이 아닌 나에게 딱 맞는 공부방법은 과연 무엇일까? 호기심과 흥미로 시작되는 재미있는 공부, 지금부터 특별한 비법으로 버무린 나만의 공부레시피를 만들어 보자.

PBL MAP

어떤 과정으로 문제를 해결할 계획인가요? 문제해결을 위해 꼭 필요한 활동들을 선정하고, 활동순서를 정해서 프로젝트학습 지도를 완성해 봅시다. 활동에 어울리는 퀘스트 제목도 멋지게 지으면 좋겠죠? 아울러 각 퀘스트별 실천계획 및 내용도 간략하게 정리해 주세요.

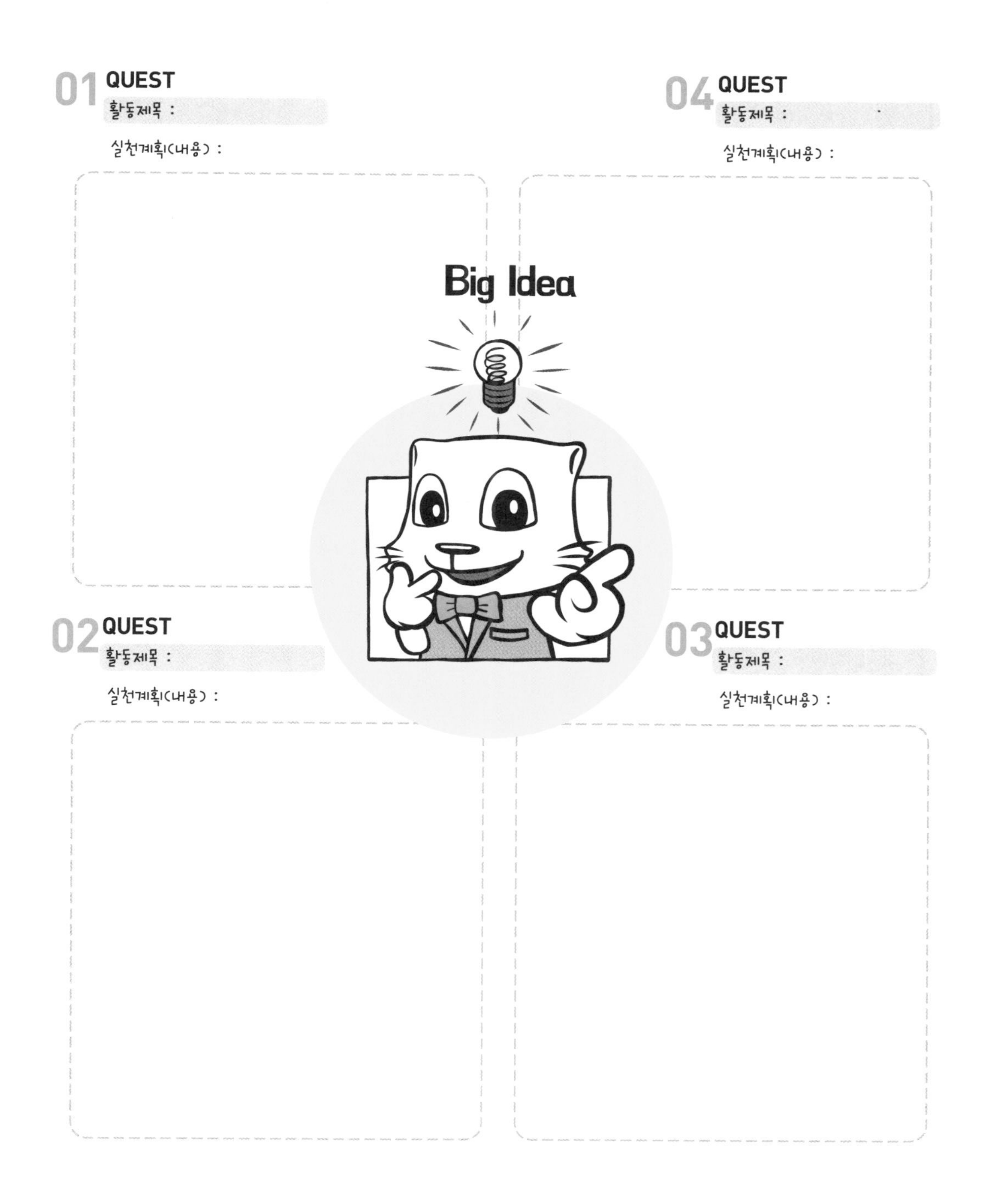

Quest 퀘스트 01
: 머리가 좋아지는 음식레시피

_과제난이도 ☆☆☆☆☆

문제상황

'금강산도 식후경'이라는 말이 있듯이 공부에 앞서 잘 먹는 것은 기본 중에 기본이다. 이는 우리 몸에서 뇌가 차지하는 비중은 작지만, 전체 에너지 사용량 중 상당 부분(25% 가량)을 차지한다는 점에서도 알 수 있는 부분이다.

그렇다면 우리 뇌를 활력 넘치게 만들어 줄 특별한 음식(또는 음료)에는 어떤 것이 있을까. 가족이나 친구와도 함께 즐길 수 있는 머리가 좋아지는 특별한 레시피를 직접 개발해 보자. 최종적으로 야식을 즐기며 맛있게 공부하는 경험을 해야 미션 성공이다.

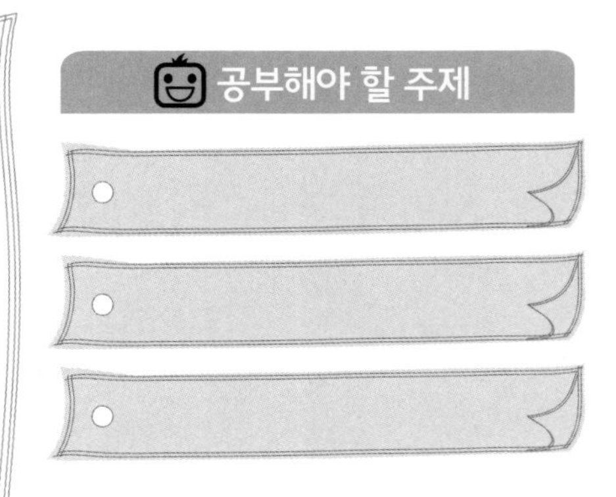

과제수행(활동) 내용을 공부한 순서에 따라 기록합니다. 특히 과제를 수행하면서 새롭게 알게 된 지식과 더 알고 싶어진 지식을 간략하게 정리하는 것이 핵심입니다. 스스로 혹은 선생님이나 부모님을 통해 각 활동별로 수행한 내용을 되짚어보며 평가도 진행해 보도록 하세요.

월/일[시간]	과제수행(활동) 내용	알게 된 것	더 알고 싶은 것	수행평가
/ [ ]	(예) ◆두뇌에 필수적인 영양소, 이들 영양소가 풍부한 음식재료들 조사 ◆두뇌에 좋은 음식 및 음료들 조사 ◆취향저격 특별한 음식 만들기	◆뇌의 건강유지에 필요한 불포화지방산, 무기질, 비타민 등의 영양소 ◆뇌에 필수적인 영양소가 필요한 ○○ 재료 ◆두뇌발달에 도움이 되는 요리들 ◆야식에 안성맞춤 머리가 좋아지는 음식레시피	◆우리 뇌에 관련된 다양한 지식들 ◆스트레스를 덜어줄 특별한 음식들 ◆공부하며 마실 수 있는 좋은 음료들	상 중 하
/ [ ]				상 중 하
/ [ ]				상 중 하

관련교과	국어	사회	도덕	수학	과학	실과			체육	예술		영어	창의적 체험활동	자유학기활동		
						기술	가정	정보		음악	미술			진로 탐색	주제 선택	예술 체육
	○	○	○	○	○	○	○	○	○	○	○	○	○	○	○	○

★ 나만의 잼공포인트

자신의 호기심을 자극하거나 충족시킨 재미있는 내용을 간단하게 메모해 주세요.

나의 지혜나무

배운 내용의 중심용어(단어)들로 지혜나무를 완성해 주세요. 관련성이 높은 용어들을 한 가지에 묶어주는 것이 중요합니다. 탐스런 지식열매가 가득 차도록 자유롭게 꾸며주세요.

공부한 내용 중에 오랫동안 기억 속에 담아 두고 싶은 지식은 무엇입니까? 여러분들이 엄선한 지식열매를 보물상자에 담아주세요.

스스로 평가 자기주도학습의 완성!

나의 신 호 등

01	나는 퀘스트 문제 상황을 잘 파악하고 공부할 주제를 도출했다.	1 2 3 4 5
02	나는 과제수행 내용을 기록하면서 알게 된 것과 알고 싶은 것을 잘 정리했다.	1 2 3 4 5
03	나는 공부한 내용을 바탕으로 지혜나무를 멋지게 완성했다.	1 2 3 4 5
04	나는 공부한 내용 중에 오랫동안 기억에 담아 둘 지식열매를 보물상자에 담았다.	1 2 3 4 5

자신의 학습과정을 되돌아보고 진지하게 평가해주세요.

오늘의 점수 나의 총점수

Quest 퀘스트 02

: 옙~! 공부의 스웨그

_과제난이도 ☆☆☆☆☆

문제상황

공부도 힙합처럼 자신만의 여유와 멋, 약간의 허세로 빚어낸 스웨그가 필요하다. 남들 하듯 교과서 내용을 통째로 기억하기 위한 반복적인 공부방식은 시험성적을 살짝 올려 줄진 모르지만 자신만의 색깔을 잃어버리게 한다. 흥미와 호기심으로 시작되는 자유로운 공부, 지금껏 잊고 지냈던 공부의 스웨그가 궁금하지 않은가. 공부의 스웨그(SWAG)는 강점(Strength), 약점(Weakness), 태도(Attitude), 성장(Growth)으로 나누어 분석하는 것으로 시작된다. 평소 깊게 생각하지 못했던 자신의 강점과 약점, 태도 그리고 성장 가능성을 확인하는 자체만으로도 좋은 출발점이 될 수 있다. 이왕이면 주변에 가까운 사람들(부모님, 선생님, 친구 등)의 시선을 통해 확인해 보는 것이 좋다. 무엇보다 가장 중요한 것은 나에 대한 긍정적인 시선이며 무한한 신뢰이다. 자기만의 개성을 살리는 공부 스웨그를 폼나게 완성해보자.

과제수행(활동) 내용을 공부한 순서에 따라 기록합니다. 특히 과제를 수행하면서 새롭게 알게 된 지식과 더 알고 싶어진 지식을 간략하게 정리하는 것이 핵심입니다. 스스로 혹은 선생님이나 부모님을 통해 각 활동별로 수행한 내용을 되짚어보며 평가도 진행해 보도록 하세요.

월/일[시간]	과제수행(활동) 내용	알게 된 것	더 알고 싶은 것	수행평가
/ [ ]	(예) ◆스웨그의 자세한 의미 파악 ◆성공적인 공부노하우 조사 ◆강점·약점·태도·성장으로 나누어 주변 사람들 대상 면담하기	◆세익스피어의 희곡에 나온 스웨그의 의미 및 여러 분야에서 사용되는 뜻 ◆공부에 관한 잘못된 선입견들 ◆면담을 통해 확인된 것들 등	◆다른 사람이 생각하는 나의 개성 ◆내가 선호하는 공부방식 ◆나의 강점·약점·태도·성장에 관한 다른 사람의 좀 더 많은 생각들	상 중 하
/ [ ]				상 중 하
/ [ ]				상 중 하

관련교과	국어	사회	도덕	수학	과학	실과			체육	예술		영어	창의적 체험활동	자유학기활동		
						기술	가정	정보		음악	미술			진로 탐색	주제 선택	예술 체육
	○	○	○	○	○	○	○	○	○	○	○	○	○	○	○	○

★ 나만의 잼공포인트

자신의 호기심을 자극하거나 충족시킨 재미있는 내용을 간단하게 메모해 주세요.

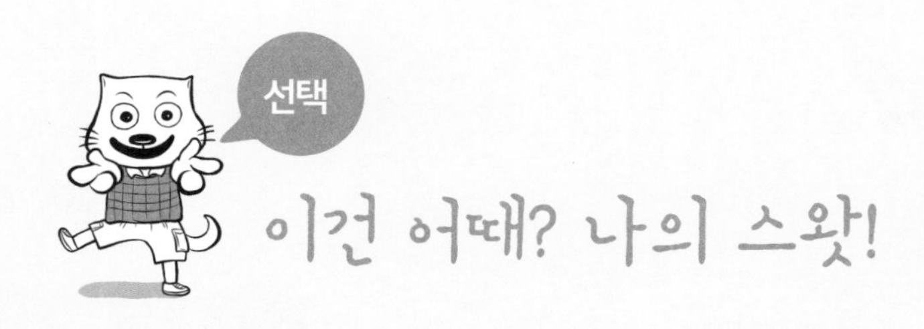

SWOT이란 '강점(Strength)', '약점(Weakness)', '기회(Opportunity)', '위협(Threat)'의 머리글자를 모아 만든 단어로 기업에서 개인에 이르기까지 흔히 사용되는 분석 도구입니다. 강점과 약점은 주변과 상관없이 오로지 '나' 자신의 문제이며, 기회와 위협은 '나'를 둘러싼 환경에 초점을 맞춥니다. '나의 퀘스트 여정'을 토대로 '나'에 대한 분석결과를 자세히 정리해 봅시다.

나의 지혜나무

배운 내용의 중심용어(단어)들로 지혜나무를 완성해 주세요. 관련성이 높은 용어들을 한 가지에 묶어주는 것이 중요합니다. 탐스런 지식열매가 가득 차도록 자유롭게 꾸며주세요.

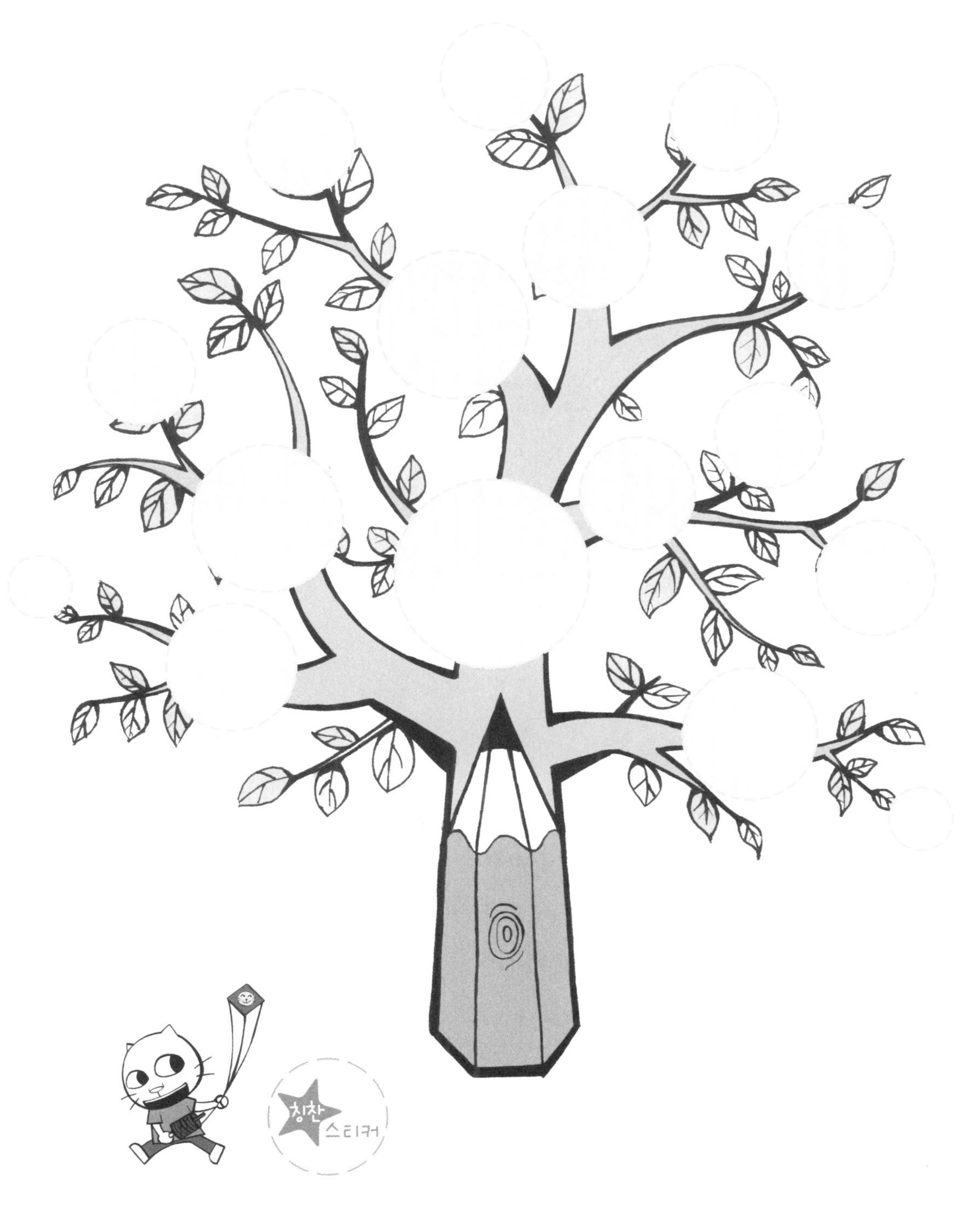

지식 보물상자 공부한 내용 중에 오랫동안 기억 속에 담아 두고 싶은 지식은 무엇입니까? 여러분들이 엄선한 지식열매를 보물상자에 담아주세요.

스스로 평가 자기주도학습의 완성!

나의 신 호 등

01	나는 퀘스트 문제 상황을 잘 파악하고 공부할 주제를 도출했다.	1 2 3 4 5
02	나는 과제수행 내용을 기록하면서 알게 된 것과 알고 싶은 것을 잘 정리했다.	1 2 3 4 5
03	나는 공부한 내용을 바탕으로 지혜나무를 멋지게 완성했다.	1 2 3 4 5
04	나는 공부한 내용 중에 오랫동안 기억에 담아 둘 지식열매를 보물상자에 담았다.	1 2 3 4 5

자신의 학습과정을 되돌아보고 진지하게 평가해주세요.

오늘의 점수 나의 총점수

Quest 퀘스트 03

: 자존감 UP! 나를 살리는 공부

_과제난이도 ☆☆☆☆☆☆

문제상황

나는 특별한 존재로 태어났다. 누구도 대신할 수 없는 '나'라는 존재에게 소홀히 할 수는 없다. 내 삶의 주인공인 만큼, 이 세상에서 찬란하고 아름다운 인생을 살아갈 자격은 충분하다.

그러나 현실은 냉정하다. 특히 공부 앞에선 한없이 작아지기 일쑤다. 답답하고 느닷없이 화도 난다. 아무것도 하기 싫어서 TV를 보고, 스마트폰을 만지작거린다. 공부하기 위해 책상 앞에 앉아도 머릿속엔 온통 딴 생각뿐이다. 이런 나를 마주할 때면 한심하다.

나는 보석처럼 빛나고 싶다. 나의 잃어버린 자존감을 높이기 위한 공부는 무엇이어야 할까? 그동안 잊고 지냈던 흥미와 호기심을 당장 소환해야겠다. 흥미와 호기심에서 비롯된 공부주제를 꼽아보는 것만 해도 의미있는 출발점이 되지 않을까.

과제수행(활동) 내용을 공부한 순서에 따라 기록합니다. 특히 과제를 수행하면서 새롭게 알게 된 지식과 더 알고 싶어진 지식을 간략하게 정리하는 것이 핵심입니다. 스스로 혹은 선생님이나 부모님을 통해 각 활동별로 수행한 내용을 되짚어보며 평가도 진행해 보도록 하세요.

월/일[시간]	과제수행(활동) 내용	알게 된 것	더 알고 싶은 것	수행평가
/ [ ]	(예) ◆[자존감 진단] 나에게 있어서 자존감에 상처를 입히고 있는 과목들 ◆[흥미분야조사] 1년 동안 주로 읽은 책들 또는 글들 추적하기 ◆[호기심 조사] 부족한 시간을 할애해서라도 배우고 싶은 분야, 배울수록 더 알고 싶은 것들	◆○○과목을 공부할 때, 극심한 스트레스를 받고 있으며, 평가결과도 좋지 않음 ◆평소 영화를 좋아하며, 관련 책은 닥치는 대로 읽고 있음 ◆영화제작과 관련된 모든 것을 알고 싶어함	◆○○과목을 스트레스 받지 않고 공부할 수 있는 방법 ◆어느 유명 영화감독의 인생, 좋은 영화를 만들 수 있는 비결 ◆영화콘티제작 방법 및 여러 촬영 기법들	상 중 하
/ [ ]				상 중 하
/ [ ]				상 중 하

관련교과	국어	사회	도덕	수학	과학	실과			체육	예술		영어	창의적 체험활동	자유학기활동		
						기술	가정	정보		음악	미술			진로 탐색	주제 선택	예술 체육
	○	○	○	○	○	○	○	○	○	○	○	○	○	○	○	○

★ 나만의 잼공포인트

자신의 호기심을 자극하거나 충족시킨 재미있는 내용을 간단하게 메모해 주세요.

나만의 교과서

나의 지혜나무

배운 내용의 중심용어(단어)들로 지혜나무를 완성해 주세요. 관련성이 높은 용어들을 한 가지에 묶어주는 것이 중요합니다. 탐스런 지식열매가 가득 차도록 자유롭게 꾸며주세요.

칭찬 스티커

공부한 내용 중에 오랫동안 기억 속에 담아 두고 싶은 지식은 무엇입니까? 여러분들이 엄선한 지식열매를 보물상자에 담아주세요.

스스로 평가 자기주도학습의 완성!

		나의 신호등
01	나는 퀘스트 문제 상황을 잘 파악하고 공부할 주제를 도출했다.	1 2 3 4 5
02	나는 과제수행 내용을 기록하면서 알게 된 것과 알고 싶은 것을 잘 정리했다.	1 2 3 4 5
03	나는 공부한 내용을 바탕으로 지혜나무를 멋지게 완성했다.	1 2 3 4 5
04	나는 공부한 내용 중에 오랫동안 기억에 담아 둘 지식열매를 보물상자에 담았다.	1 2 3 4 5

자신의 학습과정을 되돌아보고 진지하게 평가해주세요.

Quest 퀘스트 04

: 지호락! 잘하는 것과 잘할 수 있는 것들

_과제난이도 ☆☆☆☆☆☆

문제상황

덕후! 마니아? 무엇인가에 마음을 사로잡혀서 깊이 있게 파고드는 사람들을 일컫는 말이다. 이들은 열일을 제쳐놓고 틈나는 대로 관련 활동에 몰두하려 한다. 밤낮없이 해당 지식과 기술을 배우기 위해 시간을 보낸다. 상당한 시간을 쏟아 붇는 데도 지치거나 지루할 새가 없다. 그 자체가 이들에겐 즐거움이고 행복이기 때문이다.

지호락(知好樂)*, 단순히 아는 것에 머물지 않고 좋아하고 즐기는 수준으로 공부를 끌어올릴 수만 있다면 얼마나 좋을까? 불가능하다고? 절대 아니다. 내가 잘하는 것과 잘할 수 있는 것들, 그 속에 가능성이 있다. 자신이 좋아하는 분야에서 진정한 '공부덕후! 공부마니아!'로 거듭나길…….

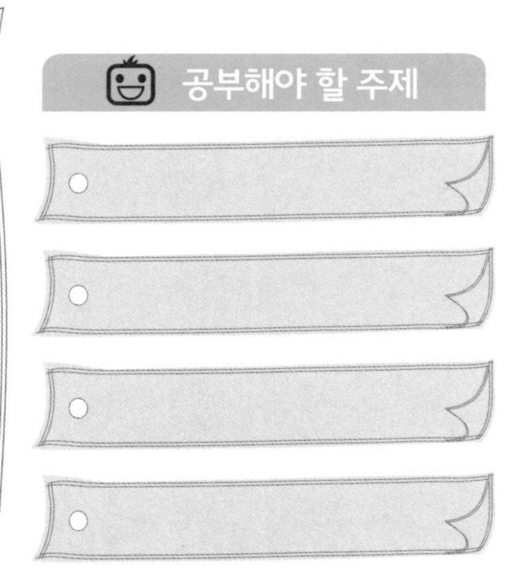

*공자는 배움의 세 가지 단계로 '지호락(知好樂)'을 제시하면서 최고의 경지를 '락', 즐거움에 뒀다. 그에 따르면 진정한 배움은 단순히 아는 것에 머물지 않고 그것을 좋아하고 마침내 즐길 수 있을 때 이루어진다.

과제수행(활동) 내용을 공부한 순서에 따라 기록합니다. 특히 과제를 수행하면서 새롭게 알게 된 지식과 더 알고 싶어진 지식을 간략하게 정리하는 것이 핵심입니다. 스스로 혹은 선생님이나 부모님을 통해 각 활동별로 수행한 내용을 되짚어보며 평가도 진행해 보도록 하세요.

월/일[시간]	과제수행(활동) 내용	알게 된 것	더 알고 싶은 것	수행평가
/ [ ]	(예) ◆특정 분야의 덕후나 마니아로 유명한 사람들, 성공이야기 조사 ◆다른 사람들로부터 인정받고 있는 나의 능력파악-관련 인터뷰하기 ◆잘하는 것과 잘할 수 있는 것들 정리하기 (리스트 작성)	◆만화가인 OO은 자치생활을 하며 다양한 요리에 관심을 갖게 됐고, 지금은 요리전문가 수준의 능력을 발휘하고 있음 ◆인터뷰 결과 친구들로부터 춤 실력과 그림그리기를 인정받고 있었음 ◆[잘하는 것] 관찰한 것을 그대로 그림으로 표현하기 ◆[잘할 수 있는 것] 연습할 시간만 있다면 힙합댄스를 잘 할 수 있음	◆내가 관심있는 OO분야에서 덕후(마니아)로 소문난 사람들 ◆춤이나 그림과 관련된 진로 찾기 – 관련 직업들 조사 ◆내가 잘하는 것들에 대한 전문가들이 의견	상 중 하
/ [ ]				상 중 하
/ [ ]				상 중 하

관련교과	국어	사회	도덕	수학	과학	실과			체육	예술		영어	창의적 체험활동	자유학기활동		
						기술	가정	정보		음악	미술			진로탐색	주제선택	예술체육
	○	○	○	○	○	○	○	○	○	○	○	○	○	○	○	○

★ 나만의 잼공포인트

자신의 호기심을 자극하거나 충족시킨 재미있는 내용을 간단하게 메모해 주세요.

나의 지혜나무

배운 내용의 중심용어(단어)들로 지혜나무를 완성해 주세요. 관련성이 높은 용어들을 한 가지에 묶어주는 것이 중요합니다. 탐스런 지식열매가 가득 차도록 자유롭게 꾸며주세요.

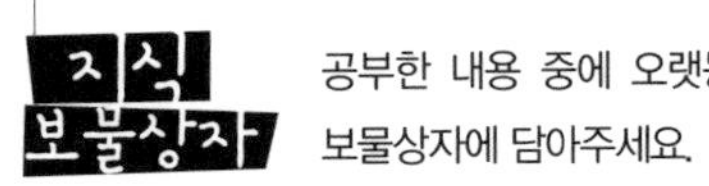

공부한 내용 중에 오랫동안 기억 속에 담아 두고 싶은 지식은 무엇입니까? 여러분들이 엄선한 지식열매를 보물상자에 담아주세요.

스스로 평가 자기주도학습의 완성!

나의 신 호 등

01	나는 퀘스트 문제 상황을 잘 파악하고 공부할 주제를 도출했다.	1 2 3 4 5
02	나는 과제수행 내용을 기록하면서 알게 된 것과 알고 싶은 것을 잘 정리했다.	1 2 3 4 5
03	나는 공부한 내용을 바탕으로 지혜나무를 멋지게 완성했다.	1 2 3 4 5
04	나는 공부한 내용 중에 오랫동안 기억에 담아 둘 지식열매를 보물상자에 담았다.	1 2 3 4 5

자신의 학습과정을 되돌아보고 진지하게 평가해주세요.

Quest 퀘스트 05

: 나만의 공부레시피는 바로 이것

–과제난이도 ☆☆☆☆☆☆

문제상황

일반적으로 레시피는 재료와 양념, 조리순서 및 소요시간 등이 상세히 담겨있다. 여기에는 재료별 차지하는 비중이라든지 양념의 양, 조리순서에 따라 재료와 양념이 투입되는 시기도 당연히 포함된다. 공부레시피도 이와 크게 다르지 않다. 흥미와 호기심이 닿아있는 주제는 당연히 공부레시피의 주요 재료이다. 나만의 개성이 돋보이는 공부 스웨그는 특별한 양념이 되어 줄 것이다. 물론 공부의 남다른 품격은 '락樂'을 통해 완성된다. 허나 이 모든 것은 재료별 비중과 양념의 양, 조리순서와 시간, 도구(환경)를 지켰을 때 가능하다. 어떻게 보면 야심차게 세운 대부분의 공부계획이 며칠 지나지 않아 무산되는 것도 이 때문이다. 자, 지금부터 나만의 공부레시피를 만들어보자. 이왕이면 이 책에 채워나갈 셀프프로젝트학습 계획을 중심으로 세워보는 것은 어떨까. 오감이 만족하는 나만의 방식으로 공부를 요리해 보자.

과제수행(활동) 내용을 공부한 순서에 따라 기록합니다. 특히 과제를 수행하면서 새롭게 알게 된 지식과 더 알고 싶어진 지식을 간략하게 정리하는 것이 핵심입니다. 스스로 혹은 선생님이나 부모님을 통해 각 활동별로 수행한 내용을 되짚어보며 평가도 진행해 보도록 하세요.

월/일[시간]	과제수행(활동) 내용	알게 된 것	더 알고 싶은 것	수행평가
/ [ ]	**(예)** ◆실패한 공부계획들과 그 이유 분석하기 ◆재료(공부 주제), 양념(스웨그), 조리순서(공부 절차), 도구·환경 등이 포함된 특별한 공부레시피 만들기	◆흥미와 호기심과 동떨어진 공부계획이라서 실패 ◆공부 절차나 시간계획이 무리하게 세워짐 ◆내게 유용한 학습도구 및 공부가 잘 되는 환경 ◆나의 셀프프로젝트학습 계획	◆성공적인 공부계획 사례조사 ◆나의 스타일에 맞는 공부 절차, 집중력이 유지되는 적정시간 ◆창의력을 높여주는 학습도구의 활용방법	상 중 하
/ [ ]				상 중 하
/ [ ]				상 중 하

관련교과	국어	사회	도덕	수학	과학	실과			체육	예술		영어	창의적 체험활동	자유학기활동		
						기술	가정	정보		음악	미술			진로 탐색	주제 선택	예술 체육
	○	○	○	○	○	○	○	○	○	○	○	○	○	○	○	○

★ 나만의 잼공포인트

자신의 호기심을 자극하거나 충족시킨 재미있는 내용을 간단하게 메모해 주세요.

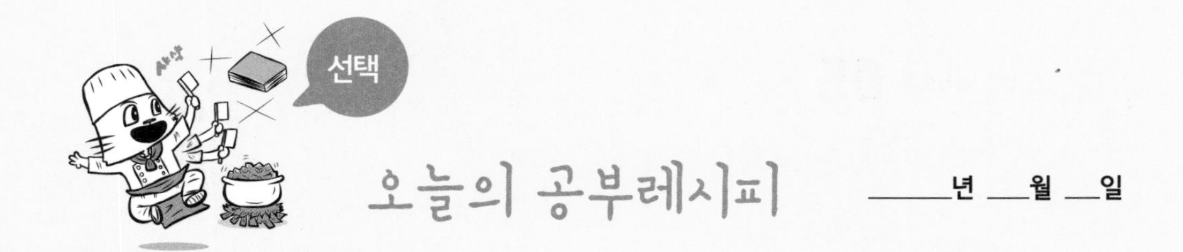

작심삼일은 이제 그만, 하루 단위로 공부계획을 세워보자! 오늘의 공부레시피에 따라 하루를 알차게 채워나가는 것 자체가 즐거움이 아닐까.

☆**재료** : **배우고 싶은 지식들(공부할 주제)**

☆**양념** : **스웨그(SWAG) 중심으로 학습동기 작성**

[예] 자신의 부족한 분야(W)를 보완하기 위한 동기 | ○○교과에 대한 흥미도(A)를 높이기 위한 동기

특별요리 : 기분 좋게 공부할 수 있도록 만들어줄 나의 두뇌를 위한 에너지원

☆도구·환경 : 공부에 활용할 학습도구 및 기본적으로 요구되는 환경

☆조리순서 : 자신만의 방식으로 학습계획 표현

공부?!

나의 지혜나무

배운 내용의 중심용어(단어)들로 지혜나무를 완성해 주세요. 관련성이 높은 용어들을 한 가지에 묶어주는 것이 중요합니다. 탐스런 지식열매가 가득 차도록 자유롭게 꾸며주세요.

공부한 내용 중에 오랫동안 기억 속에 담아 두고 싶은 지식은 무엇입니까? 여러분들이 엄선한 지식열매를 보물상자에 담아주세요.

스스로 평가 자기주도학습의 완성!

나의 신 호 등

01	나는 퀘스트 문제 상황을 잘 파악하고 공부할 주제를 도출했다.	1 2 3 4 5
02	나는 과제수행 내용을 기록하면서 알게 된 것과 알고 싶은 것을 잘 정리했다.	1 2 3 4 5
03	나는 공부한 내용을 바탕으로 지혜나무를 멋지게 완성했다.	1 2 3 4 5
04	나는 공부한 내용 중에 오랫동안 기억에 담아 둘 지식열매를 보물상자에 담았다.	1 2 3 4 5

자신의 학습과정을 되돌아보고 진지하게 평가해주세요.

셀프 프로젝트학습을 수행하는 과정에서 배우고 느낀 점은 무엇입니까? 머릿속에 담겨진 그대로 꺼내어 마인드맵으로 표현해 봅시다. 더불어 학습과정에서 얻게 된 빅아이디어, 창의적인 생각을 정리하는 것도 잊지 마세요.

Big Idea! Creative Thinking!

나의 지식사전

셀프프로젝트를 수행하는 과정에서 알게 된 중요한 지식을 '나의 지식사전'에 남기도록 합니다. 특히 해당 지식의 소멸시점을 예상하고 그 이유를 함께 기록해 보세요.

핵심용어	중심내용	내가 생각하는 지식유효기한과 이유

★나에게 보내는 칭찬 한 마디

11 CHAPTER

나만의 공부레시피

★Teacher Tips

Teacher Tips

'나만의 공부레시피'는 「셀프프로젝트학습 1탄(상상채널)」에 수록된 문제입니다. 이 수업은 앞서 제시했던 프로젝트학습양식과는 다른 형식을 사용하고 있는데요. 셀프프로젝트학습양식은 주제의 성격과 상관없이 다양한 활동이 가능하도록 고안된 것이 특징입니다. 셀프프로젝트학습의 구체적인 활용방법에 대해서는 「설레는 수업, 프로젝트학습 PBL 달인되기 2: 진수」의 '10장. 자기주도학습의 완성, 셀프프로젝트학습' 편을 통해 제시하고 있으니 참고해 보시기 바랍니다. 이 수업은 학생 자신에게 적합한 공부방식이 무엇인지, 흥미와 호기심을 갖고 있는 분야는 어떤 것인지 등을 골고루 모색해보도록 구성되어 있습니다. 최종적으로 자신만의 학습스타일을 파악하고, 이를 '공부레시피'로 구현하는 것이 목적입니다.

"OO정류장에 곧 정차합니다. 내리실 분 있으면 출입문 가까이로 오세요. 안계시면 오라이~!"

누구에겐 어린 시절 어렴풋한 추억의 한 장면을 차지하고 있을지도 모르겠습니다. 요금징수와 승하차를 돕던 '버스안내양'은 당시 운전사만큼이나 많은 여성들이 종사하던 직업이었습니다. 그때까지만 해도 수십 년간 지속돼 왔던 버스안내양이라는 직업이 이렇듯 허무하게 사라지게 될 거라곤 대부분 예상치 못했습니다. 이 불행의 시작은 버스 자동문이 개발되면서부터였습니다. 자동문이 달린 새로운 버스가 도입되는 속도만큼이나 버스안내양의 일자리도 빠르게 사라져갔습니다. 물론 기술의 진보가 직업의 존재를 위협하기만 한 것은 아닙니다. 대부분 효율성과 생산성을 높이는 방향으로 기술이 도입됐고, 존재하지 않았던 새로운 일자리도 제법 만들어냈습니다. 그래도 기성세대까진 어린 시절 꿈꾸던 대부분의 유망 직업들이 어른이 돼서도 그대로 존재했으니 미래세대의 주인공인 학생들보다 나은 편이었습니다. 하지만 어린 학생들의 상황은 기성세대가 겪어왔던 것들과 완전히 차원을 달리합니다. 인공지능, 무인자동차, 3D프린터, 사물인터넷, 드론 등 혁신적인 기술들이 하나둘씩 우리 일상을 파고 들면서 예견되던 많은 일들이 실제 현실로 나타나고 있습니다. 유명 석학들, 전문가들, 미래학자 할 것 없이 수많은 직업의 종말을 예고하며, 가까운 미래에 급격한 변화가 찾아올 것이라 이구동성으로 말하고 있습니다. 이른바 '4차 산업혁명'이라 불리는 새로운 시대가 우리 앞에 성큼 다가온 것입니다.

"2025년이 되면 인공지능과 로봇의 발달로 국내취업자의 61.3%가 일자리를 잃게 된다."

_2016년 한국고용정보원 전문가 설문조사 결과

더 이상 과거의 경험과 지식만으로 자신의 미래를 설계할 수 없는 시대, 그러나 우리들은 21세기를 살아가야 할 학생들에게 19세기부터 이어진 기계적인 공부방식을 여전히 고수하고 있습니다. 공부에 대한 뿌리 깊은 생각들이 과거의 경험을 그대로 답습하며, 미래를 향해 한 걸음도 나아가지 못하게 만들고 있는 것이죠.

이런 이유로 '나만의 공부레시피' 프로젝트학습은 99%의 노력이 아닌 1%의 영감(창의성)을 끌어내는데 목표를 두고 있는 수업입니다. 이왕이면 단순한 교과공부가 아닌 진짜 자신이 흥미와 호기심을 가지고 있는 분야, 잘하면서 좋아하는 것들을 찾아 나를 행복하고 이롭게 만들 '공부레시피(학습계획)'를 짜는 데 초점을 두고 진행해 주세요.

> 천재는 1% 영감과 99%의 노력으로 이루어진다.
> 그러나 1% 영감이 99%의 노력보다 중요하다. _Tomas Edison

이 수업은 과제의 내용과 직접적으로 관련된 교과와 연계하여 진행할 수 있습니다. 자유학년(학기)활동, 창의적 체험활동에서 진로교육 프로그램으로 활용하는 것도 좋습니다. 아래 교과영역과 내용요소를 참고하여 현장 상황에 맞게 탄력적으로 적용해 보시기 바랍니다.

교과	영 역	내용요소	
		초등학교 [5-6학년]	중학교 [1-3학년]
국어	듣기말하기	◆발표[매체활용] ◆체계적 내용 구성	◆발표[내용 구성] ◆매체 자료의 효과 ◆청중 고려
	쓰기	◆목적·주제를 고려한 내용과 매체 선정 ◆독자의 존중과 배려	◆감동이나 즐거움을 주는 글 ◆표현의 다양성
도덕	자신과의 관계	◆왜 아껴 써야 할까? (시간 관리와 절약)	◆자주적인 삶이란 무엇일까? (자주, 자율)
실과 정보	자원관리와 자립	◆시간·용돈 관리 ◆가정생활과 일	◆청소년의 자기 관리 ◆생애 설계와 진로 탐색
	가정생활과 안전	◆균형 잡힌 식생활 ◆식재료의 특성과 음식의 맛	◆청소년기의 영양과 식행동
	기술활용	◆일과 직업의 세계 ◆자기 이해와 직업 탐색	◆기술의 발달 ◆기술과 사회 변화

Teacher Tips

'나만의 공부레시피'는 제시된 과제의 난이도를 고려할 때, 초등학교 5학년 이상이면 무난하게 도전할 수 있습니다. 교수자의 전문적 판단 하에 수업의 목적과 대상학습자의 수준을 감안하여 추가적인 활동을 제시하고, 필요하다면 기존 퀘스트 내용을 재구성하여 제시하도록 합니다.

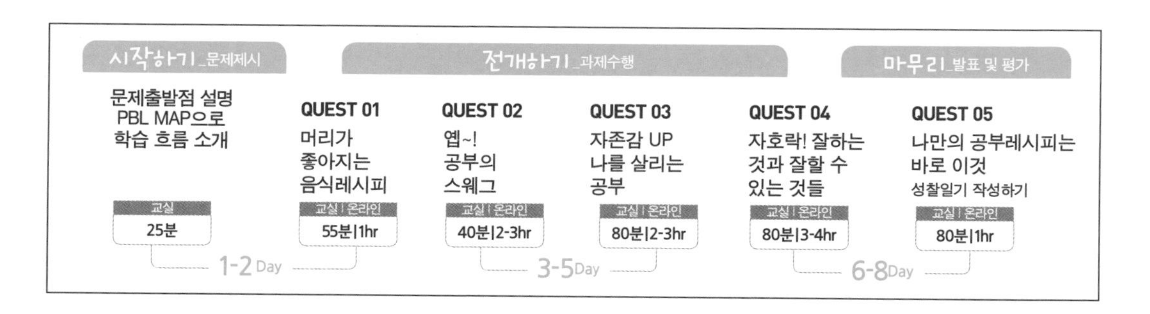

QUEST 01	◆잘못된 식습관을 살펴보고 두뇌에 좋은 음식섭취의 중요성에 대해 공감할 수 있다. ◆두뇌발달에 필수적인 영양소를 조사하고, 이들 영양소가 풍부한 음식들을 찾아볼 수 있다. ◆두뇌에 좋은 음식을 레시피에 따라 직접 만들 수 있다.
QUEST 02	◆강점, 약점, 태도, 성장을 기준으로 자신의 공부스웨그를 분석할 수 있다. ◆주변 사람들과의 면담을 통해 나에게 필요한 공부를 조사할 수 있다.
QUEST 03	◆자존감의 중요성을 인식하고 활동에 적극적으로 참여할 수 있다. ◆자신의 흥미와 호기심에 부합하는 공부주제를 도출할 수 있다.
QUEST 04	◆공자가 말하는 지호락의 뜻을 이해하고 활동에 참여할 수 있다. ◆자신의 잘하는 것과 잘할 수 있는 것들을 탐색하고 결과를 정리할 수 있다. ◆즐기며 할 수 있는 일(직업)들을 찾아보고, 진로를 모색할 수 있다.
QUEST 05	◆실패하는 공부계획의 사례와 실제 경험을 통해 공통적인 실패원인을 도출할 수 있다. ◆문제상황에 부합하는 나만의 공부레시피를 완성할 수 있다. ◆공부레시피를 발표하고 검증을 통해 완성도를 높일 수 있다.
공통	◆다양한 매체에서 조사한 내용을 정리하고 자신의 언어로 재구성하는 과정을 통해 창의적인 산출물을 만들어낼 수 있다. 이 과정을 통해 지식을 생산하기 위해 소비하는 프로슈머로서의 능력을 향상시킬 수 있다. ◆토의의 기본적인 과정과 절차에 따라 문제해결방법을 도출하고, 온라인 커뮤니티 등의 양방향 매체를 활용한 지속적인 학습과정을 경험함으로써 의사소통능력을 신장시킬 수 있다.

※ 프로슈머 [Prosumer]: 앨빈 토플러 등 미래 학자들이 예견한 생산자(producer)와 소비자(consumer)를 합성한 말

중심활동 : 문제출발점 파악하기, PBL MAP 작성하기

- 4차 산업혁명에 대한 이야기를 하며 기존 공부방식의 변화 필요성 공유하기
- 가까운 미래를 예측해보며 필요한 지식들이 무엇일지 예상해보기
- 문제출발점을 제시하며 나만의 새로운 공부방식을 찾아야 할 상황을 인식하기
- (선택)셀프프로젝트학습 활동지를 어떻게 활용해야 하는지 설명해 주기(학습자가 알고 있다면 생략)
- (선택)자기평가방법 공유, 온라인 학습커뮤니티 활용 기준 제시하기
- PBL MAP을 활용하여 전체적인 학습흐름을 설명하고, 각 퀘스트의 활동주제를 적어보고 실천계획을 어떻게 기록하는지 안내하기

4차 산업혁명과 관련된 인상 깊은 다큐멘터리를 제시하며 수업을 시작해보는 것은 어떨까요? 지식채널e '인간을 위한 기술혁명 2부: 인공지능을 이기는 교육' 편처럼 새로운 방법, 특히 프로젝트학습방식이 왜 필요한지 공유하게 된다면, 공부에 대한 틀에 박힌 생각들에서 벗어나 주어진 문제를 파악할 수 있게 될 것입니다.

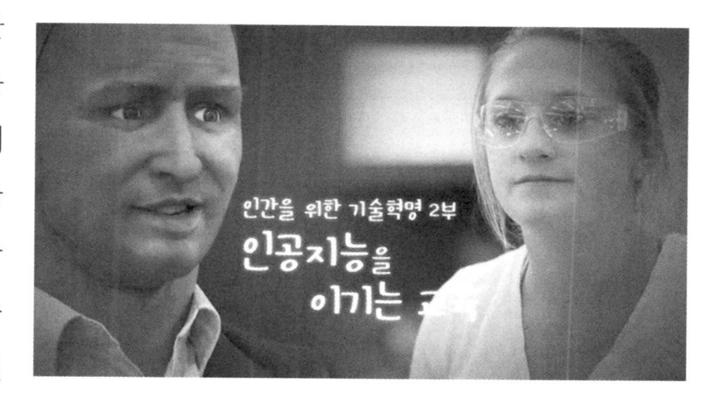

더 나아가 4차 산업혁명이 현재 혹은 가까운 미래에 어떤 변화를 가져올지 예측해보면서 어떤 지식들이 필요할지 예상하는 것도 사전활동으로 적합합니다. 문제출발점을 제시하며 기존에 갖고 있던 공부에 대한 선입견을 깨는데 성공했다면 수업의 첫 단추는 제법 잘 꿴 셈입니다.

어쨌든 학생들이 나만의 학습스타일을 담아낼 공부레시피의 필요성을 인식하도록 만드는데 성공했다면 자연스럽게 다음 과정으로 넘어가면 됩니다. 만일 셀프프로젝트학습 활동지에 대한 경험이 없는 학생들에겐 각 공간에 어떤 내용을 기록하고 어떻게 활용하면 좋을지 설명해 주도록 합니다. 물론 이미 익숙한 학생들을 대상으로 하는 경우, 이런 과정은 생략해도 되겠지요? 자기평가방법이나 온라인 학습커뮤니티 활용에 관한 설명 역시 필

Teacher Tips

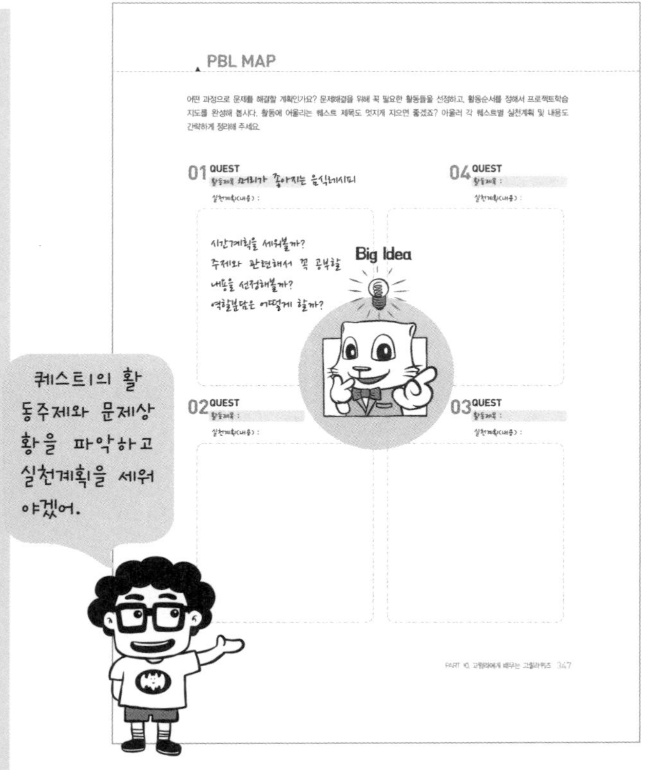
PBL MAP

어떤 과정으로 문제를 해결할 계획인가요? 문제해결을 위해 꼭 필요한 활동들을 선정하고, 활동순서를 정해서 프로젝트학습 지도를 완성해 봅시다. 활동에 어울리는 퀘스트 제목도 멋지게 지으면 좋겠죠? 아울러 각 퀘스트별 실천계획 및 내용도 간략하게 정리해 주세요.

01 QUEST
활동제목 머리가 좋아지는 음식레시피
실천계획(내용) :
시간계획을 세워볼까?
주제와 관련해서 꼭 공부할 내용을 선정해볼까?
역할분담은 어떻게 할까?

04 QUEST
활동제목 :
실천계획(내용) :

02 QUEST
활동제목 :
실천계획(내용) :

03 QUEST
활동제목 :
실천계획(내용) :

요에 따라 선택적으로 실시하면 됩니다.

이 수업에서 활용하고 있는 활동지 양식은 다른 장에서 제공했던 학습의 흐름만 시각적으로 나타내던 PBL MAP 형식과 달리 각 퀘스트별 실천계획을 함께 작성하도록 하고 있습니다. 각 퀘스트별 활동제목을 학생들에게 공개하고 이를 기록하도록 안내합니다. 앞으로의 학습흐름을 파악하고 주요활동을 예상할 수 있도록 부연 설명도 해 줍니다. 더불어 각 퀘스트별 실천(학습)계획을 어떻게 채우면 좋을지 공유하고 각 퀘스트별 활동이 시작되기 전에 작성하도록 지도해 주세요. 수업운영에 있어서 도입하고자 하는 규칙이나 평가방법, 학생들에게 낯설게 여길만한 새로운 학습환경이 있다면, 그것이 장애가 되지 않도록 사전에 충분히 설명해 주는 것도 잊지 마세요.

전개하기

'나만의 공부레시피'는 총 5개의 기본 퀘스트로 구성되어 있습니다. 활동의 난이도가 그리 높지 않아서 초등학교 고학년 이상이라면 수업적용이 무난하게 이루어질 수 있을 겁니다. 이 수업은 셀프프로젝트학습 워크북의 사용방법을 익히기 위해 고안된 프로그램이기도 합니다. 현장상황에 맞게 요긴하게 활용해 보시길 바랍니다.

● 퀘스트1 : 머리가 좋아지는 음식레시피

중심활동 : 두뇌에 필수영양소와 음식들 조사하고 두뇌에 좋은 음식 만들기

- 맛있는 음식과 맛집에 대해 공유하면서 뇌에 부정적인 영향을 줄 잘못된 식습관에 대해 이야기 나누기
- 두뇌에 좋은 음식섭취의 중요성을 공감하며 문제상황을 파악하고 공부해야 할 주제 도출하기
- PBL MAP의 퀘스트1 실천계획공간에 공부해야 할 주제를 토대로 과제수행계획 작성하기
- (온라인) '나의 퀘스트 여정'에 공부해야 할 주제별로 활동한 핵심내용을 기록하고, 이를 통해 알게 된 것과 더 알고 싶은 것을 구분하여 정리하기
- 지혜나무와 지식보물상자로로 구성된 나만의 교과서 작성과 스스로평가 실시하기

Quest 퀘스트 01 : 머리가 좋아지는 음식레시피

_과제난이도 ☆☆☆☆☆

최근에 먹은 음식이나 동네 맛집에 관한 이야기를 자유롭게 나누며 학습내용에 대해 관심을 유발합니다. 더불어 일상에서 학생들이 학원시간을 맞추려고, 편의점에서 인스턴트 음식을 사먹거나 햄버거와 같은 패스트푸드를 즐기곤 하는데, 그런 식습관이 우리 뇌에 도움이 되질 않는다는 것을 부각하도록 합니다. 평소 즐겨 먹는 음식에 대해 관심을 가져야 함을 강조해 주세요. 특히 뇌의 활력을 유지하기 위해 꼭 필요한 영양소가 공급되어야 함을 이해하는 것이 중요합니다.

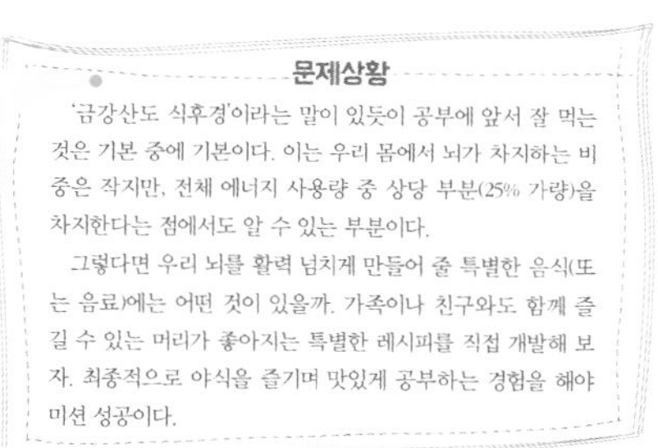
문제상황

'금강산도 식후경'이라는 말이 있듯이 공부에 앞서 잘 먹는 것은 기본 중에 기본이다. 이는 우리 몸에서 뇌가 차지하는 비중은 작지만, 전체 에너지 사용량 중 상당 부분(25% 가량)을 차지한다는 점에서도 알 수 있는 부분이다.

그렇다면 우리 뇌를 활력 넘치게 만들어 줄 특별한 음식(또는 음료)에는 어떤 것이 있을까. 가족이나 친구와도 함께 즐길 수 있는 머리가 좋아지는 특별한 레시피를 직접 개발해 보자. 최종적으로 야식을 즐기며 맛있게 공부하는 경험을 해야 미션 성공이다.

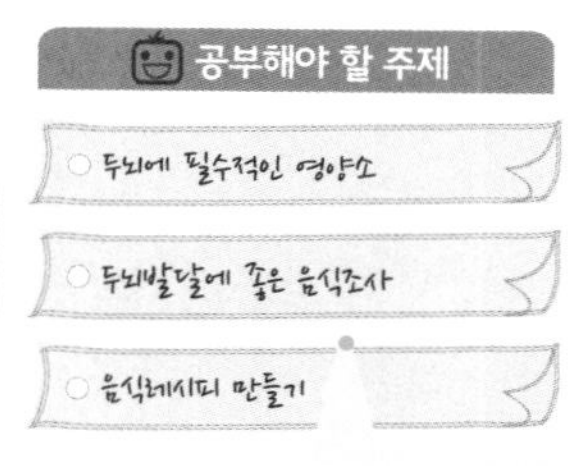

첫 번째 퀘스트의 중심활동이 머리가 좋아지는 음식을 조사하고 직접 만들어 먹는 것임을 정확하게 파악했다면, 제시된 문제상황을 토대로 공부해야 할 주제를 도출할 수 있도록 안내합니다. 공부해야 할 주제는 팀마다 조금씩 다를 수 있습니다. 토의를 거쳐 팀별로 공부주제를 선정해서 기록하도록 합니다.

나의 퀘스트 여정

과제수행(활동) 내용을 공부한 순서에 따라 기록합니다. 특히 과제를 싶어진 지식을 간략하게 정리하는 것이 핵심입니다. 스스로 혹은 선 내용을 되짚어보며 평가도 진행해 보도록 하세요.

월/일[시간]	과제수행(활동) 내용	알게 된 것
/ [ ]	(예) ◆두뇌에 필수적인 영양소, 이들 영양소가 풍부한 음식재료들 조사 ◆두뇌에 좋은 음식 및 음료들 조사 ◆취향저격 특별한 음식 만들기	◆뇌의 건강유지에 필요한 불포화지방산, 칠, 비타민 등의 영양소 ◆뇌에 필수적인 영양소가 필요한 ○○ 재료 ◆두뇌발달에 도움이 되는 요리들 ◆야식에 안성맞춤 머리가 좋아지는 음식레시피
/ [ ]		

공부해야 할 주제를 선정했다면, 이어서 PBL MAP 실천(학습)계획을 세우도록 해야 합니다. 굳이 구체적일 필요는 없습니다. 학습주제를 기준으로 역할분담을 하고 대략적인 시간계획을 세워서 활동할 내용을 간략하게 작성하면 됩니다. 일반적으로 학습계획세우기 활동에 학습자가 부담을 느끼는 경우가 많습니다. 익숙하지 않은 상태에서 무리하게 진행되지 않도록 주의해 주세요. 이어서 실천계획을 세웠다면, 약속된 일정에 맞게 과제수행을 하고 그 결과를 '나의 퀘스트 여정'에 간단히 작성하면 됩니다. 나의 퀘스트 여정은 과제수행날짜(시간)를 기준으로 주요활동내용, 알게 된 것, 더 알고 싶은 것을 기록할 뿐만 아니라 수행평가결과를 표기하도록 되어 있습니다. 수행평가는 가급적 자기점검 차원에서 스스로 진행될 수 있도록 안내해 주세요.

Teacher Tips

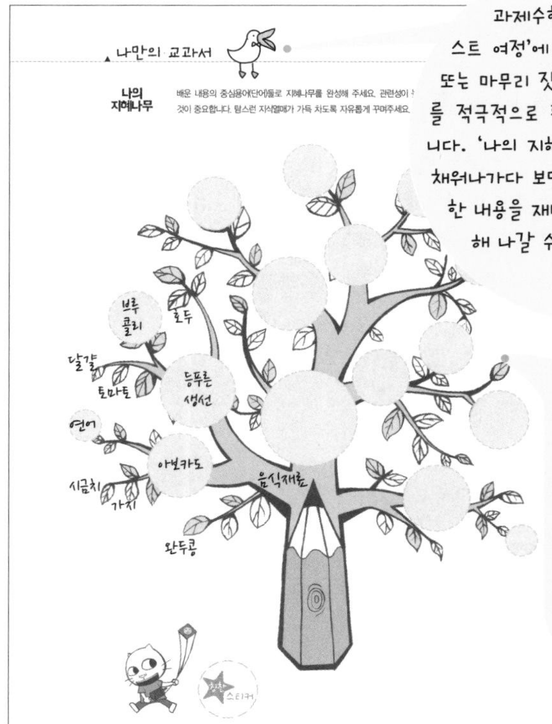

과제수행내용을 '나의 퀘스트 여정'에 기록하는 것과 동시에 또는 마무리 짓고 나서 '나만의 교과서'를 적극적으로 활용할 수 있도록 안내합니다. '나의 지혜나무'와 '지식보물상자'를 채워나가다 보면 핵심용어 중심으로 공부한 내용을 재미있게 상기해가며 정리해 나갈 수 있도록 만듭니다.

지혜나무를 표현할 때는 나무줄기를 꼭 고려해야 합니다. 나무줄기는 일종의 분류와 같다고 생각하면 되는데, 제시된 예처럼 '음식재료'라는 줄기에 두뇌에 좋은 음식들을 표기해 둔 것에서 알 수 있듯이 말입니다. 제시된 공간이 부족하다면 얼마든지 추가로 그려 넣어 지혜나무를 풍부하게 표현할 수 있습니다. 풍성한 열매가 가득 맺힌 지혜나무가 될 수 있도록 팀원 간에 서로 공유하고 지식열매를 추가할 수 있도록 안내해 주시기 바랍니다.

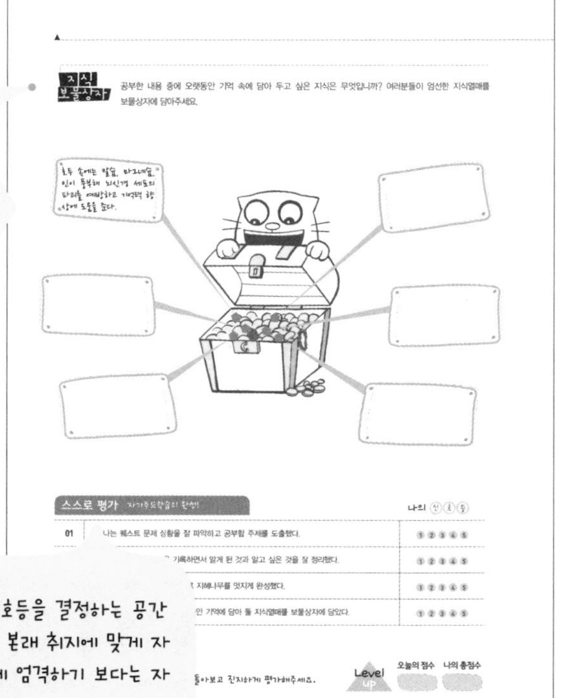

지식보물상자는 말 그대로 오랫동안 기억에 남겨 두고 싶은 지식들을 담는 공간입니다. 지혜나무의 열매와 중복돼도 상관없는데요. 앞서 지혜나무가 핵심용어(키워드)나 상징적 이미지 등으로 표현하는 공간이었다면, 지식보물상자는 선정한 지식의 핵심내용을 기록하는 공간이라고 여기면 됩니다.

이제 남은 건 '스스로 평가', 학습과정을 곱씹어보며 나의 신호등을 결정하는 공간입니다. 평가기준을 선생님이 제시할 수도 있지만 그것보다는 본래 취지에 맞게 자기평가방법으로 활용할 것을 권장합니다. 자신에게 지나치게 엄격하기 보다는 자신을 많이 칭찬하는 방향으로 진행될 수 있도록 안내해 주세요.

중심활동 : 나의 공부 스웨그 분석하기

- 스웨그에 대해 이야기를 나누며 문제상황 제시하기
- 문제상황에 대한 이해를 토대로 공부해야 할 주제를 도출하고 PBL MAP의 실천계획 수립하기
- (온라인) '나의 퀘스트 여정'에 공부해야 할 주제별로 활동한 핵심내용을 기록하고, 이를 통해 알게 된 것과 더 알고 싶은 것을 구분하여 정리하기
- 지혜나무와 지식보물상자로로 구성된 나만의 교과서 작성과 스스로평가 실시하기

Quest 퀘스트 02 : 옙~! 공부의 스웨그

_과제난이도 ☆☆☆☆☆

유명 힙합가수의 뮤직비디오를 보며, 스웨그에 대해 이야기를 나누며. 문제상황을 제시하도록 합니다. 특히 공부의 스웨그(SWAG)가 어떤 뜻을 가지고 있는지, 강점, 약점, 태도, 성장으로 나누어 설명하는 것이 필요합니다. 학생들이 흥미를 가질 분야의 유명한 인물을 예로 들며, 그가 성공하기위해 어떤 공부를 했는지 설명한다면 문제이해에 도움이 될 것입니다.

문제상황

공부도 힙합처럼 자신만의 여유와 멋, 약간의 허세로 빚어낸 스웨그가 필요하다. 남들 하듯 교과서 내용을 통째로 기억하기 위한 반복적 공부방식은 시험성적을 살짝 올려 줄진 모르지만 자신만의 색깔을 잃어버리게 한다. 흥미와 호기심으로 시작되는 자유로운 공부, 지금껏 잊고 지냈던 공부의 스웨그가 궁금하지 않은가. 공부의 스웨그(SWAG)는 강점(Strength), 약점(Weakness), 태도(Attitude), 성장(Growth)으로 나누어 분석하는 것으로 시작된다. 평소 깊게 생각하지 못했던 자신의 강점과 약점, 태도 그리고 성장 가능성을 확인하는 자체만으로도 좋은 출발점이 될 수 있다. 이왕이면 주변에 가까운 사람들(부모님, 선생님, 친구 등)의 시선을 통해 확인해 보는 것이 좋다. 무엇보다 가장 중요한 것은 나에 대한 긍정적인 시선이며 무한한 신뢰이다. 자기만의 개성을 살리는 공부 스웨그를 폼나게 완성해보자.

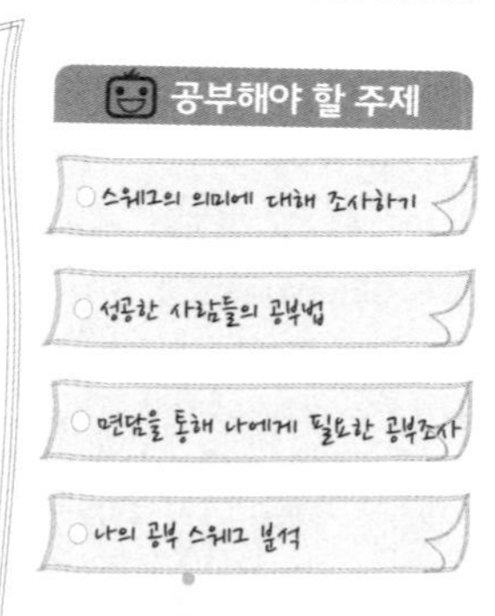

문제상황을 파악했다면 공부해야 할 주제를 도출해 보고, 이를 토대로 퀘스트1에서 수행했던 대로 PBL MAP의 실천계획을 작성하도록 안내합니다. 학생들이 막막해 한다면 공부해야 할 주제와 실천계획을 상호 공유해 보는 것도 좋습니다.

과제수행(활동) 내용을 공부한 순서에 따라 기록합니다. 특히 ... 더 알고 싶어진 지식을 간략하게 정리하는 것이 핵심입니다. 스스... 수행한 내용을 되짚어보며 평가도 진행해 보도록 하세요.

월/일[시간]	...행(활동) 내용	알게...	
/ [		학곡에 ... 사용되는 ... 된 선입... 것들 등	
			하
			상
			중
			하
			상
			중
			하

도출한 학습주제와 실천계획에 따라 나의 퀘스트 여정을 수행하고, 그 결과를 퀘스트1에서 설명한 동일한 방식으로 기록하도록 합니다. 성공한 사람들의 공부법과 자신의 공부스타일을 비교하거나 주변 사람들과의 인터뷰를 통해 공부와 관련된 정보를 얻을 수 있도록 안내해 주세요. 특히 공부의 스웨그를 의미하는 강점, 약점, 태도, 성장으로 나누어 자신을 분석하도록 지도해 주세요. 더불어 '나만의 교과서'를 과제수행과정과 직후에 작성할 수 있도록 안내하는 것도 잊지 마시기 바랍니다.

관련교과	국어	[illegible]	체육	예술		영어	창의적 체험활동	자유학기활동		
				음악	미술			진로탐색	주제선택	예술체육
	○	○	○	○	○	○	○	○	○	○

'나만의 잼공포인트'는 학습과정에서 가장 재미있게 느껴졌던 부분을 간단히 남기는 공간이야.

★ 나만의 잼공포인트

자신의 호기심을 자극하거나 충족시킨 재미있는 내용을 간단하게 메모해 주세요.

Teacher Tips

공부의 스웨그(SWAG)는 문제상황에 제시된 것처럼 강점, 약점, 태도, 성장가능성을 확인함으로써 조금이나마 짐작해 볼 수 있습니다. 다음 스웨그 요소의 설명내용을 참고하세요.

강점(S)은 그 사람의 경쟁력을 의미합니다. 내가 가진 무기를 잘만 활용하면 질이 우수한 학습결과를 얻을 수 있는 법이지. 이를테면 평소 그리는 것에 소질이 있는 학생이 학습결과물을 그림으로 표현하게 될 때, 훨씬 질 좋은 결과를 얻게 되는 것과 같은 이치야.

약점(W)은 열등감과 연결되어 있어. 우린 다른 사람과 비교해서 부족한 부분을 약점이라고 생각하곤 하는데, 거기서 열등감이 시작될 때가 많지. 실패할 것이라 미리 단정 짓고 시도조차 하지 않게 되는데, 만약 이런 일들이 반복적으로 일어나게 되면 내 삶에 악영향을 미치는 치명적인 약점으로 자리잡을 수 있어. 그러니 약점을 찾아 하루속히 없애야겠지?

태도(A)는 공부를 대하는 마음의 자세라고 할 수 있어. 겉으로 드러난 행동만으로는 절대 알 수 없지. 그래서 마음이 중요해. 실패에 대한 긍정적인 마음, 낙관적인 자세는 실패를 성공의 어머니로 만들어. 공부에 대한 너의 태도는 어떠니? 슬슬 궁금해지는데…

성장(G)은 긍정적인 변화를 의미해. 과거와 지금의 '나'가 다르듯, 현재와 미래의 '나'는 분명 달라야 해. 과거에서 오늘까지 이어지는 긍정적인 변화들을 살펴보고, 그것을 통해 가능성을 탐색하는 일은 그래서 중요하지.

학습자의 공부스타일 분석을 위해 제공되는 나의 스왓(SWOT) 활동지를 활용해 보는 것도 고려해 보세요. 다만 학생들에게 지나친 부담이 되지 않도록 활용하는 것이 좋습니다.

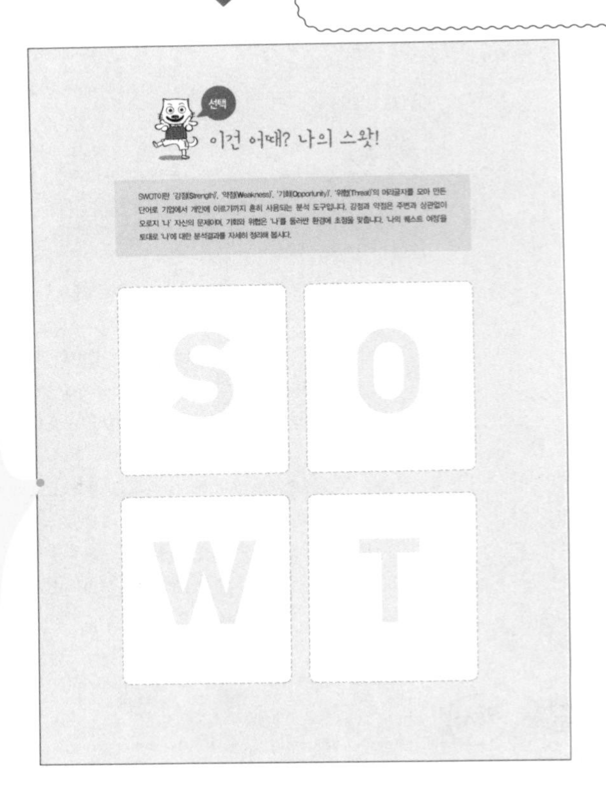
선택

이건 어때? 나의 스왓!

SWOT이란 '강점(Strength)', '약점(Weakness)', '기회(Opportunity)', '위협(Threat)'의 머리글자를 모아 만든 단어로 기업에서 개인에 이르기까지 흔히 사용되는 분석 도구입니다. 강점과 약점은 주변과 상관없이 오로지 '나' 자신의 문제이며, 기회와 위협은 '나'를 둘러싼 환경에 초점을 맞춥니다. 나의 퀘스트 여정을 토대로 '나'에 대한 분석결과를 자세히 정리해 봅시다.

S	O
W	T

● 퀘스트3 : 자존감UP! 나를 살리는 공부

중심활동 : 흥미와 호기심에서 비롯된 공부주제 도출하기

- 자존감의 중요성을 강조하며 관련 이야기 나누기
- 문제상황에 대한 이해를 토대로 공부해야 할 주제를 도출하고 PBL MAP의 실천계획 수립하기
- (온라인) '나의 퀘스트 여정'에 공부해야 할 주제별로 활동한 핵심내용을 기록하고, 이를 통해 알게 된 것과 더 알고 싶은 것을 구분하여 정리하기
- 지혜나무와 지식보물상자로 구성된 나만의 교과서 작성과 스스로평가 실시하기

Quest 퀘스트 03 : 자존감 UP! 나를 살리는 공부

_과제난이도 ☆☆☆☆☆

자존감이 높은 사람이 인생을 행복하게 산다는 연구 결과들이 많다는 점을 소개하며 이들 중에 상당수가 자신의 분야에 의미있는 성공을 거두고 있음을 강조합니다. 공부를 하면 할수록 자신감이 떨어지고, 세상에 대한 두려움이 커지고 있는지 자유롭게 이야기 나누면서 나를 살리는 공부로의 전환이 왜 필요한지 공감을 얻도록 합니다.

문제상황

나는 특별한 존재로 태어났다. 누구도 대신할 수 없는 '나'라는 존재에게 소홀히 할 수는 없다. 내 삶의 주인공인 만큼, 이 세상에서 찬란하고 아름다운 인생을 살아갈 자격은 충분하다.

그러나 현실은 냉정하다. 특히 공부 앞에선 한없이 작아지기 일쑤다. 답답하고 느닷없이 화도 난다. 아무것도 … 싫어서 TV를 보고, 스마트폰을 만지작거린다. 공부하기 위해 책… 가아도 머리속에 온통 딴 생각뿐이다. 이런 나를 …

나는 보석처럼 빛나고 싶… 공부는 무엇이어야 할까? … 소환해야겠다. 흥미와 호… 해도 의미있는 출발점…

세 번째 퀘스트가 자존감을 높일 수 있는 공부주제를 찾아보는 것이 주요목적임을 밝히고, 교과공부뿐만 아니라 자신이 가진 흥미와 호기심이 이끄는 주제를 선정하도록 안내해 주세요. 만일 셀프프로젝트학습활동과 연계하고자 한다면 해당주제를 찾아보는 과정으로 삼아도 좋습니다. 여기서 선정한 공부주제로 학생들 스스로가 만들어가는 프로젝트학습을 진행해 보도록 하는 것입니다.

공부해야 할 주제

- 나의 자존감 진단
- 나의 흥미분야 조사
- 호기심 조사
- 공부할 주제 리스트

문제상황을 파악했다면 공부해야 할 주제를 도출해 보고, 이를 토대로 PBL MAP의 실천계획을 작성하도록 안내합니다.

나의 퀘스트 여정

과제수… 싫어진 자… 내용을 되짚… …서 새롭게 알… …나 부모님을 통해…

나의 퀘스트 여정을 수행하고, 그 내용을 간략하게 정리하여 기록하는 것은 기본입니다. 과정마다 학생들이 잘 수행할 수 있도록 격려해 주시기 바랍니다. 자신의 자존감을 올릴 수 있는 구체적인 공부방법 혹은 내용을 찾아내는 것이 가장 중요합니다. 자율적인 학습분위기 속에서 학생들의 흥미와 호기심을 들여다보고 팀원들과 공유하도록 안내해 주세요.

…/일[시간]	과제수행…		더 알고 싶…	
	(예) ◆[자존감 진단] 나에게 있어… 를 입히고 있는 과목들 ◆[흥미분야조사] 1년 동안 주로 읽은 책들 또는 글들 추적하기 ◆[호기심 조사] 부족한 시간을 할애해서라도 배우고 싶은 분야, 배울수록 더 알고 싶은 것들	…스트레스를 받고 있으며, 평가결과도 좋지 않음 ◆평소 영화를 좋아하며, 관련 책은 닥치는 대로 읽고 있음 ◆영화제작과 관련된 모든 것을 알고 싶어함	◆○○과목을 스트레스 받지 않… 수 있는 방법 ◆어느 유명 영화감독의 인생, 좋은 영화를 만들 수 있는 비결 ◆영화콘티제작 방법 및 여러 촬영 기법들	중 하
				상 중 하
[ ]				상 중 하

관련교과(하단에 위치)'에는 공부한 내용과 연계된 교과 정보를 체크해 주는 곳이야.

체크!

관련교과	국어	사회	도덕	수학	과…	실과			체육	예술		영어	창의적 체험활동	자유학기활동		
						기술	가정	정보		음악	미술			진로 탐색	주제 선택	예술 체육
	○	○	○	○	○	○	○	○	○	○	○	○	○	○	○	○

★ 나만의 잼공포…
자신의 호기심을 자극하거나 충족시킨… …하게 메모해 주세요.

Teacher Tips

● 퀘스트4 : 지호락! 잘하는 것과 잘할 수 있는 것들

중심활동 : 좋아하는 분야의 진로탐색하기

- 공자의 지호락에 대해 설명하며 배움에서 좋아하고 즐기는 것의 중요성을 이야기하기
- 문제상황에 대한 이해를 토대로 공부해야 할 주제를 도출하고 PBL MAP의 실천계획 수립하기
- (온라인) '나의 퀘스트 여정'에 공부해야 할 주제별로 활동한 핵심내용을 기록하고, 이를 통해 알게 된 것과 더 알고 싶은 것을 구분하여 정리하기
- 지혜나무와 지식보물상자로로 구성된 나만의 교과서 작성과 스스로평가 실시하기

Quest 퀘스트 04 : 지호락! 잘하는 것과 잘할 수 있는 것들

_과제난이도 ☆☆☆☆☆

논어에서 공자는 '아는 자는 좋아하는 자만 못하고 좋아하는 자는 즐기는 자만 못하다(知之者 不如好之者 好之者 不如樂之者)'라고 말하며, 배움의 최고 경지를 '락', 즐거움이라고 말했습니다. '지호락(知好樂)'은 그가 말한 배움의 세 가지 단계인 셈이죠. 학생들이 퀘스트 제목인 지호락에 대해 이해하도록 설명해 준다면 활동의 목적을 파악하는 데 도움이 될 것입니다.

문제상황

덕후! 마니아? 무엇인가에 마음을 사로잡혀서 깊이 있게 파고드는 사람들을 일컫는 말이다. 이들은 열일을 제쳐놓고 틈나는 대로 관련 활동에 몰두하려 한다. ... 지식과 기술을 배우기 위해 시간을 보낸다. 상당한 시간을 쏟아 붇는 데도 지치거나 지루할 새가 없다. 그 자체 ... 이들에겐 즐거움이고 행복이기 때문이다.

지호락(知好樂)*, 단순히 ... 하고 즐기는 수준으로 공부를 ... 가능하다고? 절대 ... 그 속에 가능 ... 덕후! 공부 ...

어린 시절, '공룡', '로봇' 등에 빠져서 관련된 책을 즐겨 읽거나 관련 지식을 익히는 것을 좋아했던 경험들을 이야기합니다. 어떤 것을 좋아하게 되면 그것에 대해 배우는 것을 즐겨하게 된다는 점을 강조하며 문제상황을 제시합니다. 문제의 내용상 퀘스트3과 통합해서 진행하는 것도 가능합니다. 여러 상황을 감안하여 융통성있게 운영해 주세요. 어쨌든 네 번째 퀘스트의 주요 목적이 학생들이 앞으로 마니아 수준으로 좋아할 일들을 찾아보고 관련 직업을 탐색하는데 있습니다. 이 점을 감안하여 수업을 진행해 주세요.

공부해야 할 주제

- 내가 관심있는 분야의 이름난 마니아들 조사
- 내가 잘하는 것들
- 좋아서 잘할 수 있는 것들
- 즐기며 할 수 있는 일들(직업탐색)

과제난이도는 선생님이 제시해주거나 학생들의 주관적인 판단기준에 따라 표기하면 되는 거야.

문제상황을 파악했다면 공부해야 할 주제를 도출해 보고, 이를 토대로 PBL MAP의 실천계획을 작성하도록 합니다. 이어서 공부해야 할 주제에 따라 나의 퀘스트 여정을 수행하도록 안내해 주세요. 학생 자신이 평소 관심을 가지고 있는 분야에 대해 조사하고, 해당 분야에 유명 인물들, 그들의 성공사례를 찾아보도록 지도하는 것이 필요합니다. 아무쪼록 내가 잘하는 것들, 좋아하기 때문에 더 잘할 수 있는 일들을 찾아보며 진로탐색의 시간이 되도록 해주세요.

나의 퀘스트 여정

월/일[시간]	...	...	더 알고 ...	
/ [ ]	◆다른 사... 력파악-관련... ◆잘하는 것과 잘할 수... (리스트 작성)	...실력과 그림 ...것을 그대로 그림으로 ...할 수 있는 것] 연습할 시간만 있다면 힙합댄스를 잘 할 수 있음	◆내가 관심있는 OO분야로 소문난 사람들 ◆춤이나 그림과 관련 직업들 조사 ◆내가 잘하는 것들에 대한...	상 중 하
				상 중 하
				상 중 하

도덕	수학	과학	실과 기술	실과 가정	실과 정보	체육	예술 음악	예술 미술	영어	창의적 체험활동	자유학기활동 진로탐색	자유학기활동 주제선택	자유학기활동 예술체육
○	○	○	○	○	○	○	○	○	○	○	○	○	○

잼공포인트

자극하거나 충족시킨 재미있는 내용을 간단하게 메모해 주세요.

빙빙

마무리

수업의 마무리는 앞서 수행했던 퀘스트 1-4의 내용을 토대로 공부레시피를 만들고, 그 결과를 발표하고 공유하는 활동으로 채워지게 됩니다.

● 퀘스트5 : 나만의 공부레시피는 바로 이것!

중심활동 : 나만의 공부레시피 완성해서 발표하기

- 공부레시피에 들어갈 필수요소를 따져보며 문제상황 파악하기, 이를 토대로 공부해야 할 주제를 도출하고 PBL MAP의 실천계획 수립하기
- 나만의 공부레시피 완성하기(필요하다면 선택활동지인 '오늘의 공부레시피' 활용하기)
- (온라인) '나의 퀘스트 여정'에 공부해야 할 주제별로 활동한 핵심내용을 기록하고, 이를 통해 알게 된 것과 더 알고 싶은 것을 구분하여 정리하기
- 지혜나무와 지식보물상자로 구성된 나만의 교과서 작성과 스스로평가 실시하기
- 나만의 공부레시피를 발표하고 공유하기
- Big Idea 활동과 나의지식사전을 작성하며 학습과정을 통찰해 보고 되짚어보기

프로젝트학습

Quest 퀘스트 05

: 나만의 공부레시피는 바로 이것

_과제난이도 ☆☆☆☆☆☆

퀘스트5의 제목에서도 잘 드러나 있듯 앞서 수행한 내용을 토대로 공부레시피를 완성하는 것이 핵심활동입니다. 자신의 공부계획을 맛있는 요리비법이 담긴 레시피처럼 표현하는 것이 활동의 포인트임을 강조하며 문제를 제시해 주세요.

문제상황

레시피는 재료와 양념, 조리순서 및 소요시간 등이 상세 … 여기에는 재료별 차지하는 비중이라든지 양념의 양, 조 … 재료와 양념이 투입되는 시기도 당연히 포함된다. 공 … 와 크게 다르지 않다. 흥미와 호기심이 닿아있는 주제 … 부레시피의 주요 재료이다. 나만의 개성이 돋보이는 공 … 특별한 양념이 되어 줄 것이다. 물론 공부의 남다른 품격 … 통해 완성된다. 허나 이 모든 것은 재료별 비중과 양념의 … 와 시간, 도구(환경)를 지켰을 때 가능하다. 어떻게 보면 야심차게 세운 대부분의 공부계획이 며칠 지나지 않아 무산되는 … 도 이 때문이다. 자, 지금부터 나만의 공부레시피를 만들어보자 … 왕이면 이 책에 채워나갈 셀프프로젝트학습 계획을 중심으 … 은 어떨까. 오감이 만족하는 나만의 방식으로 …

공부해야 할 주제

- ○ 실패한 공부계획들 분석
- ○ 공부레시피 재료 선정(퀘스트1-4 요약정리)
- ○ 공부레시피 완성하기
- ○ 공부레시피 발표하기

학생들마다 다른 공부레시피를 만들 수밖에 없는 만큼, 최소 단위(개인, 짝)로 활동을 진행하는 것이 좋습니다. 공부레시피에 특별한 형식이 있는 것은 아니므로 학생들이 원하는 방식대로 자유롭게 표현하도록 안내해주세요. 다만 문제상황에 제시된 레시피의 요소가 반드시 포함될 수 있도록 강조해 줄 필요가 있습니다. 학생들의 문제파악이 완료되면 이어서 공부해야 할 주제를 선정하도록 합니다.

과제수행(활동) 내용을 관 … 새롭게 알게 된 지식과 더 알고 싶어진 지식을 간략하게 … 고님을 통해 각 활동별로 수행한 내용을 되짚어보며 평가 …

월/일[시간]	과제수행(활동) 내용		더 알고 싶은 것	수행평가
/ [ ]	(예) ◆실패한 공부계획들과 그 이유 분석하기 ◆재료(공부 주제), 양념(스웨그), 조리순서(공부 절차), 도구·환경 등이 포함된 특별한 공부레시피 만들기	◆공부 … 세워짐 ◆내게 유용한 학습도구 및 공부가 잘 되는 환경 ◆나의 셀프프로젝트학습 계획	◆성공적인 공부계획 사례조사 ◆나의 스타일에 맞는 공부 절차, 집중력이 유지되는 적정시간 ◆창의력을 높여주는 학습도구의 활용방법	상 중 하
/ [ ]				상 중 하
/ [ ]				상 중 하

다른 퀘스트활동과 마찬가지로 실천계획에 따라 과제수행을 진행하고 나의 퀘스트 여정에 간략하게 기록하도록 합니다. 활동을 통해 배운 내용들은 나만의 교과서에 정리하도록 안내해 주세요.

관련교과	국어	사회	도덕	수학	과학	실과			체육	예술		영어	창의적 체험활동	자유학기활동		
						기술	가정	정보		음악	미술			진로탐색	주제선택	예술체육
	○	○	○	○	○	○	○	○	○	○	○	○	○	○	○	○

★ 나만의 잼공포인트

자신의 호기심을 자극하거나 충족시킨 재미있는 내용을 간단하게 메모해 주세요.

선택

오늘의 공부레시피

____년 __월 __일

작심삼일은 이제 그만. 하루 단위로 공부계획을 세워보자! 오늘의 공부레시피에 따라 하루를 알차게 채워나가는 것 자체가 즐거움이 아닐까.

☆재료 : 배우고 싶은 지식들(공부할 주제)

☆양념 : 스웨그(SWAG) 중심으로 학습동기 작성

특별요리 : 기분 좋게 공부할 수 있도록 만들어줄 나의 두뇌를 위한 에너지원

공부레시피 작성이 막연한 학생에게는 '오늘의 공부레시피' 활동지를 제공해주는 것도 좋은 방법입니다. '재료' 항목에는 '퀘스트3 자존감 UP! 나를 살리는 공부'와 '퀘스트4 지호락! 잘하는 것과 잘할 수 있는 것들'을 담도록 하고, '양념' 항목은 '퀘스트1. 머리가 좋아지는 공부레시피'와 '퀘스트2. 옙~! 공부의 스웨그' 수행한 결과를 토대로 고민하도록 안내해 주세요.

'도구·환경' 항목은 '퀘스트4 지호락! 잘하는 것과 잘할 수 있는 것들'의 수행결과와 연계해보고, 그렇지 않더라도 공부에 활용하고 싶은 학습 도구들, 예를 들어 각종 소프트웨어와 어플리케이션 등을 제시할 수 있을 것입니다.

☆도구·환경 : 공부에 활용할 학습도구 및 기본적으로 요구되는 환경

☆조리순서 : 자신만의 방식으로 학습계획 표현

'조리순서' 항목은 학습계획을 짜보는 활동으로 보면 됩니다. 주제별 공부의 과정을 생각해보고, '플로우 차트(flow chart)'나 '인포그래픽(infographics)' 등 비주얼하게 표현하도록 지도해 주세요. 관련 사례들을 인터넷 검색을 통해 수집하고 참고하도록 해주세요. 이후 수업에 공부레시피대로 셀프프로젝트학습을 진행하게 되면 더욱 효과적입니다.

Teacher Tips

셀프 프로젝트학습을 수행하는 과정에서 배우고 느낀 점은 무엇입니까? 머릿속에 담겨진 그 꺼내어 마인드맵으로 표현해 봅시다. 더불어 학습 성에서 얻게 된 빅아이디어, 창의 생각을 정리하는 것도 잊지 마세요.

프로젝트학습의 발표과정까지 모두 마치게 되면 전체 학습과정을 되짚어보며 기록하는 공간인 'Big Idea'를 만나게 됩니다, PBL 수업의 마무리는 자기평가방법인 하나인 성찰저널이 맡고 있는데, 셀프프로젝트학습에선 빅아이디어 공간이 대신하고 있답니다. 성찰저널이 글로 표현하는 것이라면 빅아이디어는 마인드맵을 비롯해 다양한 방식으로 표현할 수 있는 것이 특징이지요. 아무쪼록 형식에 구애받지 말고, 학습자가 원하는 표현방식을 최대한 존중해가며 빅아이디어 활동을 진행해 주시길 바라겠습니다.

나만의 공부레시피를 완성했다면 마지막으로 동료 앞에서 발표하는 시간을 갖습니다. 발표형식은 공부레시피의 특성에 어울리도록 자유롭게 준비하면 됩니다. 발표가 진행되는 동안 궁금한 부분에 대한 질의응답을 하고, 다양한 아이디어가 공유되도록 진행합니다. 무엇보다 학생들로 하여금 전체 과정이 성공경험으로 남을 수 있도록 긍정적인 피드백을 제공해 주는 것이 중요합니다. 이 과정에서 교사는 관찰자가 되어 학생들의 공부레시피 결과를 디지털 기록으로 남기고, 발표영상을 촬영하여 온라인 커뮤니티에 공유하도록 하는 것이 좋습니다.

Big Idea! Creative Thinking!

모든 과정을 끝까지 완주했다면, 그것 자체만으로 대단한 거야. 그러니 나에게 칭찬 한마디 투척해 보라고.

나의 지식사전

셀프프로 ... 된 중요한 지식을 '나의 지식사전'에 남겨 ... 는 ... 유를 함께 기록해 보세요.

나의 지식사전은 '나만의 교과서'에 담은 지식들 중에서 제일 중요하다고 판단되는 5가지를 선정하여 기록하도록 되어 있습니다. 더불어 미래에 이 지식이 어떻게 활용될지 생각하며 지식유통기한을 표기하도록 하고 있으니 각 공간의 활용방법을 학생들에게 친절하게 설명해 주세요.

핵심용어		내가 생각하는 지식유효 ... 이유

특급!! 칭찬해!

★나에게 보내는 칭찬 한 마디

에필로그 프로젝트학습을 셀프로 즐겨볼까

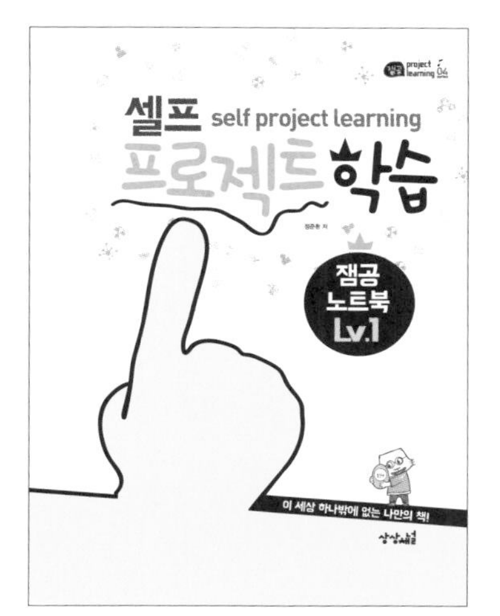

프로젝트학습의 취지에 공감한다하더라도 막상 실천으로 옮기자니 여러모로 현실적인 어려움이 따릅니다. 이러한 선생님들의 막연함을 해소하는데 「자기주도학습의 완성, 셀프프로젝트학습」이 다소 도움이 될 수 있습니다. 이 책은 '자기주도학습(Self-Directed Learning)'의 '셀프(Self)'를 가져와 프로젝트학습에 더한 이름, '셀프프로젝학습'이 의미하는 바와 같이 학생들이 새로운 공부방식에 적응하기 수월하도록 효과적인 공부프레임을 제공해 줍니다.

프로젝트학습에 적극적으로 도전하고픈 학생일수록 이 책이 좋은 길라잡이가 되어줄 것입니다. 「셀프프로젝트학습」은 '나만의 교과서' 활동 난이도에 따라 총3권으로 구성되어 있는 것이 특징입니다. 교육현장의 여건과 수업방식에 따라 개별 혹은 짝이나 팀(3-4명) 단위의 워크북으로 충분히 활용 가능합니다. 이 책의 활용방법은 「설레는 수업, 프로젝트학습 PBL 달인되기 2-진수」에서 '주제중심 프로젝트학습', '교과서 중심 수업', '자율주제학습'으로 나누어 상세히 설명하고 있으니 관심 있는 선생님들은 꼭 참고해 보시기 바랍니다.

아울러 '설레는 수업, 프로젝트학습' 시리즈와 '셀프프로젝트학습' 시리즈는 서로 짝을 이루고 있는 책입니다. 예를 들어 설레는 수업 2탄은 셀프프로젝트학습 2탄과 상호 밀접하게 연계되어 있으며, 각각 교사와 학생을 대상으로 고안되었습니다. '셀프프로젝트학습'의 구성을 간단히 설명하면 다음과 같습니다.

첫 번째 섹션 PBL 원정대는 특별한 주제를 중심으로 프로젝트학습을 체험하고 이를 통해 셀프프로젝트학습 형식을 이해할 수 있도록 하는 데 목적을 두고 있어요.

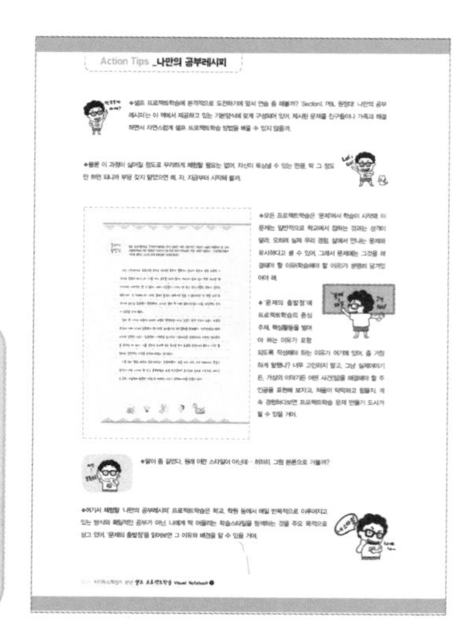

액션 팁스(Action Tips)는 기본적으로 PBL 원정대의 활동이 원활히 이루어지도록 제공되는 것이지만 두 번째 섹션의 셀프프로젝트학습의 활동을 진행하는 데도 도움을 줍니다. 특히 '나만의 교과서(고릴라 공책)' 활동지를 파악하는 데도 필요하니 꼭 참고해야겠죠?

두 번째 섹션이 이 책의 핵심이라 해도 과언이 아닙니다. 프로젝트학습의 모든 과정을 아이들 스스로 해결해야 하는 맞춤형 공간이죠. 자신의 흥미와 호기심에 따라 주제를 선정하고, 주제에 어울리는 문제상황을 직접 그려보면서 자기만의 셀프프로젝트학습을 완성하는 곳인 만큼 특별하답니다.

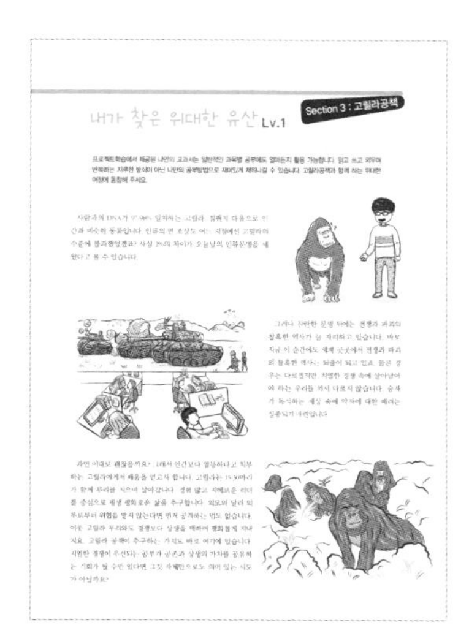

마지막 섹션인 고릴라 공책에서는 교과서와 책을 재료로 비주얼 노트북을 완성하는 프로젝트학습활동을 제공합니다. 교과서 공부라고 프로젝트학습의 중심활동이 되지 말라는 법은 없겠죠. 교과서와 책 속에 담긴 위대한 유산을 찾아 떠나다보면 어느덧 공부의 달인이 되어있을지도 모르는 일이니까요.

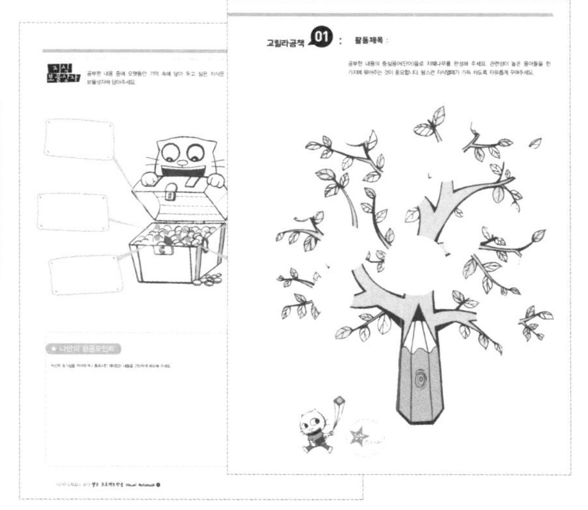

이 책의 전체 섹션에는 비주얼씽킹(visual thinking)에 기반하여 고안된 특별한 공책, '나만의 교과서'를 제공하고 있습니다. 책의 레벨이 높아질수록 나만의 교과서의 기본활동이 늘어나도록 디자인되어 있어요.

이 책은 실천의 무대를 만나야 제 빛깔을 뽐낼 수 있습니다. 「자기주도학습의 완성, 셀프프로젝트학습」은 다른 책들과 달리 상당수의 내용들을 학생들 스스로 채워나가도록 구성되어 있습니다. 어떤 내용들을 담아내든 이 세상 하나밖에 없는 나만의 책이 완성되는 것이지요. 아무쪼록 끌림이 있다면 프로젝트학습에 적극적으로 활용해 보길 바랍니다. 학생들과 더불어 프로젝트학습을 셀프로 즐겨보길 바랄게요.

에필로그 성공적인 프로젝트학습, 관점이 중요하다!

학교 현장에 가면 열정 넘치는 선생님들이 참 많이 있습니다. 부러울 만큼 끼와 재능을 겸비하고 있어서 특색있는 교육환경을 잘 꾸려냅니다. 학생들에게 인정받고 존경받는 선생님들이 여전히 대한민국의 교육을 든든히 버티고 있습니다. 그리고 이런 분들 중에서 PBL을 통해 수업의 변화를 갈구하는 선생님들이 생각 이상으로 많습니다. 수업에 기발한 아이디어를 반영해 의미있는 시도들을 즐겨하던 선생님들의 경우, 그 간절함은 더욱 큽니다. 그러나 교실을 풍성하게 채우기 위해 선택한 PBL 수업이 기대에 한참 못미치는 결과로 이어지게 되면, 그 열의는 순식간에 식어버리곤 합니다. 선생님들에게 이것도 저것도 아닌 어정쩡한 수업으로 기억되면서 다시 시도하기엔 여러모로 불편한 교수학습모형이 되어 버립니다. 도대체, 왜 그럴까. PBL이 주는 불편함은 어디에서 오는 것일까요.

"한국에서 가장 이해하기 힘든 것은 교육이 정반대로 가고 있다는 것이다. 한국 학생들은 하루 15시간 이상을 학교와 학원에서, 자신들이 살아갈 미래에 필요하지 않을 지식을 배우기 위해 그리고 존재하지도 않는 직업을 위해, 아까운 시간을 허비하고 있다." – Alvin Toffler (2008)

어찌보면, 한국교육에 대한 앨빈 토플러의 지적이 PBL에 대한 불편함을 함축적으로 설명해 주고 있는지도 모릅니다. 그의 지적은 사교육의 폐혜, 최저수준의 교과흥미도, 비효율적인 학습환경, 지나친 학습량 등이 아닌, 학교와 학원에서 배우고 익히기 위해 수많은 시간을 쏟아붓고 있는 '지식', 그 자체에 모아집니다. 실제로 PBL이 주는 불편함을 따지다보면 지식에 대한 관점의 차이가 주요 원인으로 작용할 때가 많습니다. 심지어 PBL에 대한 이해 수준이 높다고 자부하는 선생님들도 교육현장에서 늘 혼란스러워하는 부분이기도 합니다.

지식에 대한 관점이 분명하지 않으면 PBL 수업에 있어서 늘 혼란을 겪기 마련입니다. 흔히 객관주의적 관점이라 불리는 이전의 전통적인 시각은 학습의 궁극적인 목적을 진리추구에 놓고 보았습니다. 다시 말해 교과서에 담긴 지식은 진리 그 자체이며, 그것을 습득하는 것이 진리추구의 행위였던 셈입니다. 그렇기에 수업은 오로지 절대적인 권위를 지닌 교과별 지식을 체계적으로 설명하고, 학습자의 머릿속에 기억시키는 데 초점을 맞춰야 한다고 여겨왔습니다. 여기엔 지식의 절대성이 있는 만큼, 일단 기억하고 있으면 앞으로 어떠한 삶을 살아가든 꺼내 쓸 수 있다는 강한 믿음이 작용합니다. 아마도 지금은 이런 관점에 동의하는 교육학자나 실천가는 그리 많지 않을 것입니다. 적어도 표면상은 패러다임에 대한 논쟁이 이미 종지부를 찍었기에 더욱 그렇습니다.

하지만 관점에 대한 이해나 판단과 달리 실제로 취하고 있는 관점은 이전과 전혀 바뀌지 않고 있는 것도 우리의 현실입니다. 그리고 그런 일종의 암묵적 동의가 여전히 교육현장에 위력을 발휘하고 있습니다. 만일, 가르치는 내용이 교과서를 위주로 하고 있고, 수업의 목적이 교과지식을 기억시키는 데 머물고 있다면, 게다가 PBL 수업을 적용하고도 교과지식의 습득여부가 주요한 평가 잣대로 사용되고 있다면, 아직 자신의 실질적인 관점이 바뀌지 않았을 가능성이 높습니다. 그렇게 되면 아무리 참여한 학생들이 제시된 문제대로 해당내용을 조사하고, 일목요연하게 정리해서 조리있게 발표를 했더라도 내용적인 측면에서 수업의 주도권은 여전히 교사에게 있을 수밖에 없습니다.

이런 이유로 PBL 수업 여부를 겉으로 드러난 활동모습만으로 구분하는 건 섣부른 판단일 수 있습니다. 교육현장에 많은 선생님들이 전형적인 교과서 중심의 수업임에도 간혹 PBL 수업과 동일시 여기게 되는 것도 활동의 유사성에서 오는 착각인 경우가 대부분입니다. 협동학습형태로 진행하고, 토론활동을 한다고 해서, 게다가 ICT를 활용한 활발한 온라인 활동을 전개한다고 해서 그것만으로 PBL 수업이 성립되는 것은 아닙니다. 중요한 것은 지식에 대한 관점입니다. 이는 PBL 수업의 성립 여부를 판가름하는 데 결정적인 영향을 미칩니다. 이와 관련하여 강인애 교수는 「왜 구성주의인가?(문음사)」에서 지식에 대한 두 가지 관점을 다음 표와 같이 정리하였습니다.

	객관주의	구성주의
지식의 정의	고정되어 있고 확인될 수 있는 현상, 개체	개인의 사회적 경험에 바탕한 개별적 의미의 형성
최종목표	진리추구	적합성/타당성(viability)
교육목표	진리와 일치되는 지식 습득	개인에 의한 개별적 의미형성의 사회적 접합성과 융화성
주요 용어	발 견	창조와 구성
지식의 특성	초역사적, 우주적, 초공간적	상황적, 사회적, 문화적, 역사적
현실의 특성	규칙과 방법으로 규명될 수 있고 통제와 예언이 가능	불확실성, 복잡성, 독특성 가치들 간의 충돌

지식을 습득하고 기억해야 할 대상이며, 발견해야 할 절대적인 진리라고 믿는다면, 그 신념대로 기존 지식의 전수를 위한 효과적인 활동으로 수업을 채우는 것이 맞습니다. 허나 지식이란 상대적인 가치를 지니고 있으며, 맥락적 상황 속에 끊임없이 구성되고, 새롭게 창조되는 것이라고 확신한다면, 수업에 있어서도 이전과는 구별되는 접근방식이 필요합니다. PBL은 철저히 후자의 관점(구성주의)에 따르며, 이에 부합하는 학습환경 구현이 대전제입니다. 만약 전자의 관점(객관주의)으로 PBL 수업을 실천하게 되면, 아무리 좋은 프로그램을 가지고 적용한다 하더라도 왜곡될 수밖에 없습니다. 결과적으로 특정(교과) 지식구조, 체계, 원리 등을 이해시키고 습득하도록 만드는 데 목적을 두었던 '문제해결학습(problem-solving learning)'이나 '발견학습(discovery learning)' 등의 교수학습모형과 다를 바가 없어집니다. PBL을 하나의 수업전략이나 방법으로만 여기고, 그 이면에 가장 중요한 본질적인 관점을 놓치게 되면, 결국 PBL을 한다고 착각만 할 뿐, PBL과는 근본적으로 다른 수업을 경험하게 되는 것입니다. 이렇듯 PBL인지 아닌지를 구분하는 지점은 외형상 드러난 수업형태나 활동모습이 아닌, 학습과정과 결과에 절대적인 영향을 미치는 '관점'입니다.

이러한 관점은 기존의 절대적 위치를 고수하던 교과서, 교사의 지위를 스스로 내려놓고 완전히 뒤집어 접근하도록 이끌어 줍니다. 정확한 답을 요구하는 교육방식과 다양한 관점이 수용되기 어려운 전체주의적 사고방식에서 과감히 탈피할 수 있는 용기와 근거도 제공해 줍니다. 우리 삶 속에 존재하는 모든 것이 교과서가 되고, 교실의 벽을 넘어서 참여와 소통의 문화마당이 펼쳐지며, 무엇보다 배움의 주체로서 학습자가 온전히 자신의 지위를 누릴 수 있는 진정한 거꾸로 수업을 완성합니다. 그렇기에 성공적인 PBL 수업일수록 아래 표에 정리된 구성주의적 학습원칙이 더욱 뚜렷하게 나타납니다.

[표. 구성주의적 학습원칙]

구성주의적 학습원칙	세부적 내용
체 험 학 습	·학습자 주도적으로 학습목표, 내용전개 및 평가에 참여한다. ·학습자에 의한 지식구성 및 공유할 수 있는 학습환경을 제공한다. ·학습자가 전체적으로 학습환경의 통제권을 지니고 있다.
자기 성찰적 학습	·메타인지(학습하는 방법을 배우는 것)의 습득 및 활용이 가능한 환경이다. ·학습자의 기존 지식과 개념을 활용할 수 있는 학습환경이다. ·주어진 과제해결을 위해 깊이 있는 사고와 탐색이 필요로 하는 환경이다.
협 동 학 습	·학습자들이 서로 지식을 구성하고 공유할 수 있는 학습환경이다. ·개념과 내용에 대하여 다양한 관점과 시각이 자유스럽게 제시되고 받아들여진다. ·학습자들 간의 토론/대화/상호작용을 통해 성찰적 학습기회를 촉진한다.
실제적(authentic) 성격의 과제제시	·통합교과목적인 성격의 과제를 다룬다. ·특정상황을 기반으로 하는 과제여야 한다(situated learning). ·실제적(authentic) 평가여야 한다 : 과제성격 및 해결안을 제대로 평가할 수 있는 기준, 방법이어야 한다.
교사로서의 역할: 촉진자, 동료학습자	·인지적 도제학습환경을 제공한다. ·과정 중심적 평가여야 한다. ·실수/오답에 대하여 관대하고 인내가 필요하다. ·학습지도는 인지적 측면과 정서적 측면이 동시에 고려되어야 한다.

* 강인애, 정준환, 정득년(2007). PBL의 실천적 이해. 서울: 문음사.

관점을 바꾼다는 것이 쉬운 일이 아닙니다. 적당히 타협할 수 있는 것도 아니라서 끊임없는 자기성찰이 요구되기도 합니다. 그렇다고 어렵기만 한 것은 아닙니다. 꾸준히 실천하다보면 학생들로부터 긍정적인 화답을 경험하게 되고, 그러면서 서서히 PBL을 관통하는 구성주의적 관점에 물들어가게 되어 있습니다. 점점 교사의 목소리 대신 학생들의 목소리가, 교사의 이야기대신 그들의 이야기가 수업의 대부분을 차지하는 것이 전혀 어색하지 않게 됩니다. 자, 구성주의적 학습원칙을 거울삼아서 실천현장에서의 자신의 관점을 점검해 보는 것은 어떨까요. PBL의 진정한 시작이 지식에 대한 관점의 변화를 통해 만들어짐을 꼭 명심해야 합니다.

재미와 게임으로 빚어낸 프로젝트학습을 만들기 위해 열혈남녀들이 까다로운 과정을 거쳐 재미교육연구소(이후 잼랩)의 일원이 되었다. 이들은 초등학교, 중학교, 고등학교, 박물관과 미술관 등 각기 다른 교육현장을 무대로 프로젝트학습을 실천해왔던 숨은 실력자들이기도 하다. 다르게 생각하고 새롭게 접근하는데 익숙한 개성 강한 이들의 좌충우돌 스토리가 흥미진진하게 펼쳐지는 잼랩엔 뭔가 특별한 것이 있다.

"경계를 넘나들며 통합의 길을 모색하다!"

초·중등교사를 비롯해 학예사(에듀케이터), 교수설계전문가, 박물관·미술관교육전문가 등이 잼랩에 폭넓게 참여할 수 있는 것은 핵심적인 지향점을 '통합'에 두고 있기 때문이다. 국민공통기본교육과정(10학년) 안에서 교과를 넘어 학년, 학교 간 통합을 추구하고, 형식교육과 비형식교육의 경계를 허물기 위한 생산적인 활동이 협업을 통해 이루어지고 있다. 잼랩이 추구하는 무학년은 대상과 장소를 인위적으로 섞어버리는 물리적인 결합이 아닌 콘텐츠 중심의 자율적인 통합을 전제로 한다.

"잼공을 통해 재미기반학습을 구현하다!"

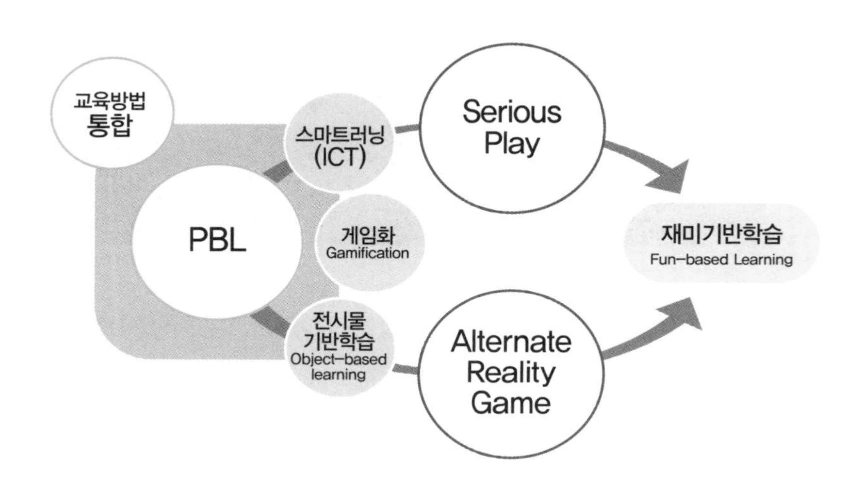

'잼공(재미있는 공부의 약자)'은 잼랩이 구현하고자 하는 재미와 게임으로 빚어낸 프로젝트학습의 고유 명칭이다. 세 가지 성격의 재미(3S-Fun)를 기반으로 하는 학습환경을 구현하고자 게임화를 전제로 다양한 교육방법의 통합을 추구한다. 교실이라는 제한된 공간에서부터 박물관이나 특정지역 등의 광범위한 공간에 이르기까지 주제에 따라 규모를 달리하며 다채로운 잼공이 탄생하고 있다. 잼공은 주제나 실시된 공간에 따라 부가적인 이름이 더 해진다. 이를테면 삼청동이나 정동과 같이 특정 지역(동네)를 무대로 프로젝트학습이 진행될 경우에는 잼공타운, 박물관일 경우엔 잼공뮤지엄 등으로 불려진다. 앞으로 잼랩에서 생산한 각종 결과물은 출판을 통해 공개되고, 잼공아카데미라는 특별한 연수프로그램을 통해 직·간접적인 공유와 체험의 기회도 가질 예정이다.

"CPR로 무장한 연구원이 있다!"

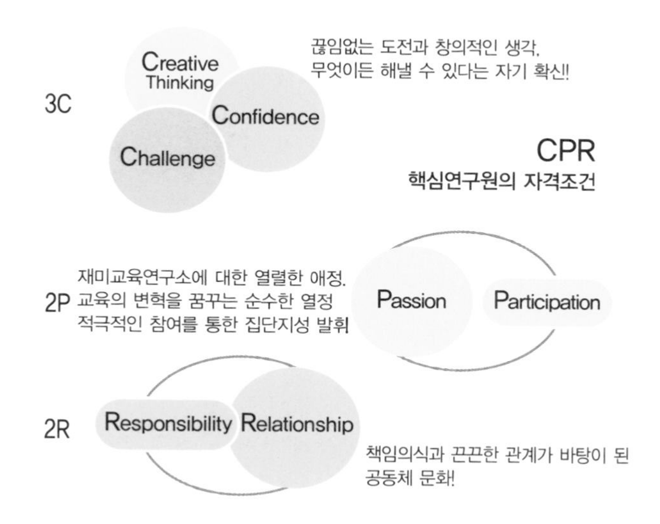

연구원들은 잼랩의 구성원이기에 앞서 각자 자신의 삶의 터전이 있는 어엿한 직업인이기도 하다. 이들은 자신의 소중한 시간과 경제적인 부담을 감수하면서 자발적인 참여를 지속하고 있다. 잼랩의 모든 활동은 연구원들에게 창의적인 생산성을 끊임없이 요구한다. 특히 재미와 게임으로 빚어낸 프로젝트학습을 팀별 혹은 개별로 구현하다보면, 자연스레 연구원들의 역량 강화로 이어지기 마련이다. 단, 이 과정에서 'CPR'이라는 핵심연구원의 자격조건이 기본적인 전제가 된다. 'CPR'을 갖추지 못한 사람은 잼랩의 문화에 빠져들 수가 없다. 진지한 재미로 가슴 뛰는 교육세상을 만들고자 하는 잼랩의 시도들, 그 밑바탕엔 CPR(일반적으로 심폐소생술을 의미한다)로 무장한 연구원들이 있다. 지금 이 순간도 다채로운 잼공들이 이들에 의해 만들어지고 있다. 잼랩의 구성원들이 써 내려가는 작지만 의미 있는 도전의 역사는 앞으로도 쭉 계속될 것이다.

"잼랩의 일은 진지한 놀이다!"

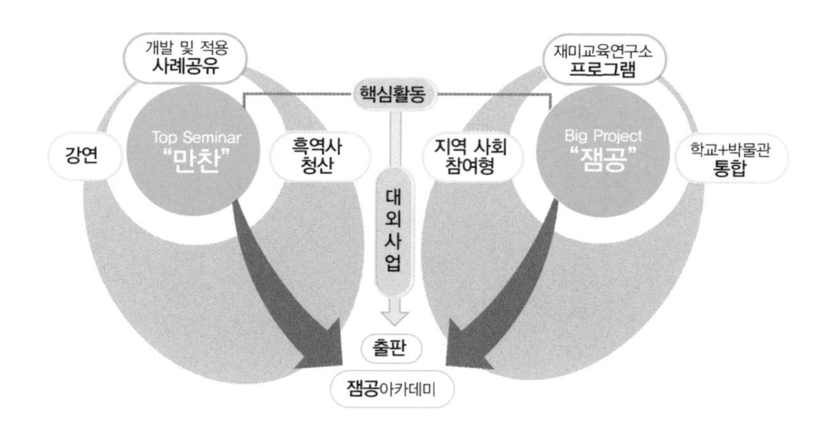

진지한 재미에 빠지면 노력을 앞세우지 않더라도 놀라운 생산성을 보여주기 마련이다. 그래서 잼랩에서 벌이는 일은 늘 창조적인 사고를 기반으로 한 진지한 놀이, 그 자체다. 만약 어떤 일이 노력만이 요구될 정도로 심각해지거나 엄숙해지게 되면 가던 길을 멈추고, 원점부터 다시 시작하는 것도 주저하지 않을 거다. 놀이엔 실패란 없는 법이다. 모든 과정이 소중하고 아름다운 경험일 뿐이다. 그렇기에 잼랩의 문화 속엔 다르게 생각하고 새롭게 접근하는 모든 도전들이 언제나 환영받는다. 여기엔 '만찬'과 '잼공'이라는 잼랩만의 특별한 놀이터가 있어서 가능하다. 전문분야도 교육현장도 출발점도 각기 다른 사람들이 모였지만 잼랩이라는 '매직서클(magic circle)'안에 너나할 것 없이 푹 빠져 지내고 있다.

"잼랩의 공식적인 창을 만들다!"

2015년 3월 28일, 잼랩과 상상채널이 MOU를 체결했다. 잼랩에서 생산한 다양한 저작물과 사례들이 앞으로 상상채널을 통해 지속적으로 출판될 예정이다. 아울러 잼랩의 온라인 연수과정(30시간)도 에듀니티 행복한 연수원(happy.eduniety.net)에 개설되어 있다. 재미와 게임으로 빚어낸 신나는 프로젝트학습에 관한 생생한 이야기들이 듬뿍 담겨 있다. 잼렵 커뮤니티(cafe.naver.com/jaemiedu)에서도 연구소의 다양한 소식을 전하고 있으니. 새로운 교육을 향한 갈망, 열정으로 똘똘 뭉친 사람들 간의 활발한 교류의 장이 되어주길 바란다. 아무쪼록 자, 그럼 이 책을 통해 잼랩과 함께 잼공할 준비를 해보는 것은 어떨까. 마음이 움직인다면 과감히 실천으로 옮겨보자.

참고문헌

- 강인애. (1997). 왜 구성주의인가? :정보화시대와 학습자 중심의 교육환경. 서울: 문음사.
- 강인애. (1999). 구성주의의 또 다른 교수-학습모형: PBL을 중심으로. 조용기 외(공저) 구성주의 교육학. 서울: 교육과학사.
- 강인애. (2003). *우리시대의 구성주의*. 서울: 문음사.
- 강인애. (2004). e-PBL의 제2막: 인지적, 감성적, 사회적 측면의 통합적 학습효과. 한국교육정보미디어학회, 춘계학술대회자료집, 23-40.
- 강인애, 정준환, 정득년. (2007). PBL의 실천적 이해. 서울: 문음사.
- 강인애, 정준환, 서봉현, 정득년. (2011). 교실속 즐거운 변화를 꿈꾸는 프로젝트 학습. 서울: 상상채널.
- 정준환. (2015). 재미와 게임으로 빚어낸 신나는 프로젝트학습. 서울: 상상채널.
- 정준환. (2018). 셀프프로젝트학습 잼공노트북 Lv.1. 서울: 상상채널
- 정준환. (2018). 부모, 프로젝트학습에서 답을 찾다. 서울: 상상채널
- 정준환. (2018). 설레는 수업, 프로젝트학습 PBL 달인되기 2: 진수. 서울: 상상채널
- 정준환, 강인애. (2012). 학습의 재미에 대한 개념적 탐색을 통한 재미발생구조 도출. 학습자중심교과교육연구, 12(3), 479-505.
- 정준환, 강인애. (2013). PBL에 나타난 학습의 재미요소 추출과 상호관계에 관한 연구. 교육방법연구, 25(1), 147-170.
- 정준환, 강인애. (2013). 학습자 관점에서 드러난 PBL의 재미요소에 대한 질적 연구. 학습자중심교과교육연구, 13(3), 291-324.

- Alavi, C. (Ed). (1995). *Problem-based learning in a health sciences curriculum*. NY: Routledge.
- Atkinson, P. (1992). *Understanding ethnographic texts*. Newbury Park, CA: Sage.
- Bamberger, J. (1991). 'The laboratory for making things: developing multiple representations of knowledge', In Schön, D. A. (Eds.) *The reflective turn - case studies in and on educational practice*, New York: Teachers Press, Columbia University, 37-62.
- Barrows, H. (1994). *Practice-based learning: Problem-based learning applied to medical education.* Springfield, IL: Southern Illinois University School of Medicine.
- Barrett, L. F., Russell, J. (1999) The Structure of Current Affect: Controversies and Emerging Consensus, *American Psychological Society,* 8(1), 10-14.
- Bernard, D. (2008). *Social bridge with serious fun.* Philadelphia: Trans-Atlantic.
- Bonk, J., Cunningham, D. (1998). Searching for learner-centered, constructivist, and

sociocultural components of collaborative educational learning tools. In J. Bonk & K. King (Eds.), *Electronic collaborators: Learner-centered technologies for literacy, apprenticeship, and discourse* (pp.25–50). Hillscale, NJ: Lawrence Erlbaum Associates Publishers.

◆ Csikszentmihalyi, M. (1990). Flow : *The psychology of optimal experience*, New York: Haper & Row.

◆ Csikszentmihalyi, M. (1996). *Creativity: Flow and the psychology of discovery and invention*. New York: Harper Collins.

◆ Dewey, J. (1913). *Interest and effort in education*. NY: Houghton Mifflin Company.

◆ Dewey, J. (1938). *Logic: The theory of inquiry*. Troy, MN: Rinehart and Winston.

◆ Duffy, T., Jonassen, D. (1992). *Constructivism and the technology of instruction: A conversation*. NJ: Lawrence Erlbaum Associates.

◆ Fosnot, C. T. (1995). 구성주의 이론, 관점, 그리고 실제, 조부경외 3인 역(2001), 서울: 양서원.

◆ Gardner, H. (1984). *Assessing intelligences:* A comment on "Testing intelligence Without IQ tests" by R. J. Sternberg. *Phi Delta kappan, 65*, 699–700.

◆ Huizinga, J. (1955). *Homo ludens; a study of the play-element in culture*. Boston: Beacon Press.

◆ Jonassen, D. H. (1991). Evaluating constructivist learning. *Educational Technology, 36 (9)*, 28–33.

◆ Jonassen, D. H. (1994). Thinking technology. *Educational Technology, 34(4)*, 34–37.

◆ Jonassen, D. H. (1997). Instructional design model for well-structured and ill-structured problem-solving learning outcomes. *Educational Technology: Research and Development 45 (1)*, 65–95Kagan, J. (1972). Motives and development. *Journal of Personality and Social Psychology, 22*, 51–66.

◆ Kolb, D. (1984). *Experiential learning*. Englewood Cliffs, NJ: Prentice Hall.

◆ Kolb, B., Taylor, L. (2000). Facial expression, emotion, and hemispheric organization. In R. D. Lane, & L. Nadal (eds.), *Cognitive neuroscience ofeontion*. Oxford: Oxford Unicersity Press.

◆ Korthagen, F. A. J. (1985). Reflective teaching and preservice teacher education in the Netherlands. *Jounal of Teacher Education, 9(3)*, 317–326.

◆ Lave, J. (1988). *Cognition in practice : Mind, mathematics, and culture in everyday life*. Cambridge, England:: Cambridge University Press.

◆ Lave, J. & Wenger, E. (1989). *Situated learning: Legitimate peripheral participation*. NY: Cambridge University Press.

◆ Maturana, H., Varela, F. (1982). 인식의 나무, 최호영 역(1987), 서울: 자작아카데미.

◆ Piaget, J. (1952). *The origins of intelligence in children*. New York: W. W. Norton.

◆ Piaget, J. (1970). *Structuralism*. New York: Basic Books.

◆ Piaget, J. (1977). *Equilibration of cognitive structures*. New York: Viking.

◆ Piaget, J. (1981). *Intelligence and affectivity: Their relation during child development*. Palo

Alto, CA: Annual Reviews. (Originally published 1954)
◆ Schön, D. A. (1983). *The Reflective Practitioner: How Professionals Think in action.* NY: Basic Books, Inc., Publishers.
◆ Schön, D. A. (1987). *Educating The Reflective Practitioner : Toward a new design for teaching and learning in the professions.* San Francisco, CA: Jossey-Bass Publishers.
◆ von Glasersfeld, E. (1995). *Radical constructivism: A way of knowing and learning.* London: Falmer.

찾아보기

ㄷ

ㅁ

ㅂ

ㅅ

ㅇ

U

W

기타